여러분의 합격을 응원하는

해커스소방 별 혜택!

FREE 소방관계법규 **특강**

해커스소방(fire.Hackers.com) 접속 후 로그인 ▶ 상단의 [무료강좌 → 소방 무료강의] 클릭하여 이용

해커스소방 온라인 단과강의 **20% 할인쿠폰**

B2796ACC936F99C4

해커스소방(fire.Hackers.com) 접속 후 로그인 ▶ 상단의 [내강의실] 클릭 ▶
좌측의 [인강 → 결제관리 → 쿠폰 확인] 클릭 ▶ 위 쿠폰번호 입력 후 이용

* 등록 후 7일간 사용 가능(ID당 1회에 한해 등록 가능)

해커스소방 무제한 수강상품(패스) **5만원 할인쿠폰**

B5F5A4AEA996C2C5

해커스소방(fire.Hackers.com) 접속 후 로그인 ▶ 상단의 [내강의실] 클릭 ▶
좌측의 [인강 → 결제관리 → 쿠폰 확인] 클릭 ▶ 위 쿠폰번호 입력 후 이용

* 등록 후 7일간 사용 가능(ID당 1회에 한해 등록 가능)
* 특별 할인상품 적용 불가

쿠폰 이용 관련 문의 **1588-4055**

단기 합격을 위한
해커스 커리큘럼

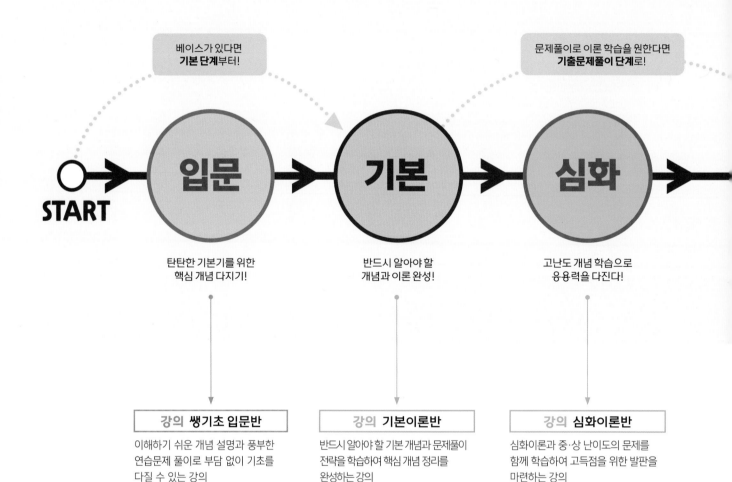

START

베이스가 있다면 **기본 단계부터!**

문제풀이로 이론 학습을 원한다면 **기출문제풀이 단계**로!

입문
탄탄한 기본기를 위한
핵심 개념 다지기!

기본
반드시 알아야 할
개념과 이론 완성!

심화
고난도 개념 학습으로
응용력을 다진다!

강의 쌩기초 입문반

이해하기 쉬운 개념 설명과 풍부한
연습문제 풀이로 부담 없이 기초를
다질 수 있는 강의

강의 기본이론반

반드시 알아야 할 기본 개념과 문제풀이
전략을 학습하여 핵심 개념 정리를
완성하는 강의

강의 심화이론반

심화이론과 중·상 난이도의 문제를
함께 학습하여 고득점을 위한 발판을
마련하는 강의

단계별 교재 확인 및
수강신청은 여기서!
fire.Hackers.com

* 커리큘럼은 과목별·선생님별로 상이할 수 있으며, 자세한 내용은 해커스소방 사이트에서 확인하세요.

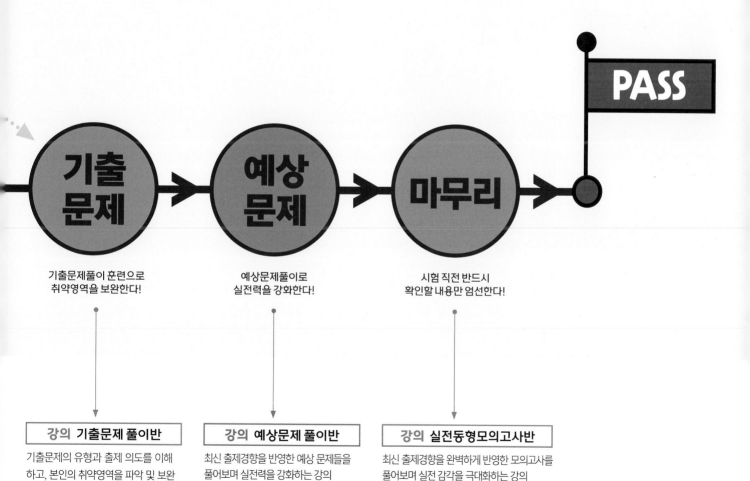

PASS

기출
문제

예상
문제

마무리

기출문제풀이 훈련으로
취약영역을 보완한다!

예상문제풀이로
실전력을 강화한다!

시험 직전 반드시
확인할 내용만 엄선한다!

강의 기출문제 풀이반

기출문제의 유형과 출제 의도를 이해
하고, 본인의 취약영역을 파악 및 보완
하는 강의

강의 예상문제 풀이반

최신 출제경향을 반영한 예상 문제들을
풀어보며 실전력을 강화하는 강의

강의 실전동형모의고사반

최신 출제경향을 완벽하게 반영한 모의고사를
풀어보며 실전 감각을 극대화하는 강의

강의 봉투모의고사반

시험 직전에 실제 시험과 동일한 형태의
모의고사를 풀어보며 실전력을 완성하는 강의

목표 점수 단번에 달성,
지텔프도 역시 해커스!

| 해커스 지텔프 교재 시리즈

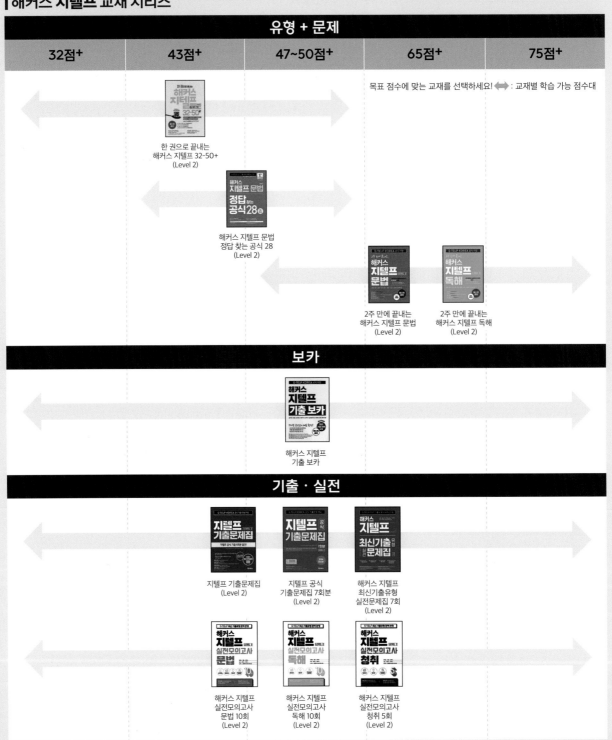

유형 + 문제				
32점+	43점+	47~50점+	65점+	75점+

목표 점수에 맞는 교재를 선택하세요! ◀▶ : 교재별 학습 가능 점수대

한 권으로 끝내는
해커스 지텔프 32-50+
(Level 2)

해커스 지텔프 문법
정답 찾는 공식 28
(Level 2)

2주 만에 끝내는
해커스 지텔프 문법
(Level 2)

2주 만에 끝내는
해커스 지텔프 독해
(Level 2)

보카

해커스 지텔프
기출 보카

기출 · 실전

지텔프 기출문제집
(Level 2)

지텔프 공식
기출문제집 7회분
(Level 2)

해커스 지텔프
최신기출유형
실전문제집 7회
(Level 2)

해커스 지텔프
실전모의고사
문법 10회
(Level 2)

해커스 지텔프
실전모의고사
독해 10회
(Level 2)

해커스 지텔프
실전모의고사
청취 5회
(Level 2)

해커스소방

김정희
소방관계법규

기본서 | 2

해커스소방

"포기하지 않으면
반드시 꿈은 이루어집니다."

반갑습니다. 수험생 여러분!!!
해커스소방에서 소방관계법규와 소방학개론을 강의하는 김정희입니다.

1. 소방학개론 · 소방관계법규는 하나의 과목입니다.

소방학개론 및 소방관계법규의 상관성을 최대한 활용하라!!!
소방관계법규는 소방학개론의 근간을 이루는 학문입니다. 소방학개론의 소방시설, 위험물, 소화론 및 재난관리 등은 법규를 기본으로 한 분야로 상당히 밀접한 관계를 갖고 있습니다. 또한 소방용어와 개념이 서로가 유기적인 관계를 갖고 있으므로 이를 극대화할 수 있는 학습전략이 기본입니다.

2. 시험장에서는 'INPUT'이 아니라 'OUTPUT'의 과정인 것을 기억하여야 합니다.

결국 시험의 승패는 시험장에서 결정됩니다. 시험을 위한 준비는 입력하는 행위(INPUT)라기보다 학습한 내용을 출력해 내는 행위(OUTPUT)라 할 수 있습니다. 학습은 전략적 'INPUT'을 통한 순조로운 'OUTPUT'이 될 수 있도록 하는 것이 가장 중요합니다. 'OUTPUT'을 고려하지 않고 입력하는 데에만 집중하면 시험장에서 무용지물이 될 내용들만을 힘들게 학습하게 됩니다. 특히 소방관계법규의 경우 거의 모든 것이 Text로 구성된 법조문입니다. Text로 되어 있는 법조문은 시험장에서는 잘 'OUTPUT'되지 않습니다. 따라서 학습 효율을 높이기 위하여 'OUTPUT'이 용이한 콘텐츠로 본 교재를 구성하였습니다. 간결한 표와 [정희's 톡talk]의 개념은 수험생 여러분을 처음엔 분명히 놀랍게 할 것이고, 시험을 보고난 후에는 감탄하게 될 것임을 자신합니다.

3. 양질의 콘텐츠를 통해 보다 재미있게 학습할 수 있습니다.

법규 과목의 경우 모든 내용의 핵심은 법조문입니다. 줄글로 이루어진 법조문을 이해하는 데 많은 어려움을 겪는 학생들을 보며 '법조문을 도식화하여 법의 체계를 전달한다면 보다 쉽게 법의 취지와 개념을 전달할 수 있지 않을까?'라는 생각을 시작으로 지금의 교재를 구성하였습니다. 수험생에게 멋진 강의를 할 수 있는 선생님을 찾는 것도 중요하지만 양질의 콘텐츠가 담긴 수험서를 보고 결정하는 것도 상당히 중요합니다.

소방관계법규 시험의 모든 문제를 대비할 수 있도록 정리된 이 기본서 한 권을 통해 전문과목의 중요도가 높아진 소방공무원 시험을 완벽하게 대비할 수 있을 것입니다.

어떻게 학습해야 할까요?

소방관계법규 과목은 법조문뿐만 아니라 시행령, 시행규칙의 별표 내용까지 학습해야 하기 때문에 많은 수험생들이 어려움을 느낍니다. 줄글 형태의 조문을 다회독하더라도 무엇이 중요한 내용인지 눈에 잘 들어오지 않고, 어떤 부분이 중요한 포인트인지 파악하기가 쉽지 않습니다. 이러한 어려움을 조금이나마 덜어줄 수 있도록 이 교재의 활용법을 공개합니다!

1. [PREVIEW]를 통해 교재를 한눈에 살펴보기

소방관계법규를 학습하기 전 [PREVIEW]를 통해 각 대단원 별로 어떤 내용들이 나오는지 거시적으로 파악하고, A ~ D 4점 척도로 정리된 중요도를 확인해보세요! 목차보다 세분화된 내용들을 통해 1차적으로 본문의 내용을 살펴보며 머릿속으로 나만의 체계도를 그려보는 과정입니다.

2. 본문 내용을 세부적으로 채워 나가기

[PREVIEW] 페이지를 통해 어느 정도 대략적인 내용이 파악이 되었다면 그 안에 더 세부적으로 내용을 채워가는 과정이 필요해요. 본문은 법조문과 조문 관련 내용, 관계법규(시행령, 시행규칙)로 페이지를 구성하여 각 조를 최대한 1페이지 또는 2페이지 안에서 관련 내용을 확인할 수 있도록 하였습니다.

3. 밑줄 쫙! 강의에서 강조한 내용을 담은 [정희's 톡talk]

시험에 잘 나오는 내용 및 함정, 이해하기 어려운 내용들은 [정희's 톡talk]으로 정리하였습니다. 강의에서 설명하던 내용을 직접 교재에 담았으니, 강의 내용을 떠올리며 다시 한 번 복습한다면 머릿속에 오래오래 남을 거예요!

4. 원문을 통해 정확한 내용 확인하기

본문을 학습하면서 '한눈에 보는 법령집'에 수록된 6분법의 별표와 법/시행령/시행규칙 원문을 동시에 확인해보세요. 앞서 언급하였듯이 소방관계법규는 Text로 되어 있는 법조문을 학습하는 과목이므로, 법조문을 다양한 형태로 여러번 반복하여 학습하는 것이 중요합니다. 처음에는 막연하게 보였던 법조문이 기본서 회독을 거듭할수록 점점 눈에 들어올 거예요!

법은 학습해야 할 내용들이 많지만 한번 그 틀을 잘 잡아둔다면 나중에 여러분에게 높은 점수를 가져다줄 효자 과목이 되어 있을 것이니 우리 함께 소방관계법규를 정복해 봅시다! 화이팅!!

저자 *김정희*

목차

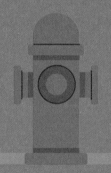

해커스소방 **김정희 소방관계법규** 기본서

제4편

소방의 화재조사에 관한 법률

해커스소방 학원 · 인강 fire.Hackers.com

PREVIEW

소방의 화재조사에 관한 법률

본문 내용을 중요도에 따라 A ~ D단계로 분류함으로써 학습 단계에 맞춰 중요 내용을 선별적으로 학습할 수 있습니다.

제1장 총칙

소방의 화재조사에 관한 법률
[시행 2022.6.9.][법률 제18204호, 2021.6.8., 제정]

소방의 화재조사에 관한 법률 시행령
[시행 2022.12.1.] [대통령령 제33005호, 2022.11.29., 타법개정]

소방의 화재조사에 관한 법률 시행규칙
[시행 2022.6.15.] [행정안전부령 제336호, 2022.6.15., 제정]

1 「소방의 화재조사에 관한 법률」의 목적   B

제1조【목적】 이 법은 화재예방 및 소방정책에 활용하기 위하여 화재원인, 화재성장 및 확산, 피해현황 등에 관한 과학적·전문적인 조사에 필요한 사항을 규정함을 목적으로 한다.

화재조사법은 다음을 그 목적으로 한다.
① 화재예방 및 소방정책에 활용하기 위함
② 화재원인, 화재성장 및 확산, 피해현황 등에 관한 과학적·전문적인 조사에 필요한 사항을 규정함

📖 SUMMARY 6개분법상 '목적'

구분	핵심내용	궁극적인 목적
소방기본법	·화재의 예방·경계·진압 ·화재, 재난·재해, 그 밖의 위급한 상황으로부터 구조·구급 활동 등 ·국민의 생명·신체 및 재산을 보호함	공공의 안녕 질서 유지 복리증진
화재예방법	·화재의 예방과 안전관리에 필요한 사항을 규정함 ·화재로부터 국민의 생명·신체 및 재산을 보호함	공공의 안전 복리증진
소방시설법	·특정소방대상물 등에 설치하여야 하는 소방시설등의 설치·관리와 소방용품 성능관리에 필요한 사항 규정 ·국민의 생명·신체 및 재산 보호	공공의 안전 복리증진
화재조사법	·화재예방 및 소방정책에 활용 ·화재원인, 화재성장 및 확산, 피해현황 등에 관한 과학적·전문적인 조사에 필요한 사항을 규정함	
소방시설 공사업법	·소방시설공사 및 소방기술 ·소방시설업 건전한 발전과 소방기술 진흥	화재로부터 공공의 안전 국민경제 이바지
위험물 안전관리법	·위험물의 저장·취급 및 운반과 안전관리사항 규정 ·위험물로 인한 위해 방지	공공의 안전

제2조【정의】① 이 법에서 사용하는 용어의 뜻은 다음과 같다.
　1. "화재"란 사람의 의도에 반하거나 고의 또는 과실에 의하여 발생하는 연소 현상
　　으로서 소화할 필요가 있는 현상 또는 사람의 의도에 반하여 발생하거나 확대된
　　화학적 폭발현상을 말한다.
　2. "화재조사"란 소방청장, 소방본부장 또는 소방서장이 화재원인, 피해상황, 대응
　　활동 등을 파악하기 위하여 자료의 수집, 관계인등에 대한 질문, 현장 확인, 감식,
　　감정 및 실험 등을 하는 일련의 행위를 말한다.
　3. "화재조사관"이란 화재조사에 전문성을 인정받아 화재조사를 수행하는 소방공
　　무원을 말한다.
　4. "관계인등"이란 화재가 발생한 소방대상물의 소유자·관리자 또는 점유자(이하
　　"관계인"이라 한다) 및 다음 각 목의 사람을 말한다.
　　가. 화재 현장을 발견하고 신고한 사람
　　나. 화재 현장을 목격한 사람
　　다. 소화활동을 행하거나 인명구조활동(유도대피 포함)에 관계된 사람
　　라. 화재를 발생시키거나 화재발생과 관계된 사람
② 이 법에서 사용하는 용어의 뜻은 제1항에서 규정하는 것을 제외하고는 「소방기
본법」, 「화재예방, 소방시설 설치·유지 및 안전관리에 관한 법률」에서 정하는 바에
따른다.

(1) 화재

사람의 의도에 반하거나 고의 또는 과실에 의하여 발생하는 연소 현상으로서 소화
할 필요가 있는 현상 또는 사람의 의도에 반하여 발생하거나 확대된 화학적 폭발현상
을 말한다.
① 사람의 의도에 반하여 발생한 연소 현상으로서 소화할 필요가 있는 현상
② 고의에 의하여 발생한 연소 현상으로서 소화할 필요가 있는 현상
③ 과실에 의하여 발생한 연소 현상으로서 소화할 필요가 있는 현상
④ 사람의 의도에 반하여 발생하거나 확대된 화학적 폭발현상

(2) 화재조사

소방청장, 소방본부장 또는 소방서장이 화재원인, 피해상황, 대응활동 등을 파악하
기 위하여 자료의 수집, 관계인등에 대한 질문, 현장 확인, 감식, 감정 및 실험 등을
하는 일련의 행위를 말한다.

(3) 화재조사관

화재조사에 전문성을 인정받아 화재조사를 수행하는 소방공무원을 말한다.

✎ 핵심기출

화재조사법에 관한 내용으로 옳지 않은 것은?
23.경채

① 소방공무원과 경찰공무원은 화재조사에
　필요한 증거물의 수집 및 보존에 관한 사
　항에 대하여 서로 협력하여야 한다.
② 소방관서장은 화재조사 결과의 공표 시
　수사가 진행 중이거나 수사의 필요성이
　인정되는 경우에는 관계 수사기관의 장과
　공표 여부에 관하여 사전에 협의하여야
　한다.
③ 화재조사를 하는 화재조사관은 관계인의
　정당한 업무를 방해하거나 화재조사를 수
　행하면서 알게 된 비밀을 다른 용도로 사
　용하거나 다른 사람들에게 누설하여서는
　아니 된다.
④ 소방청장, 소방본부장 또는 소방서장이 화
　재원인, 피해상황, 대응활동 등을 파악하
　기 위하여 자료의 수집, 감정 및 실험을 하
　는 행위는 화재조사에 포함되지 않는다.

정답 ④

(4) 관계인등

화재가 발생한 소방대상물의 소유자·관리자 또는 점유자(이하 "관계인"이라 한다) 및 다음의 사람을 말한다.

① 화재 현장을 발견하고 신고한 사람

② 화재 현장을 목격한 사람

③ 소화활동을 행하거나 인명구조활동(유도대피 포함)에 관계된 사람

④ 화재를 발생시키거나 화재발생과 관계된 사람

3　국가 등의 책무　　　　　　　　C

제3조【국가 등의 책무】① 국가와 지방자치단체는 화재조사에 필요한 기술의 연구·개발 및 화재조사의 정확도를 향상시키기 위한 시책을 강구하고 추진하여야 한다.
② 관계인등은 화재조사가 적절하게 이루어질 수 있도록 협력하여야 한다.

(1) 국가와 지방자치단체의 책무

국가와 지방자치단체는 화재조사에 필요한 기술의 연구·개발 및 화재조사의 정확도를 향상시키기 위한 시책을 강구하고 추진하여야 한다.

(2) 관계인의 책무

관계인등은 화재조사가 적절하게 이루어질 수 있도록 협력하여야 한다.

4　다른 법률과의 관계　　　　　　　D

제4조【다른 법률과의 관계】화재조사에 관하여 다른 법률에 특별한 규정이 있는 경우를 제외하고는 이 법에서 정하는 바에 따른다.

제2장 화재조사의 실시 등

1 화재조사의 실시 A

제5조 【화재조사의 실시】 ① 소방청장, 소방본부장 또는 소방서장(이하 "소방관서장"이라 한다)은 화재발생 사실을 알게 된 때에는 지체 없이 화재조사를 하여야 한다. 이 경우 수사기관의 범죄수사에 지장을 주어서는 아니 된다.
② 소방관서장은 제1항에 따라 화재조사를 하는 경우 다음 각 호의 사항에 대하여 조사하여야 한다.
1. 화재원인에 관한 사항
2. 화재로 인한 인명·재산피해상황
3. 대응활동에 관한 사항
4. 소방시설등의 설치·관리 및 작동 여부에 관한 사항
5. 화재발생건축물과 구조물, 화재유형별 화재위험성 등에 관한 사항
6. 그 밖에 대통령령으로 정하는 사항
③ 제1항 및 제2항에 따른 화재조사의 대상 및 절차 등에 필요한 사항은 대통령령으로 정한다.

(1) 화재조사의 실시
① 소방청장, 소방본부장 또는 소방서장(이하 "소방관서장"이라 한다)은 화재발생 사실을 알게 된 때에는 지체 없이 화재조사를 하여야 한다.
② 이 경우 수사기관의 범죄수사에 지장을 주어서는 아니 된다.

(2) 조사내용
① 화재원인에 관한 사항
② 화재로 인한 인명·재산피해상황
③ 대응활동에 관한 사항
④ 소방시설등의 설치·관리 및 작동 여부에 관한 사항
⑤ 화재발생건축물과 구조물, 화재유형별 화재위험성 등에 관한 사항
⑥ 그 밖에 대통령령으로 정하는 사항: "대통령령으로 정하는 사항"이란 「화재의 예방 및 안전관리에 관한 법률」 제7조에 따른 화재안전조사의 실시 결과에 관한 사항을 말한다.

(3) 화재조사의 대상
① 「소방기본법」에 따른 소방대상물에서 발생한 화재
② 그 밖에 소방관서장이 화재조사가 필요하다고 인정하는 화재

(4) 화재조사의 절차
① **현장출동 중 조사**: 화재발생 접수, 출동 중 화재상황 파악 등
② **화재현장 조사**: 화재의 발화(發火)원인, 연소상황 및 피해상황 조사 등
③ **정밀조사**: 감식·감정, 화재원인 판정 등
④ 화재조사 결과 보고

✏️ **핵심기출**

화재조사법 시행령상 화재조사 절차로 옳지 않은 것은? 24. 경채
① 현장출동 중 조사
② 화재현장 조사
③ 사전조사
④ 정밀조사

정답 ③

시행령

제2조【화재조사의 대상】「소방의 화재조사에 관한 법률」(이하 "법"이라 한다) 제5조에 따라 소방청장, 소방본부장 또는 소방서장(이하 "소방관서장"이라 한다)이 화재조사를 실시해야 할 대상은 다음 각 호와 같다.
1. 「소방기본법」에 따른 소방대상물에서 발생한 화재
2. 그 밖에 소방관서장이 화재조사가 필요하다고 인정하는 화재

제3조【화재조사의 내용·절차】① 법 제5조 제2항 제6호에서 "대통령령으로 정하는 사항"이란 「화재의 예방 및 안전관리에 관한 법률」 제7조에 따른 화재안전조사의 실시 결과에 관한 사항을 말한다.
② 화재조사는 다음 각 호의 절차에 따라 실시한다.
1. 【 ① 】: 화재발생 접수, 출동 중 화재상황 파악 등
2. 화재현장 조사: 화재의 발화(發火)원인, 연소상황 및 【 ② 】 등
3. 정밀조사: 감식·감정, 화재원인 판정 등
4. 화재조사 결과 보고
③ 소방관서장은 화재조사를 하는 경우 「산림보호법」 제42조에 따른 산불 조사 등 다른 법률에 따른 화재 관련 조사가 원활히 수행될 수 있도록 협조해야 한다.

① 현장출동 중 조사 ② 피해상황 조사

2 화재조사전담부서의 설치·운영 등   A

제6조【화재조사전담부서의 설치·운영 등】① 소방관서장은 전문성에 기반하는 화재조사를 위하여 화재조사전담부서(이하 "전담부서"라 한다)를 설치·운영하여야 한다.
② 전담부서는 다음 각 호의 업무를 수행한다.
1. 화재조사의 실시 및 조사결과 분석·관리
2. 화재조사 관련 기술개발과 화재조사관의 역량증진
3. 화재조사에 필요한 시설·장비의 관리·운영
4. 그 밖의 화재조사에 관하여 필요한 업무
③ 소방관서장은 화재조사관으로 하여금 화재조사 업무를 수행하게 하여야 한다.
④ 화재조사관은 소방청장이 실시하는 화재조사에 관한 시험에 합격한 소방공무원 등 화재조사에 관한 전문적인 자격을 가진 소방공무원으로 한다.
⑤ 전담부서의 구성·운영, 화재조사관의 구체적인 자격기준 및 교육훈련 등에 필요한 사항은 대통령령으로 정한다.

(1) 화재조사전담부서의 설치·운영
① 소방관서장은 전문성에 기반하는 화재조사를 위하여 **화재조사전담부서**(이하 "전담부서"라 한다)를 설치·운영하여야 한다.
② **화재조사전담부서의 구성·운영**(영 제4조)
㉠ 소방관서장은 화재조사전담부서에 화재조사관을 **2명 이상** 배치해야 한다.

핵심기출

화재조사법 시행령상 화재조사전담부서에 배치해야 하는 화재조사관의 최소 기준인원으로 옳은 것은?   24. 경채
① 1명
② 2명
③ 3명
④ 4명

정답 ②

  ⓛ 전담부서에는 화재조사를 위한 감식·감정 장비 등 행정안전부령으로 정하
   는 장비와 시설을 갖추어 두어야 한다.
  ⓒ 제1항 및 제2항에서 규정한 사항 외에 전담부서의 구성·운영에 필요한 사
   항은 행정안전부령으로 정한다.

(2) 전담부서의 업무

① 화재조사의 실시 및 조사결과 분석·관리
② 화재조사 관련 기술개발과 화재조사관의 역량증진
③ 화재조사에 필요한 시설·장비의 관리·운영
④ 그 밖의 화재조사에 관하여 필요한 업무

(3) 화재조사관

소방관서장은 화재조사관으로 하여금 화재조사 업무를 수행하게 하여야 한다.

① 화재조사관의 자격기준 등(영 제5조): 화재조사 업무를 수행하는 화재조사관은
다음의 어느 하나에 해당하는 소방공무원으로 한다.

 ㉠ 소방청장이 실시하는 화재조사에 관한 시험에 합격한 소방공무원
 ㉡「국가기술자격법」에 따른 국가기술자격의 직무분야 중 화재감식평가 분야
  의 기사 또는 산업기사 자격을 취득한 소방공무원

② 화재조사에 관한 시험의 방법, 과목, 그 밖에 시험 시행에 필요한 사항은 행정
안전부령으로 정한다.

(4) 화재조사에 관한 시험(규칙 제4조)

① 소방청장이 화재조사에 관한 시험(이하 "자격시험"이라 한다)을 실시하는 경우
에는 시험의 과목·일시·장소 및 응시 자격·절차 등을 시험 실시 30일 전까지
소방청의 인터넷 홈페이지에 공고해야 한다.

② 자격시험에 응시할 수 있는 소방공무원의 자격 기준

 ㉠ 화재조사관 양성을 위한 전문교육을 이수한 사람
 ㉡ 국립과학수사연구원 또는 소방청장이 인정하는 외국의 화재조사 관련 기관에서
  8주 이상 화재조사에 관한 전문교육을 이수한 사람

③ 자격시험은 1차 시험과 2차 시험으로 구분하여 실시하며, 1차 시험에 합격한
사람만이 2차 시험에 응시할 수 있다.

④ 소방청장은 소방공무원에게 화재조사관 자격증을 발급해야 한다.

⑤ 소방청장은 자격시험에서 부정한 행위를 한 사람에 대해서는 그 시험을 정지
또는 무효로 하거나 합격을 취소한다.

(5) 화재조사관

화재조사관은 소방청장이 실시하는 화재조사에 관한 시험에 합격한 소방공무원
등 화재조사에 관한 전문적인 자격을 가진 소방공무원으로 한다.

(6) 위임규정

전담부서의 구성·운영, 화재조사관의 구체적인 자격기준 및 교육훈련 등에 필요
한 사항은 대통령령으로 정한다.

위원회 등의 구성

소방기본법
1. 소방기술민원센터: 센터장 포함 18명 이내
2. 소방박물관: 관장 1인, 부관장 1인, 운영
 위원회 7인 이내
3. 한국소방안전원: 원장 1명 포함한 9명 이
 내의 이사와 1명의 감사
4. 교육평가위원회: 위원장 1명 포함하여 9명
 이하의 위원
5. 손실보상심위위원회: 위원장 1명 포함하
 여 5명 이상 7명 이하의 위원

화재조사법
1. 화재조사전담부서: 화재조사관 2명 이상
 배치
2. 화재감정기관: 주된 기술인력 2명 이상,
 보조 기술인력 3명 이상

「소방기본법 시행령」제7조의6 소방안전교
육사 시행공고는 시험 시행일 90일 전까지입
니다.

(7) 화재조사에 관한 교육훈련(영 제6조)

① 화재조사관에 대한 교육훈련

    ㉠ 화재조사관 양성을 위한 전문교육

    ㉡ 화재조사관의 전문능력 향상을 위한 전문교육

    ㉢ 전담부서에 배치된 화재조사관을 위한 의무 보수교육

② 소방관서장은 필요한 경우 교육훈련을 다른 소방관서나 화재조사 관련 전문기관에 위탁하여 실시할 수 있다.

③ 제1항 및 제2항에서 규정한 사항 외에 화재조사에 관한 교육훈련에 필요한 사항은 행정안전부령으로 정한다.

(8) 화재조사관 양성을 위한 전문교육의 내용 등(규칙 제5조)

① 전문교육의 내용

    ㉠ 화재조사 이론과 실습

    ㉡ 화재조사 시설 및 장비의 사용에 관한 사항

    ㉢ 주요 · 특이 화재조사, 감식 · 감정에 관한 사항

    ㉣ 화재조사 관련 정책 및 법령에 관한 사항

    ㉤ 그 밖에 소방청장이 화재조사 관련 전문능력의 배양을 위해 필요하다고 인정하는 사항

② 전담부서에 배치된 화재조사관은 **의무 보수교육을 2년마다 받아야 한다.** 다만, 전담부서에 배치된 후 처음 받는 의무 보수교육은 배치 후 1년 이내에 받아야 한다.

③ 소방관서장은 의무 보수교육을 이수하지 않은 사람에게 보수교육을 이수할 때까지 화재조사 업무를 수행하게 해서는 안 된다.

④ 제1항부터 제3항까지에서 규정한 사항 외에 화재조사에 관한 교육훈련에 필요한 사항은 소방청장이 정한다.

(9) 전담부서에 갖추어야 할 장비와 시설

① 기록용 기기(13종)

② 감식기기(16종)

③ 감정용기기(21종)

④ 조명기기(5종)

⑤ 안전장비(8종)

⑥ 증거 수집 장비(6종)

⑦ 화재조사 차량(2종)

⑧ 보조장비(6종)

⑨ **화재조사 분석실**: 화재조사 분석실의 구성장비를 유효하게 보존 · 사용할 수 있고, 환기 시설 및 수도 · 배관시설이 있는 **30제곱미터(m²) 이상의 실(室)**

⑩ 화재조사 분석실 구성장비(10종)

시행령	시행규칙
제4조【화재조사전담부서의 구성·운영】 ① 소방관서장은 법 제6조 제1항에 따른 화재조사전담부서(이하 "전담부서"라 한다)에 화재조사관을 2명 이상 배치해야 한다. ② 전담부서에는 화재조사를 위한 감식·감정 장비 등 행정안전부령으로 정하는 장비와 시설을 갖추어 두어야 한다. ③ 제1항 및 제2항에서 규정한 사항 외에 전담부서의 구성·운영에 필요한 사항은 행정안전부령으로 정한다.	**제2조【화재조사 결과의 보고】** ①「소방의 화재조사에 관한 법률」(이하 "법"이라 한다) 제6조 제1항에 따른 화재조사전담부서(이하 "전담부서"라 한다)가 화재조사를 완료한 경우에는 화재조사 결과를 소방청장, 소방본부장 또는 소방서장(이하 "소방관서장"이라 한다)에게 보고해야 한다. ② 제1항에 따른 보고는 소방청장이 정하는 화재발생종합보고서에 따른다. **제3조【전담부서의 장비·시설】**「소방의 화재조사에 관한 법률 시행령」(이하 "영"이라 한다) 제4조 제2항에서 "화재조사를 위한 감식·감정 장비 등 행정안전부령으로 정하는 장비와 시설"이란 별표의 장비와 시설을 말한다.
제5조【화재조사관의 자격기준 등】 ① 법 제6조 제3항에 따라 화재조사 업무를 수행하는 화재조사관은 다음 각 호의 어느 하나에 해당하는 소방공무원으로 한다. 1.【 ① 】이 실시하는 화재조사에 관한 시험에 합격한 소방공무원 2.「국가기술자격법」에 따른 국가기술자격의 직무분야 중 화재감식평가 분야의 기사 또는 산업기사 자격을 취득한 소방공무원 ② 제1항 제1호의 화재조사에 관한 시험의 방법, 과목, 그 밖에 시험 시행에 필요한 사항은 행정안전부령으로 정한다.	**제4조【화재조사에 관한 시험】** ① 소방청장이 영 제5조 제1항 제1호의 화재조사에 관한 시험(이하 "자격시험"이라 한다)을 실시하는 경우에는 시험의 과목·일시·장소 및 응시 자격·절차 등을 시험 실시 30일 전까지 소방청의 인터넷 홈페이지에 공고해야 한다. ② 자격시험에 응시할 수 있는 사람은 소방공무원 중 다음 각 호의 어느 하나에 해당하는 사람으로 한다. 1. 영 제6조 제1항 제1호의 화재조사관 양성을 위한 전문교육을 이수한 사람 2. 국립과학수사연구원 또는 소방청장이 인정하는 외국의 화재조사 관련 기관에서【 ① 】이상 화재조사에 관한 전문교육을 이수한 사람 ③ 자격시험은 1차 시험과 2차 시험으로 구분하여 실시하며, 1차 시험에 합격한 사람만이 2차 시험에 응시할 수 있다. ④ 소방청장은 영 제5조 제1항 각 호의 소방공무원에게 별지 제1호 서식의 화재조사관 자격증을 발급해야 한다. ⑤ 소방청장은 자격시험에서 부정한 행위를 한 사람에 대해서는 그 시험을 정지 또는 무효로 하거나 합격을 취소한다.
① 소방청장	① 8주

시행령	시행규칙
제6조【화재조사에 관한 교육훈련】 ① 소방관서장은 다음 각 호의 구분에 따라 화재조사관에 대한 교육훈련을 실시한다. 1. 화재조사관 양성을 위한 전문교육 2. 화재조사관의 전문능력 향상을 위한 전문교육 3. 전담부서에 배치된 화재조사관을 위한 의무 보수교육 ② 소방관서장은 필요한 경우 제1항에 따른 교육훈련을 다른 소방관서나 화재조사 관련 전문기관에 위탁하여 실시할 수 있다. ③ 제1항 및 제2항에서 규정한 사항 외에 화재조사에 관한 교육훈련에 필요한 사항은 행정안전부령으로 정한다.	**제5조【화재조사에 관한 교육훈련】** ① 영 제6조 제1항 제1호의 화재조사관 양성을 위한 전문교육의 내용은 다음 각 호와 같다. 1. 화재조사 이론과 실습 2. 화재조사 시설 및 장비의 사용에 관한 사항 3. 주요·특이 화재조사, 감식·감정에 관한 사항 4. 화재조사 관련 정책 및 법령에 관한 사항 5. 그 밖에 소방청장이 화재조사 관련 전문능력의 배양을 위해 필요하다고 인정하는 사항 ② 전담부서에 배치된 화재조사관은 영 제6조 제1항 제3호의 의무 보수교육을 2년마다 받아야 한다. 다만, 전담부서에 배치된 후 처음 받는 의무 보수교육은 배치 후 1년 이내에 받아야 한다. ③ 소방관서장은 제2항에 따라 의무 보수교육을 이수하지 않은 사람에게 보수교육을 이수할 때까지 화재조사 업무를 수행하게 해서는 안 된다. ④ 제1항부터 제3항까지에서 규정한 사항 외에 화재조사에 관한 교육훈련에 필요한 사항은 소방청장이 정한다.

구분	카메라	현미경 등
기록용 기기	디지털카메라(DSLR)세트, 비디오카메라세트, 3D카메라(AR)	
감식 기기	적외선열상카메라	절연저항계, 산업용실체현미경, 확대경, 휴대용디지털현미경, 내시경현미경
감정 기기	고속카메라세트	금속현미경, 주사전자현미경

화재조사법 및 같은 법 시행규칙상 화재조사전담부서에서 갖추어야 할 장비와 시설 중 감식기기(16종)에 해당하지 않는 것은?

23. 경채

① 금속현미경
② 절연저항계
③ 내시경현미경
④ 휴대용디지털현미경

정답 ①

📖 **SUMMARY** 전담부서에 갖추어야 할 장비와 시설(제3조 관련) - 「소방의 화재조사에 관한 법률 시행규칙」

구분	기자재명 및 시설규모
발굴용구 (8종)	공구세트, 전동 드릴, 전동 그라인더(절삭·연마기), 전동 드라이버, 이동용 진공청소기, 휴대용 열풍기, 에어컴프레서(공기압축기), 전동 절단기
기록용 기기 (13종)	디지털카메라(DSLR)세트, 비디오카메라세트, TV, 적외선거리측정기, 디지털온도·습도측정시스템, 디지털풍향풍속기록계, 정밀저울, 버니어캘리퍼스(아들자가 달려 두께나 지름을 재는 기구), 웨어러블캠, 3D스캐너, 3D카메라(AR), 3D캐드시스템, 드론
감식기기 (16종)	절연저항계, 멀티테스터기, 클램프미터, 정전기측정장치, 누설전류계, 검전기, 복합가스측정기, 가스(유증)검지기, 확대경, 산업용실체현미경, 적외선영상카메라, 접지저항계, 휴대용디지털현미경, 디지털탄화심도계, 슈미트해머(콘크리트 반발 경도 측정기구), 내시경현미경
감정용 기기 (21종)	가스크로마토그래피, 고속카메라세트, 화재시뮬레이션시스템, X선 촬영기, 금속현미경, 시편(試片)절단기, 시편성형기, 시편연마기, 접점저항계, 직류전압전류계, 교류전압전류계, 오실로스코프(변화가 심한 전기현상의 파형을 눈으로 관찰하는 장치), 주사전자현미경, 인화점측정기, 발화점측정기, 미량융점측정기, 온도기록계, 폭발압력측정기세트, 전압조정기(직류, 교류), 적외선 분광광도계, 전기단락흔실험장치[1차 용융흔(鎔融痕), 2차 용융흔(鎔融痕), 3차 용융흔(鎔融痕) 측정 가능]
조명기기 (5종)	이동용 발전기, 이동용 조명기, 휴대용 랜턴, 헤드랜턴, 전원공급장치(500A 이상)
안전장비 (8종)	보호용 작업복, 보호용 장갑, 안전화, 안전모(무전송수신기 내장), 마스크(방진마스크, 방독마스크), 보안경, 안전고리, 화재조사 조끼
증거 수집 장비 (6종)	증거물수집기구세트(핀셋류, 가위류 등), 증거물보관세트(상자, 봉투, 밀폐용기, 증거수집용 캔 등), 증거물 표지세트(번호, 스티커, 삼각형 표지 등), 증거물 태그 세트(대, 중, 소), 증거물보관장치, 디지털증거물저장장치
화재조사 차량 (2종)	화재조사 전용차량, 화재조사 첨단 분석차량(비파괴 검사기, 산업용 실체현미경 등 탑재)
보조장비 (6종)	노트북컴퓨터, 전선 릴, 이동용 에어컴프레서, 접이식 사다리, 화재조사 전용 의복(활동복, 방한복), 화재조사용 가방
화재조사 분석실	화재조사 분석실의 구성장비를 유효하게 보존·사용할 수 있고, 환기시설 및 수도·배관시설이 있는 30제곱미터(㎡) 이상의 실(室)
화재조사 분석실 구성장비(10종)	증거물보관함, 시료보관함, 실험작업대, 바이스(가공물 고정을 위한 기구), 개수대, 초음파세척기, 실험용 기구류(비커, 피펫, 유리병 등), 건조기, 항온항습기, 오토 데시케이터(물질 건조, 흡습성 시료 보존을 위한 유리 보존기)

▶ 비고

1. 위 표에서 화재조사 차량은 탑승공간과 장비 적재공간이 구분되어 주요 장비의 적재·활용이 가능하고, 차량 내부에 기초 조사사무용 테이블을 설치할 수 있는 차량을 말한다.

2. 위 표에서 화재조사 전용 의복은 화재진압대원, 구조대원 및 구급대원의 의복과 구별이 가능하고, 화재조사 활동에 적합한 기능을 가진 것을 말한다.

3. 위 표에서 화재조사용 가방은 일상적인 외부 충격으로부터 가방 내부의 장비 및 물품이 손상되지 않을 정도의 강도를 갖춘 재질로 제작되고, 휴대가 간편한 가방을 말한다.
4. 위 표에서 화재조사 분석실의 면적은 청사 공간의 효율적 활용을 위하여 불가피한 경우 최소 기준 면적의 절반 이상에 해당하는 면적으로 조정할 수 있다.

3 화재합동조사단의 구성·운영   B

제7조【화재합동조사단의 구성·운영】① 소방관서장은 사상자가 많거나 사회적 이목을 끄는 화재 등 대통령령으로 정하는 대형화재 등이 발생한 경우 종합적이고 정밀한 화재조사를 위하여 유관기관 및 관계 전문가를 포함한 화재합동조사단을 구성·운영할 수 있다.
② 제1항에 따른 화재합동조사단의 구성과 운영 등에 필요한 사항은 대통령령으로 정한다.

(1) 화재합동조사단의 구성·운영
① 구성·운영권자: 소방관서장
② 목적: 사상자가 많거나 사회적 이목을 끄는 화재 등 대통령령으로 정하는 대형화재 등이 발생한 경우 종합적이고 정밀한 화재조사를 위함

(2) 위임규정
화재합동조사단의 구성과 운영 등에 필요한 사항은 대통령령으로 정한다.

(3) 사상자가 많거나 사회적 이목을 끄는 화재 등 대통령령으로 정하는 대형화재(영 제7조 제1항)
① 사망자가 5명 이상 발생한 화재
② 화재로 인한 사회적·경제적 영향이 광범위하다고 소방관서장이 인정하는 화재

(4) 화재합동조사단의 단원 자격 기준(영 제7조 제2항)
① 화재조사관
② 화재조사 업무에 관한 경력이 3년 이상인 소방공무원
③ 「고등교육법」 제2조에 따른 학교 또는 이에 준하는 교육기관에서 화재조사, 소방 또는 안전관리 등 관련 분야 조교수 이상의 직에 3년 이상 재직한 사람
④ 「국가기술자격법」에 따른 국가기술자격의 직무분야 중 안전관리 분야에서 산업기사 이상의 자격을 취득한 사람
⑤ 그 밖에 건축·안전 분야 또는 화재조사에 관한 학식과 경험이 풍부한 사람

 정희's 톡talk

「소방기본법 시행령」 제7조의5(시험위원 등) 제1항 제2호
소방관련학과, 교육학과 또는 응급구조학과에서 조교수 이상으로 2년 이상 재직한 자

(5) 화재합동조사단의 구성·운영 등(영 제7조)

① 화재합동조사단의 단장은 단원 중에서 **소방관서장**이 지명하거나 위촉하는 사람이 된다.

② 소방관서장은 화재합동조사단 운영을 위하여 관계 행정기관 또는 기관·단체의 장에게 소속 공무원 또는 소속 임직원의 파견을 요청할 수 있다.

③ 화재조사 결과 보고 사항

　㉠ 화재합동조사단 운영 개요

　㉡ 화재조사 개요

　㉢ 화재조사에 관한 법 제5조 제2항 각 호의 사항

　㉣ 다수의 인명피해가 발생한 경우 그 원인

　㉤ 현행 제도의 문제점 및 개선 방안

　㉥ 그 밖에 소방관서장이 필요하다고 인정하는 사항

④ 수당·여비 등의 지급

　㉠ 소방관서장은 화재합동조사단의 단장 또는 단원에게 예산의 범위에서 수당·여비와 그 밖에 필요한 경비를 지급할 수 있다.

　㉡ 다만, 공무원이 소관 업무와 직접적으로 관련되어 참여하는 경우에는 지급하지 않는다.

⑤ 제1항부터 제6항까지에서 규정한 사항 외에 화재합동조사단의 구성·운영에 필요한 사항은 **소방청장**이 정한다.

정희's 톡talk

⑤의 "소방청장이 정한다."
「화재조사 보고규정」에서 규정합니다.

👆 관계법규 화재합동조사단의 구성·운영

시행령

제7조【화재합동조사단의 구성·운영】 ① 법 제7조 제1항에서 "사상자가 많거나 사회적 이목을 끄는 화재 등 대통령령으로 정하는 대형화재"란 다음 각 호의 화재를 말한다.

1. 사망자가 【 ① 】 이상 발생한 화재
2. 화재로 인한 사회적·경제적 영향이 광범위하다고 소방관서장이 인정하는 화재

② 법 제7조 제1항에 따른 화재합동조사단(이하 "화재합동조사단"이라 한다)의 단원은 다음 각 호의 어느 하나에 해당하는 사람 중에서 소방관서장이 임명하거나 위촉한다.

1. 화재조사관
2. 화재조사 업무에 관한 경력이 3년 이상인 소방공무원
3. 「고등교육법」 제2조에 따른 학교 또는 이에 준하는 교육기관에서 화재조사, 소방 또는 안전관리 등 관련 분야 조교수 이상의 직에 【 ② 】 이상 재직한 사람
4. 「국가기술자격법」에 따른 국가기술자격의 직무분야 중 안전관리 분야에서 산업기사 이상의 자격을 취득한 사람
5. 그 밖에 건축·안전 분야 또는 화재조사에 관한 학식과 경험이 풍부한 사람

③ 화재합동조사단의 단장은 단원 중에서 소방관서장이 지명하거나 위촉하는 사람이 된다.

④ 소방관서장은 화재합동조사단 운영을 위하여 관계 행정기관 또는 기관·단체의 장에게 소속 공무원 또는 소속 임직원의 파견을 요청할 수 있다.

⑤ 화재합동조사단은 화재조사를 완료하면 소방관서장에게 다음 각 호의 사항이 포함된 화재조사 결과를 보고해야 한다.

1. 화재합동조사단 운영 개요
2. 화재조사 개요
3. 화재조사에 관한 법 제5조 제2항 각 호의 사항
4. 다수의 인명피해가 발생한 경우 그 원인
5. 현행 제도의 문제점 및 개선 방안
6. 그 밖에 소방관서장이 필요하다고 인정하는 사항

⑥ 소방관서장은 화재합동조사단의 단장 또는 단원에게 예산의 범위에서 수당·여비와 그 밖에 필요한 경비를 지급할 수 있다. 다만, 공무원이 소관 업무와 직접적으로 관련되어 참여하는 경우에는 지급하지 않는다.

⑦ 제1항부터 제6항까지에서 규정한 사항 외에 화재합동조사단의 구성·운영에 필요한 사항은 소방청장이 정한다.

① 5명　② 3년

제8조【화재현장 보존 등】 ① 소방관서장은 화재조사를 위하여 필요한 범위에서 화재현장 보존조치를 하거나 화재현장과 그 인근 지역을 통제구역으로 설정할 수 있다. 다만, 방화(放火) 또는 실화(失火)의 혐의로 수사의 대상이 된 경우에는 관할 경찰서장 또는 해양경찰서장(이하 "경찰서장"이라 한다)이 통제구역을 설정한다.

② 누구든지 소방관서장 또는 경찰서장의 허가 없이 제1항에 따라 설정된 통제구역에 출입하여서는 아니 된다.

③ 제1항에 따라 화재현장 보존조치를 하거나 통제구역을 설정한 경우 누구든지 소방관서장 또는 경찰서장의 허가 없이 화재현장에 있는 물건 등을 이동시키거나 변경·훼손하여서는 아니 된다. 다만, 공공의 이익에 중대한 영향을 미친다고 판단되거나 인명구조 등 긴급한 사유가 있는 경우에는 그러하지 아니하다.

④ 화재현장 보존조치, 통제구역의 설정 및 출입 등에 필요한 사항은 대통령령으로 정한다.

(1) 화재현장 보존 등

① 소방관서장은 화재조사를 위하여 필요한 범위에서 화재현장 보존조치를 하거나 화재현장과 그 인근 지역을 통제구역으로 설정할 수 있다.

② 다만, 방화(放火) 또는 실화(失火)의 혐의로 수사의 대상이 된 경우에는 관할 경찰서장 또는 해양경찰서장(이하 "경찰서장"이라 한다)이 통제구역을 설정한다.

(2) 통제구역 출입 제한

① 누구든지 소방관서장 또는 경찰서장의 허가 없이 설정된 통제구역에 출입하여서는 아니 된다.

② 과태료 – 200만원 이하의 과태료(**제23조 과태료**)

　㉠ 제8조 제2항을 위반하여 허가 없이 통제구역에 출입한 사람

　㉡ 법 제23조 제1항에 따른 과태료는 소방관서장이 부과·징수한다. 다만, 법 제8조 제2항을 위반하여 경찰서장이 설정한 통제구역을 허가 없이 출입한 사람에 대한 과태료는 경찰서장이 부과·징수한다.

③ 벌칙 – 300만원 이하의 벌금(**제21조 벌금**): 제8조 제3항을 위반하여 허가 없이 화재현장에 있는 물건 등을 이동시키거나 변경·훼손한 사람

(3) 금지사항

① 화재현장 보존조치를 하거나 통제구역을 설정한 경우 누구든지 소방관서장 또는 경찰서장의 허가 없이 화재현장에 있는 물건 등을 이동시키거나 변경·훼손하여서는 아니 된다.

② 다만, 공공의 이익에 중대한 영향을 미친다고 판단되거나 인명구조 등 긴급한 사유가 있는 경우에는 그러하지 아니하다.

(4) 위임규정

화재현장 보존조치, 통제구역의 설정 및 출입 등에 필요한 사항은 **대통령령**으로 정한다.

(5) 화재현장 보존조치 통지 등(영 제8조)

소방관서장이나 관할 경찰서장 또는 해양경찰서장(이하 "경찰서장"이라 한다)은 화재현장 보존조치를 하거나 통제구역을 설정하는 경우 다음의 사항을 화재가 발생한 소방대상물의 관계인에게 알리고 해당 사항이 포함된 표지를 설치해야 한다.

① 화재현장 보존조치나 통제구역 설정의 이유 및 주체
② 화재현장 보존조치나 통제구역 설정의 범위
③ 화재현장 보존조치나 통제구역 설정의 기간

(6) 화재현장 보존조치 등의 해제(영 제9조)

① 화재조사가 완료된 경우
② 화재현장 보존조치나 통제구역의 설정이 해당 화재조사와 관련이 없다고 인정되는 경우

관계법규 화재현장 보존조치 통지 등

시행령	NOTE
제8조 【화재현장 보존조치 통지 등】 소방관서장이나 관할 경찰서장 또는 해양경찰서장(이하 "경찰서장"이라 한다)은 법 제8조 제1항에 따라 화재현장 보존조치를 하거나 통제구역을 설정하는 경우 다음 각 호의 사항을 화재가 발생한 소방대상물의 소유자·관리자 또는 점유자(이하 "관계인"이라 한다)에게 알리고 해당 사항이 포함된 표지를 설치해야 한다. 1. 화재현장 보존조치나 통제구역 설정의 이유 및 주체 2. 화재현장 보존조치나 통제구역 설정의 범위 3. 화재현장 보존조치나 통제구역 설정의 기간 **제9조 【화재현장 보존조치 등의 해제】** 소방관서장이나 경찰서장은 다음 각 호의 경우에는 법 제8조 제1항에 따른 화재현장 보존조치나 통제구역의 설정을 지체 없이 해제해야 한다. 1. 화재조사가 완료된 경우 2. 화재현장 보존조치나 통제구역의 설정이 해당 화재조사와 관련이 없다고 인정되는 경우 **제17조 【과태료의 부과·징수】** ① 법 제23조 제1항에 따른 과태료는 소방관서장이 부과·징수한다. 다만, 법 제8조 제2항을 위반하여 경찰서장이 설정한 통제구역을 허가 없이 출입한 사람에 대한 과태료는 【 ① 】이 부과·징수한다. ② 제1항에 따른 과태료의 부과기준은 별표와 같다. ① 경찰서장	

제9조【출입·조사 등】① 소방관서장은 화재조사를 위하여 필요한 경우에 관계인에게 보고 또는 자료 제출을 명거나 화재조사관으로 하여금 해당 장소에 출입하여 화재조사를 하게 하거나 관계인등에게 질문하게 할 수 있다.

② 제1항에 따라 화재조사를 하는 화재조사관은 그 권한을 표시하는 증표를 지니고 이를 관계인등에게 보여주어야 한다.

③ 제1항에 따라 화재조사를 하는 화재조사관은 관계인의 정당한 업무를 방해하거나 화재조사를 수행하면서 알게 된 비밀을 다른 용도로 사용하거나 다른 사람에게 누설하여서는 아니 된다.

(1) 출입·조사 등

① 관계인에게 보고 또는 자료 제출의 명령

② 화재조사관으로 하여금 해당 장소에 출입하여 화재조사 하거나 관계인등에게 질문

③ 벌칙 및 과태료

ㄱ 300만원 이하의 벌금(제21조 벌금): 정당한 사유 없이 제9조 제1항에 따른 화재조사관의 출입 또는 조사를 거부·방해 또는 기피한 사람

ㄴ 200만원 이하의 과태료(제23조): 제9조 제1항에 따른 명령을 위반하여 보고 또는 자료 제출을 하지 아니하거나 거짓으로 보고 또는 자료를 제출한 사람

(2) 화재조사관의 증표

화재조사를 하는 화재조사관은 그 권한을 표시하는 증표를 지니고 이를 관계인등에게 보여주어야 한다.

(3) 비밀누설 금지 의무

① 화재조사를 하는 화재조사관은 관계인의 정당한 업무를 방해하거나 화재조사를 수행하면서 알게 된 비밀을 다른 용도로 사용하거나 다른 사람에게 누설하여서는 아니 된다.

② 벌칙 – 300만원 이하의 벌금(제21조 벌금)

✏ 핵심기출

화재조사법상 벌칙에 관한 내용이다. ( ) 안에 들어갈 내용으로 옳은 것은?   23. 경채

> 소방관서장은 화재조사를 위하여 필요한 경우에 관계인에게 보고 또는 자료 제출을 명하거나 화재조사관으로 하여금 해당 장소에 출입하여 화재조사를 하게 하거나 관계인등에게 질문하게 할 수 있다. 이에 따른 명령을 위반하여 보고 또는 자료 제출을 하지 아니하거나 거짓으로 보고 또는 자료를 제출한 사람은 (ㄱ)만원 이하의 (ㄴ)을/를 부과한다.

	ㄱ	ㄴ
①	200	벌금
②	200	과태료
③	300	벌금
④	300	과태료

정답 ②

🖐 관계법규 화재조사관 증표

NOTE	시행규칙
	제6조【화재조사관 증표】법 제9조 제2항에 따른 화재조사관의 권한을 표시하는 증표는 별지 제1호 서식의 화재조사관 자격증으로 한다.

제10조【관계인등의 출석 등】① 소방관서장은 화재조사가 필요한 경우 관계인등을 소방관서에 출석하게 하여 질문할 수 있다.
② 제1항에 따른 관계인등의 출석 및 질문 등에 필요한 사항은 대통령령으로 정한다.

(1) 관계인등의 출석

소방관서장은 화재조사가 필요한 경우 관계인등을 소방관서에 출석하게 하여 질문할 수 있다.

(2) 위임규정

관계인등의 출석 및 질문 등에 필요한 사항은 **대통령령**으로 정한다.

(3) 관계인등에 대한 출석요구 및 질문 등

① 소방관서장은 관계인등의 출석을 요구하려면 출석일 3일 전까지 다음의 사항을 관계인등에게 알려야 한다.
  ㉠ 출석 일시와 장소
  ㉡ 출석 요구 사유
  ㉢ 그 밖에 화재조사와 관련하여 필요한 사항
② 관계인등은 지정된 출석 일시에 출석하는 경우 업무 또는 생활에 지장이 있을 때에는 소방관서장에게 출석 일시를 변경하여 줄 것을 신청할 수 있다. 이 경우 소방관서장은 화재조사의 목적을 달성할 수 있는 범위에서 출석 일시를 변경할 수 있다.
③ 소방관서장은 출석한 관계인등에게 수당과 여비를 지급할 수 있다.

정희's 톡talk

1. 화재조사관 의무보수교육(규칙): 2년 마다(처음 1년 이내)
2. 화재조사 시험 공고(규칙): 시험실시 30일 전까지
3. 관계인의 출석(영): 출석일 3일 전까지
4. 전문기관 지정취소(영): 1개월 이상 수행하지 않는 경우
5. 화재감정기관(영): 지정서 반환 취소된 날부터 10일 이내
6. 화재감정기관(규칙): 첨부서류 보완 10일 이내

👆 **관계법규** 관계인등에 대한 출석요구 및 질문 등

시행령	NOTE
제10조【관계인등에 대한 출석요구 및 질문 등】① 소방관서장은 법 제10조 제1항에 따라 관계인등의 출석을 요구하려면 출석일【 ① 】전까지 다음 각 호의 사항을 관계인등에게 알려야 한다. 1. 출석 일시와 장소 2. 출석 요구 사유 3. 그 밖에 화재조사와 관련하여 필요한 사항 ② 관계인등은 제1항에 따라 지정된 출석 일시에 출석하는 경우 업무 또는 생활에 지장이 있을 때에는 소방관서장에게 출석 일시를 변경하여 줄 것을 신청할 수 있다. 이 경우 소방관서장은 화재조사의 목적을 달성할 수 있는 범위에서 출석 일시를 변경할 수 있다. ③ 소방관서장은 법 제10조 제1항에 따라 출석한 관계인등에게 수당과 여비를 지급할 수 있다. ① 3일	

제11조【화재조사 증거물 수집 등】① 소방관서장은 화재조사를 위하여 필요한 경우 증거물을 수집하여 검사·시험·분석 등을 할 수 있다. 다만, 범죄수사와 관련된 증거물인 경우에는 수사기관의 장과 협의하여 수집할 수 있다.

② 소방관서장은 수사기관의 장이 방화 또는 실화의 혐의가 있어서 이미 피의자를 체포하였거나 증거물을 압수하였을 때에 화재조사를 위하여 필요한 경우에는 범죄수사에 지장을 주지 아니하는 범위에서 그 피의자 또는 압수된 증거물에 대한 조사를 할 수 있다. 이 경우 수사기관의 장은 소방관서장의 신속한 화재조사를 위하여 특별한 사유가 없으면 조사에 협조하여야 한다.

③ 제1항에 따른 증거물 수집의 범위, 방법 및 절차 등에 필요한 사항은 대통령령으로 정한다.

(1) 증거물의 수집 등

① 소방관서장은 화재조사를 위하여 필요한 경우 증거물을 수집하여 검사·시험·분석 등을 할 수 있다.

② 다만, 범죄수사와 관련된 증거물인 경우에는 수사기관의 장과 협의하여 수집할 수 있다.

(2) 피의자 또는 압수된 증거물 조사

① 소방관서장은 수사기관의 장이 방화 또는 실화의 혐의가 있어서 **이미 피의자를 체포하였거나 증거물을 압수하였을 때**에 화재조사를 위하여 필요한 경우에는 범죄수사에 지장을 주지 아니하는 범위에서 그 피의자 또는 압수된 증거물에 대한 조사를 할 수 있다.

② 이 경우 수사기관의 장은 소방관서장의 신속한 화재조사를 위하여 특별한 사유가 없으면 조사에 협조하여야 한다.

(3) 위임규정

증거물 수집의 범위, 방법 및 절차 등에 필요한 사항은 **대통령령**으로 정한다.

(4) 화재조사 증거물 수집 등(영 제11조)

① 소방관서장은 화재조사를 위하여 필요한 **최소한의 범위**에서 화재조사관에게 증거물을 수집하여 검사·시험·분석 등을 하게 할 수 있다.

② 소방관서장은 증거물을 수집한 경우 이를 관계인에게 알려야 한다.

③ 소방관서장은 수집한 증거물이 다음의 어느 하나에 해당하는 경우에는 증거물을 지체 없이 반환해야 한다.

　㉠ 화재와 관련이 없다고 인정되는 경우

　㉡ 화재조사가 완료되는 등 증거물을 보관할 필요가 없게 된 경우

④ 제1항부터 제3항까지에서 규정한 사항 외에 증거물의 수집·관리에 필요한 사항은 **행정안전부령**으로 정한다.

(5) 화재조사 증거물의 수집·관리(규칙 제7조)

① 화재조사 증거물을 수집하는 경우 증거물의 수집과정을 사진 촬영 또는 영상 녹화의 방법으로 기록해야 한다.

② 사진 또는 영상 파일은 법 제19조에 따른 **국가화재정보시스템**에 전송하여 보관한다.

③ 제1항 및 제2항에서 규정한 사항 외에 화재조사 증거물의 수집·관리에 필요한 사항은 **소방청장**이 정한다.

정희's 톡talk

③의 "소방청장이 정한다."
「화재증거물수집관리규칙」에서 규정합니다.

관계법규 **화재조사 증거물 수집 등**

시행령	시행규칙
제11조【화재조사 증거물 수집 등】① 소방관서장은 법 제11조에 따라 화재조사를 위하여 필요한【 ① 】의 범위에서 화재조사관에게 증거물을 수집하여 검사·시험·분석 등을 하게 할 수 있다. ② 소방관서장은 제1항에 따라 증거물을 수집한 경우 이를 관계인에게 알려야 한다. ③ 소방관서장은 제1항에 따라 수집한 증거물이 다음 각 호의 어느 하나에 해당하는 경우에는 증거물을 지체 없이 반환해야 한다. 1. 화재와 관련이 없다고 인정되는 경우 2. 화재조사가 완료되는 등 증거물을 보관할 필요가 없게 된 경우 ④ 제1항부터 제3항까지에서 규정한 사항 외에 증거물의 수집·관리에 필요한 사항은 행정안전부령으로 정한다.	제7조【화재조사 증거물의 수집·관리】① 영 제11조 제1항에 따라 화재조사 증거물을 수집하는 경우 증거물의 수집과정을 사진 촬영 또는【 ① 】의 방법으로 기록해야 한다. ② 제1항에 따른 사진 또는 영상 파일은 법 제19조에 따른 국가화재정보시스템에 전송하여 보관한다. ③ 제1항 및 제2항에서 규정한 사항 외에 화재조사 증거물의 수집·관리에 필요한 사항은 소방청장이 정한다.
① 최소한	① 영상 녹화

8 소방공무원과 경찰공무원의 협력 등   B

제12조【소방공무원과 경찰공무원의 협력 등】 ① 소방공무원과 경찰공무원(제주특별자치도의 자치경찰공무원을 포함한다)은 다음 각 호의 사항에 대하여 서로 협력하여야 한다.

1. 화재현장의 출입·보존 및 통제에 관한 사항
2. 화재조사에 필요한 증거물의 수집 및 보존에 관한 사항
3. 관계인등에 대한 진술 확보에 관한 사항
4. 그 밖에 화재조사에 필요한 사항

② 소방관서장은 방화 또는 실화의 혐의가 있다고 인정되면 지체 없이 경찰서장에게 그 사실을 알리고 필요한 증거를 수집·보존하는 등 그 범죄수사에 협력하여야 한다.

(1) 소방공무원과 경찰공무원의 협력

소방공무원과 경찰공무원(제주특별자치도의 자치경찰공무원을 포함한다)은 다음의 사항에 대하여 서로 협력하여야 한다.

① 화재현장의 출입·보존 및 통제에 관한 사항
② 화재조사에 필요한 증거물의 수집 및 보존에 관한 사항
③ 관계인등에 대한 진술 확보에 관한 사항
④ 그 밖에 화재조사에 필요한 사항

(2) 방화 또는 실화의 경우

소방관서장은 방화 또는 실화의 혐의가 있다고 인정되면 지체 없이 경찰서장에게 그 사실을 알리고 필요한 증거를 수집·보존하는 등 그 범죄수사에 협력하여야 한다.

9 관계 기관 등의 협조   C

제13조【관계 기관 등의 협조】 ① 소방관서장, 중앙행정기관의 장, 지방자치단체의 장, 보험회사, 그 밖의 관련 기관·단체의 장은 화재조사에 필요한 사항에 대하여 서로 협력하여야 한다.

② 소방관서장은 화재원인 규명 및 피해액 산출 등을 위하여 필요한 경우에는 금융감독원, 관계 보험회사 등에 「개인정보 보호법」 제2조 제1호에 따른 개인정보를 포함한 보험가입 정보 등을 요청할 수 있다. 이 경우 정보 제공을 요청받은 기관은 정당한 사유가 없으면 이를 거부할 수 없다.

제3장 화재조사 결과의 공표 등

1	화재조사 결과의 공표	B

제14조【화재조사 결과의 공표】① 소방관서장은 국민이 유사한 화재로부터 피해를 입지 않도록 하기 위한 경우 등 필요한 경우 화재조사 결과를 공표할 수 있다. 다만, 수사가 진행 중이거나 수사의 필요성이 인정되는 경우에는 관계 수사기관의 장과 공표 여부에 관하여 사전에 협의하여야 한다.
② 제1항에 따른 공표의 범위·방법 및 절차 등에 관하여 필요한 사항은 행정안전부령으로 정한다.

제15조【화재조사 결과의 통보】소방관서장은 화재조사 결과를 중앙행정기관의 장, 지방자치단체의 장, 그 밖의 관련 기관·단체의 장 또는 관계인 등에게 통보하여 유사한 화재가 발생하지 않도록 필요한 조치를 취할 것을 요청할 수 있다.

(1) 결과의 공표(제14조)

① 소방관서장은 국민이 유사한 화재로부터 피해를 입지 않도록 하기 위한 경우 등 필요한 경우 화재조사 결과를 공표할 수 있다.

② 다만, 수사가 진행 중이거나 수사의 필요성이 인정되는 경우에는 관계 수사기관의 장과 공표 여부에 관하여 사전에 협의하여야 한다.

(2) 위임규정

공표의 범위·방법 및 절차 등에 관하여 필요한 사항은 행정안전부령으로 정한다.

(3) 화재조사 결과의 공표(규칙 제8조)

① 화재조사 결과를 공표할 수 있는 경우

  ㉠ 국민이 유사한 화재로부터 피해를 입지 않도록 하기 위해 필요한 경우

  ㉡ 사회적 관심이 집중되어 국민의 알 권리 충족 등 공공의 이익을 위해 필요한 경우

② 공표의 범위

  ㉠ 화재원인에 관한 사항

  ㉡ 화재로 인한 인명·재산피해에 관한 사항

  ㉢ 화재발생 건축물과 구조물에 관한 사항

  ㉣ 그 밖에 화재예방을 위해 공표할 필요가 있다고 소방관서장이 인정하는 사항

③ 공표의 방법

  ㉠ 소방관서의 인터넷 홈페이지에 게재

  ㉡ 「신문 등의 진흥에 관한 법률」에 따른 신문 또는 「방송법」에 따른 방송

(4) 화재조사 결과의 통보(제15조)

소방관서장은 화재조사 결과를 중앙행정기관의 장, 지방자치단체의 장, 그 밖의 관련 기관·단체의 장 또는 관계인 등에게 통보하여 유사한 화재가 발생하지 않도록 필요한 조치를 취할 것을 요청할 수 있다.

👆 **관계법규** 화재조사 결과의 공표

시행규칙	
제8조【화재조사 결과의 공표】 ① 소방관서장은 법 제14조 제1항에 따라 다음 각 호의 경우에는 화재조사 결과를 공표할 수 있다. 　1. 국민이 유사한 화재로부터 피해를 입지 않도록 하기 위해 필요한 경우 　2. 사회적 관심이 집중되어 국민의 알 권리 충족 등 공공의 이익을 위해 필요한 경우 ② 소방관서장은 제1항에 따라 화재조사의 결과를 공표할 때에는 다음 각 호의 사항을 포함시켜야 한다.	1. 화재원인에 관한 사항 　2. 화재로 인한【 ① 】에 관한 사항 　3. 화재발생 건축물과 구조물에 관한 사항 　4. 그 밖에 화재예방을 위해 공표할 필요가 있다고 소방관서장이 인정하는 사항 ③ 제1항에 따른 화재조사 결과의 공표는 소방관서의 인터넷 홈페이지에 게재하거나,「신문 등의 진흥에 관한 법률」에 따른 신문 또는「방송법」에 따른 방송을 이용하는 등 일반인이 쉽게 알 수 있는 방법으로 한다.
① 인명·재산피해	

---

2 화재증명원의 발급　　　　　　　C

제16조【화재증명원의 발급】 ① 소방관서장은 화재와 관련된 이해관계인 또는 화재발생 내용 입증이 필요한 사람이 화재를 증명하는 서류(이하 이 조에서 "화재증명원"이라 한다) 발급을 신청하는 때에는 화재증명원을 발급하여야 한다.
② 화재증명원의 발급신청 절차·방법·서식 및 기재사항, 온라인 발급 등에 필요한 사항은 행정안전부령으로 정한다.

(1) 화재증명원 발급

① **발급권자:** 소방관서장

② **발급:** 화재와 관련된 이해관계인 또는 화재발생 내용 입증이 필요한 사람이 화재를 증명하는 서류 발급을 신청하는 때

(2) 위임규정

화재증명원의 발급신청 절차·방법·서식 및 기재사항, 온라인 발급 등에 필요한 사항은 **행정안전부령**으로 정한다.

제4장 화재조사 기반구축

제17조【감정기관의 지정·운영 등】① 소방청장은 과학적이고 전문적인 화재조사를 위하여 대통령령으로 정하는 시설과 전문인력 등 지정기준을 갖춘 기관을 화재감정기관(이하 "감정기관"이라 한다)으로 지정·운영하여야 한다.

② 소방청장은 제1항에 따라 지정된 감정기관에서의 과학적 조사·분석 등에 소요되는 비용의 전부 또는 일부를 지원할 수 있다.

③ 소방청장은 감정기관으로 지정받은 자가 다음 각 호의 어느 하나에 해당하는 경우에는 지정을 취소할 수 있다. 다만, 제1호에 해당하는 경우에는 지정을 취소하여야 한다.

1. 거짓이나 그 밖의 부정한 방법으로 지정을 받은 경우
2. 제1항에 따른 지정기준에 적합하지 아니하게 된 경우
3. 고의 또는 중대한 과실로 감정 결과를 사실과 다르게 작성한 경우
4. 그 밖에 대통령령으로 정하는 사항을 위반한 경우

④ 소방청장은 제3항에 따라 감정기관의 지정을 취소하려면 청문을 하여야 한다.

⑤ 감정기관의 지정기준, 지정 절차, 지정 취소 및 운영 등에 필요한 사항은 대통령령으로 정한다.

(1) 감정기관의 지정·운영

① 지정·운영권자: 소방청장

② 소방청장은 과학적이고 전문적인 화재조사를 위하여 **대통령령으로 정하는 시설과 전문인력 등 지정기준을 갖춘 기관을 화재감정기관(이하 "감정기관"이라 한다)으로 지정·운영하여야 한다.**

(2) 화재감정기관의 지정기준(영 제12조)

① 시설 기준

  ㉠ 증거물, 화재조사 장비 등을 안전하게 보호할 수 있는 설비를 갖춘 시설

  ㉡ 증거물 등을 장기간 보존·보관할 수 있는 시설

  ㉢ 증거물의 감식·감정을 수행하는 과정 등을 촬영하고 이를 디지털파일의 형태로 처리·보관할 수 있는 시설

② 전문인력 기준

  ㉠ 주된 기술인력: **2명 이상 보유할 것**

    ⓐ 「국가기술자격법」에 따른 국가기술자격의 직무분야 중 화재감식평가 분야의 기사 자격 취득 후 화재조사 관련 분야에서 **5년 이상 근무한 사람**

    ⓑ 화재조사관 자격 취득 후 화재조사 관련 분야에서 **5년 이상 근무한 사람**

    ⓒ 이공계 분야의 박사학위 취득 후 화재조사 관련 분야에서 **2년 이상 근무한 사람**

정희's 톡talk

「소방기본법 시행령」제7조의5 제1호 소방안전교육사 시험위원: 소방관련학과, 교육학과 또는 응급구조학과 박사학위 취득자

✎ 핵심기출

화재조사법 시행령상 화재감정기관의 지정기준에서 전문인력 중 주된 기술인력 기준으로 옳지 않은 것은?   24. 공채·경채

① 국가기술자격의 직무분야 중 화재감식평가 분야의 기사 자격 취득 후 화재조사 관련 분야에서 5년 이상 근무한 사람

② 화재조사관 자격 취득 후 화재조사 관련 분야에서 5년 이상 근무한 사람

③ 이공계 분야의 박사학위 취득 후 화재조사 관련 분야에서 2년 이상 근무한 사람

④ 소방청장이 인정하는 화재조사 관련 국제자격증을 소지한 사람

정답 ④

ⓛ 보조 기술인력: 3명 이상 보유할 것

    ⓐ 「국가기술자격법」에 따른 국가기술자격의 직무분야 중 화재감식평가 분야의 기사 또는 산업기사 자격을 취득한 사람

    ⓑ 화재조사관 자격을 취득한 사람

    ⓒ 소방청장이 인정하는 화재조사 관련 국제자격증 소지자

    ⓓ 이공계 분야의 석사 이상 학위 취득 후 화재조사 관련 분야에서 1년 이상 근무한 사람

③ 화재조사를 수행할 수 있는 감식·감정 장비, 증거물 수집 장비 등을 갖출 것

(3) 비용의 지원

소방청장은 지정된 감정기관에서의 과학적 조사·분석 등에 소요되는 비용의 전부 또는 일부를 지원할 수 있다.

(4) 전문기관의 지정 취소

① 거짓이나 그 밖의 부정한 방법으로 지정을 받은 경우(반드시 지정취소)

② 지정기준에 적합하지 아니하게 된 경우

③ 고의 또는 중대한 과실로 감정 결과를 사실과 다르게 작성한 경우

④ 그 밖에 대통령령으로 정하는 사항을 위반한 경우(영 제13조 제3항)

    ㉠ 의뢰받은 감정을 정당한 사유 없이 거부하거나 1개월 이상 수행하지 않은 경우

    ㉡ 거짓이나 그 밖의 부정한 방법으로 감정 비용을 청구한 경우

(5) 화재감정기관 지정 절차 및 취소 등(영 제13조)

① 지정서의 발급: 소방청장은 화재감정기관의 지정을 신청한 자가 지정기준을 충족하는 경우 화재감정기관으로 지정하고, 행정안전부령으로 정하는 화재감정기관 지정서를 발급해야 한다.

② 지정서의 반환: 지정이 취소된 화재감정기관은 지정이 취소된 날부터 10일 이내에 화재감정기관 지정서를 반환해야 한다.

(6) 청문

소방청장은 감정기관의 지정을 취소하려면 청문을 하여야 한다.

정희's 톡talk

「소방기본법 시행규칙」 [별표 1]

교수요원: 소방공무원 중에서 소방관련학과의 석사학위 이상

「소방기본법 시행규칙」 [별표 3의3]

강사: 소방관련학과의 석사학위 이상

시행령	시행규칙
제12조【화재감정기관의 지정기준】 ① 법 제17조 제1항에서 "대통령령으로 정하는 시설과 전문인력 등 지정기준"이란 다음 각 호의 기준을 말한다. 1. 화재조사를 수행할 수 있는 다음 가 목이 시설을 모두 갖출 것 　가. 증거물, 화재조사 장비 등을 안전하게 보호할 수 있는 설비를 갖춘 시설 　나. 증거물 등을 장기간 보존·보관할 수 있는 시설 　다. 증거물의 감식·감정을 수행하는 과정 등을 촬영하고 이를 디지털파일의 형태로 처리·보관할 수 있는 시설 2. 화재조사에 필요한 다음 각 목의 구분에 따른 전문인력을 각각 보유할 것 　가. 주된 기술인력: 다음의 어느 하나에 해당하는 사람을 2명 이상 보유할 것 　　1) 「국가기술자격법」에 따른 국가기술자격의 직무분야 중 화재감식평가 분야의 기사 자격 취득 후 화재조사 관련 분야에서 5년 이상 근무한 사람 　　2) 화재조사관 자격 취득 후 화재조사 관련 분야에서 5년 이상 근무한 사람 　　3) 이공계 분야의 박사학위 취득 후 화재조사 관련 분야에서 2년 이상 근무한 사람 　나. 보조 기술인력: 다음의 어느 하나에 해당하는 사람을 【 ① 】 이상 보유할 것 　　1) 「국가기술자격법」에 따른 국가기술자격의 직무분야 중 화재감식평가 분야의 기사 또는 산업기사 자격을 취득한 사람 　　2) 화재조사관 자격을 취득한 사람 　　3) 소방청장이 인정하는 화재조사 관련 국제자격증 소지자 　　4) 이공계 분야의 석사 이상 학위 취득 후 화재조사 관련 분야에서 1년 이상 근무한 사람 3. 화재조사를 수행할 수 있는 감식·감정 장비, 증거물 수집 장비 등을 갖출 것 ② 법 제17조 제1항에 따라 지정된 화재감정기관(이하 "화재감정기관"이라 한다)이 갖추어야 할 시설과 전문인력 등에 관한 세부적인 기준은 소방청장이 정하여 고시한다. **제13조【화재감정기관 지정 절차 및 취소 등】** ① 화재감정기관으로 지정받으려는 자는 행정안전부령으로 정하는 화재감정기관 지정신청서에 다음 각 호의 서류를 첨부하여 소방청장에게 제출해야 한다. 이 경우 소방청장은 제출된 서류에 보완이 필요하다고 판단되면 보완에 필요한 기간을 정하여 보완을 요구할 수 있다. 1. 시설 현황에 관한 서류 2. 조직 및 인력 현황에 관한 서류(인력 현황의 경우에는 자격 및 경력을 증명하는 서류를 포함한다)	**제10조【화재감정기관의 지정 신청 및 지정서 발급】** ① 영 제13조 제1항 각 호 외의 부분 전단에서 "행정안전부령으로 정하는 화재감정기관 지정신청서"란 별지 제5호 서식의 화재감정기관 지정신청서를 말한다. ② 제1항에 따른 화재감정기관 지정신청서를 받은 소방청장은 「전자정부법」 제36조 제1항에 따른 행정정보의 공동이용을 통하여 법인 등기사항증명서(법인인 경우만 해당한다)와 사업자등록증을 확인해야 한다. 다만, 신청인이 사업자등록증의 확인에 동의하지 않는 경우에는 그 사본을 첨부하도록 해야 한다. ③ 소방청장은 영 제13조 제1항 각 호 외의 부분 후단에 따라 화재감정기관 지정신청서 또는 첨부서류에 보완이 필요하다고 판단되면 【 】 이내의 기간을 정하여 보완을 요구할 수 있다. ④ 영 제13조 제2항에서 "행정안전부령으로 정하는 화재감정기관 지정서"란 별지 제6호 서식의 화재감정기관 지정서를 말한다. ⑤ 제4항에 따른 화재감정기관 지정서를 발급한 소방청장은 별지 제7호 서식의 화재감정기관 지정대장에 그 사실을 기록하고 이를 보관·관리해야 한다. ⑥ 소방청장이 법 제17조 제1항에 따라 화재감정기관을 지정한 경우에는 그 사실을 소방청의 인터넷 홈페이지에 게재해야 한다. **제11조【감정의뢰 등】** ① 소방관서장이 법 제17조 제1항에 따라 지정된 화재감정기관(이하 "화재감정기관"이라 한다)에 감정을 의뢰할 때에는 별지 제8호 서식의 감정의뢰서에 증거물 등 감정대상물을 첨부하여 제출해야 한다. ② 화재감정기관의 장은 제1항에 따라 제출된 감정의뢰서 등에 흠결이 있을 경우 보완을 요청할 수 있다. **제12조【감정 결과의 통보】** ① 화재감정기관의 장은 감정이 완료되면 감정 결과를 감정을 의뢰한 소방관서장에게 지체 없이 통보해야 한다. ② 제1항에 따른 통보는 별지 제9호 서식의 감정 결과 통보서에 따른다. ③ 화재감정기관의 장은 제1항에 따라 감정 결과를 통보할 때 감정을 의뢰받았던 증거물 등 감정대상물을 반환해야 한다. 다만, 훼손 등의 사유로 증거물 등 감정대상물을 반환할 수 없는 경우에는 감정 결과만 통보할 수 있다. ④ 화재감정기관의 장은 소방청장이 정하는 기간 동안 제1항에 따른 감정 결과 및 감정 관련 자료(데이터 파일을 포함한다)를 보존해야 한다.
① 3명	① 10일

시행령	시행규칙
3. 화재조사 관련 장비 현황에 관한 서류 4. 법인의 정관 또는 단체의 규약(법인 또는 단체인 경우만 해당한다) ② 소방청장은 제1항에 따라 화재감정기관의 지정을 신청한 자가 제12조에 따른 지정기준을 충족하는 경우 화재감정기관으로 지정하고, 행정안전부령으로 정하는 화재감정기관 지정서를 발급해야 한다. ③ 법 제17조 제3항 제4호에서 "대통령령으로 정하는 사항을 위반한 경우"란 다음 각 호의 어느 하나에 해당하는 경우를 말한다. 1. 의뢰받은 감정을 정당한 사유 없이 거부하거나 1개월 이상 수행하지 않은 경우 2. 거짓이나 그 밖의 부정한 방법으로 감정 비용을 청구한 경우 ④ 법 제17조 제3항에 따라 지정이 취소된 화재감정기관은 지정이 취소된 날부터 10일 이내에 화재감정기관 지정서를 반환해야 한다. ⑤ 제1항부터 제4항까지에서 규정한 사항 외에 화재감정기관의 지정 및 지정 취소 등에 필요한 사항은 행정안전부령으로 정한다.	

2 벌칙 적용에서 공무원 의제   D

제18조【벌칙 적용에서 공무원 의제】제17조에 따라 지정된 감정기관의 임직원은 「형법」제127조 및 제129조부터 제132조까지의 규정에 따른 벌칙을 적용할 때에는 공무원으로 본다.

제19조【국가화재정보시스템의 구축·운영】① 소방청장은 화재조사 결과, 화재원인, 피해상황 등에 관한 화재정보를 종합적으로 수집·관리하여 화재예방과 소방활동에 활용할 수 있는 국가화재정보시스템을 구축·운영하여야 한다.
② 제1항에 따른 화재정보의 수집·관리 및 활용 등에 필요한 사항은 대통령령으로 정한다.

(1) 국가화재정보시스템의 구축·운영

① 구축·운영권자: 소방청장

② 목적: 화재조사 결과, 화재원인, 피해상황 등에 관한 화재정보를 종합적으로 수집·관리하여 화재예방과 소방활동의 활용

(2) 위임규정

화재정보의 수집·관리 및 활용 등에 필요한 사항은 **대통령령**으로 정한다.

(3) 국가화재정보시스템의 운영(영 제14조)

① 화재정보: 소방청장은 국가화재정보시스템을 활용하여 화재정보를 수집·관리해야 한다.

ⓐ 화재원인

ⓑ 화재피해상황

ⓒ **대응활동에 관한 사항**

ⓓ **소방시설등의 설치·관리 및 작동 여부에 관한 사항**

ⓔ 화재발생건축물과 구조물, 화재유형별 화재위험성 등에 관한 사항

ⓕ 화재예방 관계 법령 등의 이행 및 위반 등에 관한 사항

ⓖ 법 제13조 제2항에 따른 **관계인의 보험가입 정보** 등에 관한 사항

ⓗ 그 밖에 화재예방과 소방활동에 활용할 수 있는 정보

② 소방관서장은 국가화재정보시스템을 활용하여 **화재정보를 기록·유지 및 보관해야** 한다.

✎ **핵심기출**

화재조사법 및 같은 법 시행령상 화재정보를 수집·관리할 때 활용하는 국가화재정보시스템의 운영에 관한 설명으로 옳은 것은?
24. 공채·경채

① 시·도지사는 화재예방과 소방활동에 활용할 수 있는 국가화재정보시스템을 구축해 운영하여야 한다.
② 국가화재정보시스템을 활용하여 수집·관리해야 하는 화재정보는 화재원인, 화재피해상황, 화재유형별 화재위험성에 관한 사항 등이다.
③ 화재정보의 수집·관리 및 활용 등에 필요한 사항은 행정안전부령으로 정한다.
④ 국가화재정보시스템의 운영 및 활용 등에 필요한 사항은 시·도의 조례로 정한다.

정답 ②

👆 **관계법규** 국가화재정보시스템의 운영

시행령

제14조【국가화재정보시스템의 운영】 ① 소방청장은 법 제19조 제1항에 따른 국가화재정보시스템(이하 "국가화재정보시스템"이라 한다)을 활용하여 다음 각 호의 화재정보를 수집·관리해야 한다.
1. 화재원인
2. 화재피해상황
3. 대응활동에 관한 사항
4.【①】등의 설치·관리 및 작동 여부에 관한 사항

5. 화재발생건축물과 구조물, 화재유형별 화재위험성 등에 관한 사항
6. 화재예방 관계 법령 등의 이행 및 위반 등에 관한 사항
7. 법 제13조 제2항에 따른 관계인의 보험가입 정보 등에 관한 사항
8. 그 밖에 화재예방과 소방활동에 활용할 수 있는 정보
②【②】은 국가화재정보시스템을 활용하여 제1항 각 호의 화재정보를 기록·유지 및 보관해야 한다.
③ 제1항 및 제2항에서 규정한 사항 외에 국가화재정보시스템의 운영 및 활용 등에 필요한 사항은 소방청장이 정한다.

① 소방시설 ② 소방관서장

제20조 【연구개발사업의 지원】 ① 소방청장은 화재조사 기법에 필요한 연구·실험·조사·기술개발 등(이하 이 조에서 "연구개발사업"이라 한다)을 지원하는 시책을 수립할 수 있다.

② 소방청장은 연구개발사업을 효율적으로 추진하기 위하여 다음 각 호의 어느 하나에 해당하는 기관 또는 단체 등에게 연구개발사업을 수행하게 하거나 공동으로 수행할 수 있다.

1. 국공립 연구기관
2. 「특정연구기관 육성법」 제2조에 따른 특정연구기관
3. 「과학기술분야 정부출연연구기관 등의 설립·운영 및 육성에 관한 법률」에 따라 설립된 과학기술분야 정부출연연구기관
4. 「고등교육법」 제2조에 따른 대학·산업대학·전문대학·기술대학
5. 「민법」이나 다른 법률에 따라 설립된 법인으로서 화재조사 관련 연구기관 또는 법인 부설 연구소
6. 「기초연구진흥 및 기술개발지원에 관한 법률」 제14조의2 제1항에 따라 인정받은 기업부설연구소 또는 기업의 연구개발전담부서
7. 그 밖에 대통령령으로 정하는 화재조사와 관련한 연구·조사·기술개발 등을 수행하는 기관 또는 단체

③ 소방청장은 제2항 각 호의 기관 또는 단체 등에 대하여 연구개발사업을 실시하는 데 필요한 경비의 전부 또는 일부를 출연하거나 보조할 수 있다.

④ 연구개발사업의 추진에 필요한 사항은 행정안전부령으로 정한다.

(1) 연구개발 지원 시책

소방청장은 화재조사 기법에 필요한 연구·실험·조사·기술개발 등(이하 이 조에서 "연구개발사업"이라 한다)을 지원하는 시책을 수립할 수 있다.

(2) 연구개발사업 수행기관

소방청장은 연구개발사업을 효율적으로 추진하기 위하여 다음의 어느 하나에 해당하는 기관 또는 단체 등에게 연구개발사업을 수행하게 하거나 공동으로 수행할 수 있다.

① 국공립 연구기관
② 「특정연구기관 육성법」 제2조에 따른 특정연구기관
③ 「과학기술분야 정부출연연구기관 등의 설립·운영 및 육성에 관한 법률」에 따라 설립된 과학기술분야 정부출연연구기관
④ 「고등교육법」 제2조에 따른 대학·산업대학·전문대학·기술대학
⑤ 「민법」이나 다른 법률에 따라 설립된 법인으로서 화재조사 관련 연구기관 또는 법인 부설 연구소
⑥ 「기초연구진흥 및 기술개발지원에 관한 법률」 제14조의2 제1항에 따라 인정받은 기업부설연구소 또는 기업의 연구개발전담부서
⑦ 그 밖에 대통령령으로 정하는 화재조사와 관련한 연구·조사·기술개발 등을 수행하는 기관 또는 단체

(3) 경비의 출연 등
소방청장은 (2)의 기관 또는 단체 등에 대하여 연구개발사업을 실시하는 데 필요한 경비의 전부 또는 일부를 출연하거나 보조할 수 있다.

(4) 위임규정
연구개발사업의 추진에 필요한 사항은 행정안전부령으로 정한다.

관계법규 연구개발사업의 지원 등

시행령	NOTE
제15조【연구개발사업의 지원 등】 법 제20조 제2항 제7호에서 "대통령령으로 정하는 화재조사와 관련한 연구·조사·기술개발 등을 수행하는 기관 또는 단체"란 화재감정기관을 말한다.	

제5장 벌칙

1 벌칙   B

제21조【벌칙】다음 각 호의 어느 하나에 해당하는 사람은 300만원 이하의 벌금에 처한다.

1. 제8조 제3항을 위반하여 허가 없이 화재현장에 있는 물건 등을 이동시키거나 변경·훼손한 사람
2. 정당한 사유 없이 제9조 제1항에 따른 화재조사관의 출입 또는 조사를 거부·방해 또는 기피한 사람
3. 제9조 제3항을 위반하여 관계인의 정당한 업무를 방해하거나 화재조사를 수행하면서 알게 된 비밀을 다른 용도로 사용하거나 다른 사람에게 누설한 사람
4. 정당한 사유 없이 제11조 제1항에 따른 증거물 수집을 거부·방해 또는 기피한 사람

(1) 300만원 이하의 벌금

① 제8조 제3항을 위반하여 허가 없이 화재현장에 있는 물건 등을 이동시키거나 변경·훼손한 사람

> 제8조【화재현장 보존 등】③ 제1항에 따라 화재현장 보존조치를 하거나 통제구역을 설정한 경우 누구든지 소방관서장 또는 경찰서장의 허가 없이 화재현장에 있는 물건 등을 이동시키거나 변경·훼손하여서는 아니 된다. 다만, 공공의 이익에 중대한 영향을 미친다고 판단되거나 인명구조 등 긴급한 사유가 있는 경우에는 그러하지 아니하다.

② 정당한 사유 없이 제9조 제1항에 따른 화재조사관의 출입 또는 조사를 거부·방해 또는 기피한 사람

> 제9조【출입·조사 등】① 소방관서장은 화재조사를 위하여 필요한 경우에 관계인에게 보고 또는 자료 제출을 명하거나 화재조사관으로 하여금 해당 장소에 출입하여 화재조사를 하게 하거나 관계인등에게 질문하게 할 수 있다.

③ 제9조 제3항을 위반하여 관계인의 정당한 업무를 방해하거나 화재조사를 수행하면서 알게 된 비밀을 다른 용도로 사용하거나 다른 사람에게 누설한 사람

> 제9조【출입·조사 등】③ 제1항에 따라 화재조사를 하는 화재조사관은 관계인의 정당한 업무를 방해하거나 화재조사를 수행하면서 알게 된 비밀을 다른 용도로 사용하거나 다른 사람에게 누설하여서는 아니 된다.

④ 정당한 사유 없이 제11조 제1항에 따른 증거물 수집을 거부·방해 또는 기피한 사람

> 제11조【화재조사 증거물 수집 등】① 소방관서장은 화재조사를 위하여 필요한 경우 증거물을 수집하여 검사·시험·분석 등을 할 수 있다. 다만, 범죄수사와 관련된 증거물인 경우에는 수사기관의 장과 협의하여 수집할 수 있다.

2 양벌규정 D

제22조【양벌규정】법인의 대표자나 법인 또는 개인의 대리인, 사용인, 그 밖의 종업원이 그 법인 또는 개인의 업무에 관하여 제21조에 해당하는 위반행위를 하면 그 행위자를 벌하는 외에 그 법인 또는 개인에게도 해당 조문의 벌금형을 과(科)한다. 다만, 법인 또는 개인이 그 위반행위를 방지하기 위하여 해당 업무에 관하여 상당한 주의와 감독을 게을리 하지 아니한 경우에는 그러하지 아니하다.

(1) 양벌규정

법인의 대표자나 법인 또는 개인의 대리인, 사용인, 그 밖의 종업원이 그 법인 또는 개인의 업무에 관하여 제21조에 해당하는 위반행위를 하면 그 행위자를 벌하는 외에 그 법인 또는 개인에게도 해당 조문의 벌금형을 과(科)한다.

(2) 예외사항

법인 또는 개인이 그 위반행위를 방지하기 위하여 해당 업무에 관하여 상당한 주의와 감독을 게을리 하지 아니한 경우에는 그러하지 아니하다.

3 과태료 B

제23조【과태료】① 다음 각 호의 어느 하나에 해당하는 사람에게는 200만원 이하의 과태료를 부과한다.
1. 제8조 제2항을 위반하여 허가 없이 통제구역에 출입한 사람
2. 제9조 제1항에 따른 명령을 위반하여 보고 또는 자료 제출을 하지 아니하거나 거짓으로 보고 또는 자료를 제출한 사람
3. 정당한 사유 없이 제10조 제1항에 따른 출석을 거부하거나 질문에 대하여 거짓으로 진술한 사람
② 제1항에 따른 과태료는 대통령령으로 정하는 바에 따라 소방관서장 또는 경찰서장이 부과·징수한다.

(1) 200만원 이하의 과태료

　① 제8조 제2항을 위반하여 허가 없이 통제구역에 출입한 사람

> **제8조【화재현장 보존 등】** ② 누구든지 소방관서장 또는 경찰서장의 허가 없이 제1항에 따라 설정된 통제구역에 출입하여서는 아니 된다.

　② 제9조 제1항에 따른 명령을 위반하여 보고 또는 자료 제출을 하지 아니하거나 거짓으로 보고 또는 자료를 제출한 사람

> **제9조【출입·조사 등】** ① 소방관서장은 화재조사를 위하여 필요한 경우에 관계인에게 보고 또는 자료 제출을 명하거나 화재조사관으로 하여금 해당 장소에 출입하여 화재조사를 하게 하거나 관계인등에게 질문하게 할 수 있다.

　③ 정당한 사유 없이 제10조 제1항에 따른 출석을 거부하거나 질문에 대하여 거짓으로 진술한 사람

> **제10조【관계인등의 출석 등】** ① 소방관서장은 화재조사가 필요한 경우 관계인등을 소방관서에 출석하게 하여 질문할 수 있다.

(2) 과태료 부과

　① 제1항에 따른 과태료는 대통령령으로 정하는 바에 따라 소방관서장 또는 경찰서장이 부과·징수한다.

　② 과태료의 부과·징수(영 제17조)

　　㉠ 법 제23조 제1항에 따른 과태료는 **소방관서장**이 부과·징수한다.

　　㉡ 다만, 법 제8조 제2항을 위반하여 경찰서장이 설정한 통제구역을 허가 없이 출입한 사람에 대한 과태료는 **경찰서장**이 부과·징수한다.

✋ 관계법규 과태료의 부과·징수

시행령	시행령 [별표]
제17조【과태료의 부과·징수】 ① 법 제23조 제1항에 따른 과태료는 소방관서장이 부과·징수한다. 다만, 법 제8조 제2항을 위반하여 경찰서장이 설정한 통제구역을 허가 없이 출입한 사람에 대한 과태료는 경찰서장이 부과·징수한다. ② 제1항에 따른 과태료의 부과기준은 별표와 같다.	**[별표] 과태료의 부과기준(제17조 관련)** 1. 일반기준 　가. 위반행위의 횟수에 따른 과태료의 가중된 부과기준은 최근 **【 ① 】** 같은 위반행위로 과태료 부과처분을 받은 경우에 적용한다. 이 경우 기간의 계산은 위반행위에 대하여 과태료 부과처분을 받은 날과 그 처분 후 다시 같은 위반행위를 하여 적발된 날을 기준으로 한다. 　나. 가목에 따라 가중된 부과처분을 하는 경우 가중처분의 적용 차수는 그 위반행위 전 부과처분 차수(가목에 따른 기간 내에 과태료 부과처분이 둘 이상 있었던 경우에는 높은 차수를 말한다)의 다음 차수로 한다. 　다. 과태료 부과권자는 다음 어느 하나에 해당하는 경우에는 제2호의 개별기준에 따른 과태료의 2분의 1 범위에서 그 금액을 줄여 부과할 수 있다. 다만, 줄여 부과할 사유가 여러 개 있는 경우라도 감경의 범위는 2분의 1을 넘을 수 없다. 　　① 1년간

시행령	시행령 [별표]
	1) 위반행위자가 화재 등 재난으로 재산에 현저한 손실이 발생한 경우 또는 사업의 부도·경매 또는 소송 계속 등 사업여건이 악화된 경우로서 과태료 부과권자가 감경하는 것이 타당하다고 인정하는 경우. 다만, 최근 1년 이내에 소방 관계 법령(「소방의 화재조사에 관한 법률」, 「소방기본법」, 「화재의 예방 및 안전관리에 관한 법률」, 「소방시설 설치 및 관리에 관한 법률」, 「소방시설공사업법」, 「위험물안전관리법」, 「다중이용업소의 안전관리에 관한 특별법」 및 그 하위법령을 말한다)을 2회 이상 위반한 자는 제외한다. 2) 위반행위자가 위반행위로 인한 결과를 시정하거나 해소한 경우 2. 개별기준

위반행위	근거 법조문	과태료 금액 (단위: 만원)		
		1회	2회	3회
가. 법 제8조 제2항을 위반하여 허가 없이 통제구역에 출입한 경우	법 제23조 제1항 제1호	100	150	200
나. 법 제9조 제1항에 따른 명령을 위반하여 보고 또는 자료 제출을 하지 않거나 거짓으로 보고 또는 자료 제출을 한 경우	법 제23조 제1항 제2호	100	150	200
다. 정당한 사유 없이 법 제10조 제1항에 따른 출석을 거부하거나 질문에 대하여 거짓으로 진술한 경우	법 제23조 제1항 제3호	100	150	200

MEMO

해커스소방 **김정희 소방관계법규** 기본서

제5편

소방시설공사업법

PREVIEW

소방시설공사업법

본문 내용을 중요도에 따라 A ~ D단계로 분류함으로써 학습 단계에 맞춰 중요 내용을 선별적으로 학습할 수 있습니다.

제1장 총칙

소방시설공사업법
[시행 2025.1.31.][법률 제20157호,
2024.1.30., 일부개정]

소방시설공사업법 시행령
[시행 2024.4.2.][대통령령 제34379호,
2024.4.2., 일부개정]

소방시설공사업법 시행규칙
[시행 2024.8.1.][행정안전부령 제447호,
2024.1.4., 일부개정]

1 목적 B

제1조【목적】 이 법은 소방시설공사 및 소방기술의 관리에 필요한 사항을 규정함으로써 소방시설업을 건전하게 발전시키고 소방기술을 진흥시켜 화재로부터 공공의 안전을 확보하고 국민경제에 이바지함을 목적으로 한다.

「소방시설공사업법」은 다음을 그 목적으로 한다.
① 소방시설공사 및 소방기술의 관리에 필요한 사항의 규정
② 소방시설업의 건전한 발전과 소방기술의 진흥
③ 화재로부터 공공의 안전 확보 및 국민경제에 이바지

📖 SUMMARY 6개분법상 '목적'

구분	핵심내용	궁극적인 목적
소방기본법	· 화재의 예방 · 경계 · 진압 · 화재, 재난 · 재해, 그 밖의 위급한 상황으로부터 구조 · 구급 활동 등 · 국민의 생명 · 신체 및 재산을 보호함	공공의 안녕 질서 유지 복리 증진
화재예방법	· 화재의 예방과 안전관리에 필요한 사항을 규정함 · 화재로부터 국민의 생명 · 신체 및 재산을 보호함	공공의 안전 복리증진
소방시설법	· 특정소방대상물 등에 설치하여야 하는 소방시설 등의 설치 · 관리와 소방용품 성능관리에 필요한 사항 규정 · 국민의 생명 · 신체 및 재산 보호	공공의 안전 복리증진
화재조사법	· 화재예방 및 소방정책에 활용 · 화재원인, 화재성장 및 확산, 피해현황 등에 관한 과학적 · 전문적인 조사에 필요한 사항을 규정함	
소방시설 공사업법	· 소방시설공사 및 소방기술 · 소방시설업 건전한 발전과 소방기술 진흥	화재로부터 공공의 안전 국민경제 이바지
위험물 안전관리법	· 위험물의 저장 · 취급 및 운반과 안전관리사항 규정 · 위험물로 인한 위해 방지	공공의 안전

> **참고** 「소방시설공사업법」 기한 정리
>
> 1. 등록신청 서류의 보완(규칙): 10일 이내
> 2. 등록신청 서류의 송부(협회 → 시·도지사)(규칙): 7일 이내
> 3. 등록증의 발급(규칙): 접수일부터 15일 이내
> 4. 등록증 재발급(규칙): 3일 이내
> 5. 등록사항 변경신고(규칙): 변경일부터 30일 이내, 5일 이내 발급
> 6. 휴업·폐업·재개업 시(규칙): 휴업·폐업 또는 재개업일부터 30일 이내
> 7. 지위승계(법): 상속일, 양수일 또는 합병일부터 30일 이내, (규칙) 협회 보고일부터 7일 이내 신고, 보고받은 날부터 3일 이내
> 8. 착공신고의 변경신고(규칙): 30일 이내, 2일 이내 통지
> 9. 소방공사감리자 변경신고(규칙): 30일 이내, 2일 이내 통지
> 10. 감리업자의 감리결과 통보(규칙): 7일 이내
> 11. 방염처리능력 평가 및 공시(규칙): 보완기간 - 15일 이내, 평가일로부터 10일 이내 공시
> 12. 소규모공사(영): 3개월 이내
> 13. 공사대금의 지급보증 및 담보의 제공(규칙): 30일 이내
> 14. 하도급대금의 지급 등(법): 준공금, 선급금, 기성금 - 15일 이내
> 15. 하도급계약심사위원회 위원임기(영): 3년
> 16. 하도급계약 자료의 공개(영): 30일 이내
> 17. 도급계약의 해지(법): 30일 이상
> 18. 시공능력평가 및 공시(규칙): 보완기간 - 15일 이내, 평가일로부터 10일 이내 공시, 거짓 - 10일 이내
> 19. 소방기술자 실무교육 통지(규칙): 10일 전까지

> **참고** 위원회 등의 구성 운영
>
> 1. 하도급계약심사위원회(영): 위원장 1명과 부위원장 1명을 포함하여 10명 이내의 위원
> 2. 소방기술자 양성·인정 교육훈련 전담인력(규칙): 6명 이상
> 3. 소방기술자 실무교육에 필요한 기술인력(규칙 [별표 6]): 강사 4명 및 교무인원 2명 이상
> 4. 소방시설업자협회 설립인가(영): 소방시설업자 10명 이상 발기

제2조【정의】 ① 이 법에서 사용하는 용어의 뜻은 다음과 같다.
1. "소방시설업"이란 다음 각 목의 영업을 말한다.
   가. 소방시설설계업: 소방시설공사에 기본이 되는 공사계획, 설계도면, 설계 설명서, 기술계산서 및 이와 관련된 서류(이하 "설계도서"라 한다)를 작성(이하 "설계"라 한다)하는 영업
   나. 소방시설공사업: 설계도서에 따라 소방시설을 신설, 증설, 개설, 이전 및 정비(이하 "시공"이라 한다)하는 영업
   다. 소방공사감리업: 소방시설공사에 관한 발주자의 권한을 대행하여 소방시설공사가 설계도서와 관계 법령에 따라 적법하게 시공되는지를 확인하고, 품질·시공 관리에 대한 기술지도를 하는(이하 "감리"라 한다) 영업
   라. 방염처리업: 「소방시설 설치 및 관리에 관한 법률」 제20조 제1항에 따른 방염대상물품에 대하여 방염처리(이하 "방염"이라 한다)하는 영업
2. "소방시설업자"란 소방시설업을 경영하기 위하여 제4조에 따라 소방시설업을 등록한 자를 말한다.
3. "감리원"이란 소방공사감리업자에 소속된 소방기술자로서 해당 소방시설공사를 감리하는 사람을 말한다.
4. "소방기술자"란 제28조에 따라 소방기술 경력 등을 인정받은 사람과 다음 각 목의 어느 하나에 해당하는 사람으로서 소방시설업과 「소방시설 설치 및 관리에 관한 법률」에 따른 소방시설관리업의 기술인력으로 등록된 사람을 말한다.
   가. 「소방시설 설치 및 관리에 관한 법률」에 따른 소방시설관리사
   나. 국가기술자격 법령에 따른 소방기술사, 소방설비기사, 소방설비산업기사, 위험물기능장, 위험물산업기사, 위험물기능사
5. "발주자"란 소방시설의 설계, 시공, 감리 및 방염(이하 "소방시설공사등"이라 한다)을 소방시설업자에게 도급하는 자를 말한다. 다만, 수급인으로서 도급받은 공사를 하도급하는 자는 제외한다.
② 이 법에서 사용하는 용어의 뜻은 제1항에서 규정하는 것을 제외하고는 「소방기본법」, 「화재의 예방 및 안전관리에 관한 법률」, 「소방시설 설치 및 관리에 관한 법률」, 「위험물안전관리법」 및 「건설산업기본법」에서 정하는 바에 따른다.

(1) 용어의 정의

① **소방시설업**

  ⊙ **소방시설설계업**: 소방시설공사의 설계도서를 설계하는 영업

  ⓛ **소방시설공사업**: 설계도서에 따라 소방시설을 시공하는 영업

  ⓒ **소방공사감리업**: 소방시설공사에 관한 발주자의 권한을 대행하여 감리하는 영업

  ⓔ **방염처리업**: 방염대상물품에 대하여 방염하는 영업

② **소방시설업자**: 소방시설업을 경영하기 위하여 소방시설업을 등록한 자

③ **감리원**: 소방공사감리업자에 소속된 소방기술자로서 해당 소방시설공사를 감리하는 사람

정희's 톡talk

용어의 정의

소방시설업은 소방시설설계업, 소방시설공사업, 소방공사감리업 및 방염처리업을 말합니다. 소방시설공사등은 설계, 시공, 감리 및 방염을 말하며, 「소방시설공사업법」의 중심 내용입니다.

④ 소방기술자

    ㉠ 제28조에 따라 소방기술 경력 등을 인정받은 사람

    ㉡ **소방시설관리업과 소방시설업의 기술인력으로 등록된 다음에 해당하는 자**

        ⓐ 소방시설관리사

        ⓑ 소방기술사, 소방설비기사, 소방설비산업기사, 위험물기능장, 위험물산업기사, 위험물기능사

⑤ 발주자

    ㉠ 소방시설의 소방시설공사등을 소방시설업자에게 도급하는 자(다만, 수급인으로서 도급받은 공사를 하도급하는 자는 제외)

    ㉡ 소방시설공사등: 설계, 시공, 감리 및 방염

        ⓐ 설계: 설계도서의 작성

        ⓑ 설계도서: 공사계획, 설계도면, 설계설명서, 기술계산서 및 이와 관련된 서류

        ⓒ 시공: 설계도서에 따라 소방시설을 신설, 증설, 개설, 이전 및 정비

        ⓓ 감리: 소방시설공사가 설계도서와 관계 법령에 따라 적법하게 시공되는지를 확인하고, 품질·시공 관리에 대한 기술지도

(2) 준용 규정

(1)에서 규정하는 것을 제외하고는 「소방기본법」, 「화재의 예방 및 안전관리에 관한 법률」, 「소방시설 설치 및 관리에 관한 법률」, 「위험물안전관리법」 및 「건설산업기본법」에서 정하는 바에 따른다.

> **참고** 「건설산업기본법」 제2조(정의)
>
> 1. **발주자**: 건설공사를 건설사업자에게 도급하는 자를 말한다. 다만, 수급인으로서 도급받은 건설공사를 하도급하는 자는 제외한다.
> 2. **도급**: 원도급, 하도급, 위탁 등 명칭에 관계없이 건설공사를 완성할 것을 약정하고, 상대방이 그 공사의 결과에 대하여 대가를 지급할 것을 약정하는 계약을 말한다.
> 3. **하도급**: 도급받은 건설공사의 전부 또는 일부를 다시 도급하기 위하여 수급인이 제3자와 체결하는 계약을 말한다.
> 4. **수급인**: 발주자로부터 건설공사를 도급받은 건설사업자를 말하고, 하도급의 경우 하도급하는 건설사업자를 포함한다.
> 5. **하수급인**: 수급인으로부터 건설공사를 하도급받은 자를 말한다.
> 6. **건설산업**: 건설업과 건설용역업을 말한다.
> 7. **건설업**: 건설공사를 하는 업(業)을 말한다.
> 8. **건설용역업**: 건설공사에 관한 조사, 설계, 감리, 사업관리, 유지관리 등 건설공사와 관련된 용역(건설용역)을 하는 업(業)을 말한다.
> 9. **종합공사**: 종합적인 계획, 관리 및 조정을 하면서 시설물을 시공하는 건설공사를 말한다.
> 10. **전문공사**: 시설물의 일부 또는 전문 분야에 관한 건설공사를 말한다.

정회's 톡talk

제28조(소방기술 경력 등의 인정 등)
소방청장은 소방기술과 관련된 자격·학력 및 경력을 가진 자를 소방기술자로 인정할 수 있습니다.

🖊 **핵심기출**

「소방시설공사업법」상 '소방시설업'의 영업에 해당하지 않는 것은?   18. 공채(10월)

① 소방시설공사에 기본이 되는 공사계획, 설계도면, 설계설명서, 기술계산서 및 이와 관련된 서류를 작성하는 영업

② 설계도서에 따라 소방시설을 신설, 증설, 개설, 이전 및 정비하는 영업

③ 소방안전관리 업무의 대행 또는 소방시설 등의 점검 및 유지·관리하는 영업

④ 방염대상물품에 대하여 방염처리하는 영업

정답 ③

정회's 톡talk

도급

도급의 정확한 이해가 중요합니다. 최근 도급과 관련된 출제비중이 늘어나고 있습니다. 「건설산업기본법」상 도급은 건설공사를 완성할 것을 약정하고, 상대방이 그 공사의 결과에 대하여 대가를 지급할 것을 약정하는 계약을 말합니다.

제2조의2【소방시설공사등 관련 주체의 책무】① 소방청장은 소방시설공사등의 품질과 안전이 확보되도록 소방시설공사등에 관한 기준 등을 정하여 보급하여야 한다.

② 발주자는 소방시설이 공공의 안전과 복리에 적합하게 시공되도록 공정한 기준과 절차에 따라 능력 있는 소방시설업자를 선정하여야 하고, 소방시설공사등이 적정하게 수행되도록 노력하여야 한다.

③ 소방시설업자는 소방시설공사등의 품질과 안전이 확보되도록 소방시설공사등에 관한 법령을 준수하고, 설계도서·시방서(示方書) 및 도급계약의 내용 등에 따라 성실하게 소방시설공사등을 수행하여야 한다.

제3조【다른 법률과의 관계】소방시설공사 및 소방기술의 관리에 관하여 이 법에서 규정하지 아니한 사항에 대하여는 「화재의 예방 및 안전관리에 관한 법률」, 「소방시설 설치 및 관리에 관한 법률」과 「위험물안전관리법」을 적용한다.

(1) 소방시설공사등 관련 주체의 책무

① 소방청장의 책무: 소방시설공사등에 관한 기준 수립

② 발주자의 책무: 소방시설업자의 선정 및 소방시설공사등의 적정한 수행

③ 소방시설업자의 책무

　㉠ 소방시설공사등에 관한 법령 준수

　㉡ 설계도서·시방서 및 도급계약의 내용 등에 따라 성실하게 소방시설공사등 수행

(2) 준용 규정

소방시설공사 및 소방기술의 관리에 대해 「소방시설공사업법」에서 규정하지 않은 사항은 「화재의 예방 및 안전관리에 관한 법률」, 「소방시설 설치 및 관리에 관한 법률」과 「위험물안전관리법」을 적용한다.

참고 「소방시설 설치 및 관리에 관한 법률」 제3조(국가 및 지방자치단체의 책무)

1. 국가와 지방자치단체는 소방시설등의 설치·관리와 소방용품의 품질 향상 등을 위하여 필요한 정책을 수립하고 시행하여야 한다.

2. 국가와 지방자치단체는 새로운 소방 기술·기준의 개발 및 조사·연구, 전문인력 양성 등 필요한 노력을 하여야 한다.

3. 국가와 지방자치단체는 제1항 및 제2항에 따른 정책을 수립·시행하는 데 있어 필요한 행정적·재정적 지원을 하여야 한다.

제2장 소방시설업

1 소방시설업의 등록 **A**

제4조【소방시설업의 등록】 ① 특정소방대상물의 소방시설공사등을 하려는 자는 업종별로 자본금(개인인 경우에는 자산 평가액을 말한다), 기술인력 등 대통령령으로 정하는 요건을 갖추어 특별시장·광역시장·특별자치시장·도지사 또는 특별자치도지사(이하 "시·도지사"라 한다)에게 소방시설업을 등록하여야 한다.

② 제1항에 따른 소방시설업의 업종별 영업범위는 대통령령으로 정한다.

③ 제1항에 따른 소방시설업의 등록신청과 등록증·등록수첩의 발급·재발급 신청, 그 밖에 소방시설업 등록에 필요한 사항은 행정안전부령으로 정한다.

④ 제1항에도 불구하고 「공공기관의 운영에 관한 법률」 제5조에 따른 공기업·준정부기관 및 「지방공기업법」 제49조에 따라 설립된 지방공사나 같은 법 제76조에 따라 설립된 지방공단이 다음 각 호의 요건을 모두 갖춘 경우에는 시·도지사에게 등록을 하지 아니하고 자체 기술인력을 활용하여 설계·감리를 할 수 있다. 이 경우 대통령령으로 정하는 기술인력을 보유하여야 한다.

1. 주택의 건설·공급을 목적으로 설립되었을 것
2. 설계·감리 업무를 주요 업무로 규정하고 있을 것

(1) 소방시설업의 등록

① **소방시설업의 등록권자:** 시·도지사

② **등록 내용:** 소방시설공사등을 하려는 자는 업종별로 자본금, 기술인력 등 대통령령으로 정하는 요건을 갖추어 시·도지사에게 소방시설업을 등록하여야 한다 (개인의 경우 자본금은 자산평가액을 말한다).

③ **업종별 영업범위:** 대통령령으로 정한다.

④ **등록신청과 등록증·등록수첩의 발급·재발급 신청:** 행정안전부령으로 정한다.

⑤ **행정안전부령 위임사항(규칙 제2조 ~ 제4조의2)**

　㉠ 소방시설업의 등록신청

　㉡ 등록신청 서류의 보완

　㉢ 등록신청 서류의 검토·확인 및 송부

　㉣ 소방시설업 등록증 및 등록수첩의 발급

　㉤ 소방시설업 등록증 또는 등록수첩의 재발급 및 반납

　㉥ 등록관리

⑥ **시·도지사에게 등록하지 아니하고 자체 기술인력을 활용하여 설계·감리할 수 있는 경우:** 공기업·준정부기관, 지방공사, 지방공단이 다음의 요건을 모두 갖춘 경우

　㉠ 주택의 건설·공급을 목적으로 설립되었을 것

　㉡ 설계·감리 업무를 주요 업무로 규정하고 있을 것

✏ **핵심기출**

「소방시설공사업법」상 소방시설업의 등록, 휴·폐업과 소방시설업자의 지위승계에 대한 내용으로 옳지 않은 것은? 　22. 공채

① 특정소방대상물의 소방시설공사등을 하려는 자는 업종별로 자본금, 기술인력 등 행정안전부령으로 정하는 요건을 갖추어 시·도지사에게 소방시설업을 등록하여야 한다.

② 소방시설업자가 사망하여 그 상속인이 종전의 소방시설업자의 지위를 승계하려는 경우에는 그 상속일, 양수일 또는 합병일부터 30일 이내에 행정안전부령으로 정하는 바에 따라 그 사실을 시·도지사에게 신고하여야 한다.

③ 소방시설업자는 소방시설업을 폐업하는 때에는 행정안전부령으로 정하는 바에 따라 시·도지사에게 신고하여야 하고 폐업 신고를 받은 시·도지사는 소방시설업 등록을 말소하고 그 사실을 행정안전부령으로 정하는 바에 따라 공고하여야 한다.

④ 「민사집행법」에 따른 경매에 따라 소방시설업자의 소방시설의 전부를 인수한 자가 종전의 소방시설업자의 지위를 승계하려는 경우에는 그 인수일부터 30일 이내에 행정안전부령으로 정하는 바에 따라 그 사실을 시·도지사에게 신고하여야 한다.

정답 ①

---

⑦ 벌칙 – 3년 이하의 징역 또는 3천만원 이하의 벌금(제35조): 제4조 제1항을 위반하여 소방시설업 등록을 하지 아니하고 영업을 한 자

(2) 소방시설설계업 등록기준 및 영업범위(영 [별표 1])
① 소방시설설계업

업종별	항목		기술인력	영업범위
전문 소방시설 설계업			가. 주된 기술인력: 소방기술사 1명 이상 나. 보조기술인력: 1명 이상	모든 특정소방대상물에 설치되는 소방시설의 설계
일반 소방 시설 설계업	기계 분야		가. 주된 기술인력: 소방기술사 또는 기계분야 소방설비기사 1명 이상 나. 보조기술인력: 1명 이상	가. 아파트에 설치되는 기계분야 소방시설(제연설비는 제외한다)의 설계 나. 연면적 3만제곱미터(공장의 경우에는 1만제곱미터) 미만의 특정소방대상물(제연설비가 설치되는 특정소방대상물은 제외한다)에 설치되는 기계분야 소방시설의 설계 다. 위험물제조소등에 설치되는 기계분야 소방시설의 설계
	전기 분야		가. 주된 기술인력: 소방기술사 또는 전기분야 소방설비기사 1명 이상 나. 보조기술인력: 1명 이상	가. 아파트에 설치되는 전기분야 소방시설의 설계 나. 연면적 3만제곱미터(공장의 경우에는 1만제곱미터) 미만의 특정소방대상물에 설치되는 전기분야 소방시설의 설계 다. 위험물제조소등에 설치되는 전기분야 소방시설의 설계

② 일반 소방시설설계업의 기계·전기분야 소방시설의 범위
ㄱ 기계분야
ⓐ 소화기구, 자동소화장치, 옥내소화전설비, 스프링클러설비등, 물분무등소화설비, 옥외소화전설비, **피난기구, 인명구조기구**, 상수도소화용수설비, 소화수조·저수조, 그 밖의 소화용수설비, **제연설비, 연결송수관설비, 연결살수설비 및 연소방지설비**
ⓑ 기계분야 소방시설에 부설되는 전기시설. 다만, 비상전원, 동력회로, 제어회로, 기계분야 소방시설을 작동하기 위하여 설치하는 화재감지기에 의한 화재감지장치 및 전기신호에 의한 소방시설의 작동장치는 제외한다.
ㄴ 전기분야
ⓐ 단독경보형감지기, 비상경보설비, 비상방송설비, 누전경보기, 자동화재탐지설비, 시각경보기, 화재알림설비, 자동화재속보설비, 가스누설경보기, 통합감시시설, **유도등, 비상조명등, 휴대용비상조명등, 비상콘센트설비 및 무선통신보조설비**
ⓑ 기계분야 소방시설에 부설되는 전기시설 중 ㄱ의 ⓑ 단서의 전기시설

정희's 톡talk
영업범위
일반 소방시설설계업의 영업범위는 일반 소방공사감리업의 영업범위와 유사합니다. 반면에 일반 소방시설공사업의 영업범위와는 차이가 있으니 주의하세요!!

정희's 톡talk
소방대상물[「소방기본법」 제2조(정의) 제1호]
"소방대상물"이란 건축물, 차량, 선박(「선박법」 제1조의2 제1항에 따른 선박으로서 항구에 매어둔 선박만 해당), 선박 건조 구조물, 산림, 그 밖의 인공 구조물 또는 물건을 말합니다.

특정소방대상물[「소방시설 설치 및 관리에 관한 법률」 제2조(정의) 제1항 제3호]
"특정소방대상물"이란 건축물 등의 규모·용도 및 수용인원 등을 고려하여 소방시설을 설치하여야 하는 소방대상물로서 대통령령으로 정하는 것을 말합니다.

소방안전관리대상물[「화재의 예방 및 안전관리 관한 법률」 제24조(특정소방대상물의 소방안전관리) 제1항]
특정소방대상물 중 전문적인 안전관리가 요구되는 대통령령으로 정하는 특정소방대상물(이하 "소방안전관리대상물")의 관계인은 소방안전관리업무를 수행하기 위하여 제30조 제1항에 따른 소방안전관리자 자격증을 발급받은 사람을 소방안전관리자로 선임하여야 합니다.

③ 기계·전기분야 일반 소방시설설계업을 함께 하는 경우 주된 기술인력: 소방기술사 1명 또는 기계분야 소방설비기사와 전기분야 소방설비기사 자격을 함께 취득한 사람 1명 이상

④ 소방시설설계업과 다른 업종을 겸업하는 경우의 기술인력 등록 기준

   ㉠ 전문 소방시설설계업과 소방시설관리업을 함께 하는 경우: 소방기술사 자격과 소방시설관리사 자격을 함께 취득한 사람

   ㉡ 전문 소방시설설계업과 전문 소방시설공사업을 함께 하는 경우: 소방기술사 자격을 취득한 사람

   ㉢ 전문 소방시설설계업과 화재위험평가 대행업을 함께 하는 경우: 소방기술사 자격을 취득한 사람

   ㉣ 일반 소방시설설계업과 소방시설관리업을 함께 하는 경우 다음의 어느 하나에 해당하는 사람

      ⓐ 소방기술사 자격과 소방시설관리사 자격을 함께 취득한 사람

      ⓑ 기계분야 소방설비기사 또는 전기분야 소방설비기사 자격을 취득한 사람 중 소방시설관리사 자격을 취득한 사람

   ㉤ 일반 소방시설설계업과 일반 소방시설공사업을 함께 하는 경우: 소방기술사 자격을 취득하거나 기계분야 또는 전기분야 소방설비기사 자격을 취득한 사람

   ㉥ 일반 소방시설설계업과 전문 소방시설공사업을 함께 하는 경우: 소방기술사 자격을 취득하거나 기계분야 및 전기분야 소방설비기사 자격을 함께 취득한 사람

   ㉦ 전문 소방시설설계업과 일반 소방시설공사업을 함께하는 경우: 소방기술사 자격을 취득한 사람

⑤ 보조기술인력 등록기준

   ㉠ 소방기술사, 소방설비기사 또는 소방설비산업기사 자격을 취득한 사람

   ㉡ 소방공무원으로 재직한 경력이 3년 이상인 사람으로서 자격수첩을 발급받은 사람

   ㉢ 법 제28조 제3항에 따라 행정안전부령으로 정하는 소방기술과 관련된 자격·경력 및 학력을 갖춘 사람으로서 자격수첩을 발급받은 사람

정희's 톡talk

보조기술인력의 등록기준
소방공무원으로 재직한 경력이 3년 이상이어야 합니다. 재직경력 5년 이상으로 바꿔 함정으로 자주 나오니 헷갈리지 않도록 주의하세요!

(3) 소방시설공사업 등록기준 및 영업범위
① 소방시설공사업

업종별	항목	기술인력	자본금 (자산평가액)	영업범위
전문 소방시설 공사업		가. 주된 기술인력: 소방기술사 또는 기계분야와 전기분야의 소방설비기사 각 1명 이상 나. 보조기술인력: 2명 이상	가. 법인: 1억원 이상 나. 개인: 자산평가액 1억원 이상	특정소방대상물에 설치되는 기계분야 및 전기분야 소방시설의 공사·개설·이전 및 정비
일반 소방 시설 공사업	기계 분야	가. 주된 기술인력: 소방기술사 또는 기계분야 소방설비기사 1명 이상 나. 보조기술인력: 1명 이상	가. 법인: 1억원 이상 나. 개인: 자산평가액 1억원 이상	가. 연면적 1만제곱미터 미만의 특정소방대상물에 설치되는 기계분야 소방시설의 공사·개설❶·이전❷ 및 정비❸ 나. 위험물제조소등에 설치되는 기계분야 소방시설의 공사·개설·이전 및 정비
	전기 분야	가. 주된 기술인력: 소방기술사 또는 전기분야 소방설비 기사 1명 이상 나. 보조기술인력: 1명 이상	가. 법인: 1억원 이상 나. 개인: 자산평가액 1억원 이상	가. 연면적 1만제곱미터 미만의 특정소방대상물에 설치되는 전기분야 소방시설의 공사·개설·이전·정비 나. 위험물제조소등에 설치되는 전기분야 소방시설의 공사·개설·이전·정비

② 기계·전기분야 일반 소방시설공사업을 함께 하는 경우 주된기술인력: 소방기술사 1명 또는 기계분야 및 전기분야의 자격을 함께 취득한 소방설비기사 1명
③ 소방시설공사업의 자본금(자산평가액) 산정기준
　㉠ 자본금 = 총자산 - 총부채
　㉡ 소방시설공사업 외의 다른 업을 함께 하는 경우: 자본금에서 겸업 비율에 해당하는 금액을 뺀 금액
④ 소방시설공사업과 다른 업종을 겸업하는 경우의 기술인력 등록 기준
　㉠ 전문 소방시설공사업과 전문 소방시설설계업을 함께 하는 경우: 소방기술사 자격을 취득한 사람

ⓛ 전문 소방시설공사업과 일반 소방시설설계업을 함께 하는 경우: 소방기술사 자격을 취득하거나 기계분야 및 전기분야 소방설비기사 자격을 함께 취득한 사람

ⓒ 일반 소방시설공사업과 전문 소방시설설계업을 함께 하는 경우: 소방기술사 자격을 취득한 사람

ⓔ 일반 소방시설공사업과 일반 소방시설설계업을 함께 하는 경우: 소방기술사 자격을 취득하거나 기계분야 또는 전기분야 소방설비기사 자격을 취득한 사람

ⓜ 전문 소방시설공사업과 소방시설관리업을 함께 하는 경우: 소방시설관리사와 소방설비기사(기계분야 및 전기분야의 자격을 함께 취득한 사람) 또는 소방기술사 자격을 함께 취득한 사람

ⓗ 일반 소방시설공사업 기계분야와 소방시설관리업을 함께 하는 경우: 소방기술사 또는 기계분야 소방설비기사와 소방시설관리사 자격을 함께 취득한 사람

ⓢ 일반 소방시설공사업 전기분야와 소방시설관리업을 함께 하는 경우: 소방기술사 또는 전기분야 소방설비기사와 소방시설관리사 자격을 함께 취득한 사람

(5) 소방공사감리업 등록기준 및 영업범위

① 소방공사감리업

업종별 \ 항목		기술인력(이상)	영업범위
전문 소방공사 감리업		가. 소방기술사 1명 나. 기계분야 및 전기분야의 특급 감리원 각 1명 다. 기계분야 및 전기분야의 고급 감리원 이상의 감리원 각 1명 라. 기계분야 및 전기분야의 중급 감리원 이상의 감리원 각 1명 마. 기계분야 및 전기분야의 초급 감리원 이상의 감리원 각 1명	모든 특정소방대상물에 설치되는 소방시설공사 감리
일반 소방 공사 감리업	기계 분야	가. 기계분야 특급 감리원 1명 이상 나. 기계분야 고급 감리원 또는 중급 감리원 이상의 감리원 1명 다. 기계분야 초급 감리원 이상의 감리원 1명	가. 연면적 3만제곱미터(공장의 경우에는 1만제곱미터) 미만의 특정소방대상물(제연설비가 설치되는 특정소방대상물은 제외한다)에 설치되는 기계분야 소방시설의 감리 나. 아파트에 설치되는 기계분야 소방시설(제연설비는 제외한다)의 감리 다. 위험물제조소등에 설치되는 기계분야 소방시설의 감리
	전기 분야	가. 전기분야 특급 감리원 1명 이상 나. 전기분야 고급 감리원 또는 중급 감리원 이상의 감리원 1명 다. 전기분야 초급 감리원 이상의 감리원 1명	가. 연면적 3만제곱미터(공장의 경우에는 1만제곱미터) 미만의 특정소방대상물에 설치되는 전기분야 소방시설의 감리 나. 아파트에 설치되는 전기분야 소방시설의 감리 다. 위험물제조소등에 설치되는 전기분야 소방시설의 감리

 정희's 톡talk

전문소방공사감리업 중 기술인력
기계분야 및 전기분야의 자격을 함께 가지고 있는 사람이 있는 경우에는 그에 해당하는 사람 1명이고, 이하 다목부터 마목까지에서 같습니다.

② 일반 소방공사감리업의 기계·전기분야 소방시설의 범위

　ⓐ 기계분야

　　ⓐ 소방시설설계업의 기계분야 소방시설

　　ⓑ 실내장식물 및 방염대상물품

　ⓑ 전기분야: 소방시설설계업의 전기분야 소방시설

③ 감리원의 자격: 특급 감리원, 고급 감리원, 중급 감리원 및 초급 감리원은 행정안전부령으로 정하는 소방기술과 관련된 자격·경력 및 학력을 갖춘 사람으로서 소방공사감리원의 기술등급 자격에 따른 경력수첩을 발급받은 사람을 말한다.

④ 소방공사감리업과 다른 업종을 겸업하는 경우의 기술인력 등록 기준: 엔지니어링사업등의 보유 기술인력으로 신고나 등록된 소방기술사는 전문 소방공사감리업 등록 시 갖추어야 하는 기술인력으로 볼 수 있고, 특급 감리원은 일반 소방공사감리업의 등록 시 갖추어야 하는 기술인력으로 볼 수 있다.

(6) 방염처리업 등록기준 및 영업범위

업종별 \ 항목	실험실	방염처리시설 및 시험기기	영업범위
섬유류 방염업	1개 이상 갖출 것	부표에 따른 섬유류 방염업의 방염처리시설 및 시험기기를 모두 갖추어야 한다.	커튼·카펫 등 섬유류를 주된 원료로 하는 방염대상물품을 제조 또는 가공 공정에서 방염처리
합성수지류 방염업		부표에 따른 합성수지류 방염업의 방염처리시설 및 시험기기를 모두 갖추어야 한다.	합성수지류를 주된 원료로 하는 방염대상물품을 제조 또는 가공 공정에서 방염처리
합판·목재류 방염업		부표에 따른 합판·목재류 방염업의 방염처리시설 및 시험기기를 모두 갖추어야 한다.	합판 또는 목재류를 제조·가공 공정 또는 설치 현장에서 방염처리

(7) 시·도지사의 등록 예외사항(영 제2조 제3항)

① 등록기준을 갖추지 못한 경우

② 확인서를 제출하지 아니한 경우

③ 등록을 신청한 자가 결격사유에 해당하는 경우

④ 그 밖에 법, 시행령 또는 다른 법령에 따른 제한에 위반되는 경우

(8) 소방시설업의 등록신청(규칙 제2조)

① 등록신청: 소방시설업을 등록하려는 자는 소방시설업자협회에 신청서와 첨부서류를 제출하여야 한다.

② 등록신청 시 첨부서류

　ⓐ 국가기술자격증

　ⓑ 소방기술 인정자격수첩 또는 소방기술자 경력수첩

　ⓒ 출자·예치·담보한 금액확인서(소방시설공사업만 해당)

　ⓓ 다음 어느 하나에 해당하는 사람이 90일 이내 작성한 자산평가액 또는 기업진단 보고서

　　ⓐ 공인회계사

정희's 톡talk

소방시설업의 등록
영 제20조 업무의 위탁과 관련하여 시·도지사는 소방시설업 등록신청, 변경신고, 휴업·폐업 또는 재개업, 지위승계를 협회에 위탁할 수 있습니다. 「소방시설공사업법 시행규칙」에서 소방시설업의 등록 등과 관련하여 협회가 등장합니다.

ⓑ 세무사

ⓒ 전문경영진단기관

ⓜ 신청인이 외국인인 경우

ⓐ 해당 국가의 정부, 공증인 그 밖의 권한 있는 기관이 발행한 서류로서 우리나라 영사가 확인한 서류

ⓑ 협약을 체결한 국가의 경우 해당 국가의 정부, 공증인 그 밖의 권한 있는 기관이 발행한 서류로서 해당 국가의 아포스티유 확인서 발급 권한이 있는 기관이 그 확인서를 발급한 서류

(9) 등록신청 서류의 보완 등

① 등록신청 서류의 보완 기간(규칙 제2조의2): 협회는 10일 이내의 기간을 정하여 보완하게 할 수 있다.

ⓙ 첨부서류(전자문서 포함)가 첨부되지 아니한 경우

ⓛ 신청서 및 첨부서류에 기재되어야 할 내용이 기재되어 있지 아니하거나 명확하지 아니한 경우

② 등록신청 서류의 검토·확인 및 송부(규칙 제2조의3)

ⓙ 협회는 등록기준에 맞는지를 검토·확인하여야 한다.

ⓛ 협회의 송부 기한: 소방시설업 등록신청서 서면심사 및 확인 결과를 첨부하여 접수일부터 7일 이내에 시·도지사에게 보내야 한다.

③ 소방시설업 등록증 및 등록수첩의 발급(규칙 제3조)

ⓙ 등록증 및 등록수첩의 발급권자: 시·도지사

ⓛ 처리기한: 접수일부터 15일 이내에 협회를 경유하여 신청인에게 발급하여야 한다.

④ 소방시설업 등록증 또는 등록수첩의 재발급 및 반납(규칙 제4조)

ⓙ 재발급을 시·도지사에게 신청할 수 있는 경우

ⓐ 등록증 또는 등록수첩을 잃어버린 경우

ⓑ 등록증 또는 등록수첩이 헐어 못 쓰게 된 경우

ⓛ 소방시설업자는 소방시설업 등록증(등록수첩) 재발급신청서를 협회를 경유하여 시·도지사에게 제출하여야 한다.

ⓒ 시·도지사의 재발급 기한: 3일 이내

ⓔ 등록증 및 등록수첩을 지체 없이 반납하여야 하는 경우

ⓐ 소방시설업 등록이 취소된 경우

ⓑ 소방시설업의 등록증·등록수첩을 재발급받은 경우

⑤ 등록관리(규칙 제4조의2)

ⓙ 시·도지사는 등록증 및 등록수첩 발급(재발급)대장을 작성·관리하여야 한다.

ⓛ 협회의 소방시설업 등록대장에 등록사항 작성·관리 사항

ⓐ 등록업종 및 등록번호

ⓑ 등록 연월

ⓒ 상호(명칭) 및 성명(법인의 경우에는 대표자의 성명)

ⓓ 영업소 소재지

정희's 톡talk

서류의 보완 기간
소방시설업 서류의 보완 기간은 10일입니다. 반면에 규칙 제22조 소방시설공사 시공능력 평가신청에서 서류미비에 따른 보완 기한은 15일입니다.

(10) 공기업 · 준정부기관 및 지방공사 · 지방공단의 등록 특례(제4조 제4항)

　① 기본 충족요건

　　㉠ 주택의 건설 · 공급을 목적으로 설립되었을 것

　　㉡ 설계 · 감리 업무를 주요 업무로 규정하고 있을 것

　② 기본 충족요건을 만족하는 경우: 시 · 도지사에게 등록을 하지 아니하고 자체 기술인력을 활용하여 설계 · 감리를 할 수 있다.

　③ 이 경우 대통령령으로 정하는 기술인력을 보유하여야 한다.

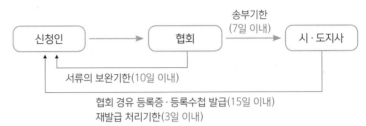

▲ 등록증 · 등록수첩의 발급 및 재발급 처리기한

🖐 **관계법규** **소방시설업의 등록**

시행령	시행규칙
제2조【소방시설업의 등록기준 및 영업범위】 ① 「소방시설공사업법」(이하 "법"이라 한다) 제4조 제1항 및 제2항에 따른 소방시설업의 업종별 등록기준 및 영업범위는 별표 1과 같다. ② 【 ① 】의 등록을 하려는 자는 별표 1의 기준을 갖추어 소방청장이 지정하는 금융회사 또는 「소방산업의 진흥에 관한 법률」 제23조에 따른 소방산업공제조합이 별표 1에 따른 자본금 기준금액의 【 ② 】 이상에 해당하는 금액의 담보를 제공받거나 현금의 예치 또는 출자를 받은 사실을 증명하여 발행하는 확인서를 특별시장 · 광역시장 · 특별자치시장 · 도지사 또는 특별자치도지사(이하 "시 · 도지사"라 한다)에게 제출하여야 한다. ③ 시 · 도지사는 법 제4조 제1항에 따른 등록신청이 다음 각 호의 어느 하나에 해당되는 경우를 제외하고는 등록을 해주어야 한다. 1. 제1항에 따른 등록기준을 갖추지 못한 경우 2. 제2항에 따른 확인서를 제출하지 아니한 경우 3. 등록을 신청한 자가 법 제5조 각 호의 어느 하나에 해당하는 경우 4. 그 밖에 법, 이 영 또는 다른 법령에 따른 제한에 위반되는 경우	**제2조【소방시설업의 등록신청】** ① 「소방시설공사업법」(이하 "법"이라 한다) 제4조 제1항에 따라 소방시설업을 등록하려는 자는 별지 제1호 서식의 소방시설업 등록신청서(전자문서로 된 소방시설업 등록신청서를 포함한다)에 다음 각 호의 서류(전자문서를 포함한다)를 첨부하여 「소방시설공사업법 시행령」(이하 "영"이라 한다) 제20조 제3항에 따라 법 제30조의2에 따른 소방시설업자협회(이하 "협회"라 한다)에 제출하여야 한다. 다만, 「전자정부법」 제36조 제1항에 따른 행정정보의 공동이용을 통하여 첨부서류에 대한 정보를 확인할 수 있는 경우에는 그 확인으로 첨부서류를 갈음할 수 있다. 1. 신청인(외국인을 포함하되, 법인의 경우에는 대표자를 포함한 임원을 말한다)의 성명, 주민등록번호 및 주소지 등의 인적사항이 적힌 서류 2. 등록기준 중 기술인력에 관한 사항을 확인할 수 있는 다음 각 목의 어느 하나에 해당하는 서류(이하 "기술인력 증빙서류"라 한다) 　가. 국가기술자격증 　나. 법 제28조 제2항에 따라 발급된 소방기술 인정 자격수첩(이하 "자격수첩"이라 한다) 또는 소방기술자 경력수첩(이하 "경력수첩"이라 한다) 3. 영 제2조 제2항에 따라 소방청장이 지정하는 금융회사 또는 소방산업공제조합에 출자 · 예치 · 담보한 금액 확인서(이하 "출자 · 예치 · 담보 금액 확인서"라 한다) 1부(【 ① 】만 해당한다). 다만, 소방청장이 지정하는 금융회사 또는 소방산업공제조합에 해당 금액을 확인할 수 있는 경우에는 그 확인으로 갈음할 수 있다.
① 소방시설공사업 ② 100분의 20	① 소방시설공사업

시행령	시행규칙

시행령

[별표 1] 소방시설업의 업종별 등록기준 및 영업범위(제2조 제1항 관련)

1. 소방시설설계업

업종별 항목		기술인력(이상)	영업범위
전문		가. 주된 기술인력: 소방기술사 1명 이상 나. 보조기술인력: 1명 이상	모든 특정소방대상물
일반	기계	가. 주된 기술인력: 소방기술사 또는 기계분야 소방설비기사 1명 이상 나. 보조기술인력: 1명 이상	가. 아파트(제연설비 제외) 나. 연면적 3만m²(공장 1만m²) 미만 (제연설비 제외) 다. 위험물제조소등
	전기	가. 주된 기술인력: 소방기술사 또는 전기분야 소방설비기사 1명 이상 나. 보조기술인력: 1명 이상	가. 아파트 나. 연면적 3만m²(공장 1만m²) 미만 다. 위험물제조소등

2. 소방시설공사업(법인: 1억원 이상, 개인: 자산평가액 1억원 이상)

업종별 항목		기술인력 (이상, 동시취득자 1명)	영업범위
전문		가. 주된 기술인력: 소방기술사 또는 기계·전기 기사 각 1명 이상 나. 보조기술인력: 2명 이상	특정 소방대상물에 설치되는 기계·전기분야 소방시설의 공사·개설·이전 및 정비
일반	기계	가. 주된 기술인력: 소방기술사 또는 기사 1명 이상 나. 보조기술인력: 1명 이상	가. 연면적 1만제곱미터 미만 나. 위험물제조소등
	전기	가. 주된 기술인력: 소방기술사 또는 기사 1명 이상 나. 보조기술인력: 1명 이상	가. 연면적 1만제곱미터 미만 나. 위험물제조소등

시행규칙

4. 다음 각 목의 어느 하나에 해당하는 자가 신청일 전 최근 【 ② 】에 작성한 자산평가액 또는 소방청장이 정하여 고시하는 바에 따라 작성된 기업진단 보고서(소방시설공사업만 해당한다)
　가. 「공인회계사법」 제7조에 따라 금융위원회에 등록한 공인회계사
　나. 「세무사법」 제6조에 따라 기획재정부에 등록한 세무사
　다. 「건설산업기본법」 제49조 제2항에 따른 전문경영진단기관
5. 신청인(법인인 경우에는 대표자를 말한다)이 외국인인 경우에는 법 제5조 각 호의 어느 하나에 해당하는 사유와 같거나 비슷한 사유에 해당하지 아니함을 확인할 수 있는 서류로서 다음 각 목의 어느 하나에 해당하는 서류
- 중략 -
② 제1항에 따른 신청서류는 업종별로 제출하여야 한다.
③ 제1항에 따라 등록신청을 받은 협회는 「전자정부법」 제36조 제1항에 따른 행정정보의 공동이용을 통하여 다음 각 호의 서류를 확인하여야 한다. 다만, 신청인이 제2호부터 제4호까지의 서류의 확인에 동의하지 아니하는 경우에는 해당 서류를 제출하도록 하여야 한다.
1. 법인등기사항 전부증명서(법인인 경우만 해당한다)
2. 사업자등록증(개인인 경우만 해당한다)
3. 「출입국관리법」 제88조 제2항에 따른 외국인등록 사실증명(외국인 경우만 해당한다)
4. 「국민연금법」 제16조에 따른 국민연금가입자 증명서(이하 "국민연금가입자 증명서"라 한다) 또는 「국민건강보험법」 제11조에 따라 건강보험의 가입자로서 자격을 취득하고 있다는 사실을 확인할 수 있는 증명서("건강보험자격취득 확인서"라 한다)

제2조의2【등록신청 서류의 보완】 협회는 제2조에 따라 받은 소방시설업의 등록신청 서류가 다음 각 호의 어느 하나에 해당되는 경우에는 【 ③ 】 이내의 기간을 정하여 이를 보완하게 할 수 있다.
1. 첨부서류(전자문서를 포함한다)가 첨부되지 아니한 경우
2. 신청서(전자문서로 된 소방시설업 등록신청서를 포함한다) 및 첨부서류(전자문서를 포함한다)에 기재되어야 할 내용이 기재되어 있지 아니하거나 명확하지 아니한 경우

제2조의3【등록신청 서류의 검토·확인 및 송부】 ① 협회는 제2조에 따라 소방시설업 등록신청 서류를 받았을 때에는 영 제2조 및 영 별표 1에 따른 등록기준에 맞는지를 검토·확인하여야 한다.
② 협회는 제1항에 따른 검토·확인을 마쳤을 때에는 제2조에 따라 받은 소방시설업 등록신청 서류에 그 결과를 기재한 별지 제1호의2 서식에 따른 소방시설업 등록신청서 서면심사 및 확인 결과를 첨부하여 접수일(제2조의2에 따라 신청서류의 보완을 요구한 경우에는 그 보완이 완료된 날을 말한다. 이하 같다)부터 【 ④ 】 이내에 특별시장·광역시장·특별자치시장·도지사 또는 특별자치도지사(이하 "시·도 지사"라 한다)에게 보내야 한다.

② 90일 이내　③ 10일　④ 7일

시행령	시행규칙

시행령

3. 소방공사감리업

업종별＼항목		기술인력 (이상, 동시취득자 1명)	영업범위
전문		가. 소방기술사 1명 이상 나. 기계 · 전기 특급 각 　1명 이상 다. 고급 각 1명 이상 라. 중급 각 1명 이상 마. 초급 각 1명 이상	모든 특정소방대상물 이 설치되는 소방시설 공사감리
일반	기계	가. 특급감리원 1명 이상 나. 고급 · 중급 1명 이상 다. 초급 1명 이상	가. 아파트(제연설비 제외) 나. 연면적 3만m²(공장 　1만m² 미만 (제연설 　비 제외) 다. 위험물제조소등
일반	전기	가. 특급감리원 1명 이상 나. 고급 · 중급 1명 이상 다. 초급 1명 이상	가. 아파트 나. 연면적 3만m²(공장 　1만m² 미만 다. 위험물제조소등

4. 방염처리업

업종별＼항목	실험실	방염처리시설 및 시험기기	영업범위
섬유류 방염업	1개 이상	부표에 따른 섬 유류 방염업의 방염처리시설 및 시험기기를 모두 갖추어야 한다.	커튼 · 카펫 등 섬유류를 주된 원료로 하는 방 염대상물품을 제조 또는 가공 공정에서 방염 처리
합성 수지류 방염업	1개 이상	부표에 따른 합 성수지류 방염 업의 방염처리 시설 및 시험기 기를 모두 갖추 어야 한다.	합성수지류를 주된 원료로 하 는 방염대상물 품을 제조 또는 가공 공정에서 방염처리
합판 · 목재류 방염업	1개 이상	부표에 따른 합 판 · 목재류 방염 업의 방염처리 시설 및 시험기 기를 모두 갖추 어야 한다.	합판 또는 목재 류를 제조 · 가공 공정 또는 설치 현장에서 방염 처리

시행규칙

제3조【소방시설업 등록증 및 등록수첩의 발급】 시 · 도지사는 제2조에 따른 접수일부터 【 ⑤ 】이내에 협회를 경유하여 별지 제3호 서식에 따른 소방시설업 등록증 및 별지 제4호 서식에 따른 소방시설업 등록수첩을 신청인에게 발급해 주어야 한다.

제4조【소방시설업 등록증 또는 등록수첩의 재발급 및 반납】 ① 법 제4조 제3항에 따라 소방시설업자는 소방시설업 등록증 또는 등록수첩을 잃어버리거나 소방시설업 등록증 또는 등록수첩이 헐어 못 쓰게 된 경우에는 시 · 도지사에게 소방시설업 등록증 또는 등록수첩의 재발급을 신청할 수 있다.
② 소방시설업자는 제1항에 따라 재발급을 신청하는 경우에는 별지 제6호 서식의 소방시설업 등록증(등록수첩) 재발급신청서[전자문서로 된 소방시설업 등록증(등록수첩) 재발급신청서를 포함한다]를 협회를 경유하여 시 · 도지사에게 제출하여야 한다.
③ 시 · 도지사는 제2항에 따른 재발급신청서[전자문서로 된 소방시설업 등록증(등록수첩) 재발급신청서를 포함한다]를 제출받은 경우에는 【 ⑥ 】에 협회를 경유하여 소방시설업 등록증 또는 등록수첩을 재발급하여야 한다.
④ 소방시설업자는 다음 각 호의 어느 하나에 해당하는 경우에는 지체 없이 협회를 경유하여 시 · 도지사에게 그 소방시설업 등록증 및 등록수첩을 반납하여야 한다.
1. 법 제9조에 따라 소방시설업 등록이 취소된 경우
2. 삭제
3. 제1항에 따라 재발급을 받은 경우. 다만, 소방시설업 등록증 또는 등록수첩을 잃어버리고 재발급을 받은 경우에는 이를 다시 찾은 경우에만 해당한다.

제4조의2【등록관리】 ① 시 · 도지사는 제3조에 따라 소방시설업 등록증 및 등록수첩을 발급(제4조에 따른 재발급, 제6조 제4항 단서 및 제7조 제5항에 따른 발급을 포함한다)하였을 때에는 별지 제4호의2 서식에 따른 소방시설업 등록증 및 등록수첩 발급(재발급)대장에 그 사실을 일련번호 순으로 작성하고 이를 관리(전자문서를 포함한다)하여야 한다.
② 협회는 제1항에 따라 발급한 사항에 대하여 별지 제5호 서식에 따른 소방시설업 등록대장에 등록사항을 작성하여 관리(전자문서를 포함한다)하여야 한다. 이 경우 협회는 다음 각 호의 사항을 협회 인터넷 홈페이지를 통하여 공시하여야 한다.
1. 등록업종 및 등록번호
2. 등록 연월일
3. 상호(명칭) 및 성명(법인의 경우에는 대표자의 성명을 말한다)
4. 영업소 소재지

⑤ 15일 ⑥ 3일 이내

2 | 등록의 결격사유

B

제5조 【등록의 결격사유】 다음 각 호의 어느 하나에 해당하는 자는 소방시설업을 등록할 수 없다.

1. 피성년후견인
2. 삭제
3. 이 법, 「소방기본법」, 「화재의 예방 및 안전관리에 관한 법률」, 「소방시설 설치 및 관리에 관한 법률」 또는 「위험물안전관리법」에 따른 금고 이상의 실형을 선고받고 그 집행이 끝나거나(집행이 끝난 것으로 보는 경우를 포함한다) 면제된 날부터 2년이 지나지 아니한 사람
4. 이 법, 「소방기본법」, 「화재의 예방 및 안전관리에 관한 법률」, 「소방시설 설치 및 관리에 관한 법률」 또는 「위험물안전관리법」에 따른 금고 이상의 형의 집행유예를 선고받고 그 유예기간 중에 있는 사람
5. 등록하려는 소방시설업 등록이 취소(제1호에 해당하여 등록이 취소된 경우는 제외한다)된 날부터 2년이 지나지 아니한 자
6. 법인의 대표자가 제1호 또는 제3호부터 제5호까지에 해당하는 경우 그 법인
7. 법인의 임원이 제3호부터 제5호까지의 규정에 해당하는 경우 그 법인

다음에 해당하는 사람은 소방시설업을 등록할 수 없다.

① 피성년후견인

② 삭제

③ 소방관계법령에 따른 금고 이상의 실형을 선고받고, 그 집행이 끝나거나 집행이 면제된 날부터 2년이 지나지 않은 사람

④ 소방관계법령에 따른 금고 이상 형의 집행유예를 선고받고, **유예기간 중인 사람**

⑤ 등록이 취소된 날부터 2년이 지나지 않은 사람

⑥ **법인의 대표자**가 ① 또는 ③부터 ⑤까지에 해당하는 경우 그 법인

⑦ **법인의 임원**이 ③ ~ ⑤에 해당하는 경우 그 법인

참고 「소방시설 설치 및 관리에 관한 법률」 제30조(등록의 결격사유)

1. 피성년후견인
2. 이 법, 「소방기본법」, 「화재의 예방 및 안전관리에 관한 법률」, 「소방시설공사업법」 또는 「위험물안전관리법」을 위반하여 금고 이상의 실형을 선고받고 그 집행이 끝나거나(집행이 끝난 것으로 보는 경우를 포함한다) 집행이 면제된 날부터 2년이 지나지 아니한 사람
3. 이 법, 「소방기본법」, 「화재의 예방 및 안전관리에 관한 법률」, 「소방시설공사업법」 또는 「위험물안전관리법」을 위반하여 금고 이상의 형의 집행유예를 선고받고 그 유예기간 중에 있는 사람
4. 제35조 제1항에 따라 관리업의 등록이 취소(제1호에 해당하여 등록이 취소된 경우는 제외한다)된 날부터 2년이 지나지 아니한 자
5. 임원 중에 제1호부터 제4호까지의 어느 하나에 해당하는 사람이 있는 법인

 정희's 톡talk

등록의 결격사유

1. 법인의 임원이 피성년후견인인 경우 소방시설업 등록의 결격사유에 해당하지 않습니다.
2. 이 법은 소방시설업 등록의 결격사유를 법인의 대표자와 임원으로 구분하여 차이를 두고 있는 반면에, 소방시설법 제30조 관리업의 등록결격사유는 구분하지 않는다는 차이가 있습니다.

핵심기출

「소방시설공사업법」상 소방시설업 등록의 결격사유에 해당하지 않는 사람은? 22. 공채

① 피성년후견인
② 등록하려는 소방시설업 등록이 취소된 날부터 3년이 지난 사람
③ 「소방기본법」에 따른 금고 이상의 형의 집행유예를 선고받고 그 유예기간 중에 있는 사람
④ 「위험물안전관리법」에 따른 금고 이상의 실형을 선고받고, 그 집행이 끝나거나(집행이 끝난 것으로 보는 경우를 포함한다) 면제된 날부터 1년이 지난 사람

정답 ②

제6조【등록사항의 변경신고】소방시설업자는 제4조에 따라 등록한 사항 중 행정안전부령으로 정하는 중요 사항을 변경할 때에는 행정안전부령으로 정하는 바에 따라 시·도지사에게 신고하여야 한다.

(1) 등록사항의 변경신고

① **신고자 및 대상:** 소방시설업자는 등록사항 중 중요 사항을 변경하는 경우 시·도지사에게 신고하여야 한다.

② **행정안전부령으로 정하는 중요 사항(규칙 제5조)**

　㉠ 명칭·상호 또는 영업소소재지

　㉡ 대표자

　㉢ 기술인력

③ **과태료 - 200만원 이하의 과태료(제40조):** 제6조를 위반하여 신고를 하지 아니하거나 거짓으로 신고한 자

(2) 등록사항의 변경신고 등(규칙 제6조)

① **변경신고서 첨부서류:** 소방시설업자는 변경일부터 30일 이내에 변경신고서에 관련서류를 첨부하여 협회에 제출하여야 한다.

　㉠ **상호(명칭) 또는 영업소 소재지가 변경된 경우:** 소방시설업 등록증 및 등록수첩

　㉡ **대표자가 변경된 경우**

　　ⓐ 소방시설업 등록증 및 등록수첩

　　ⓑ 변경된 대표자의 성명, 주민등록번호 및 주소지 등의 인적사항이 적힌 서류

　　ⓒ **외국인 경우:** 제2조 제1항 제5호에 해당하는 서류

　㉢ **기술인력이 변경된 경우:** 소방시설업 등록수첩, 기술인력 증빙서류

② **변경신고 내용을 기재한 등록증 및 등록수첩 발급 기한:** 5일 이내

③ **영업소 소재지가 다른 시·도로 변경된 경우**

　㉠ 접수일로부터 7일 이내에 해당 시·도지사에게 보내야 한다.

　㉡ 시·도지사는 협회를 경유하여 신고인에게 새로 발급하여야 한다.

④ 협회는 등록사항의 변경신고 접수현황을 매월 말일을 기준으로 작성하여 다음 달 10일까지 시·도지사에게 알려야 한다.

⑤ 변경신고 서류의 보완에 관하여는 규칙 제2조의2를 준용한다.

▲ 등록사항의 변경신고 등

정회's 톡talk

등록사항의 변경신고

1. 등록사항의 변경신고 중 행정안전부령으로 정하는 중요사항은 '명·상·소·대·기' 입니다. 소방시설법의 소방시설관리업에서도 해당 내용이 동일합니다.

2. 규칙 제12조 착공신고에서 행정안전부령으로 정하는 중요사항은 시공자, 설치되는 소방시설의 종류, 책임시공 및 기술관리 소방기술자입니다.

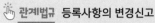

NOTE	시행규칙
소방시설법 시행규칙 제24조【등록사항의 변경신고 사항】 법 제31조에서 "행정안전부령이 정하는 중요 사항"이라 함은 다음 각 호의 1에 해당하는 사항을 말한다. 1. 명칭·상호 또는 영업소소재지 2.【 ① 】 3. 기술인력	**제5조【등록사항의 변경신고사항】** 법 제6조에서 "행정안전부령으로 정하는 중요 사항"이란 다음 각 호의 어느 하나에 해당하는 사항을 말한다. 1. 상호(명칭) 또는 영업소 소재지 2. 대표자 3.【 ① 】
소방시설법 시행규칙 제25조【등록사항의 변경신고 등】 ① 소방시설관리업자는 법 제31조의 규정에 의하여 등록사항의 변경이 있는 때에는 변경일부터【 ② 】에 별지 제28호 서식의 소방시설관리업등록사항변경신고서(전자문서로 된 신고서를 포함한다)에 그 변경사항별로 다음 각 호의 구분에 의한 서류(전자문서를 포함한다)를 첨부하여 시·도지사에게 제출하여야 한다. 1. 명칭·상호 또는 영업소소재지를 변경하는 경우: 소방시설관리업등록증 및 등록수첩 2. 대표자를 변경하는 경우: 소방시설관리업등록증 및 등록수첩 3. 기술인력을 변경하는 경우 　가. 소방시설관리업등록수첩 　나. 변경된 기술인력의 기술자격증(자격수첩) 　다. 별지 제23호 서식의 기술인력연명부 ② 제1항 제1호 또는 제2호에 따른 신고서를 제출받은 담당 공무원은「전자정부법」제36조 제1항에 따라 법인등기부 등본(법인인 경우에 한한다) 또는 사업자등록증 사본(개인인 경우에 한한다)을 확인하여야 한다. 다만, 신고인이 확인에 동의하지 아니하는 경우에는 이를 첨부하도록 하여야 한다. ③ 시·도지사는 제1항의 규정에 의하여 변경신고를 받은 때에는【 ③ 】에 소방시설관리업등록증 및 등록수첩을 새로 교부하거나 제1항의 규정에 의하여 제출된 소방시설관리업등록증 및 등록수첩과 기술인력의 기술자격증(자격수첩)에 그 변경된 사항을 기재하여 교부하여야 한다. ④ 시·도지사는 제1항의 규정에 의하여 변경신고를 받은 때에는 별지 제26호 서식의 소방시설관리업등록대장에 변경사항을 기재하고 관리하여야 한다.	**제6조【등록사항의 변경신고 등】** ① 법 제6조에 따라 소방시설업자는 제5조 각 호의 어느 하나에 해당하는 등록사항이 변경된 경우에는 변경일부터【 ② 】에 별지 제7호 서식의 소방시설업 등록사항 변경신고서(전자문서로 된 소방시설업 등록사항 변경신고서를 포함한다)에 변경사항별로 다음 각 호의구분에 따른 서류(전자문서를 포함한다)를 첨부하여【 ③ 】에 제출하여야 한다. 다만,「전자정부법」제36조 제1항에 따른 행정정보의 공동이용을 통하여 첨부서류에 대한 정보를 확인할 수 있는 경우에는 그 확인으로 첨부서류를 갈음할 수 있다. 1. 상호(명칭) 또는 영업소 소재지가 변경된 경우: 소방시설업 등록증 및 등록수첩 2. 대표자가 변경된 경우: 다음 각 목의 서류 　가. 소방시설업 등록증 및 등록수첩 　나. 변경된 대표자의 성명, 주민등록번호 및 주소지 등의 인적사항이 적힌 서류 　다. 외국인인 경우에는 제2조 제1항 제5호 각 목의 어느 하나에 해당하는 서류 3. 기술인력이 변경된 경우: 다음 각 목의 서류 　가. 소방시설업 등록수첩 　나. 기술인력 증빙서류 　다. 삭제 ② 제1항에 따른 신고서를 제출받은 협회는「전자정부법」제36조 제1항에 따라 행정정보의 공동이용을 통하여 다음 각 호의 서류를 확인하여야 한다. 다만, 신청인이 제2호부터 제4호까지의 서류의 확인에 동의하지 아니하는 경우에는 해당 서류를 제출하도록 하여야 한다. 1. 법인등기사항 전부증명서(법인인 경우만 해당한다) 2. 사업자등록증(개인인 경우만 해당한다) 3.「출입국관리법」제88조 제2항에 따른 외국인등록 사실증명(외국인인 경우만 해당한다) 4. 국민연금가입자 증명서 또는 건강보험자격취득 확인서(기술인력을 변경하는 경우에만 해당한다) ③ 제1항에 따라 변경신고 서류를 제출받은 협회는 등록사항의 변경신고 내용을 확인하고【 ④ 】에 제1항에 따라 제출된 소방시설업 등록증·등록수첩 및 기술인력 증빙서류에 그 변경된 사항을 기재하여 발급하여야 한다.
① 대표자 ② 30일 이내 ③ 5일 이내	① 기술인력 ② 30일 이내 ③ 협회 ④ 5일 이내

NOTE	시행규칙
	④ 제3항에도 불구하고【 ⑤ 】가 등록된 특별시·광역시·특별 자치시·도 및 특별자치도(이하 "시·도"라 한다)에서 다른 시· 도로 변경된 경우에는 제1항에 따라 제출받은 변경신고 서류를 접수일로부터【 ⑥ 】에 해당 시·도지사에게 보내야 한다. 이 경우 해당 시·도지사는 소방시설업 등록증 및 등록수첩을【 ⑦ 】를 경유하여 신고인에게 새로 발급하여야 한다.
	⑤ 제1항에 따라 변경신고 서류를 제출받은 협회는 별지 제5호 서식의 소방시설업 등록대장에 변경사항을 작성하여 관리(전 자문서를 포함한다)하여야 한다.
	⑥ 협회는 등록사항의 변경신고 접수현황을 매월 말일을 기준 으로 작성하여 다음 달 10일까지 별지 제7호의2 서식에 따라 시·도지사에게 알려야 한다.
	⑦ 변경신고 서류의 보완에 관하여는 제2조의2를 준용한다. 이 경우 "소방시설업의 등록신청 서류"는 "소방시설업의 등록사항 변경신고 서류"로 본다.
	⑤ 영업소 소재지 ⑥ 7일 이내 ⑦ 협회

3-2 휴업·폐업 등의 신고   **B**

제6조의2【휴업·폐업 신고 등】 ① 소방시설업자는 소방시설업을 휴업·폐업 또는 재개업하는 때에는 행정안전부령으로 정하는 바에 따라 시·도지사에게 신고하여 야 한다.

② 제1항에 따른 폐업신고를 받은 시·도지사는 소방시설업 등록을 말소하고 그 사 실을 행정안전부령으로 정하는 바에 따라 공고하여야 한다.

③ 제1항에 따른 폐업신고를 한 자가 제2항에 따라 소방시설업 등록이 말소된 후 6개월 이내에 같은 업종의 소방시설업을 다시 제4조에 따라 등록한 경우 해당 소방 시설업자는 폐업신고 전 소방시설업자의 지위를 승계한다.

④ 제3항에 따라 소방시설업자의 지위를 승계한 자에 대해서는 폐업신고 전의 소 방시설업자에 대한 행정처분의 효과가 승계된다.

(1) 휴업·폐업 등의 신고

① **휴업·폐업 신고**

   ㉠ 소방시설업자는 소방시설업을 휴업·폐업 또는 재개업하는 때에는 행정안 전부령으로 정하는 바에 따라 시·도지사에게 신고하여야 한다.

   ㉡ **과태료 - 200만원 이하의 과태료(제40조):** 제6조의2를 위반하여 신고를 하지 아니하거나 거짓으로 신고한 자

② **등록의 말소 및 공고**

   ㉠ 폐업신고를 받은 시·도지사는 소방시설업의 등록을 말소하여야 한다.

ⓛ 신고서를 제출받은 협회는 인터넷 홈페이지에 공고하여야 한다(규칙 제
6조의2).

③ 폐업신고 전 소방시설업자의 지위를 승계
ⓐ 폐업신고를 한 자가 소방시설업 등록이 말소된 후 6개월 이내에 같은 업종
의 소방시설업을 다시 등록한 경우
ⓑ 소방시설업자의 지위를 승계한 자에 대해서는 폐업신고 전의 소방시설업
자에 대한 행정처분의 효과가 승계된다.

정희's 톡talk

폐업신고 전 지위 승계
등록말소 후 6개월 이내에 같은 업종의 소방
시설업을 다시 등록한 경우 폐업신고 전의 지
위가 승계되는 이유는 행정처분을 받고 폐업
한 후 곧바로 재등록하여 행정처분을 무력화
하는 수단을 방지하기 위함입니다.

(2) 휴업 · 폐업 · 재개업의 신고(규칙 제6조의2)
소방시설업자는 휴업 · 폐업 · 재개업 일부터 30일 이내에 휴업 · 폐업 · 재개업 신고서
에 해당 서류를 첨부하여 협회를 경유하여 시 · 도지사에게 제출하여야 한다.

```
                협회를 경유하여 30일 이내 시·도지사에게 제출
          ┌────────────────────────────────────────────┐
          │                                            ▼
  ┌──────────────┐      ┌──────────┐      ┌──────────────┐
  │  소방시설업자   │ ───▶ │   협회    │ ───▶ │   시 · 도지사   │
  │   (신고인)    │      └──────────┘      └──────────────┘
  └──────────────┘
```

👆 관계법규 휴업 · 폐업 등의 신고

NOTE	시행규칙
「위험물안전관리법」 제11조【제조소등의 폐지】 제조소등의 관계인(소유자 · 점유자 또는 관리자를 말한다. 이하 같다)은 당해 제조소등의 용도를 폐지(장래에 대하여 위험물시설로서의 기능을 완전히 상실시키는 것을 말한다)한 때에는 행정안전부령이 정하는 바에 따라 제조소등의 용도를 폐지한 날부터 14일 이내에 시 · 도지사에게 신고하여야 한다. 「위험물안전관리법 시행규칙」 제57조【안전관리대행기관의 지정 등】 ⑤ 안전관리대행기관은 지정받은 사항의 변경이 있는 때에는 그 사유가 있는 날부터 14일 이내에, 휴업 · 재개업 또는 폐업을 하고자 하는 때에는 휴업 · 재개업 또는 폐업하고자 하는 날의 14일 전에 별지 제35호 서식의 신고서(전자문서로 된 신고서를 포함한다)에 다음 각 호의 구분에 의한 해당 서류(전자문서를 포함한다)를 첨부하여 소방청장에게 제출하여야 한다.	제6조의2【소방시설업의 휴업 · 폐업 등의 신고】 ① 소방시설업자는 법 제6조의2 제1항에 따라 휴업 · 폐업 또는 재개업 신고를 하려면 휴업 · 폐업 또는 재개업일부터【 ① 】에 별지 제7호의3 서식의 소방시설업 휴업 · 폐업 · 재개업 신고서(전자문서로 된 신고서를 포함한다)에 다음 각 호의 구분에 따른 서류(전자문서를 포함한다)를 첨부하여【 ② 】를 경유하여【 ③ 】에게 제출하여야 한다. 다만,「전자정부법」제36조 제1항에 따른 행정정보의 공동이용을 통하여 첨부서류에 대한 정보를 확인할 수 있는 경우에는 그 확인으로 첨부서류를 갈음할 수 있다. 1. 휴업 · 폐업의 경우: 등록증 및 등록수첩 2. 재개업의 경우: 제2조 제1항 제2호 및 제3호에 해당하는 서류 ② 제1항에 따른 신고서를 제출받은 협회는「전자정부법」제36조 제1항에 따라 행정정보의 공동이용을 통하여 국민연금가입자 증명서 또는 건강보험자격취득 확인서를 확인하여야 한다. 다만, 신고인이 서류의 확인에 동의하지 아니하는 경우에는 해당 서류를 제출하도록 하여야 한다. ③ 제1항에 따른 신고서를 제출받은 협회는 법 제6조의2 제2항에 따라 다음 각 호의 사항을 협회 인터넷 홈페이지에 공고하여야 한다. 1. 등록업종 및 등록번호 2. 휴업 · 폐업 또는 재개업 연월일 3. 상호(명칭) 및 성명(법인의 경우에는 대표자의 성명을 말한다) 4. 영업소 소재지 ① 30일 이내 ② 협회 ③ 시 · 도지사

제7조【소방시설업자의 지위승계】 ① 다음 각 호의 어느 하나에 해당하는 자가 종전의 소방시설업자의 지위를 승계하려는 경우에는 그 상속일, 양수일 또는 합병일부터 30일 이내에 행정안전부령으로 정하는 바에 따라 그 사실을 시·도지사에게 신고하여야 한다.

1. 소방시설업자가 사망한 경우 그 상속인

2. 소방시설업자가 그 영업을 양도한 경우 그 양수인

3. 법인인 소방시설업자가 다른 법인과 합병한 경우 합병 후 존속하는 법인이나 합병으로 설립되는 법인

4. 삭제

② 다음 각 호의 어느 하나에 해당하는 절차에 따라 소방시설업자의 소방시설의 전부를 인수한 자가 종전의 소방시설업자의 지위를 승계하려는 경우에는 그 인수일부터 30일 이내에 행정안전부령으로 정하는 바에 따라 그 사실을 시·도지사에게 신고하여야 한다.

1. 「민사집행법」에 따른 경매

2. 「채무자 회생 및 파산에 관한 법률」에 따른 환가(換價)

3. 「국세징수법」, 「관세법」 또는 「지방세징수법」에 따른 압류재산의 매각

4. 그 밖에 제1호부터 제3호까지의 규정에 준하는 절차

③ 시·도지사는 제1항 또는 제2항에 따른 신고를 받은 경우 그 내용을 검토하여 이 법에 적합하면 신고를 수리하여야 한다.

④ 제1항이나 제2항에 따른 지위승계에 관하여는 제5조를 준용한다. 다만, 상속인이 제5조 각 호의 어느 하나에 해당하는 경우 상속받은 날부터 3개월 동안은 그러하지 아니하다.

⑤ 제1항 또는 제2항에 따른 신고가 수리된 경우에는 제1항 각 호에 해당하는 자 또는 소방시설업자의 소방시설의 전부를 인수한 자는 그 상속일, 양수일, 합병일 또는 인수일부터 종전의 소방시설업자의 지위를 승계한다.

(1) 소방시설업자의 지위승계

① **지위승계자**(30일 이내, 시·도지사에게 신고)

ㄱ 소방시설업자가 사망한 경우 그 상속인

ㄴ 소방시설업자가 그 영업을 양도한 경우 그 양수인

ㄷ 법인인 소방시설업자가 다른 법인과 합병한 경우 합병 후 존속하는 법인이나 합병으로 설립되는 법인

② **절차에 따라 소방시설 전부를 인수한 자**(30일 이내, 시·도지사에게 신고)

ㄱ 「민사집행법」에 따른 경매

ㄴ 「채무자 회생 및 파산에 관한 법률」에 따른 환가(換價)

ㄷ 「국세징수법」, 「관세법」 또는 「지방세징수법」에 따른 압류재산의 매각

③ 시·도지사는 지위승계 신고를 받은 경우 그 내용을 검토하여 이 법에 적합하면 신고를 수리하여야 한다.

④ 지위승계에 대해서는 제5조(등록의 결격사유)를 준용한다. 다만, 상속인이 등록의 결격사유에 해당하는 경우 상속받은 날부터 3개월 동안은 그러하지 아니하다.

⑤ 신고가 수리된 경우에는 그 상속일, 양수일, 합병일 또는 인수일부터 종전의 소방시설업자의 지위를 승계한다.

⑥ **과태료 - 200만원 이하의 과태료(제40조):** 제7조 제1항 및 제2항을 위반하여 신고를 하지 아니하거나 거짓으로 신고한 자

(2) 지위승계 신고 등(규칙 제7조)

① 소방시설업자의 지위를 승계한 자는 행정안전부령으로 정하는 바에 따라 시·도지사에게 신고하여야 한다.

② 지위승계 신고 서류를 제출받은 협회는 접수일부터 7일 이내에 지위를 승계한 사실을 확인한 후 그 결과를 시·도지사에게 보고하여야 한다.

③ 시·도지사는 소방시설업의 지위승계 신고의 확인 사실을 보고받은 날부터 3일 이내에 협회를 경유하여 지위승계인에게 등록증 및 등록수첩을 발급하여야 한다.

④ 지위승계 신고 서류의 보완에 관하여는 제2조의2를 준용한다.

▲ 소방시설업자의 지위승계

정희's 톡talk

신고의 수리
신고가 수리된 경우에는 신고한 날부터 지위승계일이 되는 것이 아니라, 상속일·양수일·합병일 또는 인수일부터 지위가 승계됩니다.

☞ 관계법규 지위승계의 신고

NOTE	시행규칙
소방시설법 시행규칙 제26조【지위승계신고 등】 ① 법 제32조 제1항 또는 제2항의 규정에 의하여 소방시설관리업자의 지위를 승계한 자는 그 지위를 승계한 날부터【 ① 】에 법 제32조 제3항의 규정에 의하여 상속인, 영업을 양수한 자 또는 시설의 전부를 인수한 자는 법 별지 제29호 서식의 소방시설관리업지위승계신고서(전자문서로 된 신고서를 포함한다)에, 합병후 존속하는 법인 또는 합병에 의하여 설립되는 법인은 별지 제30호 서식의 소방시설관리업합병신고서(전자문서로 된 신고서를 포함한다)에 각각 다음 각 호의 서류(전자문서를 포함한다)를 첨부하여 시·도지사에게 제출하여야 한다. - 중략 - ① 30일 이내	**제7조【지위승계 신고 등】** ① 법 제7조 제1항 및 제2항에 따라 소방시설업자 지위 승계를 신고하려는 자는 그 지위를 승계한 날부터 30일 이내에 다음 각 호의 구분에 따른 서류(전자문서를 포함한다)를 협회에 제출해야 한다. 1. 양도·양수의 경우(분할 또는 분할합병에 따른 양도·양수의 경우를 포함한다. 이하 이 조에서 같다): 다음 각 목의 서류 　가. 별지 제8호 서식에 따른 소방시설업 지위승계신고서 　나. 양도인 또는 합병 전 법인의 소방시설업 등록증 및 등록수첩 　다. 양도·양수 계약서 사본, 분할계획서 사본 또는 분할합병 계약서 사본(법인의 경우 양도·양수에 관한 사항을 의결한 주주총회 등의 결의서 사본을 포함한다) 　라. 제2조 제1항 각 호에 해당하는 서류. 이 경우 같은 항 제1호 및 제5호의 "신청인"은 "신고인"으로 본다. 　마. 양도·양수 공고문 사본

NOTE	시행규칙
③ 시·도지사는 제1항의 규정에 의하여 신고를 받은 때에는 소방시설관리업등록증 및 등록수첩을 새로 교부하고, 기술인력의 자격증 및 자격수첩에 그 변경사항을 기재하여 교부하며, 별지 제26호 서식의 소방시설관리업등록대장에 지위승계에 관한 사항을 기재하고 관리하여야 한다.	2. 상속의 경우: 다음 각 목의 서류 　가. 별지 제8호 서식에 따른 소방시설업 지위승계신고서 　나. 피상속인의 소방시설업 등록증 및 등록수첩 　다. 제2조 제1항 각 호에 해당하는 서류. 이 경우 같은 항 제1호 및 제5호의 "신청인"은 "신고인"으로 본다. 　라. 상속인임을 증명하는 서류 3. 합병의 경우: 다음 각 목의 서류 　가. 별지 제9호 서식에 따른 소방시설업 합병신고서 　나. 합병 전 법인의 소방시설업 등록증 및 등록수첩 　다. 합병계약서 사본(합병에 관한 사항을 의결한 총회 또는 창립총회 결의서 사본을 포함한다) 　라. 제2조 제1항 각 호에 해당하는 서류. 이 경우 같은 항 제1호 및 제5호의 "신청인"은 "신고인"으로 본다. 　마. 합병공고문 사본 ② 제1항에 따라 소방시설업자 지위 승계를 신고하려는 상속인이 법 제6조의2 제1항에 따른 폐업 신고를 함께 하려는 경우에는 제1항 제2호 다목 전단의 서류 중 제2조 제1항 제1호 및 제5호의 서류만을 첨부하여 제출할 수 있다. 이 경우 같은 항 제1호 및 제5호의 "신청인"은 "신고인"으로 본다. ③ 제1항에 따른 신고서를 제출받은 협회는 「전자정부법」 제36조 제1항에 따라 행정정보의 공동이용을 통하여 다음 각 호의 서류를 확인하여야 하며, 신고인이 제2호부터 제4호까지의 서류의 확인에 동의하지 아니하는 경우에는 해당 서류를 첨부하게 하여야 한다. 1. 법인등기사항 전부증명서(지위승계인이 법인인 경우에만 해당한다) 2. 사업자등록증(지위승계인이 개인인 경우에만 해당한다) 3. 「출입국관리법」 제88조 제2항에 따른 외국인등록 사실증명(지위승계인이 외국인인 경우에만 해당한다) 4. 국민연금가입자 증명서 또는 건강보험자격취득 확인서 ④ 제1항에 따른 지위승계 신고 서류를 제출받은 협회는 접수일부터【 ① 】에 지위를 승계한 사실을 확인한 후 그 결과를 시·도지사에게 보고하여야 한다. ⑤ 시·도지사는 제4항에 따라 소방시설업의 지위승계 신고의 확인 사실을 보고받은 날부터【 ② 】에 협회를 경유하여 법 제7조 제1항에 따른 지위승계인에게 등록증 및 등록수첩을 발급하여야 한다. ⑥ 제1항에 따라 지위승계 신고 서류를 제출받은 협회는 별지 제5호 서식에 따른 소방시설업 등록대장에 지위승계에 관한 사항을 작성하여 관리(전자문서를 포함한다)하여야 한다. ⑦ 지위승계 신고 서류의 보완에 관하여는 제2조의2를 준용한다. 이 경우 "소방시설업의 등록신청 서류"는 "소방시설업의 지위승계 신고 서류"로 본다.
	① 7일 이내 ② 3일 이내

제8조【소방시설업의 운영】 ① 소방시설업자는 다른 자에게 자기의 성명이나 상호를 사용하여 소방시설공사등을 수급 또는 시공하게 하거나 소방시설업의 등록증 또는 등록수첩을 빌려 주어서는 아니 된다.

② 제9조 제1항에 따라 영업정지처분이나 등록취소처분을 받은 소방시설업자는 그 날부터 소방시설공사등을 하여서는 아니 된다. 다만, 소방시설의 착공신고가 수리(受理)되어 공사를 하고 있는 자로서 도급계약이 해지되지 아니한 소방시설공사업자 또는 소방공사감리업자가 그 공사를 하는 동안이나 제4조 제1항에 따라 방염처리업을 등록한 자(이하 "방염처리업자"라 한다)가 도급을 받아 방염 중인 것으로서 도급계약이 해지되지 아니한 상태에서 그 방염을 하는 동안에는 그러하지 아니하다.

③ 소방시설업자는 다음 각 호의 어느 하나에 해당하는 경우에는 소방시설공사등을 맡긴 특정소방대상물의 관계인에게 지체 없이 그 사실을 알려야 한다.

1. 제7조에 따라 소방시설업자의 지위를 승계한 경우
2. 제9조 제1항에 따라 소방시설업의 등록취소처분 또는 영업정지처분을 받은 경우
3. 휴업하거나 폐업한 경우

④ 소방시설업자는 행정안전부령으로 정하는 관계 서류를 제15조 제1항에 따른 하자보수 보증기간 동안 보관하여야 한다.

(1) 소방시설업자의 운영상 금지사항

① 다른 자에게 자기의 성명이나 상호를 사용하여 소방시설공사등을 수급 또는 시공하게 하여서는 아니 된다.

② 소방시설업의 등록증 또는 등록수첩을 빌려 주어서는 아니 된다.

③ 벌칙 – 300만원 이하의 벌금(제37조): 제8조 제1항을 위반하여 다른 자에게 자기의 성명이나 상호를 사용하여 소방시설공사등을 수급 또는 시공하게 하거나 소방시설업의 등록증이나 등록수첩을 빌려준 자

(2) 영업정지 · 등록취소

① **원칙:** 영업정지처분 · 등록취소처분을 받은 소방시설업자는 그 날부터 소방시설공사등이 금지된다.

② **예외사항**

㉠ 소방시설의 착공신고가 수리(受理)되어 공사를 하고 있는 자로서 도급계약이 해지되지 아니한 소방시설공사업자 또는 소방공사감리업자가 그 공사를 하는 동안에는 그러하지 아니하다.

㉡ 방염처리업자가 도급을 받아 방염 중인 것으로서 도급계약이 해지되지 아니한 상태에서 그 방염을 하는 동안에는 그러하지 아니하다.

 정희's 톡talk

금지사항
개정 이전에는 등록증 또는 등록수첩을 빌려 주어 무자격자가 운영하는 것을 금지하였으나, 현재는 성명 · 상호를 사용하여 수급 · 시공하는 것까지 엄격하게 금지하고 있습니다.

영업정지 · 등록취소
제8조 제2항을 위반하여 영업정지 기간 중에 소방시설공사등을 한 경우에는 그 등록을 취소하여야 합니다.

정희's 톡talk

서류의 보관

소방공사감리업은 설계변경사항이 발생되므로 소방시설의 완공 당시의 설계도서를 보관합니다.

(3) 관계인에의 통보

① 소방시설업자는 다음 어느 하나에 해당하는 경우 지체 없이 관계인에게 통보하여야 한다.

    ㉠ 소방시설업자의 지위를 승계한 경우

    ㉡ 소방시설업의 등록취소

    ㉢ 영업정지처분을 받은 경우

    ㉣ 휴업을 한 경우

    ㉤ 폐업을 한 경우

② 과태료 – 200만원 이하의 과태료(제40조): 제8조 제3항을 위반하여 관계인에게 지위승계, 행정처분 또는 휴업·폐업의 사실을 거짓으로 알린 자

(4) 소방시설업자가 보관하여야 하는 관계 서류의 보관(규칙 제8조)

① 소방시설업자는 하자보수 보증기간 동안 보관하여야 한다.

    ㉠ **소방시설설계업**: 소방시설 설계기록부 및 소방시설 설계도서

    ㉡ **소방시설공사업**: 소방시설공사 기록부

    ㉢ **소방공사감리업**: 소방공사 감리기록부, 소방공사 감리일지 및 소방시설의 완공 당시 설계도서

② 과태료 – 200만원 이하의 과태료(제40조): 제8조 제4항을 위반하여 관계 서류를 보관하지 아니한 자

👆 **관계법규** **관계 서류의 보관**

NOTE	시행규칙

소방시설법 관리업의 운영
(1) 관리업자의 의무
  등록증·등록수첩 대여금지
(2) 관리업자 관계인에게 보고(지체 없이)
  ① 관리업자의 지위를 승계한 경우
  ② 관리업의 등록취소 또는 영업정지처분을 받은 경우
  ③ 휴업 또는 폐업을 한 경우
(3) 관리업자의 기술인력 배치
  자체점검을 할 때에 행정안전부령으로 정하는 바에 따라 기술인력 배치
	제8조【소방시설업자가 보관하여야 하는 관계 서류】 법 제8조 제4항에서 "행정안전부령으로 정하는 관계 서류"란 다음 각 호의 구분에 따른 해당 서류(전자문서를 포함한다)를 말한다.
	1. 소방시설설계업: 별지 제10호 서식의 소방시설 설계기록부 및 소방시설 설계도서
	2. 소방시설공사업: 별지 제11호 서식의 소방시설공사 기록부
	3. 소방공사감리업: 별지 제12호 서식의 소방공사 감리기록부, 별지 제13호 서식의 소방공사 감리일지 및【 ① 】

	① 소방시설의 완공 당시 설계도서

제9조【등록취소와 영업정지 등】 ① 시·도지사는 소방시설업자가 다음 각 호의 어느 하나에 해당하면 행정안전부령으로 정하는 바에 따라 그 등록을 취소하거나 6개월 이내의 기간을 정하여 시정이나 그 영업의 정지를 명할 수 있다. 다만, 제1호·제3호 또는 제7호에 해당하는 경우에는 그 등록을 취소하여야 한다.

 1. 거짓이나 그 밖의 부정한 방법으로 등록한 경우
 2. 제4조 제1항에 따른 등록기준에 미달하게 된 후 30일이 경과한 경우. 다만, 자본금기준에 미달한 경우 중 「채무자 회생 및 파산에 관한 법률」에 따라 법원이 회생절차의 개시의 결정을 하고 그 절차가 진행 중인 경우 등 대통령령으로 정하는 경우는 30일이 경과한 경우에도 예외로 한다.
 3. 제5조 각 호의 등록 결격사유에 해당하게 된 경우. 다만, 제5조 제6호 또는 제7호에 해당하게 된 법인이 그 사유가 발생한 날부터 3개월 이내에 그 사유를 해소한 경우는 제외한다.
 4. 등록을 한 후 정당한 사유 없이 1년이 지날 때까지 영업을 시작하지 아니하거나 계속하여 1년 이상 휴업한 때
 5. 삭제
 6. 제8조 제1항을 위반하여 다른 자에게 자기의 성명이나 상호를 사용하여 소방시설공사등을 수급 또는 시공하게 하거나 소방시설업의 등록증 또는 등록수첩을 빌려준 경우
 7. 제8조 제2항을 위반하여 영업정지 기간 중에 소방시설공사등을 한 경우
 8. 제8조 제3항 또는 제4항을 위반하여 통지를 하지 아니하거나 관계서류를 보관하지 아니한 경우
 9. 제11조나 제12조 제1항을 위반하여 「소방시설 설치 및 관리에 관한 법률」 제2조 제1항 제6호에 따른 화재안전기준(이하 "화재안전기준"이라 한다) 등에 적합하게 설계·시공을 하지 아니하거나, 제16조 제1항에 따라 적합하게 감리를 하지 아니한 경우
 10. 제11조, 제12조 제1항, 제16조 제1항 또는 제20조의2에 따른 소방시설공사등의 업무수행의무 등을 고의 또는 과실로 위반하여 다른 자에게 상해를 입히거나 재산피해를 입힌 경우
 11. 제12조 제2항을 위반하여 소속 소방기술자를 공사 현장에 배치하지 아니하거나 거짓으로 한 경우
 12. 제13조나 제14조를 위반하여 착공신고(변경신고를 포함한다)를 하지 아니하거나 거짓으로 한 때 또는 완공검사(부분완공검사를 포함한다)를 받지 아니한 경우
 13. 제13조 제2항 후단을 위반하여 착공신고사항 중 중요한 사항에 해당하지 아니하는 변경사항을 같은 항 각 호의 어느 하나에 해당하는 서류에 포함하여 보고하지 아니한 경우
 14. 제15조 제3항을 위반하여 하자보수 기간 내에 하자보수를 하지 아니하거나 하자보수계획을 통보하지 아니한 경우
14의2. 제16조 제3항에 따른 감리의 방법을 위반한 경우
 15. 제17조 제3항을 위반하여 인수·인계를 거부·방해·기피한 경우
 16. 제18조 제1항을 위반하여 소속 감리원을 공사 현장에 배치하지 아니하거나 거짓으로 한 경우

17. 제18조 제3항의 감리원 배치기준을 위반한 경우
18. 제19조 제1항에 따른 요구에 따르지 아니한 경우
19. 제19조 제3항을 위반하여 보고하지 아니한 경우
20. 제20조를 위반하여 감리 결과를 알리지 아니하거나 거짓으로 알린 경우 또는 공사감리 결과보고서를 제출하지 아니하거나 거짓으로 제출한 경우
20의2. 제20조의2를 위반하여 방염을 한 경우
20의3. 제20조의3 제2항에 따른 방염처리능력 평가에 관한 서류를 거짓으로 제출한 경우
20의4. 제21조의3 제4항을 위반하여 하도급 등에 관한 사항을 관계인과 발주자에게 알리지 아니하거나 거짓으로 알린 경우
20의5. 제21조의5 제1항 또는 제3항을 위반하여 부정한 청탁을 받고 재물 또는 재산상의 이익을 취득하거나 부정한 청탁을 하면서 재물 또는 재산상의 이익을 제공한 경우
21. 제22조 제1항 본문을 위반하여 도급받은 소방시설의 설계, 시공, 감리를 하도급한 경우
21의2. 제22조 제2항을 위반하여 하도급받은 소방시설공사를 다시 하도급한 경우
22. [제22호는 제20조의4로 이동]
23. 제22조의2 제2항을 위반하여 정당한 사유 없이 하수급인 또는 하도급 계약내용의 변경요구에 따르지 아니한 경우
23의2. 제22조의3을 위반하여 하수급인에게 대금을 지급하지 아니한 경우
24. 제24조를 위반하여 시공과 감리를 함께 한 경우
24의2. 제26조 제2항에 따른 시공능력 평가에 관한 서류를 거짓으로 제출한 경우
24의3. 제26조의2 제1항 후단에 따른 사업수행능력 평가에 관한 서류를 위조하거나 변조하는 등 거짓이나 그 밖의 부정한 방법으로 입찰에 참여한 경우
25. 제31조에 따른 명령을 위반하여 보고 또는 자료 제출을 하지 아니하거나 거짓으로 보고 또는 자료 제출을 한 경우
26. 정당한 사유 없이 제31조에 따른 관계 공무원의 출입 또는 검사·조사를 거부·방해 또는 기피한 경우

② 제7조에 따라 소방시설업자의 지위를 승계한 상속인이 제5조 각 호의 어느 하나에 해당할 때에는 상속을 개시한 날부터 6개월 동안은 제1항 제3호를 적용하지 아니한다.

③ 발주자는 소방시설업자가 제1항 각 호의 어느 하나에 해당하는 경우 그 사실을 시·도지사에게 통보하여야 한다.

④ 시·도지사는 제1항 또는 제10조 제1항에 따라 등록취소, 영업정지 또는 과징금 부과 등의 처분을 하는 경우 해당 발주자에게 그 내용을 통보하여야 한다.

(1) 등록취소 및 영업정지(제9조 제1항)

① 시·도지사는 소방시설업자가 등록의 취소와 영업정지 등에 해당될 때는 행정안전부령으로 정하는 바에 따라 그 등록을 취소하거나 6개월 이내의 기간을 정하여 시정이나 그 영업의 정지를 명할 수 있다.

② 다만, 제9조 제1호·제3호 또는 제7호에 해당하는 경우에는 그 등록을 취소하여야 한다.

③ 벌칙 – 1년 이하의 징역 또는 1천만원 이하의 벌금(제36조): 제9조 제1항을 위반하여 영업정지처분을 받고 그 영업정지 기간에 영업을 한 자

정희's 톡talk

등록취소와 영업정지

이 법에서 규정을 위반하여 영업정지 기간 중에 소방시설공사등을 한 경우 등록을 취소하여야 합니다.

(2) 주요 등록취소·영업정지 사유 및 처분

등록의 취소·영업정지처분 대상	처분 내용
· 거짓이나 부정한 방법으로 등록한 경우(제1호) · 등록결격사유에 해당하게 된 경우(제3호) · 영업정지 기간 중 소방시설공사등을 한 경우(제7호)	반드시 등록취소
· 등록기준에 미달하게 된 후 30일이 경과한 경우(제2호) · 1년이 지날 때까지 영업을 시작하지 아니한 때(제4호) · 계속하여 1년 이상 휴업한 때(제4호) · 다른 자에게 자기의 성명이나 상호를 사용하여 소방시설공사등을 수급 또는 시공하게 한 경우(제6호) · 소방시설업의 등록증 또는 등록수첩을 빌려준 경우(제6호)	등록을 취소하거나 6개월의 기간을 정하여 영업정지 처분

(3) 등록취소·영업정지의 유예(제9조 제2항)

소방시설업자의 지위를 승계한 상속인(제7조)이 등록의 결격사유(제5조)에 해당하는 경우에는 상속을 개시한 날부터 6개월 동안은 등록의 취소와 영업정지 등(제9조)의 제1항 제3호를 적용하지 아니한다.

> **참고** 관리업의 등록 취소·정지(소방시설법 제35조)
>
> | 등록의 취소·영업정지처분 대상 | 처분 내용 |
> |---|---|
> | · 거짓이나 부정한 방법으로 등록한 경우
· 등록결격사유에 해당하게 된 경우
· 등록증 또는 등록수첩을 빌려준 경우 | 반드시 등록취소 |
> | · 소방시설등의 자체점검을 하지 않거나 거짓으로 한 경우
· 등록기준에 미달하게 된 경우 | 등록을 취소하거나
6개월의 기간을 정하여
영업정지 처분 |

(4) 관련 내용의 통보(제9조 제3항·제4항)

① **발주자가 시·도지사에게 통보하여야 하는 사항**: 소방시설업자가 등록취소와 영업정지에 해당하는 경우 그 사실

② **시·도지사가 발주자에게 통보하여야 하는 사항**: 시·도지사는 제1항 또는 제10조 제1항에 따라 등록취소, 영업정지 또는 과징금 부과 등의 처분을 하는 경우 해당 발주자에게 그 내용을 통보하여야 한다.

  ㉠ 등록취소를 하는 경우

  ㉡ 영업정지를 하는 경우

  ㉢ 과징금 처분을 하는 경우

정희's 톡talk

등록증 또는 등록수첩을 빌려준 경우
소방시설업의 등록증 또는 등록수첩을 빌려준 경우 반드시 등록을 취소하여야 하는 규정은 없습니다. 반면에, 소방시설법 제35조 소방시설관리업은 빌려준 경우 반드시 등록을 취소하여야 합니다.

(5) 일시적인 등록기준 미달에 관한 예외 규정

① 제4조 제1항에 따른 등록기준에 미달하게 된 후 30일이 경과한 경우. 다만, 자본금기준에 미달한 경우 중 「채무자 회생 및 파산에 관한 법률」에 따라 법원이 회생절차의 개시의 결정을 하고 그 절차가 진행 중인 경우 등 대통령령으로 정하는 경우는 30일이 경과한 경우에도 예외로 한다(제9조 제2호).

② 일시적인 등록기준 미달에 관한 예외(영 제2조의2)

　　㉠ 「상법」 제542조의8 제1항 단서의 적용 대상인 상장회사가 최근 사업연도 말 현재의 자산 총액 감소에 따라 등록기준에 미달하는 기간이 50일 이내인 경우

　　㉡ 제2조 제1항에 따른 업종별 등록기준 중 자본금 기준에 미달하는 경우로서 다음의 어느 하나에 해당하는 경우

　　　　ⓐ 「채무자 회생 및 파산에 관한 법률」에 따라 법원이 회생절차 개시의 결정을 하고, 그 절차가 진행 중인 경우

　　　　ⓑ 「채무자 회생 및 파산에 관한 법률」에 따라 법원이 회생계획의 수행에 지장이 없다고 인정하여 해당 소방시설업자에 대한 회생절차 종결의 결정을 하고, 그 회생계획을 수행 중인 경우

　　　　ⓒ 「기업구조조정 촉진법」에 따라 금융채권자협의회가 금융채권자협의회에 의한 공동관리절차 개시의 의결을 하고, 그 절차가 진행 중인 경우

(6) 소방시설업에 대한 행정처분기준(일반기준)

① 위반행위가 동시에 둘 이상 발생한 경우에는 그 중 중한 처분기준(중한 처분기준이 동일한 경우에는 그 중 하나의 처분기준을 말한다. 이하 같다)에 따르되, 둘 이상의 처분기준이 동일한 영업정지인 경우에는 중한 처분의 2분의 1까지 가중하여 처분할 수 있다.

② 영업정지 처분기간 중 영업정지에 해당하는 위반사항이 있는 경우에는 종전의 처분기간 만료일의 다음 날부터 새로운 위반사항에 대한 영업정지의 행정처분을 한다.

③ 위반행위의 차수에 따른 행정처분기준은 최근 1년간 같은 위반행위로 행정처분을 받은 경우에 적용하되, 개별기준에 따른 위반행위의 차수는 재물 또는 재산상의 이익을 취득하거나 제공한 횟수로 산정한다. 이 경우 기준 적용일은 위반사항에 대한 행정처분일과 그 처분 후 다시 적발한 날을 기준으로 한다.

④ ③에 따라 가중된 행정처분을 하는 경우 가중처분의 적용차수는 그 위반행위 전 행정처분 차수(③에 따른 기간 내에 행정처분이 둘 이상 있었던 경우에는 높은 차수를 말한다)의 다음 차수로 한다. 다만, 적발된 날부터 소급하여 1년이 되는 날 전에 한 행정처분은 가중처분의 차수 산정 대상에서 제외한다.

⑤ 영업정지 등에 해당하는 위반사항으로서 위반행위의 동기·내용·횟수·사유 또는 그 결과를 고려하여 다음에 해당하는 경우 그 처분을 가중하거나 감경할 수 있다. 이 경우 그 처분이 영업정지일 때에는 그 처분기준의 2분의 1의 범위에서 가중하거나 감경할 수 있고, 등록취소일 때에는 등록취소 전 차수의 행정처분이 영업정지일 경우 처분기준의 2배 이상의 영업정지처분으로 감경(법 제9조 제1항 제6호를 위반하여 등록취소가 된 경우는 제외한다)할 수 있다.

　　㉠ 가중사유
　　　ⓐ 위반행위가 사소한 부주의나 오류가 아닌 고의나 중대한 과실에 의한 것으로 인정되는 경우
　　　ⓑ 위반의 내용·정도가 중대하여 관계인에게 미치는 피해가 크다고 인정되는 경우
　㉡ 감경사유
　　　ⓐ 위반행위가 고의나 중대한 과실이 아닌 사소한 부주의나 오류로 인한 것으로 인정되는 경우
　　　ⓑ 위반의 내용·정도가 경미하여 관계인에게 미치는 피해가 적다고 인정되는 경우
　　　ⓒ 위반행위자의 위반행위가 처음이며 5년 이상 소방시설업을 모범적으로 해 온 사실이 인정되는 경우
　　　ⓓ 위반행위자가 그 위반행위로 인하여 검사로부터 기소유예 처분을 받거나 법원으로부터 선고유예 판결을 받은 경우

👆 **관계법규** 등록기준 미달에 관한 예외

시행령	시행규칙
제2조의2【일시적인 등록기준 미달에 관한 예외】 법 제9조 제1항 제2호 단서에서 "「채무자 회생 및 파산에 관한 법률」에 따라 법원이 회생절차의 개시의 결정을 하고 그 절차가 진행 중인 경우 등 대통령령으로 정하는 경우"란 다음 각 호의 어느 하나에 해당하는 경우를 말한다. 1.「상법」 제542조의8 제1항 단서의 적용 대상인 상장회사가 최근 사업연도 말 현재의【 ① 】 감소에 따라 등록기준에 미달하는 기간이【 ② 】 이내인 경우 2. 제2조 제1항에 따른 업종별 등록기준 중 자본금 기준에 미달하는 경우로서 다음 각 목의 어느 하나에 해당하는 경우 　가.「채무자 회생 및 파산에 관한 법률」에 따라 법원이 회생절차 개시의 결정을 하고, 그 절차가 진행 중인 경우 　나.「채무자 회생 및 파산에 관한 법률」에 따라 법원이 회생계획의 수행에 지장이 없다고 인정하여 해당 소방시설업자에 대한 회생절차 종결의 결정을 하고, 그 회생계획을 수행 중인 경우 　다.「기업구조조정 촉진법」에 따라 금융채권자협의회가 금융채권자협의회에 의한 공동관리절차 개시의 의결을 하고, 그 절차가 진행 중인 경우	**제9조【소방시설업의 행정처분기준】** 법 제9조 제1항에 따른 소방시설업의 등록취소 등의 행정처분에 대한 기준은 별표 1과 같다.
① 자산 총액 ② 50일	

제10조【과징금처분】 ① 시·도지사는 제9조 제1항 각 호의 어느 하나에 해당하는 경우로서 영업정지가 그 이용자에게 불편을 주거나 그 밖에 공익을 해칠 우려가 있을 때에는 영업정지처분을 갈음하여 2억원 이하의 과징금을 부과할 수 있다.

② 제1항에 따른 과징금을 부과하는 위반행위의 종류와 위반 정도 등에 따른 과징금과 그 밖에 필요한 사항은 행정안전부령으로 정한다.

③ 시·도지사는 제1항에 따른 과징금을 내야 할 자가 납부기한까지 과징금을 내지 아니하면 「지방행정제재·부과금 징수에 관한 법률」에 따라 징수한다.

(1) 과징금의 부과
시·도지사는 영업정지처분에 갈음하여 2억원 이하의 과징금을 부과할 수 있다.

(2) 과징금의 금액 및 징수절차
① 과징금의 금액, 그 밖의 필요한 사항은 행정안전부령으로 정한다.

② 과징금 징수절차는 「국고금관리법 시행규칙」을 준용한다.

(3) 과징금의 미납
시·도지사는 미납의 경우 「지방행정제재·부과금 징수에 관한 법률」에 따라 징수한다.

> 📖 **SUMMARY** 과징금
>
> | 구분 | 과징금 | 비고 |
> | --- | --- | --- |
> | 소방시설법 | 3,000만원 이하 | · 부과권자: 시·도지사 |
> | 소방시설공사업법 | 2억원 이하 | · 영업정지처분(사용정지처분)에 |
> | 위험물안전관리법 | 2억원 이하 | 갈음하여 부과할 수 있다. |

(4) 과징금의 부과기준(규칙 [별표 2의2])
① 일반기준

㉠ 영업정지 1개월은 30일로 계산한다.

㉡ 과징금 산정은 별표 1 제2호의 영업정지기간(일)에 1일 평균 매출액을 기준으로 ②의 기준에 따라 산정한다.

㉢ 위반행위가 둘 이상 발생한 경우 과징금 부과에 따른 영업정지기간(일) 산정은 별표 1 제2호의 개별기준에 따른 각각의 영업정지처분기간을 합산한 기간으로 한다.

㉣ 영업정지에 해당하는 위반사항으로서 위반행위의 동기·내용·횟수 또는 그 결과를 고려하여 그 처분기준의 2분의 1까지 감경한 경우 과징금 부과에 따른 영업정지기간(일) 산정은 감경한 영업정지기간으로 한다.

정희's 톡talk

시·도지사
1. 국민에게 심한 불편, 공익을 해칠 우려가 있을 때 영업정지처분을 갈음하여 2억원 이하의 과징금 부과할 수 있습니다.
2. 과징금납부자가 미납 시 「지방행정 제재·부과금 징수에 관한 법률」에 따라 징수합니다.

행정안전부령
과징금의 금액, 그 밖의 필요한 사항, 과징금 징수절차는 「국고금관리법 시행규칙」을 준용합니다.

ⓜ ②에 따른 1일 평균 매출액은 해당 업체에 대한 행정처분일이 속한 연도의 전년도 1년간 총 매출액을 365로 나눈 금액으로 한다. 다만, 신규사업·휴업 등에 따라 전년도 1년간의 총매출액을 산출할 수 없는 경우에는 분기별·월 별 또는 일별 매출액을 기준으로 하여 1일 평균 매출액을 산정한다.

ⓑ 별표 1 제2호 행정처분 개별기준 중 나목·바목·거목·너목·도목 및 로목 의 위반사항에는 법 제10조 제1항에 따른 영업정지를 갈음하여 과징금을 부 과할 수 없다.

위반사항	근거법령	행정처분 기준		
		1차	2차	3차
나. 법 제4조 제1항에 따른 등 록기준에 미달하게 된 후 30일이 경과한 경우(법 제 9조 제1항 제2호 단서에 해당하는 경우는 제외한다)	법 제9조	경고 (시정명령)	영업정지 3개월	등록취소
바. 법 제8조 제2항을 위반하 여 영업정지 기간 중에 소 방시설공사등을 한 경우	법 제9조	등록취소		
거. 법 제17조 제3항을 위반 하여 인수·인계를 거부· 방해·기피한 경우	법 제9조	영업정지 1개월	영업정지 3개월	등록취소
너. 법 제18조 제1항을 위반 하여 소속 감리원을 공사 현장에 배치하지 아니하거 나 거짓으로 한 경우	법 제9조	영업정지 1개월	영업정지 3개월	등록취소
도. 법 제31조에 따른 명령을 위반하여 보고 또는 자료 제출을 하지 아니하거나 거짓으로 보고 또는 자료 제출을 한 경우	법 제9조	영업정지 3개월	영업정지 6개월	등록취소
로. 정당한 사유 없이 법 제31 조에 따른 관계 공무원의 출입 또는 검사·조사를 거 부·방해 또는 기피한 경우	법 제9조	영업정지 3개월	영업정지 6개월	등록취소

② 개별기준

㉠ 소방시설설계업 및 소방공사감리업의 과징금 산정기준

과징금 부과금액 = 1일 평균 매출액 × 영업정지 일수 × 0.0205

㉡ 소방시설공사업 및 방염처리업의 과징금 산정기준

과징금 부과금액 = 1일 평균 매출액 × 영업정지 일수 × 0.0423

시행규칙, 시행규칙 [별표 2]	시행규칙 [별표 2의2]

제10조 【과징금을 부과하는 위반행위의 종류와 과징금의 부과기준】 법 제10조 제2항에 따라 과징금을 부과하는 위반행위의 종류와 그에 대한 과징금의 금액은 다음 각 호의 기준에 따라 산정한다.

1. 2021년 6월 10일부터 2023년 12월 31일까지의 기간 중에 위반행위를 한 경우: 별표 2
2. 2024년 1월 1일 이후에 위반행위를 한 경우: 별표 2의2

제11조 【과징금 징수절차】 법 제10조 제2항에 따른 과징금의 징수절차는 「【 ① 】」을 준용한다.

[별표 2] 과징금의 부과기준

1. 일반기준
   가. 영업정지 1개월은 30일로 계산한다.
   나. 과징금 산정은 별표 1 제2호의 영업정지기간(일)에 제2호 가목부터 다목까지의 영업정지 1일에 해당하는 금액란의 금액을 곱한 금액으로 한다.
   다. 위반행위가 둘 이상 발생한 경우 과징금 부과에 따른 영업정지기간(일) 산정은 별표 1 제2호의 개별기준에 따른 각각의 영업정지처분기간을 합산한 기간으로 한다.
   라. 영업정지에 해당하는 위반사항으로서 위반행위의 동기·내용·횟수 또는 그 결과를 고려하여 그 처분기준의 2분의 1까지 감경한 경우 과징금 부과에 따른 영업정지기간(일) 산정은 감경한 영업정지기간으로 한다.
   마. 제2호 나목에 따른 도급(계약)금액은 위반사항이 적발된 소방시설공사 현장의 해당 공사 도급금액(법 제22조에 적합한 하도급인 경우 그 하도급금액은 제외한다) 또는 소방시설설계·공사감리 기술용역대가를 말하며, 연간 매출액은 위반사업자에 대한 처분일이 속한 연도의 전년도의 1년간 위반사항이 적발된 방염처리업의 매출금액을 기준으로 한다. 다만, 신규사업·휴업 등에 따라 1년간의 위반사항이 적발된 방염처리업의 매출금액을 기준으로 하는 것이 불합리하다고 인정되는 경우에는 분기별·월별 또는 일별 매출금액을 기준으로 산출 또는 조정한다.
   바. 별표 1 제2호 행정처분 개별기준 중 나목·바목·거목·퍼목·허목 및 고목의 위반사항에는 법 제10조 제1항에 따른 영업정지를 갈음하여 과징금을 부과할 수 없다.

2. 개별기준(요약)

등급	연간 매출액 (단위: 억원)	1일 과징금 금액 (단위: 원)
1	1 이하	10,000
2	1 초과 ~ 2 이하	20,500
3	2 초과 ~ 3 이하	34,000

① 국고금관리법 시행규칙

[별표 2의2] 과징금의 부과기준

1. 일반기준
   가. 영업정지 1개월은 30일로 계산한다.
   나. 과징금 산정은 별표 1 제2호의 영업정지기간(일)에 1일 평균 매출액을 기준으로 제2호 각 목의 기준에 따라 산정한다.
   다. 위반행위가 둘 이상 발생한 경우 과징금 부과에 따른 영업정지기간(일) 산정은 별표 1 제2호의 개별기준에 따른 각각의 영업정지처분기간을 합산한 기간으로 한다.
   라. 영업정지에 해당하는 위반사항으로서 위반행위의 동기·내용·횟수 또는 그 결과를 고려하여 그 처분기준의 2분의 1까지 감경한 경우 과징금 부과에 따른 영업정지기간(일) 산정은 감경한 영업정지기간으로 한다.
   마. 제2호에 따른 1일 평균 매출액은 해당 업체에 대한 행정처분일이 속한 연도의 전년도 1년간 총 매출액을 365로 나눈 금액으로 한다. 다만, 신규사업·휴업 등에 따라 전년도 1년간의 총매출액을 산출할 수 없는 경우에는 분기별·월별 또는 일별 매출액을 기준으로 하여 1일 평균 매출액을 산정한다.
   바. 별표 1 제2호 행정처분 개별기준 중 나목·바목·거목·너목·도목 및 로목의 위반사항에는 법 제10조 제1항에 따른 영업정지를 갈음하여 과징금을 부과할 수 없다.

2. 개별기준
   가. 소방시설설계업 및 소방공사감리업의 과징금 산정기준
      - 과징금 부과금액
        = 1일 평균 매출액 × 영업정지 일수 × 0.0205
   나. 소방시설공사업 및 방염처리업의 과징금 산정기준
      - 과징금 부과금액
        = 1일 평균 매출액 × 영업정지 일수 × 0.0423

제1절　설계　　　　　　　　　　　　B

제11조【설계】 ① 제4조 제1항에 따라 소방시설설계업을 등록한 자(이하 "설계업자"라 한다)는 이 법이나 이 법에 따른 명령과 화재안전기준에 맞게 소방시설을 설계하여야 한다. 다만, 「소방시설 설치 및 관리에 관한 법률」 제18조 제1항에 따른 중앙소방기술심의위원회의 심의를 거쳐 소방시설의 구조와 원리 등에서 특수한 설계로 인정된 경우는 화재안전기준을 따르지 아니할 수 있다.

② 제1항 본문에도 불구하고 「소방시설 설치 및 관리에 관한 법률」 제8조 제1항에 따른 특정소방대상물(신축하는 것만 해당한다)에 대해서는 그 용도, 위치, 구조, 수용 인원, 가연물(可燃物)의 종류 및 양 등을 고려하여 설계(이하 "성능위주설계"라 한다)하여야 한다.

③ 성능위주설계를 할 수 있는 자의 자격, 기술인력 및 자격에 따른 설계의 범위와 그 밖에 필요한 사항은 대통령령으로 정한다.

④ 삭제

(1) 설계업자의 소방시설 설계기준

① **원칙**: 소방시설설계업을 등록한 자는 다음 기준에 맞게 소방시설을 설계하여야 한다.

　　㉠ 「소방시설공사업법」과 「소방시설공사업법」에 따른 명령

　　㉡ 화재안전기준

② **예외**: 중앙소방기술심의위원회의 심의를 거쳐 소방시설의 구조와 원리 등에서 특수한 설계로 인정된 경우에는 화재안전기준을 적용하지 않는다.

③ **벌칙** – 1년 이하의 징역 또는 1천만원 이하의 벌금(제36조): 제11조을 위반하여 설계을 한 자

(2) 성능위주설계대상 특정소방대상물

① 특정소방대상물에 대해서는 용도, 위치, 구조, 수용 인원, 가연물의 종류 및 양을 고려하여 설계하여야 한다.

② 성능위주설계대상 특정소방대상물은 신축하는 것만 해당한다.

(3) 성능위주설계자의 자격, 기술인력, 설계범위 등(영 제2조의3, 영 [별표 1의2])

① 성능위주설계자의 자격

　　㉠ 전문 소방시설설계업을 등록한 자

　　㉡ 전문 소방시설설계업에 따른 기술인력을 갖춘 자로서 소방청장이 정하여 고시하는 연구기관 또는 단체

② **기술인력**: 소방기술사 2명 이상

③ **설계범위**: 성능위주설계가 필요한 특정소방대상물

🖊 **핵심기출**

「소방시설공사업법」 및 같은 법 시행령상 소방시설설계에 관한 내용으로 옳지 않은 것은?　　　24. 경채

① 소방시설설계업을 등록한 자는 이 법이나 이 법에 따른 명령과 화재안전기준에 맞게 소방시설을 설계하여야 한다.

② 지방소방기술심의위원회의 심의를 거쳐 소방시설의 구조와 원리 등에서 특수한 특정소방대상물로 인정된 경우는 화재안전기준을 따르지 아니할 수 있다.

③ 소방기술사 2명을 기술인력으로 보유한 전문소방시설설계업을 등록한 자는 성능위주설계를 할 수 있다.

④ 일반소방시설설계업(기계분야)을 등록한 자는 위험물제조소등에 설치되는 기계분야 소방시설을 설계할 수 있다.

정답 ②

정희's 톡talk

성능위주설계자의 자격

성능위주설계자의 자격은 전문소방시설설계업을 등록한 자만 해당하지 않습니다. 추가적으로 전문 소방시설설계업에 따른 기술인력을 갖춘 자로서 소방청장이 정하여 고시하는 연구기관 또는 단체도 해당합니다.

1 시공 A

제12조【시공】① 제4조 제1항에 따라 소방시설공사업을 등록한 자(이하 "공사업자"라 한다)는 이 법이나 이 법에 따른 명령과 화재안전기준에 맞게 시공하여야 한다. 이 경우 소방시설의 구조와 원리 등에서 그 공법이 특수한 시공에 관하여는 제11조 제1항 단서를 준용한다.
② 공사업자는 소방시설공사의 책임시공 및 기술관리를 위하여 대통령령으로 정하는 바에 따라 소속 소방기술자를 공사 현장에 배치하여야 한다.

(1) 공사업자의 소방시설 시공기준

① **원칙**: 소방시설공사업을 등록한 자는 다음 기준에 맞게 소방시설을 시공하여야 한다.
  ㉠「소방시설공사업법」과「소방시설공사업법」에 따른 명령
  ㉡ 화재안전기준
② **예외**: 중앙소방기술심의위원회의 심의를 거쳐 소방시설의 구조와 원리 등에서 그 공법이 특수한 시공의 경우 화재안전기준을 적용하지 않는다.
③ **벌칙 − 1년 이하의 징역 또는 1천만원 이하의 벌금(제36조)**: 제12조 제1항을 위반하여 시공을 한 자

(2) 소방기술자의 배치

① 공사업자는 대통령령으로 정하는 바에 따라 소속 소방기술자를 공사 현장에 배치하여야 한다.
② **과태료 − 200만원 이하의 과태료(제40조)**: 제12조 제2항을 위반하여 소방기술자를 공사 현장에 배치하지 아니한 자
③ 소방기술자의 배치기준(영 제3조, [별표 2])
  ㉠ **행정안전부령으로 정하는 특급기술자인 소방기술자 배치기준**
    ⓐ 연면적 20만제곱미터 이상인 특정소방대상물의 공사 현장(특정소방대상물 공사 현장 이하 생략)
    ⓑ 지하층을 포함한 층수가 40층 이상
  ㉡ **행정안전부령으로 정하는 고급기술자 이상의 소방기술자 배치기준**
    ⓐ 연면적 3만제곱미터 이상 20만제곱미터 미만(아파트 제외)
    ⓑ 지하층을 포함한 층수가 16층 이상 40층 미만
  ㉢ **행정안전부령으로 정하는 중급기술자 이상의 소방기술자 배치기준**
    ⓐ 물분무등소화설비(호스릴 방식 소화설비 제외) 또는 제연설비가 설치
    ⓑ 연면적 5천제곱미터 이상 3만제곱미터 미만(아파트 제외)
    ⓒ 연면적 1만제곱미터 이상 20만제곱미터 미만인 아파트의 공사 현장

  ② 행정안전부령으로 정하는 초급기술자 이상의 소방기술자 배치기준

    ⓐ 연면적 1천제곱미터 이상 5천제곱미터 미만(아파트 제외)

    ⓑ 연면적 1천제곱미터 이상 1만제곱미터 미만인 아파트의 공사 현장

    ⓒ 지하구(地下溝)의 공사 현장

   ⑩ 자격수첩을 발급받은 소방기술자 배치기준: 연면적 1천제곱미터 미만

(3) 초과 배치 금지(영 [별표 2] 비고)

공사업자는 1명의 소방기술자를 2개의 공사 현장을 초과하여 배치해서는 아니 된다.

 ① 1개의 공사 현장에만 배치해야 하는 대상(단서 사항)

  ㉠ 연면적 3만제곱미터 이상의 특정소방대상물(아파트는 제외)

  ㉡ 지하층을 포함한 층수가 16층 이상으로서 500세대 이상인 아파트에 대한 소방시설공사

 ② 적용제외 대상

  ㉠ 건축물의 연면적이 5천제곱미터 미만인 공사 현장에만 배치하는 경우. 다만, 그 연면적의 합계는 2만제곱미터를 초과해서는 아니 된다.

  ㉡ 건축물의 연면적이 5천제곱미터 이상인 공사 현장 2개 이하와 5천제곱미터 미만인 공사 현장에 같이 배치하는 경우. 다만, 5천제곱미터 미만의 공사 현장의 연면적의 합계는 1만제곱미터를 초과해서는 아니 된다.

(4) 소방기술자의 배치기간(영 [별표 2])

 ① 소방시설공사의 착공일부터 소방시설 완공검사증명서 발급일까지

 ② 소방기술자를 공사 현장에 배치하지 않을 수 있는 경우(단, 발주자의 서면 승낙이 있는 경우)

  ㉠ 민원 또는 계절적 요인 등으로 해당 공정의 공사가 일정 기간 중단된 경우

  ㉡ 예산의 부족 등 발주자(하도급의 경우에는 수급인을 포함한다)의 책임 있는 사유 또는 천재지변 등 불가항력으로 공사가 일정 기간 중단된 경우

  ㉢ 발주자가 공사의 중단을 요청하는 경우

1개의 공사 현장에만 배치하여야 하는 대상은 상주공사감리 대상과 동일합니다. 생각해 보면 감리가 현장에 상주해서 업무를 보니 당연히 소방기술자도 1개의 현장을 담당하여 상주하면서 업무를 수행하는 것이 맞겠지요!

📖 **SUMMARY** 소방기술자의 배치기준

소방기술자	연면적(m²)	층수 (지하층 포함)	아파트 [연면적(m²)]	기타
특급기술자	20만 이상	40F 이상		
고급기술자	3만 ~ 20만 미만 (아파트 제외)	16F ~ 40F 미만		
중급기술자	5천 ~ 3만 미만 (아파트 제외)		1만 ~ 20만 미만	물분무등 (호스릴 제외) 제연설비
초급기술자	1천 ~ 5천 미만 (아파트 제외)		1천 ~ 1만 미만	지하구
자격수첩	1천 미만			

제13조【착공신고】① 공사업자는 대통령령으로 정하는 소방시설공사를 하려면 행정안전부령으로 정하는 바에 따라 그 공사의 내용, 시공 장소, 그 밖에 필요한 사항을 소방본부장이나 소방서장에게 신고하여야 한다.

② 공사업자가 제1항에 따라 신고한 사항 가운데 행정안전부령으로 정하는 중요한 사항을 변경하였을 때에는 행정안전부령으로 정하는 바에 따라 변경신고를 하여야 한다. 이 경우 중요한 사항에 해당하지 아니하는 변경 사항은 다음 각 호의 어느 하나에 해당하는 서류에 포함하여 소방본부장이나 소방서장에게 보고하여야 한다.

1. 제14조 제1항 또는 제2항에 따른 완공검사 또는 부분완공검사를 신청하는 서류

2. 제20조에 따른 공사감리 결과보고서

③ 소방본부장 또는 소방서장은 제1항 또는 제2항 전단에 따른 착공신고 또는 변경신고를 받은 날부터 2일 이내에 신고수리 여부를 신고인에게 통지하여야 한다.

④ 소방본부장 또는 소방서장이 제3항에서 정한 기간 내에 신고수리 여부 또는 민원 처리 관련 법령에 따른 처리기간의 연장을 신고인에게 통지하지 아니하면 그 기간(민원처리 관련 법령에 따라 처리기간이 연장 또는 재연장된 경우에는 해당 처리기간을 말한다)이 끝난 날의 다음 날에 신고를 수리한 것으로 본다.

(1) 착공신고(제13조 제1항)

공사업자는 대통령령으로 정하는 소방시설공사를 하려면 행정안전부령으로 정하는 바에 따라 그 공사의 내용, 시공 장소, 그 밖에 필요한 사항을 소방본부장이나 소방서장에게 신고하여야 한다.

① **신고 대상:** 소방본부장·소방서장

② **신고 시기:** 소방시설공사 착공 전

③ **소방시설공사의 착공신고 대상 공사(영 제4조)**

  ㉠ **특정소방대상물**(「위험물안전관리법」상 제조소등 또는 「다중이용업소의 안전관리에 관한 특별법」에 따른 다중이용업소 제외)에 **해당** 설비를 **신설하는 공사**

    ⓐ **소화설비**

      • 옥내소화전설비, 옥외소화전설비

      • 스프링클러설비등[스프링클러설비·간이스프링클러설비(캐비닛형 간이스프링클러설비 포함)·화재조기진압용 스프링클러설비]

      • 물분무등소화설비(물분무소화설비·포소화설비·이산화탄소소화설비·할로겐화합물소화설비·할로겐화합물 및 불활성기체 소화설비·미분무소화설비·강화액소화설비·분말소화설비)

    ⓑ **경보설비**

      • 자동화재탐지설비

      • 비상경보설비

      • 비상방송설비(정보통신공사업자가 공사하는 경우 제외)

    ⓒ **소화용수설비:** 소화용수설비(기계가스설비공사업자 또는 상·하수도설비공사업자가 공사하는 경우 제외)

정희's 톡talk

착공신고(제조소등 또는 다중이용업소 제외)

① 신설	소방	② 증설
옥내·외, SP등, 물등	소화설비	옥내·외, SP·간이SP, 물등
자·비·경·방	경보설비	자·탐
해당하지 않음	피난구조설비	해당하지 않음
○	소화용수설비	해당하지 않음
○	소화활동설비	무·통 제외

③ 개설·이전·정비
[수신반, 소화펌프, 동력(감시)제어반]

핵심 기출

「소방시설공사업법 시행령」상 소방시설공사의 착공신고 대상으로 옳지 않은 것은?

22. 공채

① 창고시설에 스프링클러설비의 방호구역을 증설하는 공사

② 공동주택에 자동화재탐지설비의 경계구역을 증설하는 공사

③ 위험물 제조소에 할로겐화합물 및 불활성기체 소화설비를 신설하는 공사

④ 업무시설에 옥내소화전설비(호스릴옥내소화전설비를 포함한다)를 신설하는 공사

정답 ③

ⓓ 소화활동설비

- 연결송수관설비
- 연결살수설비
- 제연설비(기계가스설비공사업자가 공사하는 경우 제외)
- 연소방지설비
- 비상콘센트설비(전기공사업자가 공사하는 경우 제외)
- 무선통신보조설비(정보통신공사업자가 공사하는 경우 제외)

ⓒ 특정소방대상물에 해당 설비 또는 구역 등을 증설하는 공사

ⓐ 소화설비

- 옥내·옥외소화전설비
- 스프링클러설비·간이스프링클러설비 또는 물분무등소화설비의 방호구역

ⓑ 경보설비: 자동화재탐지설비의 경계구역

ⓒ 소화활동설비

- 제연설비의 제연구역(기계가스설비공사업자가 공사하는 경우 제외)
- 연결살수설비의 살수구역
- 연결송수관설비의 송수구역
- 비상콘센트설비의 전용회로
- 연소방지설비의 살수구역

ⓒ 특정소방대상물에 설치된 소방시설등을 구성하는 전부 또는 일부를 개설, 이전 또는 정비하는 공사

ⓐ 수신반

ⓑ 소화펌프

ⓒ 동력(감시)제어반

ⓓ 다만, 고장 또는 파손 등으로 인하여 작동시킬 수 없는 소방시설을 긴급히 교체하거나 보수하여야 하는 경우에는 신고하지 않을 수 있다.

④ 착공신고 첨부서류(규칙 제12조)

공사업자는 소방시설공사를 하려면 소방시설공사의 착공 전까지 소방시설공사 착공(변경)신고서에 다음의 서류를 첨부하여 소방본부장 또는 소방서장에게 신고해야 한다. 다만, 「전자정부법」 제36조 제1항에 따른 행정정보의 공동이용을 통하여 첨부서류에 대한 정보를 확인할 수 있는 경우에는 그 확인으로 첨부서류를 갈음할 수 있다.

㉠ 공사업자의 소방시설공사업 등록증 사본 1부 및 등록수첩 사본 1부

㉡ 해당 소방시설공사의 책임시공 및 기술관리를 하는 기술인력의 기술등급을 증명하는 서류 사본 1부

㉢ 체결한 소방시설공사 계약서 사본 1부

㉣ 설계도서(설계설명서를 포함한다) 1부. 다만, 영 제4조 제3호에 해당하는 소방시설공사인 경우 또는 「소방시설 설치 및 관리에 관한 법률 시행규칙」 제3조 제2항에 따라 건축허가등의 동의요구서에 첨부된 서류 중 설계도서가 변경되지 않은 경우에는 설계도서를 첨부하지 않을 수 있다.

🖊 핵심기출

「소방시설공사업법 시행령」상 소방시설공사의 착공신고 대상으로 옳지 않은 것은?

18. 공채(10월)

① 비상경보설비를 신설하는 특정소방대상물 신축공사
② 자동화재속보설비를 신설하는 특정소방대상물 신축공사
③ 연결송수관설비의 송수구역을 증설하는 특정소방대상물의 증축공사
④ 자동화재탐지설비의 경계구역을 증설하는 특정소방대상물 증축공사

정답 ②

정희's 톡talk

개설, 이전 또는 정비하는 공사
수신반·소화펌프·동력(감시)제어반은 소방시설 중 핵심기능을 담당하는 구성품으로 전부 또는 일부를 개설·이전·정비하는 경우 소방본부장·소방서장에게 착공신고를 해야 하는 대상입니다.

착공신고 예외
소방시설업자가 아닌 다른 업자가 하는 경우 소방본부장 또는 소방서장에게 착공신고를 할 필요가 없습니다. 물론 해당분야의 관련법에 따른 신고대상에 해당되면 착공신고를 하여야 합니다!

규칙 제12조 제5항
소방본부장 또는 소방서장은 소방시설공사 착공신고 또는 변경신고를 받은 경우에는 공사업자에게 소방시설공사현황 표지에 따른 소방시설공사현황의 게시를 요청할 수 있습니다.

ⓘ 소방시설공사를 하도급하는 경우

  ⓐ 소방시설공사등의 하도급통지서 사본 1부

  ⓑ 하도급대금 지급에 관한 다음의 어느 하나에 해당하는 서류

   ・「하도급거래 공정화에 관한 법률」 제13조의2에 따라 공사대금 지급을 보증한 경우에는 하도급대금 지급보증서 사본 1부

   ・「하도급거래 공정화에 관한 법률」 제13조의2 제1항 각 호 외의 부분 단서 및 같은 법 시행령 제8조 제1항에 따라 보증이 필요하지 않거나 보증이 적합하지 않다고 인정되는 경우에는 이를 증빙하는 서류 사본 1부

(2) 변경신고(제13조 제2항)

① 공사업자가 착공 신고한 사항 가운데 **행정안전부령으로 정하는 중요한 사항을 변경하였을 때에는 행정안전부령으로 정하는 바에 따라 변경신고를 하여야 한다.** 이 경우 중요한 사항에 해당하지 아니하는 변경 사항은 다음 어느 하나에 해당하는 서류에 포함하여 **소방본부장이나 소방서장에게 보고하여야 한다.**

 ㉠ 완공검사 또는 부분완공검사를 신청하는 서류

 ㉡ 공사감리 결과보고서

② 행정안전부령으로 정하는 중요한 사항(규칙 제12조 제2항)

 ㉠ 시공자

 ㉡ 설치되는 소방시설의 종류

 ㉢ 책임시공 및 기술관리 소방기술자

③ 변경신고 등(규칙 제12조 제3항)

공사업자는 변경일부터 **30일 이내에** 소방시설공사 착공(변경)신고서에 해당 첨부 서류 중 변경된 해당 서류를 첨부하여 **소방본부장 또는 소방서장에게** 신고하여야 한다.

(3) 신고수리 여부 통지(제13조 제3항 및 제4항)

① **소방본부장 또는 소방서장**은 착공신고 또는 변경신고를 받은 날부터 **2일 이내에** 신고수리 여부를 신고인에게 통지하여야 한다.

② **소방본부장 또는 소방서장이** ①에서 정한 기간 내에 신고수리 여부 또는 민원처리 관련 법령에 따른 처리기간의 연장을 신고인에게 통지하지 아니하면 그 기간(민원처리 관련 법령에 따라 처리기간이 연장 또는 재연장된 경우에는 해당 처리기간을 말한다)이 끝난 날의 다음 날에 신고를 수리한 것으로 본다.

시행령	시행규칙
제4조 【소방시설공사의 착공신고 대상】 법 제13조 제1항에서 "대통령령으로 정하는 소방시설공사"란 다음 각 호의 어느 하나에 해당하는 소방시설공사를 말한다. 다만, 「위험물안전관리법」제2조 제1항 제6호에 따른 제조소등 또는「다중이용업소의 안전관리에 관한 특별법」제2조 제1항 제4호에 따른 다중이용업소에서의 소방시설공사는 제외한다. 1. 특정소방대상물에 다음 각 목의 어느 하나에 해당하는 설비를 신설하는 공사 　가. 옥내소화전설비(호스릴옥내소화전설비를 포함한다. 이하 같다), 옥외소화전설비, 스프링클러설비·간이스프링클러설비(캐비닛형 간이스프링클러설비를 포함한다. 이하 같다) 및 화재조기진압용 스프링클러설비(이하 "스프링클러설비등"이라 한다), 물분무소화설비·포소화설비·이산화탄소소화설비·할론소화설비·할로겐화합물 및 불활성기체 소화설비·미분무소화설비·강화액소화설비 및 분말소화설비(이하 "물분무등소화설비"라 한다), 연결송수관설비, 연결살수설비, 제연설비(소방용 외의 용도와 겸용되는 제연설비를「건설산업기본법 시행령」별표 1에 따른 기계가스설비공사업자가 공사하는 경우는 제외한다), 소화용수설비(소화용수설비를「건설산업기본법」별표 1에 따른 기계가스설비공사업자 또는 상·하수도설비공사업자가 공사하는 경우는 제외한다) 또는 연소방지설비 　나. 자동화재탐지설비, 【 ① 】, 비상방송설비(소방용 외의 용도와 겸용되는 비상방송설비를「정보통신공사업법」에 따른 정보통신공사업자가 공사하는 경우는 제외한다), 비상콘센트설비(비상콘센트설비를「전기공사업법」에 따른 전기공사업자가 공사하는 경우는 제외한다) 또는 무선통신보조설비(소방용 외의 용도와 겸용되는 무선통신보조설비를「정보통신공사업법」에 따른 정보통신공사업자가 공사하는 경우는 제외한다) 2. 특정소방대상물에 다음 각 목의 어느 하나에 해당하는 설비 또는 구역 등을 증설하는 공사 　가. 옥내·옥외소화전설비 　나. 스프링클러설비·간이스프링클러설비 또는 물분무등소화설비의 방호구역, 【 ② 】의 경계구역, 제연설비의 제연구역(소방용 외의 용도와 겸용되는 제연설비를「건설산업기본법 시행령」별표 1에 따른 기계가스설비공사업자가 공사하는 경우는 제외한다), 연결살수설비의 살수구역, 연결송수관설비의 송수구역, 비상콘센트설비의 전용회로, 연소방지설비의 살수구역	**제12조 【착공신고 등】** ① 소방시설공사업자(이하 "공사업자"라 한다)는 소방시설공사를 하려면 법 제13조 제1항에 따라 해당 소방시설공사의 착공 전까지 별지 제14호 서식의 소방시설공사 착공(변경)신고서[전자문서로 된 소방시설공사 착공(변경)신고서를 포함한다]에 다음 각 호의 서류(전자문서를 포함한다)를 첨부하여 소방본부장 또는 소방서장에게 신고하여야 한다. 다만, 「전자정부법」제36조 제1항에 따른 행정정보의 공동이용을 통하여 첨부서류에 대한 정보를 확인할 수 있는 경우에는 그 확인으로 첨부서류를 갈음할 수 있다. 1. 공사업자의 소방시설공사업 등록증 사본 1부 및 등록수첩 사본 1부 2. 해당 소방시설공사의 책임시공 및 기술관리를 하는 기술인력의 기술등급을 증명하는 서류 사본 1부 3. 법 제21조의3 제2항에 따라 체결한 소방시설공사 계약서 사본 1부 4. 설계도서(설계설명서를 포함한다) 1부. 다만, 영 제4조 제3호에 해당하는 소방시설공사인 경우 또는「소방시설 설치 및 관리에 관한 법률 시행규칙」제3조 제2항에 따라 건축허가등의 동의요구서에 첨부된 서류 중 설계도서가 변경되지 않은 경우에는 설계도서를 첨부하지 않을 수 있다. 5. 소방시설공사를 하도급하는 경우 다음 각 목의 서류 　가. 제20조 제1항 및 별지 제31호 서식에 따른 소방시설공사등의 하도급통지서 사본 1부 　나. 하도급대금 지급에 관한 다음의 어느 하나에 해당하는 서류 　　1)「하도급거래 공정화에 관한 법률」제13조의2에 따라 공사대금 지급을 보증한 경우에는 하도급대금 지급보증서 사본 1부 　　2)「하도급거래 공정화에 관한 법률」제13조의2 제1항 각 호 외의 부분 단서 및 같은 법 시행령 제8조 제1항에 따라 보증이 필요하지 않거나 보증이 적합하지 않다고 인정되는 경우에는 이를 증빙하는 서류 사본 1부 ② 법 제13조 제2항에서 "행정안전부령으로 정하는 중요한 사항"이란 다음 각 호의 어느 하나에 해당하는 사항을 말한다. 1. 【 ① 】 2. 설치되는 소방시설의 종류 3. 책임시공 및 기술관리 소방기술자
① 비상경보설비　② 자동화재탐지설비	① 시공자

시행령	시행규칙
3. 특정소방대상물에 설치된 소방시설등을 구성하는 다음 각 목의 어느 하나에 해당하는 것의 전부 또는 일부를 개설(改設), 이전(移轉) 또는 정비(整備)하는 공사. 다만, 고장 또는 파손 등으로 인하여 작동시킬 수 없는 소방시설을 긴급히 교체하거나 보수하여야 하는 경우에는 신고하지 않을 수 있다. 가. 수신반(受信盤) 나.【 ③ 】 다. 동력(감시)제어반	③ 법 제13조 제2항에 따라 공사업자는 제2항 각 호의 어느 하나에 해당하는 사항이 변경된 경우에는 변경일부터【 ② 】에 별지 제14호 서식의 소방시설공사 착공(변경)신고서[전자문서로 된 소방시설공사 착공(변경)신고서를 포함한다]에 제1항 각 호의 서류(전자문서를 포함한다) 중 변경된 해당 서류를 첨부하여 소방본부장 또는 소방서장에게 신고하여야 한다. ④ 소방본부장 또는 소방서장은 소방시설공사 착공신고 또는 변경신고를 받은 경우에는【 ③ 】에 처리하고 그 결과를 신고인에게 통보하며, 소방시설공사 현장에 배치되는 소방기술자의 성명, 자격증 번호·등급, 시공현장의 명칭·소재지·면적 및 현장 배치기간을 법 제26조의3 제1항에 따른 소방시설업 종합정보시스템에 입력해야 한다. 이 경우【 ④ 】은 별지 제15호 서식의 소방시설 착공 및 완공대장에 필요한 사항을 기록하여 관리하여야 한다. ⑤ 소방본부장 또는 소방서장은 소방시설공사 착공신고 또는 변경신고를 받은 경우에는 공사업자에게 별지 제16호 서식의 소방시설공사현황 표지에 따른 소방시설공사현황의 게시를 요청할 수 있다.
③ 소화펌프	② 30일 이내 ③ 2일 이내 ④ 소방본부장 또는 소방서장

제14조【완공검사】 ① 공사업자는 소방시설공사를 완공하면 소방본부장 또는 소방서장의 완공검사를 받아야 한다. 다만, 제17조 제1항에 따라 공사감리자가 지정되어 있는 경우에는 공사감리 결과보고서로 완공검사를 갈음하되, 대통령령으로 정하는 특정소방대상물의 경우에는 소방본부장이나 소방서장이 소방시설공사가 공사감리 결과보고서대로 완공되었는지를 현장에서 확인할 수 있다.
② 공사업자가 소방대상물 일부분의 소방시설공사를 마친 경우로서 전체 시설이 준공되기 전에 부분적으로 사용할 필요가 있는 경우에는 그 일부분에 대하여 소방본부장이나 소방서장에게 완공검사(이하 "부분완공검사"라 한다)를 신청할 수 있다. 이 경우 소방본부장이나 소방서장은 그 일부분의 공사가 완공되었는지를 확인하여야 한다.
③ 소방본부장이나 소방서장은 제1항에 따른 완공검사나 제2항에 따른 부분완공검사를 하였을 때에는 완공검사증명서나 부분완공검사증명서를 발급하여야 한다.
④ 제1항부터 제3항까지의 규정에 따른 완공검사 및 부분완공검사의 신청과 검사증명서의 발급, 그 밖에 완공검사 및 부분완공검사에 필요한 사항은 행정안전부령으로 정한다.

(1) 소방시설공사의 완공검사(제14조 제1항)

① 공사업자는 소방시설공사를 완공하면 소방본부장 또는 소방서장의 완공검사를 받아야 한다.

② **검사 주체:** 소방본부장 또는 소방서장

③ **완공검사의 대체**

　㉠ 공사감리자가 지정된 경우에는 공사감리 결과보고서로 완공검사를 대체한다.

　㉡ 대통령령으로 정하는 특정소방대상물은 소방본부장이나 소방서장이 소방시설공사가 결과보고서대로 완공되었는지를 현장에서 확인할 수 있다.

④ **과태료 – 200만원 이하의 과태료(제40조):** 제14조 제1항을 위반하여 완공검사를 받지 아니한 자

⑤ **완공검사를 위한 현장확인 대상 특정소방대상물(영 제5조)**

　㉠ 문화 및 집회시설, 종교시설, 판매시설, 노유자시설, 수련시설, 운동시설, 숙박시설, 창고시설, 지하상가 및 「다중이용업소의 안전관리에 관한 특별법」에 따른 다중이용업소

　㉡ 스프링클러설비등이 설치된 특정소방대상물

　㉢ 물분무등소화설비(호스릴 방식의 소화설비 제외)가 설치된 특정소방대상물

　㉣ 연면적 1만제곱미터 이상인 특정소방대상물(아파트 제외)

　㉤ 11층 이상인 특정소방대상물(아파트 제외)

　㉥ 지상에 노출된 가연성가스탱크의 저장용량 합계가 1천톤 이상인 시설

정회's 톡talk

완공검사를 위한 현장확인대상
1. 문판숙노창수다지상 → 특정소방대상물
2. 스물등(호·제) → 소방시설
3. 가천 일만고가(아·제) → 규모

✎ 핵심기출

01 「소방시설공사업법 시행령」상 완공검사를 위한 현장확인 대상 특정소방대상물의 범위로 옳지 않은 것은?　24. 공채·경채
① 스프링클러설비등이 설치되는 특정소방대상물
② 지하상가 및 「다중이용업소의 안전관리에 관한 특별법」에 따른 다중이용업소
③ 물분무등소화설비(호스릴 방식의 소화설비 제외)가 설치되는 특정소방대상물
④ 연면적 5천제곱미터 이상이거나 10층 이상인 특정소방대상물(아파트는 제외)
　　　　　　　　정답 ④

02 「소방시설공사업법 시행령」상 소방본부장이나 소방서장이 소방시설공사가 공사감리 결과보고서대로 완공되었는지를 현장에서 확인할 수 있는 대상으로 옳은 것은?　19. 공채(4월)
① 창고시설 또는 수련시설
② 호스릴소화설비를 설치하는 소방시설공사
③ 연면적 1만제곱미터 이상의 아파트에 설치하는 소방시설공사
④ 가연성가스를 제조·저장 또는 취급하는 시설 중 지하에 매립된 가연성가스탱크의 저장용량의 합계가 1천톤 이상인 시설
　　　　　　　　정답 ①

「소방시설공사업법 시행령」상 소방본부장
또는 소방서장의 소방시설공사 완공검사를
위한 현장확인 대상 특정소방대상물로 옳지
않은 것은?　　　　　　　　　20. 공채(6월)
① 창고시설
② 스프링클러설비등이 설치되는 특정소방
　대상물
③ 연면적 1만제곱미터 이상이거나 11층
　이상인 아파트
④ 가연성가스를 제조·저장 또는 취급하는
　시설 중 지상에 노출된 가연성가스탱크의
　저장용량 합계가 1천톤 이상인 시설
　　　　　　　　　　　　　　　정답 ③

(2) 부분완공검사(제14조 제2항)

① 공사업자가 소방대상물 일부분의 소방시설공사를 마친 경우 부분완공검사를 신청할 수 있다.

② 소방본부장이나 소방서장은 부분완공검사를 신청한 일부분의 공사가 완공되었는지 확인하여야 한다.

(3) 증명서 발급(제14조 제3항)

소방본부장·소방서장은 완공검사 및 부분완공검사에 따른 완공검사증명서·부분완공검사증명서를 발급하여야 한다.

(4) 완공검사·부분완공검사의 신청과 발급 등 필요한 사항은 행정안전부령으로 정한다.

(5) 행정안전부령으로 정하는 사항(규칙 제13조)

① 공사업자는 소방시설공사의 완공검사 또는 부분완공검사를 받으려면 소방시설공사 완공검사신청서 또는 소방시설 부분완공검사신청서를 소방본부장 또는 소방서장에게 제출하여야 한다.

② 소방시설 완공검사신청 또는 부분완공검사신청을 받은 소방본부장 또는 소방서장은 현장 확인 결과 또는 감리 결과보고서를 검토한 결과 해당 소방시설공사가 법령과 화재안전기준에 적합하다고 인정하면 소방시설 완공검사증명서 또는 소방시설 부분완공검사증명서를 공사업자에게 발급하여야 한다.

👆 **관계법규** 완공검사

시행령	시행규칙
제5조【완공검사를 위한 현장확인 대상 특정소방대상물의 범위】 법 제14조 제1항 단서에서 "대통령령으로 정하는 특정소방대상물"이란 특정소방대상물 중 다음 각 호의 대상물을 말한다. 1. 문화 및 집회시설, 종교시설, 판매시설, 노유자(老幼者)시설, 수련시설, 운동시설, 숙박시설, 【 ① 】, 지하상가 및 「다중이용업소의 안전관리에 관한 특별법」에 따른 다중이용업소 2. 다음 각 목의 어느 하나에 해당하는 설비가 설치되는 특정소방대상물 　가. 【 ② 】 　나. 물분무등소화설비(호스릴 방식의 소화설비는 제외한다) 3. 연면적 1만제곱미터 이상이거나 11층 이상인 특정소방대상물(아파트는 제외한다) 4. 가연성가스를 제조·저장 또는 취급하는 시설 중 지상에 노출된 가연성가스탱크의 저장용량 합계가 【 ③ 】 이상인 시설 ① 창고시설　② 스프링클러설비등　③ 1천톤	**제13조【소방시설의 완공검사 신청 등】** ① 공사업자는 소방시설공사의 완공검사 또는 부분완공검사를 받으려면 법 제14조 제4항에 따라 별지 제17호 서식의 소방시설공사 완공검사신청서(전자문서로 된 소방시설공사 완공검사신청서를 포함한다) 또는 별지 제18호 서식의 소방시설 부분완공검사신청서(전자문서로 된 소방시설 부분완공검사신청서를 포함한다)를 소방본부장 또는 소방서장에게 제출하여야 한다. 다만, 「전자정부법」 제36조 제1항에 따른 행정정보의 공동이용을 통하여 첨부서류에 대한 정보를 확인할 수 있는 경우에는 그 확인으로 첨부서류를 갈음할 수 있다. ② 제1항에 따라 소방시설 완공검사신청 또는 부분완공검사신청을 받은 소방본부장 또는 소방서장은 법 제14조 제1항 및 제2항에 따른 현장 확인 결과 또는 감리 결과보고서를 검토한 결과 해당 소방시설공사가 법령과 화재안전기준에 적합하다고 인정하면 별지 제19호 서식의 소방시설 완공검사증명서 또는 별지 제20호 서식의 소방시설 부분완공검사증명서를 공사업자에게 발급하여야 한다.

4 공사의 하자보수 A

제15조 【공사의 하자보수 등】 ① 공사업자는 소방시설공사 결과 자동화재탐지설비 등 대통령령으로 정하는 소방시설에 하자가 있을 때에는 대통령령으로 정하는 기간 동안 그 하자를 보수하여야 한다.

② 삭제

③ 관계인은 제1항에 따른 기간에 소방시설의 하자가 발생하였을 때에는 공사업자에게 그 사실을 알려야 하며, 통보를 받은 공사업자는 3일 이내에 하자를 보수하거나 보수 일정을 기록한 하자보수계획을 관계인에게 서면으로 알려야 한다.

④ 관계인은 공사업자가 다음 각 호의 어느 하나에 해당하는 경우에는 소방본부장이나 소방서장에게 그 사실을 알릴 수 있다.

1. 제3항에 따른 기간에 하자보수를 이행하지 아니한 경우

2. 제3항에 따른 기간에 하자보수계획을 서면으로 알리지 아니한 경우

3. 하자보수계획이 불합리하다고 인정되는 경우

⑤ 소방본부장이나 소방서장은 제4항에 따른 통보를 받았을 때에는 「소방시설 설치 및 관리에 관한 법률」 제18조 제2항에 따른 지방소방기술심의위원회에 심의를 요청하여야 하며, 그 심의 결과 제4항 각 호의 어느 하나에 해당하는 것으로 인정할 때에는 시공자에게 기간을 정하여 하자보수를 명하여야 한다.

⑥ 삭제

(1) 공사의 하자보수(제15조 제1항)

① 공사업자는 소방에 하자가 있을 때에 그 하자를 보수해야 한다.

② 하자보수 대상 소방시설과 하자보수 보증기간(영 제6조)

보증기간	하자보수 대상 소방시설
2년	· 피난기구, 유도등, 유도표지 · 비상조명등, 비상경보설비, 비상방송설비 · 무선통신보조설비
3년	· 자동소화장치, 옥내소화전설비, 옥외소화전설비 · 간이스프링클러설비, 스프링클러설비, 물분무등소화설비 · 자동화재탐지설비 · 상수도소화용수설비 · 소화활동설비(무선통신보조설비 제외)

(2) 관계인의 통보 및 공사업자의 조치(제15조 제3항)

① 관계인은 소방시설의 하자가 발생할 경우 공사업자에게 그 사실을 알려야 한다.

② 통보받은 공사업자의 조치사항

ㄱ 3일 이내에 하자보수

ㄴ 3일 이내에 보수 일정을 기록한 하자보수계획을 관계인에게 서면 통지

(3) 관계인의 통보 및 소방본부장·소방서장의 조치

① 관계인이 소방본부장·소방서장에게 알릴 수 있는 경우(제15조 제4항)

ㄱ 기간 내 하자보수를 불이행한 경우

 정희's 톡talk

소화활동설비의 하자보수 보증기간
무선통신보조설비를 제외한 소화활동설비의 하자보수 보증기간은 3년입니다. 또한 자동소화장치의 하자보수 보증기간도 3년입니다.

🖉 **핵심기출**

01 「소방시설공사업법」상 소방시설공사의 하자보수에 관한 설명이다. (   ) 안에 들어갈 내용으로 옳은 것은? 24. 경채

(ㄱ)은/는 정해진 기간에 소방시설의 하자가 발생하였을 때에는 공사업자에게 그 사실을 알려야 하며, 통보를 받은 공사업자는 (ㄴ)일 이내에 하자를 보수하거나 보수 일정을 기록한 하자보수계획을 (ㄱ)에게 (ㄷ)(으)로 알려야 한다.

	ㄱ	ㄴ	ㄷ
①	소방본부장 또는 소방서장	5	서면
②	감리업자	3	서면
③	관계인	5	구두
④	관계인	3	서면

정답 ④

02 「화재예방, 소방시설 설치·유지 및 안전관리에 관한 법률 시행령」상 하자보수 대상 소방시설 중 하자보수 보증기간이 다른 것은? 20. 공채(6월)

① 비상조명등
② 비상방송설비
③ 비상콘센트설비
④ 무선통신보조설비

정답 ③

ⓛ 기간 내 하자보수계획 서면 통지를 불이행한 경우

ⓒ 하자보수계획이 불합리한 경우

② 과태료 – 200만원 이하의 과태료(제40조): 제15조 제3항을 위반하여 3일 이내에 하자를 보수하지 아니하거나 하자보수계획을 관계인에게 거짓으로 알린 자

③ 소방본부장·소방서장의 조치사항(제15조 제5항)

ⓧ 지방소방기술심의위원회에 심의 요청

ⓛ 심의 결과 ①의 사유에 해당하는 경우에는 시공자에게 기간을 정하여 하자보수 명령

👆 **관계법규** __하자보수 대상·보증기간__

시행령	NOTE
제6조【하자보수 대상 소방시설과 하자보수 보증기간】 법 제15조 제1항에 따라 하자를 보수하여야 하는 소방시설과 소방시설별 하자보수 보증기간은 다음 각 호의 구분과 같다. 1.【 ① 】, 유도등, 유도표지, 비상경보설비, 비상조명등, 비상방송설비 및【 ② 】: 2년 2.【 ③ 】, 옥내소화전설비, 스프링클러설비, 간이스프링클러설비, 물분무등소화설비, 옥외소화전설비, 자동화재탐지설비,【 ④ 】 및 소화활동설비(무선통신보조설비는 제외한다): 3년 ① 피난기구 ② 무선통신보조설비 ③ 자동소화장치 ④ 상수도소화용수설비	✏️ **핵심기출** 「소방시설공사업법 시행령」상 소방시설공사 결과 하자보수 대상과 하자보수 보증기간의 연결이 옳은 것은? 19. 공채(4월) <table><tr><td></td><td>하자보수 대상 소방시설</td><td>하자보수 보증기간</td></tr><tr><td>①</td><td>비상경보설비, 자동소화장치</td><td>2년</td></tr><tr><td>②</td><td>무선통신보조설비, 비상조명등</td><td>2년</td></tr><tr><td>③</td><td>피난기구, 소화활동설비</td><td>3년</td></tr><tr><td>④</td><td>비상방송설비, 간이스프링클러설비</td><td>3년</td></tr></table>정답 ②

📖 **SUMMARY** [별표 2]·[별표 4] 소방기술자의 배치기준(제3조 관련) & 소방공사 감리원의 배치기준(제11조 관련)

소방 기술자	연면적 (m²)	층수 (지하층 포함)	아파트 (연면적 m²)	기타	책임 감리원	연면적 (m²)	층수 (지하층 포함)	아파트 (연면적 m²)	기타
특급 기술자	20만 이상	40F 이상			소방 기술사	20만 이상	40F 이상		
고급 기술자	3만~20만 미만 (A·제)	16F~40F 미만			특급 감리원	3만~20만 미만 (A·제)	16F~40F 미만		
중급 기술자	5천~3만 미만 (A·제)		1만~20만 미만	물분등 (호·제) 제연설비	고급 감리원			3만~20만 미만	물분등 (호·제) 제연설비
초급 기술자	1천~5천 미만 (A·제)		1천~1만 미만	지하구	중급 감리원	5천~3만 미만			
자격 수첩	1천 미만				초급 감리원	5천 미만			지하구

1 감리 A

제16조 【감리】 ① 제4조 제1항에 따라 소방공사감리업을 등록한 자(이하 "감리업자"라 한다)는 소방공사를 감리할 때 다음 각 호의 업무를 수행하여야 한다.

1. 소방시설등의 설치계획표의 적법성 검토
2. 소방시설등 설계도서의 적합성(적법성과 기술상의 합리성을 말한다. 이하 같다) 검토
3. 소방시설등 설계 변경 사항의 적합성 검토
4. 「소방시설 설치 및 관리에 관한 법률」 제2조 제1항 제7호의 소방용품의 위치·규격 및 사용 자재의 적합성 검토
5. 공사업자가 한 소방시설등의 시공이 설계도서와 화재안전기준에 맞는지에 대한 지도·감독
6. 완공된 소방시설등의 성능시험
7. 공사업자가 작성한 시공 상세 도면의 적합성 검토
8. 피난시설 및 방화시설의 적법성 검토
9. 실내장식물의 불연화(不燃化)와 방염 물품의 적법성 검토

② 용도와 구조에서 특별히 안전성과 보안성이 요구되는 소방대상물로서 대통령령으로 정하는 장소에서 시공되는 소방시설물에 대한 감리는 감리업자가 아닌 자도 할 수 있다.

③ 감리업자는 제1항 각 호의 업무를 수행할 때에는 대통령령으로 정하는 감리의 종류 및 대상에 따라 공사기간 동안 소방시설공사 현장에 소속 감리원을 배치하고 업무수행 내용을 감리일지에 기록하는 등 대통령령으로 정하는 감리의 방법에 따라야 한다.

(1) 감리업자의 업무(제16조 제1항)

① 적법성 검토
  ㉠ 소방시설등의 설치계획표의 적법성 검토
  ㉡ 피난시설 및 방화시설의 적법성 검토
  ㉢ 실내장식물의 불연화와 방염 물품의 적법성 검토

② 적합성 검토(적법성과 기술상의 합리성 검토)
  ㉠ 소방시설등 설계도서의 적합성
  ㉡ 소방시설등 설계 변경 사항의 적합성 검토
  ㉢ 소방용품의 위치·규격 및 사용 자재의 적합성 검토
  ㉣ 공사업자가 작성한 시공 상세 도면의 적합성 검토

③ 기타 검토 사항
  ㉠ 공사업자가 한 소방시설등의 시공이 설계도서와 화재안전기준에 맞는지에 대한 지도·감독
  ㉡ 완공된 소방시설등의 성능시험

④ 벌칙 – 1년 이하의 징역 또는 1천만원 이하의 벌금(제36조): 제16조 제1항을 위반하여 감리를 하거나 거짓으로 감리한 자

📖 시크릿노트

소방공사감리

상주공사감리
1. 연 3만제곱미터 이상 (A·제)
2. 아파트
   ⇨ 지·포 16F 이상이고 500세대 이상

1. 감리원: 공사현장 상주
2. 1일 이상 이탈 시 – 업무대행자

일반공사감리
1. 상주공사감리에 해당하지 않는 소방시설공사

1. 감리원: 공사현장 배치
2. 주 1회 이상 배치
3. 14일 이내 – 업무대행자
4. 업무대행자 ⇨ 주 2회 배치

 정희's 톡talk

감리업자의 업무

구분	내용
적법성	· 소방시설등 – 설치계획표 · 피난·방화시설 · 실내장식물의 불연화와 방염물품
적합성	· 소방시설등 – 설계도서 · 소방시설등 – 설계변경사항 · 소방용품 – 위치·규격·사용자재 · 공사업자 – 시공상세도면
기타	· 공사업자 – 설계도서·화재안전기준 · 완공된 소방시설등 – 성능시험

적법성은 법적용이 맞는지에 대한 검토이고, 적합성은 적법성과 더불어 기술상의 합리성까지의 검토를 말합니다. 예를 들어, 소방시설의 설치에 있어서 적법하나 설계기준에 비하여 너무 과도하게 적용한 부분이 있는지에 대한 기술적용의 합리성 검토를 포함합니다.

01 「소방시설공사업법 시행령」상 상주 공사감리를 해야 하는 대상으로 옳은 것만을 고른 것은?　24. 공채·경채

> ㄱ. 연면적 3만제곱미터인 의료시설
> ㄴ. 지하층을 포함한 층수가 20층이고 1,000세대인 아파트
> ㄷ. 연면적 1만제곱미터인 복합건축물
> ㄹ. 연면적 2만제곱미터인 판매시설

① ㄱ, ㄴ　　　　② ㄱ, ㄷ
③ ㄴ, ㄹ　　　　④ ㄷ, ㄹ
정답 ①

02 「소방시설공사업법 시행령」상 상주 공사감리 대상을 설명한 것이다. (　) 안에 들어갈 내용으로 옳은 것은?　23. 공채·경채

> · 연면적 (ㄱ) 이상의 특정소방대상물 (아파트는 제외한다)에 대한 소방시설의 공사
> · 지하층을 포함한 층수가 (ㄴ) 이상인 아파트에 대한 소방시설의 공사

　　　 ㄱ　　　　　　ㄴ
① 3만제곱미터　16층 이상으로서 300세대
② 3만제곱미터　16층 이상으로서 500세대
③ 5만제곱미터　16층 이상으로서 300세대
④ 5만제곱미터　16층 이상으로서 500세대
정답 ②

정희's 톡talk

상주공사감리의 방법
상주공사감리는 행정안전부령으로 정하는 기간 동안 현장에 상주하며 감리 업무를 수행하는 반면, 일반공사감리는 공사 현장에 배치되어 업무를 수행합니다.

---

(2) 안전성과 보안성이 요구되는 소방대상물(제16조 제2항)

① 대통령령으로 정하는 장소에서 시공되는 소방대상물에 대한 감리는 감리업자가 아닌 자도 할 수 있다.

② 감리업자가 아닌 자가 감리할 수 있는 보완성 등이 요구되는 소방대상물의 시공 장소: 「원자력안전법」에 따른 관계시설이 설치되는 장소(영 제8조)

(3) 감리원의 배치 및 감리일지 기록

① 감리업자는 감리 업무를 수행할 때에는 대통령령으로 정하는 감리의 종류 및 대상에 따라 공사기간 동안 소방시설공사 현장에 소속 감리원을 배치해야 한다.

② 소속 감리원은 업무수행 내용을 감리일지에 기록하는 등 대통령령으로 정하는 감리의 방법에 따라야 한다.

(4) 감리의 종류, 방법 및 대상(영 제9조, 영 [별표 3])

① 상주공사감리 대상 및 방법

　㉠ 대상

　　ⓐ 연면적 3만제곱미터 이상(아파트 제외)

　　ⓑ 지하층을 포함한 층수가 16층 이상으로서 500세대 이상인 아파트

　㉡ 방법

　　ⓐ 감리원은 행정안전부령으로 정하는 기간 동안 공사 현장에 상주하며 업무를 수행하고 감리일지에 기록해야 한다(다만, 법 제16조 제1항 제9호에 따른 업무는 행정안전부령으로 정하는 기간 동안 공사가 이루어지는 경우만 해당한다).

　　ⓑ 감리원이 부득이한 사유로 1일 이상 현장을 이탈하는 경우에는 감리일지 등에 기록하여 발주청 또는 발주자의 확인을 받아야 한다. 이 경우 감리업자는 감리원의 업무대행자를 감리현장에 배치하여 감리업무에 지장이 없도록 해야 한다.

　　ⓒ 감리업자는 감리원이 행정안전부령으로 정하는 기간 중 법에 따른 교육이나 「민방위기본법」 또는 「향토예비군 설치법」에 따른 교육을 받는 경우나 「근로기준법」에 따른 유급휴가로 현장을 이탈하게 되는 경우에는 감리업무에 지장이 없도록 감리원의 업무를 대행할 사람을 감리현장에 배치해야 한다. 이 경우 감리원은 새로 배치되는 업무대행자에게 업무 인수·인계 등의 필요한 조치를 해야 한다.

② 일반공사감리 대상 및 방법

　㉠ 대상: 상주공사감리에 해당하지 않는 소방시설의 공사

　㉡ 방법

　　ⓐ 감리원은 공사 현장에 배치되어 업무를 수행한다.

　　ⓑ 감리원은 행정안전부령으로 정하는 기간 중에는 주 1회 이상 공사 현장에 배치되어 업무를 수행한다.

　　ⓒ 감리업자는 감리원이 부득이한 사유로 14일 이내의 범위에서 업무를 수행할 수 없는 경우 업무대행자를 지정하여 그 업무를 수행하게 해야 한다.

　　ⓓ 업무대행자는 주 2회 이상 공사 현장에 배치되어 업무를 수행하며, 그 업무 수행 내용을 감리원에게 통보하고 감리일지에 기록해야 한다.

시행령	
제8조【감리업자가 아닌 자가 감리할 수 있는 보안성 등이 요구되는 소방대상물의 시공 장소】법 제16조 제2항에서 "대통령령으로 정하는 장소"란 「원자력안전법」 제2조 제10호에 따른 관계시설이 설치되는 장소를 말한다. 제9조【소방공사감리의 종류와 방법 및 대상】법 제16조 제3항에 따른 소방공사감리의 종류, 방법 및 대상은 별표 3과 같다.	**[별표 3] 소방공사 감리의 종류, 방법 및 대상**

상주공사감리

대상	1. 연면적 3만제곱미터 이상의 특정소방대상물(아파트는 제외한다)에 대한 소방시설의 공사 2. 지하층을 포함한 층수가 16층 이상으로서 500세대 이상인 아파트에 대한 소방시설의 공사
방법	1. 감리원은 행정안전부령으로 정하는 기간 동안 공사 현장에 상주하여 법 제16조 제1항 각 호에 따른 업무를 수행하고 감리일지에 기록해야 한다. 다만, 법 제16조 제1항 제9호에 따른 업무는 행정안전부령으로 정하는 기간 동안 공사가 이루어지는 경우만 해당한다. 2. 감리원이 행정안전부령으로 정하는 기간 중 부득이한 사유로 1일 이상 현장을 이탈하는 경우에는 감리일지 등에 기록하여 발주청 또는 발주자의 확인을 받아야 한다. 이 경우 감리업자는 감리원의 업무를 대행할 사람을 감리현장에 배치하여 감리업무에 지장이 없도록 해야 한다. 3. 감리업자는 감리원이 행정안전부령으로 정하는 기간 중 법에 따른 교육이나 「민방위기본법」 또는 「예비군법」에 따른 교육을 받는 경우나 「근로기준법」에 따른 유급휴가로 현장을 이탈하게 되는 경우에는 감리업무에 지장이 없도록 감리원의 업무를 대행할 사람을 감리현장에 배치해야 한다. 이 경우 감리원은 새로 배치되는 업무대행자에게 업무 인수·인계 등의 필요한 조치를 해야 한다.

일반공사감리

대상	상주 공사감리에 해당하지 않는 소방시설의 공사
방법	1. 감리원은 공사 현장에 배치되어 법 제16조 제1항 각 호에 따른 업무를 수행한다. 다만, 법 제16조 제1항 제9호에 따른 업무는 행정안전부령으로 정하는 기간 동안 공사가 이루어지는 경우만 해당한다. 2. 감리원은 행정안전부령으로 정하는 기간 중에는 주 1회 이상 공사 현장에 배치되어 제1호의 업무를 수행하고 감리일지에 기록해야 한다. 3. 감리업자는 감리원이 부득이한 사유로 14일 이내의 범위에서 제2호의 업무를 수행할 수 없는 경우에는 업무대행자를 지정하여 그 업무를 수행하게 해야 한다. 4. 제3호에 따라 지정된 업무대행자는 주 2회 이상 공사 현장에 배치되어 제1호의 업무를 수행하며, 그 업무수행 내용을 감리원에게 통보하고 감리일지에 기록해야 한다.

시크릿 노트

공사감리자 지정(관계인)	
감리업자를 공사감리자로 지정대상	
신설·개설	신설·개설·증설
	소화	옥내·외 SP(캐·간제)등 물·등(호·소제)
통·감 자·탐 비·방	경보	
	피·구	×
소·용	소·용	
연·송, 무·통	소·활	제·설, 연·살, 비·콘, 연·방

정회's 톡talk

공사감리자 지정
1. 특정소방대상물의 관계인은 소방시설공사의 감리를 위하여 감리업자를 공사감리자로 지정하여야 하는 경우 관련 비용이 증가할 수 있으나 공사의 품질을 확보할 수 있는 장점이 있습니다.
2. 연결살수설비, 연소방지설비를 증설할 때 감리업자를 공사감리자로 지정하여야 합니다. 반면에 무선통신보조설비, 연결송수관설비를 증설할 때는 해당하지 않습니다.

제17조【공사감리자의 지정 등】 ① 대통령령으로 정하는 특정소방대상물의 관계인이 특정소방대상물에 대하여 자동화재탐지설비, 옥내소화전설비등 대통령령으로 정하는 소방시설을 시공할 때에는 소방시설공사의 감리를 위하여 감리업자를 공사감리자로 지정하여야 한다. 다만, 제26조의2 제2항에 따라 시·도지사가 감리업자를 선정한 경우에는 그 감리업자를 공사감리자로 지정한다.

② 관계인은 제1항에 따라 공사감리자를 지정하였을 때에는 행정안전부령으로 정하는 바에 따라 소방본부장이나 소방서장에게 신고하여야 한다. 공사감리자를 변경하였을 때에도 또한 같다.

③ 관계인이 제1항에 따른 공사감리자를 변경하였을 때에는 새로 지정된 공사감리자와 종전의 공사감리자는 감리 업무 수행에 관한 사항과 관계 서류를 인수·인계하여야 한다.

④ 소방본부장 또는 소방서장은 제2항에 따른 공사감리자 지정신고 또는 변경신고를 받은 날부터 2일 이내에 신고수리 여부를 신고인에게 통지하여야 한다.

⑤ 소방본부장 또는 소방서장이 제4항에서 정한 기간 내에 신고수리 여부 또는 민원 처리 관련 법령에 따른 처리기간의 연장을 신고인에게 통지하지 아니하면 그 기간(민원처리 관련 법령에 따라 처리기간이 연장 또는 재연장된 경우에는 해당 처리기간을 말한다)이 끝난 날의 다음 날에 신고를 수리한 것으로 본다.

(1) 공사감리자의 지정(제17조 제1항)

① 대통령령으로 정하는 특정소방대상물의 관계인이 특정소방대상물에 대하여 자동화재탐지설비, 옥내소화전설비등 대통령령으로 정하는 소방시설을 시공할 때에는 소방시설공사의 감리를 위하여 감리업자를 공사감리자로 지정하여야 한다.

② **대통령령으로 정하는 특정소방대상물:** 「소방시설 설치 및 관리에 관한 법률」제2조 제1항 제3호의 특정소방대상물을 말한다.

③ 벌칙 – 1년 이하의 징역 또는 1천만원 이하의 벌금(제36조): 제17조 제1항을 위반하여 공사감리자를 지정하지 아니한 자

(2) 대통령령으로 정하는 소방시설(영 제10조 제2항)

① 신설·개설 또는 증설할 때
  ㉠ 옥내소화전설비
  ㉡ 스프링클러설비등(캐비닛형 간이스프링클러설비 제외)
  ㉢ 물분무등소화설비(호스릴 방식의 소화설비 제외)
  ㉣ 옥외소화전설비
  ㉤ 제연설비
  ㉥ 연결살수설비
  ㉦ 비상콘센트설비
  ㉧ 연소방지설비

② 신설·개설할 때
    ⑦ 통합감시시설
    ⓛ 자동화재탐지설비
    ⓒ 비상방송설비
    ⓔ 소화용수설비
    ⓜ 무선통신보조설비
    ⓗ 연결송수관설비

(3) 공사감리자 지정신고 및 변경신고

① 관계인은 공사감리자를 지정하였을 때에는 행정안전부령으로 정하는 바에 따라 소방본부장이나 소방서장에게 신고하여야 한다. 공사감리자를 변경하였을 때에도 또한 같다.

② **소방공사감리자의 지정신고 등(규칙 제15조 제1항):** 특정소방대상물의 관계인은 공사감리자를 지정한 경우에는 해당 소방시설공사의 착공 전까지 소방공사감리자 지정신고서에 다음의 서류를 첨부하여 소방본부장 또는 소방서장에게 제출해야 한다.

    ⑦ 소방공사감리업 등록증 사본 1부 및 등록수첩 사본 1부

    ⓛ 해당 소방시설공사를 감리하는 소속 감리원의 감리원 등급을 증명하는 서류(전자문서를 포함한다) 각 1부

    ⓒ 소방공사감리계획서 1부

    ⓔ 소방시설설계 계약서 사본(「소방시설 설치 및 관리에 관한 법률 시행규칙」 제3조 제2항에 따라 건축허가등의 동의요구서에 소방시설설계 계약서가 첨부되지 않았거나 첨부된 서류 중 소방시설설계 계약서가 변경된 경우에만 첨부한다) 1부 및 소방공사감리 계약서 사본 1부

③ **소방공사감리자 변경신고서(규칙 제15조 제2항):** 특정소방대상물의 관계인은 공사감리자가 변경된 경우에는 법 제17조 제2항 후단에 따라 변경일부터 30일 이내에 소방공사감리자 변경신고서에 해당 첨부 서류를 첨부하여 소방본부장 또는 소방서장에게 제출하여야 한다.

(4) 관계 서류의 인수·인계

① 관계인이 공사감리자를 변경하였을 때에는 새로 지정된 공사감리자와 종전의 공사감리자는 감리 업무 수행에 관한 사항과 관계 서류를 인수·인계하여야 한다.

② **과태료 – 200만원 이하의 과태료(제40조):** 제17조 제3항을 위반하여 감리 관계 서류를 인수·인계하지 아니한 자

(5) 신고수리 여부 통지(제17조 제4항 및 제5항)
① 소방본부장 또는 소방서장은 착공신고 또는 변경신고를 받은 날부터 2일 이내에 신고수리 여부를 신고인에게 통지하여야 한다.
② 소방본부장 또는 소방서장이 ①에서 정한 기간 내에 신고수리 여부 또는 민원처리 관련 법령에 따른 처리기간의 연장을 신고인에게 통지하지 아니하면 그 기간(민원처리 관련 법령에 따라 처리기간이 연장 또는 재연장된 경우에는 해당 처리기간을 말한다)이 끝난 날의 다음 날에 신고를 수리한 것으로 본다.

👆 **관계법규** 공사관리자 지정대상 특정소방대상물의 범위

시행령	시행규칙
제10조【공사감리자 지정대상 특정소방대상물의 범위】 ① 법 제17조 제1항 본문에서 "대통령령으로 정하는 특정소방대상물"이란 「소방시설 설치 및 관리에 관한 법률」 제2조 제1항 제3호의 특정소방대상물을 말한다. ② 법 제17조 제1항 본문에서 "자동화재탐지설비, 옥내소화전설비등 대통령령으로 정하는 소방시설을 시공할 때"란 다음 각 호의 어느 하나에 해당하는 소방시설을 시공할 때를 말한다. 1. 옥내소화전설비를 신설·개설 또는 증설할 때 2. 스프링클러설비등(캐비닛형 간이스프링클러설비는 제외한다)을 신설·개설하거나 방호·방수 구역을 증설할 때 3. 물분무등소화설비(호스릴 방식의 소화설비는 제외한다)를 신설·개설하거나 방호·방수 구역을 증설할 때 4. 옥외소화전설비를 신설·개설 또는 증설할 때 5. 자동화재탐지설비를【 ① 】할 때 5의2. 비상방송설비를 신설 또는 개설할 때 6. 통합감시시설을 신설 또는 개설할 때 6의2. 삭제 7. 소화용수설비를 신설 또는 개설할 때 8. 다음 각 목에 따른 소화활동설비에 대하여 각 목에 따른 시공을 할 때 　가. 제연설비를 신설·개설하거나 제연구역을 증설할 때 　나. 연결송수관설비를 신설 또는 개설할 때 　다. 연결살수설비를 신설·개설하거나 송수구역을 증설할 때 　라. 비상콘센트설비를 신설·개설하거나 전용회로를 증설할 때 　마. 무선통신보조설비를 신설 또는 개설할 때 　바. 연소방지설비를 신설·개설하거나 살수구역을 증설할 때 9. 삭제	**제15조【소방공사감리자의 지정신고 등】** ① 법 제17조 제2항에 따라 특정소방대상물의 관계인은 공사감리자를 지정한 경우에는【 ① 】까지 별지 제21호 서식의 소방공사감리자 지정신고서에 다음 각 호의 서류(전자문서를 포함한다)를 첨부하여 소방본부장 또는 소방서장에게 제출하여야 한다. 다만, 「전자정부법」 제36조 제1항에 따른 행정정보의 공동이용을 통하여 첨부서류에 대한 정보를 확인할 수 있는 경우에는 그 확인으로 첨부서류를 갈음할 수 있다. 1. 소방공사감리업 등록증 사본 1부 및 등록수첩 사본 1부 2. 해당 소방시설공사를 감리하는 소속 감리원의 감리원 등급을 증명하는 서류(전자문서를 포함한다) 각 1부 3. 별지 제22호 서식의 소방공사감리계획서 1부 4. 법 제21조의3 제2항에 따라 체결한 소방시설설계 계약서 사본 1부 및 소방공사감리 계약서 사본 1부 ② 특정소방대상물의 관계인은 공사감리자가 변경된 경우에는 법 제17조 제2항 후단에 따라 변경일부터【 ② 】에 별지 제23호 서식의 소방공사감리자 변경신고서(전자문서로 된 소방공사감리자 변경신고서를 포함한다)에 제1항 각 호의 서류(전자문서를 포함한다)를 첨부하여 소방본부장 또는 소방서장에게 제출하여야 한다. 다만, 「전자정부법」 제36조 제1항에 따른 행정정보의 공동이용을 통하여 첨부서류에 대한 정보를 확인할 수 있는 경우에는 그 확인으로 첨부서류를 갈음할 수 있다. ③ 소방본부장 또는 소방서장은 제1항 및 제2항에 따라 공사감리자의 지정신고 또는 변경신고를 받은 경우에는【 ③ 】에 처리하고 그 결과를 신고인에게 통보해야 한다.
① 신설 또는 개설	① 착공신고일 ② 30일 이내 ③ 2일 이내

제18조【감리원의 배치 등】 ① 감리업자는 소방시설공사의 감리를 위하여 소속 감리원을 대통령령으로 정하는 바에 따라 소방시설공사 현장에 배치하여야 한다.

② 감리업자는 제1항에 따라 소속 감리원을 배치하였을 때에는 행정안전부령으로 정하는 바에 따라 소방본부장이나 소방서장에게 통보하여야 한다. 감리원의 배치를 변경하였을 때에도 또한 같다.

③ 제1항에 따른 감리원의 세부적인 배치 기준은 행정안전부령으로 정한다.

(1) 감리원의 배치(제18조 제1항)

① 감리업자는 소속감리원을 대통령령으로 정하는 바에 따라 현장에 배치하여야 한다.

② 벌칙 – 300만원 이하의 벌금(제37조): 제18조 제1항을 위반하여 소방시설공사 현장에 감리원을 배치하지 아니한 자

③ 감리원의 종류

　㉠ **책임감리원**: 해당 공사 전반에 관한 감리업무를 총괄하는 사람

　㉡ **보조감리원**: 책임감리원을 보좌하고 책임감리원의 지시를 받아 감리업무를 수행하는 사람

(2) 소방공사 감리원의 배치기준(영 제11조, [별표 4])

감리원의 배치기준 책임감리원	소방시설공사 현장의 기준
1. 특급감리원 중 소방기술사 ※ 보조감리원(초급 이상) 배치	가. 연면적 20만제곱미터 이상인 특정소방대상물의 공사 현장 나. 지하층을 포함한 층수가 40층 이상인 특정소방대상물의 공사 현장
2. 특급감리원 이상 감리원 (기계분야 및 전기분야) ※ 보조감리원(초급 이상) 배치	가. 연면적 3만제곱미터 이상 20만제곱미터 미만인 특정소방대상물(아파트는 제외한다)의 공사 현장 나. 지하층을 포함한 층수가 16층 이상 40층 미만인 특정소방대상물의 공사 현장
3. 고급감리원 이상 감리원 (기계분야 및 전기분야) ※ 보조감리원(초급 이상) 배치	가. 물분무등소화설비(호스릴 방식의 소화설비는 제외한다) 또는 제연설비가 설치되는 특정소방대상물의 공사 현장 나. 연면적 3만제곱미터 이상 20만제곱미터 미만인 아파트의 공사 현장
4. 중급감리원 이상 감리원 (기계분야 및 전기분야)	연면적 5천제곱미터 이상 3만제곱미터 미만인 특정소방대상물의 공사 현장
5. 초급감리원 이상 감리원 (기계분야 및 전기분야)	가. 연면적 5천제곱미터 미만인 특정소방대상물의 공사 현장 나. 지하구의 공사 현장

🖉 **핵심 기출**

「소방시설공사업법」상 소방공사 현장에 감리원을 배치하여야 한다. 고급 감리원 배치 대상에 해당하는 것은? 18. 중앙통합

① 지하층을 포함한 층수가 40층 이상인 특정소방대상물의 공사 현장

② 연면적 3만제곱미터 이상 20만제곱미터 미만인 특정소방대상물(아파트는 제외한다)의 공사 현장

③ 지하층을 포함한 층수가 16층 이상 40층 미만인 특정소방대상물의 공사 현장

④ 제연설비가 설치되는 특정소방대상물의 공사 현장

정답 ④

 정희's 톡talk

소방공사 감리원의 배치기준(영 [별표 4] 비고)

소방시설공사 현장의 연면적 합계가 20만제곱미터 이상인 경우에는 20만제곱미터를 초과하는 연면적에 대하여 10만제곱미터(연면적 10만제곱미터에 미달하는 경우는 10만제곱미터로 본다)마다 보조감리원 1명 이상을 추가로 배치해야 합니다.

(3) 감리원의 배치 통보(제18조 제2항 및 규칙 제17조)

감리업자는 소속감리원을 배치하였을 때에는 행정안전부령으로 정하는 바에 따라 소방본부장이나 소방서장에게 통보하여야 한다(배치 변경 시 동일).

① **소방공사감리원 배치통보서 또는 배치변경통보서:** 소방공사감리업자는 감리원을 소방공사감리현장에 배치하는 경우에는 소방공사감리원 배치통보서에, 배치한 감리원이 변경된 경우에는 소방공사감리원 배치변경통보서에 해당 서류를 첨부하여 감리원 배치일부터 7일 이내에 소방본부장 또는 소방서장에게 알려야 한다.

  ㉠ **소방공사감리원 배치통보서에 첨부하는 서류**

   ⓐ 감리원의 등급을 증명하는 서류

   ⓑ 소방공사 감리계약서 사본 1부

  ㉡ **소방공사감리원 배치변경통보서에 첨부하는 서류**

   ⓐ 변경된 감리원의 등급을 증명하는 서류(감리원을 배치하는 경우에만 첨부한다)

   ⓑ 변경 전 감리원의 등급을 증명하는 서류

② 이 경우 소방본부장 또는 소방서장은 배치되는 감리원의 성명, 자격증 번호·등급, 감리현장의 명칭·소재지·면적 및 현장 배치기간을 소방시설업 종합정보시스템에 입력해야 한다.

(4) 감리원의 세부적인 배치 기준(제18조 제3항 및 규칙 제16조)

감리원의 세부배치 기준은 행정안전부령으로 정한다.

① **상주공사감리 대상인 경우**

  ㉠ 기계분야의 감리원 자격을 취득한 사람과 전기분야의 감리원 자격을 취득한 사람 각 1명 이상을 감리원으로 배치할 것

  ㉡ 소방시설용 배관(전선관 포함)을 설치하거나 매립하는 때부터 **소방시설 완공검사증명서를 발급받을 때까지** 소방공사감리현장에 감리원을 배치할 것

② **일반공사감리 대상인 경우**

  ㉠ 기계분야의 감리원 자격을 취득한 사람과 전기분야의 감리원 자격을 취득한 사람 각 1명 이상을 감리원으로 배치할 것

  ㉡ 규칙 별표 3에 따른 기간 동안 감리원을 배치할 것

  ㉢ 감리원은 주 1회 이상 소방공사감리현장에 배치되어 감리할 것

  ㉣ 1명의 감리원이 담당하는 소방공사감리현장은 5개 이하로서 감리현장 연면적의 총 합계가 10만제곱미터 이하일 것. 다만, 일반 공사감리 대상인 아파트의 경우에는 연면적의 합계에 관계없이 1명의 감리원이 5개 이내의 공사 현장을 감리할 수 있다.

  ㉤ 자동화재탐지설비 또는 옥내소화전설비 중 어느 하나만 설치하는 2개의 소방공사감리현장이 최단 차량주행거리로 30킬로미터 이내에 있는 경우에는 1개의 소방공사감리현장으로 본다.

정희's 톡talk

세부 배치 기준

1. 상주공사감리 대상인 경우 소방공사감리현장에 감리원은 소방시설 완공증명서를 발급받을 때까지이며, 공사를 마친 때와는 다릅니다.

2. 일반공사감리 대상인 경우 감리원은 주 1회 이상 현장에 배치되어 감리해야 합니다. 주 5일 근무로 가정하면 5개 현장으로 제한할 수 있겠지요! 또한 1개의 현장이 상주공사감리 대상이 되는 3만제곱미터보다는 작아야 하므로 2만제곱미터를 가정하면, 5개 이하로서 감리현장 연면적의 합계가 10만제곱미터 이하인 것을 추산할 수 있습니다.

(5) 일반공사감리기간(제16조 관련 규칙 [별표 3])

① **옥내소화전설비·스프링클러설비·포소화설비·물분무소화설비·연결살수설비 및 연소방지설비의 경우:** 가압송수장치의 설치, 가지배관의 설치, 개폐밸브·유수검지장치·체크밸브·템퍼스위치의 설치, 앵글밸브·소화전함의 매립, 스프링클러헤드·포헤드·포방출구·포노즐·포호스릴·물분무헤드·연결살수헤드·방수구의 설치, 포소화약제 탱크 및 포혼합기의 설치, 포소화약제의 충전, 입상배관과 옥상탱크의 접속, 옥외 연결송수구의 설치, 제어반의 설치, 동력전원 및 각종 제어회로의 접속, 음향장치의 설치 및 수동조작함의 설치를 하는 기간

② **이산화탄소소화설비·할로겐화합물소화설비·청정소화약제소화설비 및 분말소화설비의 경우:** 소화약제 저장용기와 집합관의 접속, 기동용기 등 작동장치의 설치, 제어반·화재표시반의 설치, 동력전원 및 각종 제어회로의 접속, 가지배관의 설치, 선택밸브의 설치, 분사헤드의 설치, 수동기동장치의 설치 및 음향경보장치의 설치를 하는 기간

③ **자동화재탐지설비·시각경보기·비상경보설비·비상방송설비·통합감시시설·유도등·비상콘센트설비 및 무선통신보조설비의 경우:** 전선관 매립, 감지기·유도등·조명등 및 비상콘센트의 설치, 증폭기의 접속, 누설동축케이블 등 부설, 무선기기의 접속단자·분배기·증폭기의 설치 및 동력전원의 접속공사를 하는 기간

④ **피난기구의 경우:** 고정금속구를 설치하는 기간

⑤ **제연설비의 경우:** 가동식 제연경계벽·배출구·공기유입구의 설치, 각종 댐퍼 및 유입구 폐쇄장치의 설치, 배출기 및 공기유입기의 설치 및 풍도와의 접속, 배출풍도 및 유입풍도의 설치·단열조치, 동력전원 및 제어회로의 접속, 제어반의 설치를 하는 기간

⑥ **비상전원이 설치되는 소방시설의 경우:** 비상전원의 설치 및 소방시설과의 접속을 하는 기간

⑦ **비고:** 소방시설의 일반공사 감리기간은 소방시설의 성능시험, 소방시설 완공검사증명서의 발급·인수인계 및 소방공사의 정산을 하는 기간을 포함한다.

👆 **관계법규 감리원의 배치기준**

시행령	시행규칙
제11조【소방공사 감리원의 배치기준 및 배치기간】 법 제18조 제1항에 따라 감리업자는 별표 4의 배치기준 및 배치기간에 맞게 소속 감리원을 소방시설공사 현장에 배치하여야 한다.	**제16조【감리원의 세부 배치 기준 등】** ① 법 제18조 제3항에 따른 감리원의 세부적인 배치 기준은 다음 각 호의 구분에 따른다. 1. 영 별표 3에 따른 상주공사감리 대상인 경우 가. 기계분야의 감리원 자격을 취득한 사람과 전기분야의 감리원 자격을 취득한 사람 각 1명 이상을 감리원으로 배치할 것. 다만, 기계분야 및 전기분야의 감리원 자격을 함께 취득한 사람이 있는 경우에는 그에 해당하는 사람 1명 이상을 배치할 수 있다. 나. 소방시설용 배관(전선관을 포함한다. 이하 같다)을 설치하거나 매립하는 때부터 소방시설 완공검사증명서를 발급받을 때까지 소방공사감리현장에 감리원을 배치할 것

시행령	시행규칙

시행령

[별표 4] 소방공사 감리원 배치기준(책임감리원)

책임 감리원	연면적 (m²)	층수 (지하층 포함)	아파트 [연면적(m²)]	기타
소방 기술사	20만 이상	40F 이상		
특급 감리원	3만~20만 미만 (아파트 제외)	16F~40F 미만		
고급 감리원			3만~20만 미만	물분등 (호스릴 제외) 제연설비
중급 감리원	5천~3만 미만			
초급 감리원	5천 미만			지하구

시행규칙

2. 영 별표 3에 따른 일반공사감리 대상인 경우
   가. 기계분야의 감리원 자격을 취득한 사람과 전기분야의 감리원 자격을 취득한 사람 각 1명 이상을 감리원으로 배치할 것. 다만, 기계분야 및 전기분야의 감리원 자격을 함께 취득한 사람이 있는 경우에는 그에 해당하는 사람 1명 이상을 배치할 수 있다.
   나. 별표 3에 따른 기간 동안 감리원을 배치할 것
   다. 감리원은 【 ① 】 이상 소방공사감리현장에 배치되어 감리할 것
   라. 1명의 감리원이 담당하는 소방공사감리현장은 5개 이하(【 ② 】 또는 【 ③ 】 중 어느 하나만 설치하는 2개의 소방공사감리현장이 최단 차량주행거리로 【 ④ 】 이내에 있는 경우에는 1개의 소방공사감리현장으로 본다)로서 감리현장 연면적의 총 합계가 【 ⑤ 】 이하일 것. 다만, 일반 공사감리 대상인 아파트의 경우에는 연면적의 합계에 관계 없이 1명의 감리원이 5개 이내의 공사 현장을 감리할 수 있다.
② 영 별표 3 상주공사감리의 방법란 각 호에서 "행정안전부령으로 정하는 기간"이란 소방시설용 배관을 설치하거나 매립하는 때부터 소방시설 완공검사증명서를 발급받을 때까지를 말한다.

제17조【감리원 배치통보 등】 ① 소방공사감리업자는 법 제18조 제2항에 따라 감리원을 소방공사감리현장에 배치하는 경우에는 별지 제24호 서식의 소방공사감리원 배치통보서(전자문서로 된 소방공사감리원 배치통보서를 포함한다)에, 배치한 감리원이 변경된 경우에는 별지 제25호 서식의 소방공사감리원 배치변경통보서(전자문서로 된 소방공사감리원 배치변경통보서를 포함한다)에 다음 각 호의 구분에 따른 해당 서류(전자문서를 포함한다)를 첨부하여 감리원 배치일부터 【 ⑥ 】에 소방본부장 또는 소방서장에게 알려야 한다. 이 경우 소방본부장 또는 소방서장은 배치되는 감리원의 성명, 자격증 번호·등급, 감리현장의 명칭·소재지·면적 및 현장 배치기간을 법 제26조의3 제1항에 따른 소방시설업 종합정보시스템에 입력해야 한다.
1. 소방공사감리원 배치통보서에 첨부하는 서류
   가. 별표 4의2 제3호 나목에 따른 감리원의 등급을 증명하는 서류
   나. 법 제21조의3 제2항에 따라 체결한 소방공사 감리계약서 사본 1부
2. 소방공사감리원 배치변경통보서에 첨부하는 서류
   가. 변경된 감리원의 등급을 증명하는 서류(감리원을 배치하는 경우에만 첨부한다)
   나. 변경 전 감리원의 등급을 증명하는 서류

① 주 1회 ② 자동화재탐지설비 ③ 옥내소화전설비 ④ 30킬로미터
⑤ 10만제곱미터 ⑥ 7일 이내

4 위반사항에 대한 조치 B

제19조【위반사항에 대한 조치】 ① 감리업자는 감리를 할 때 소방시설공사가 설계도서나 화재안전기준에 맞지 아니할 때에는 관계인에게 알리고, 공사업자에게 그 공사의 시정 또는 보완 등을 요구하여야 한다.

② 공사업자가 제1항에 따른 요구를 받았을 때에는 그 요구에 따라야 한다.

③ 감리업자는 공사업자가 제1항에 따른 요구를 이행하지 아니하고 그 공사를 계속할 때에는 행정안전부령으로 정하는 바에 따라 소방본부장이나 소방서장에게 그 사실을 보고하여야 한다.

④ 관계인은 감리업자가 제3항에 따라 소방본부장이나 소방서장에게 보고한 것을 이유로 감리계약을 해지하거나 감리의 대가 지급을 거부하거나 지연시키거나 그 밖의 불이익을 주어서는 아니 된다.

(1) 위반사항에 대한 조치

① 감리업자는 소방시설공사가 설계도서·화재안전기준 부적합한 경우 관계인에게 통지하고, 공사업자에게 공사의 시정 또는 보완을 요구하여야 한다.

② 공사업자는 감리업자의 요구에 따라야 한다.

③ 벌칙 – 300만원 이하의 벌금(제37조): 제19조 제2항을 위반하여 감리업자의 보완 요구에 따르지 아니한 자

(2) 위반사항 보고(제19조 제3항)

① 감리업자는 공사업자가 제19조 제1항에 따른 요구를 이행하지 아니하고 그 공사를 계속할 때에는 **행정안전부령으로 정하는 바에 따라 소방본부장이나 소방서장에게 그 사실을 보고하여야 한다.**

② 벌칙 – 1년 이하의 징역 또는 1천만원 이하의 벌금(제36조): 제19조 제3항에 따른 보고를 거짓으로 한 자

③ 소방시설공사 위반사항보고서(규칙 제18조)

㉠ 소방공사감리업자는 공사업자에게 해당 공사의 시정 또는 보완을 요구하였으나 이행하지 아니하고 그 공사를 계속할 때에는 시정 또는 보완을 이행하지 아니하고 **공사를 계속하는 날부터 3일 이내**에 소방시설공사 위반사항보고서를 소방본부장 또는 소방서장에게 제출하여야 한다.

㉡ 이 경우 공사업자의 위반사항을 확인할 수 있는 사진 등 증명서류가 있으면 이를 소방시설공사 위반사항보고서(전자문서로 된 소방시설공사 위반사항보고서를 포함한다)에 첨부하여 제출하여야 한다.

㉢ 다만, 「전자정부법」에 따른 행정정보의 공동이용을 통하여 첨부서류에 대한 정보를 확인할 수 있는 경우에는 그 확인으로 첨부서류를 갈음할 수 있다.

(3) 계약해지, 대가 지급 거부 및 그 밖의 불이익한 행위 금지

① 관계인은 감리업자가 소방본부장이나 소방서장에게 보고한 것을 이유로 감리계약을 해지하거나 감리의 대가 지급을 거부하거나 지연시키거나 그 밖의 불이익을 주어서는 아니 된다.

✏ **핵심기출**

「소방시설공사업법」상 감리업자가 감리를 할 때 위반사항에 대하여 조치하여야 할 사항이다. ( ) 안에 들어갈 용어로 옳은 것은?

20. 공채(6월)

> 감리업자는 감리를 할 때 소방시설공사가 설계도서나 화재안전기준에 맞지 아니할 때에는 (가)에게 알리고, (나)에게 그 공사의 시정 또는 보완 등을 요구하여야 한다.

	가	나
①	관계인	공사업자
②	관계인	소방서장
③	소방본부장	공사업자
④	소방본부장	소방서장

정답 ①

② 벌칙 - 300만원 이하의 벌금(제37조): 제19조 제4항을 위반하여 공사감리 계약을 해지하거나 대가 지급을 거부하거나 지연시키거나 불이익을 준 자

관계법규 위반사항의 보고

NOTE	시행규칙
	제18조【위반사항의 보고 등】소방공사감리업자는 법 제19조 제1항에 따라 공사업자에게 해당 공사의 시정 또는 보완을 요구하였으나 이행하지 아니하고 그 공사를 계속할 때에는 법 제19조 제3항에 따라 시정 또는 보완을 이행하지 아니하고 공사를 계속하는 날부터【 ① 】이내에 별지 제28호 서식의 소방시설공사 위반사항보고서(전자문서로 된 소방시설공사 위반사항보고서를 포함한다)를 소방본부장 또는 소방서장에게 제출하여야 한다. 이 경우 공사업자의 위반사항을 확인할 수 있는 사진 등 증명서류(전자문서를 포함한다)가 있으면 이를 소방시설공사 위반사항보고서(전자문서로 된 소방시설공사 위반사항보고서를 포함한다)에 첨부하여 제출하여야 한다. 다만, 「전자정부법」 제36조 제1항에 따른 행정정보의 공동이용을 통하여 첨부서류에 대한 정보를 확인할 수 있는 경우에는 그 확인으로 첨부서류를 갈음할 수 있다.
	① 3일

5 공사감리 결과의 통보   B

제20조【공사감리 결과의 통보 등】감리업자는 소방공사의 감리를 마쳤을 때에는 행정안전부령으로 정하는 바에 따라 그 감리 결과를 그 특정소방대상물의 관계인, 소방시설공사의 도급인, 그 특정소방대상물의 공사를 감리한 건축사에게 서면으로 알리고, 소방본부장이나 소방서장에게 공사감리 결과보고서를 제출하여야 한다.

(1) 감리 결과의 통보

① 감리 결과의 통지 대상

㉠ 특정소방대상물의 관계인

㉡ 소방시설공사의 도급인

㉢ 특정소방대상물의 공사를 감리한 건축사

② 결과 보고서 제출

㉠ 감리업자는 공사감리 결과보고서를 소방본부장이나 소방서장에게 제출하여야 한다.

      ⓛ 벌칙 – 1년 이하의 징역 또는 1천만원 이하의 벌금(제36조): 제20조에 따른 공사감리 결과의 통보 또는 공사감리 결과보고서의 제출을 거짓으로 한 자

(2) 감리 결과의 통보 등(규칙 제19조)

① 공사가 완료된 날부터 7일 이내에 소방공사감리 결과보고서에 관련 서류를 첨부하여 보고하여야 한다.

② **첨부서류**

      ㉠ 소방시설 성능시험조사표

      ㉡ 착공신고 후 변경된 소방시설설계도면: 변경사항이 있는 경우에만 첨부하며, 설계업자가 설계한 도면만 해당

      ㉢ **소방공사 감리일지**: 소방본부장·소방서장에게 보고하는 경우에만 해당

      ㉣ 특정소방대상물의 사용승인 신청서 등 사용승인 신청을 증빙할 수 있는 서류

👆 **관계법규** 감리 결과의 통보

NOTE	시행규칙

🖋 **핵심기출**
 	
「소방시설공사업법 시행규칙」상 감리업자가 소방공사의 감리를 마쳤을 때 소방공사감리 결과보고(통보)서에 첨부하는 서류가 아닌 것은?
 	
                                      23. 공채·경채
 	
① 착공신고 후 변경된 건축설계도면 1부
② 소방청장이 정하여 고시하는 소방시설 성능시험조사표 1부
③ 소방공사 감리일지(소방본부장 또는 소방서장에게 보고하는 경우에만 첨부) 1부
④ 특정소방대상물의 사용승인 신청서 등 사용승인 신청을 증빙할 수 있는 서류 1부
 	
                                    정답 ①
	제19조 【감리 결과의 통보 등】 법 제20조에 따라 감리업자가 소방공사의 감리를 마쳤을 때에는 별지 제29호 서식의 소방공사감리 결과보고(통보)서[전자문서로 된 소방공사감리 결과보고(통보)서를 포함한다]에 다음 각 호의 서류를 첨부하여 【 ① 】부터 【 ② 】에 특정소방대상물의 관계인, 소방시설공사의 도급인 및 특정소방대상물의 공사를 감리한 건축사에게 알리고, 소방본부장 또는 소방서장에게 보고하여야 한다.
	1. 별지 제30호 서식의 소방시설 성능시험조사표 1부
	2. 착공신고 후 변경된 소방시설설계도면(변경사항이 있는 경우에만 첨부하되, 법 제11조에 따른 설계업자가 설계한 도면만 해당된다) 1부
	3. 별지 제13호 서식의 소방공사 감리일지(소방본부장 또는 소방서장에게 보고하는 경우에만 첨부한다) 1부
	4. 특정소방대상물의 사용승인(「건축법」 제22조에 따른 사용승인으로서 「주택법」 제49조에 따른 사용검사 또는 「학교시설사업 촉진법」 제13조에 따른 사용승인을 포함한다. 이하 같다) 신청서 등 사용승인 신청을 증빙할 수 있는 서류 1부

	① 공사가 완료된 날 ② 7일 이내

1 방염 D

제20조의2 【방염】 방염처리업자는 「소방시설 설치 및 관리에 관한 법률」 제20조 제3항에 따른 방염성능기준 이상이 되도록 방염을 하여야 한다.

(1) 방염처리업자는 소방시설법상 방염성능기준 이상이 되도록 방염을 하여야 한다.

(2) 과태료 – 200만원 이하의 과태료(제40조)

제20조의2를 위반하여 방염성능기준 미만으로 방염을 한 자

> **참고** **소방대상물(소방시설법 시행령 제19조)**
> 1. 근린생활시설 중 의원, 조산원, 산후조리원, 체력단련장, 공연장 및 종교집회장
> 2. **건축물의 옥내에 있는 시설**
>   · 문화 및 집회시설
>   · 종교시설
>   · 운동시설(수영장 제외)
> 3. 의료시설
> 4. 교육연구시설 중 합숙소
> 5. 노유자시설
> 6. 숙박이 가능한 수련시설
> 7. 숙박시설
> 8. 방송통신시설 중 방송국 및 촬영소
> 9. 다중이용업소
> 10. 층수가 11층 이상인 것(아파트 제외)

> **참고** **방염성능기준(소방시설법 시행령 제20조 제2항)**
> 1. 버너의 불꽃을 제거한 때부터 불꽃을 올리며 연소하는 상태가 그칠 때까지 시간은 20초 이내일 것
> 2. 버너의 불꽃을 제거한 때부터 불꽃을 올리지 아니하고 연소하는 상태가 그칠 때까지 시간은 30초 이내일 것
> 3. 탄화한 면적은 50제곱센티미터 이내, 탄화한 길이는 20센티미터 이내일 것
> 4. 불꽃에 의하여 완전히 녹을 때까지 불꽃의 접촉 횟수는 3회 이상일 것
> 5. 소방청장이 정하여 고시한 방법으로 발연량을 측정하는 경우 최대연기밀도는 400 이하일 것

제20조의3 【방염처리능력 평가 및 공시】 ① 소방청장은 방염처리업자의 방염처리능력 평가 요청이 있는 경우 해당 방염처리업자의 방염처리 실적 등에 따라 방염처리능력을 평가하여 공시할 수 있다.

② 제1항에 따른 평가를 받으려는 방염처리업자는 전년도 방염처리 실적이나 그 밖에 행정안전부령으로 정하는 서류를 소방청장에게 제출하여야 한다.

③ 제1항 및 제2항에 따른 방염처리능력 평가신청 절차, 평가방법 및 공시방법 등에 필요한 사항은 행정안전부령으로 정한다.

(1) 방염처리능력 평가 및 공시(제20조의3 제1항)

소방청장은 방염처리능력 평가 요청이 있는 경우 이를 평가하여 공시할 수 있다.

(2) 방염처리업자의 제출서류(제20조의3 제2항)

① 방염처리능력 평가를 받으려는 방염처리업자는 전년도 방염처리 실적이나 그 밖에 행정안전부령으로 정하는 서류를 소방청장에게 제출하여야 한다.

② **과태료 – 200만원 이하의 과태료(제40조):** 제20조의3 제2항에 따른 방염처리능력 평가에 관한 서류를 거짓으로 제출한 자

(3) 방염처리능력 평가의 신청(규칙 제19조의2)

① 방염처리업자는 필요한 서류를 매년 2월 15일까지 제출하여야 한다. 단, 경영상태 확인을 위한 서류의 경우 법인은 매년 4월 15일, 개인은 매년 6월 10일(성실신고확인대상사업자는 매년 7월 10일)까지 제출해야 한다.

② **방염처리능력 평가신청서 첨부 서류**

   ㉠ 방염처리 실적을 증명하는 서류

   ㉡ 방염처리업 분야 기술개발투자비 확인서 및 증빙서류

   ㉢ **방염처리업 신인도평가신고서 및 증빙서류**

      ⓐ 품질경영인증(ISO 9000) 취득

      ⓑ 우수방염처리업자 지정

      ⓒ 방염처리 표창 수상

   ㉣ 경영상태 확인을 위한 서류

③ 협회는 방염처리업자가 첨부해야 할 서류를 갖추지 못한 경우에는 15일의 보완기간을 부여하여 보완하게 해야 한다.

④ ①의 평가에 대한 신청기간 예외의 경우(6개월 이내에 방염처리능력 평가를 신청할 수 있음)

   ㉠ 방염처리업을 등록한 경우

   ㉡ 방염처리업을 상속 · 양수 · 합병하거나 소방시설 전부를 인수한 경우

   ㉢ 방염처리업 등록취소 처분의 취소 또는 집행정지 결정을 받은 경우

⑤ 방염처리능력 평가신청에 필요한 세부규정은 협회가 정하되, 소방청장의 승인을 받아야 한다.

정희's 톡talk

방염처리능력 평가
1. 방염처리능력 평가 및 공시는 법 제26조 시공능력 평가 및 공시와 함께 이해하면 쉽습니다. 또한 이와 유사한 내용으로 소방시설법 제34조 관리업자의 점검능력 평가 및 공시도 있습니다. 이 모든 것의 평가·공시권자는 소방청장입니다.
2. 방염처리능력 평가를 위해서는 상당히 많은 서류를 요구합니다. 이에 첨부서류가 미비된 경우에는 보완기간을 15일 부여합니다.

(4) 방염처리능력 평가신청 절차, 평가방법 및 공시방법(제20조의3 제3항, 규칙 제19조의3)

① 협회는 방염처리능력을 평가한 경우에는 그 사실을 해당 방염처리업자의 등록수첩에 기재하여 발급해야 한다.

② 협회는 제출된 서류가 거짓으로 확인된 경우에는 확인된 날부터 10일 이내에 해당 방염처리업자의 방염처리능력을 새로 평가하고 해당 방염처리업자의 등록수첩에 그 사실을 기재하여 발급해야 한다.

③ 협회는 방염처리능력을 평가한 경우에는 매년 7월 31일까지 협회의 인터넷 홈페이지에 공시해야 한다. 다만, (3)의 ④ 또는 (4)의 ②에 따라 방염처리능력을 평가한 경우에는 평가완료일부터 10일 이내에 공시해야 한다.

④ 공시 포함 사항
  ㉠ 상호 및 성명(법인인 경우: 대표자의 성명)
  ㉡ 주된 영업소의 소재지
  ㉢ 업종 및 등록번호
  ㉣ 방염처리능력 평가 결과

⑤ 방염처리능력 평가의 유효기간은 공시일부터 1년간으로 한다.

(5) 방염처리능력 평가 방법(규칙 [별표 3의2])

① 방염처리능력평가액 = 실적평가액 + 자본금평가액 + 기술력평가액 + 경력평가액 ± 신인도평가액

② 실적평가액 = 연평균 방염처리실적액
  ㉠ 방염처리업 업종별로 산정해야 한다.
  ㉡ 제조·가공 공정에서 방염처리한 물품을 수입한 경우에는 방염처리 실적에 포함되지 않는다.
  ㉢ 방염처리실적액(발주자가 공급하는 자재비 제외)은 해당 업체의 수급금액 중 하수급금액은 포함하고 하도급금액은 제외한다.
  ㉣ 방염물품의 종류 및 처리방법에 따른 실적인정 비율은 소방청장이 정하여 고시한다.
  ㉤ 종전 방염처리업자의 실적과 방염처리업을 승계한 자의 실적을 합산한다.

③ 자본금평가액 = 실질자본금

④ 기술력평가액 = 전년도 연구·인력개발비 + 전년도 방염처리시설 및 시험기기 구입비용

⑤ 경력평가액 = 실적평가액 × 방염처리업 경영기간 평점 × 20/100

⑥ 신인도평가액 = (실적평가액 + 자본금평가액 + 기술력평가액 + 경력평가액) × 신인도 반영비율 합계
  ㉠ 신인도평가액은 다음 계산식으로 산정하되, 신인도평가액은 실적평가액·자본금평가액·기술력평가액·경력평가액을 합친 금액의 ±10퍼센트의 범위를 초과할 수 없다.
  ㉡ 가점요소와 감점요소가 있는 경우에는 이를 상계한다.

정희's 톡talk

유효기간
방염처리능력 평가유효기간은 1년입니다. 즉, 매년 평가하여 공시합니다.

실적평가액
실적평가액에서 발주자가 공급하는 관급자재는 포함하지 않습니다. 또한 방염처리업자 입장에서 하수급금액은 해당업체에서 공사를 수행한 부분이므로 포함하는 것이고, 하도급금액은 하도급업체에 하도급하여 해당업체에서 공사를 수행한 부분이 아니므로 제외하는 것입니다.

연평균 방염처리실적액 산정
1. 방염처리업을 한 기간이 산정일을 기준으로 3년 이상인 경우에는 최근 3년간의 방염처리실적을 합산하여 3으로 나눈 금액을 연평균 방염처리실적액으로 합니다.
2. 방염처리업을 한 기간이 산정일을 기준으로 1년 이상 3년 미만인 경우에는 그 기간의 방염처리실적을 합산한 금액을 그 기간의 개월수로 나눈 금액에 12를 곱한 금액을 연평균 방염처리실적액으로 합니다.
3. 방염처리업을 한 기간이 산정일을 기준으로 1년 미만인 경우에는 그 기간의 방염처리실적액을 연평균 방염처리실적액으로 합니다.

시행규칙

제19조의2【방염처리능력 평가의 신청】 ① 법 제4조 제1항에 따라 방염처리업을 등록한 자(이하 "방염처리업자"라 한다)는 법 제20조의3 제2항에 따라 방염처리능력을 평가받으려는 경우에는 별지 제30호의2 서식의 방염처리능력 평가 신청서(전자문서를 포함한다)를 협회에 매년 2월 15일까지 제출해야 한다. 다만, 제2항 제4호의 서류의 경우에는 법인은 매년 4월 15일, 개인은 매년 6월 10일(「소득세법」 제70조의2 제1항에 따른 성실신고확인대상사업자는 매년 7월 10일)까지 제출해야 한다.

② 별지 제30호의2 서식의 방염처리능력 평가 신청서에는 다음 각 호의 서류를 첨부해야 하며, 협회는 방염처리업자가 첨부해야 할 서류를 갖추지 못한 경우에는【 ① 】의 보완기간을 부여하여 보완하게 해야 한다.

1. 방염처리 실적을 증명하는 서류
   가. 제조·가공 공정에서의 방염처리 실적
      1) 방염성능검사 결과를 증명하는 서류 사본
      2) 세금계산서 사본 또는 소득세법령에 따른 계산서 사본
   나. 현장에서의 방염처리 실적
      1) 시·도지사가 발급한 현장처리물품의 방염성능검사 성적서 사본
      2) 세금계산서 사본 또는 소득세법령에 따른 계산서 사본
   다. 가목 및 나목 외의 방염처리 실적
      1) 방염처리 실적증명서
      2) 세금계산서 사본 또는 소득세법령에 따른 계산서 사본
   라. 해외 수출 물품에 대한 제조·가공 공정에서의 방염처리 실적 및 해외 현장에서의 방염처리 실적: 방염처리 계약서 사본 및 외국환은행이 발행한 외화입금증명서
   마. 주한국제연합군 또는 그 밖의 외국군의 기관으로부터 도급받은 방염처리 실적: 방염처리 계약서 사본 및 외국환은행이 발행한 외화입금증명서
2. 방염처리업 분야 기술개발투자비 확인서 및 증빙서류
3. 별지 제30호의5 서식의 방염처리업 신인도평가신고서 및 증빙서류
   가. 품질경영인증(ISO 9000) 취득
   나. 우수방염처리업자 지정
   다. 방염처리 표창 수상
4. 경영상태 확인을 위한 다음 각 목의 어느 하나에 해당하는 서류
   가. 「법인세법」 또는 「소득세법」에 따라 관할 세무서장에게 제출한 조세에 관한 신고서(「세무사법」 제6조에 따라 등록한 세무사가 확인한 것으로서 재무상태표 및 손익계산서가 포함된 것을 말한다)
   나. 「주식회사 등의 외부감사에 관한 법률」에 따라 외부감사인의 회계감사를 받은 재무제표

다. 「공인회계사법」 제7조에 따라 등록한 공인회계사 또는 같은 법 제24조에 따라 등록한 회계법인이 감사한 회계서류

③ 제1항에 따른 기간 내에 방염처리능력 평가를 신청하지 못한 방염처리업자가 다음 각 호의 어느 하나에 해당하는 경우에는 제1항의 신청 기간에도 불구하고 다음 각 호의 어느 하나의 경우에 해당하게 된 날부터 6개월 이내에 방염처리능력 평가를 신청할 수 있다.

1. 법 제4조 제1항에 따라 방염처리업을 등록한 경우
2. 법 제7조 제1항 또는 제2항에 따라 방염처리업을 상속·양수·합병하거나 소방시설 전부를 인수한 경우
3. 법 제9조에 따른 방염처리업 등록취소 처분의 취소 또는 집행정지 결정을 받은 경우

④ 제1항부터 제3항까지에서 규정한 사항 외에 방염처리능력 평가 신청에 필요한 세부규정은 협회가 정하되, 소방청장의 승인을 받아야 한다.

제19조의3【방염처리능력의 평가 및 공시 등】 ① 법 제20조의3 제1항에 따른 방염처리능력 평가의 방법은 별표 3의2와 같다.

② 협회는 방염처리능력을 평가한 경우에는 그 사실을 해당 방염처리업자의 등록수첩에 기재하여 발급해야 한다.

③ 협회는 제19조의2에 따라 제출된 서류가 거짓으로 확인된 경우에는 확인된 날부터【 ② 】이내에 해당 방염처리업자의 방염처리능력을 새로 평가하고 해당 방염처리업자의 등록수첩에 그 사실을 기재하여 발급해야 한다.

④ 협회는 방염처리능력을 평가한 경우에는 법 제20조의3 제1항에 따라 다음 각 호의 사항을 매년 7월 31일까지 협회의 인터넷 홈페이지에 공시해야 한다. 다만, 제19조의2 제3항 또는 제3항에 따라 방염처리능력을 평가한 경우에는 평가완료일부터【 ③ 】이내에 공시해야 한다.

1. 상호 및 성명(법인인 경우에는 대표자의 성명을 말한다)
2. 주된 영업소의 소재지
3. 업종 및 등록번호
4. 방염처리능력 평가 결과

⑤ 방염처리능력 평가의 유효기간은 공시일부터【 ④ 】으로 한다. 다만, 제19조의2 제3항 또는 제3항에 따라 방염처리능력을 평가한 경우에는 해당 방염처리능력 평가 결과의 공시일부터 다음 해의 정기 공시일(제4항 본문에 따라 공시한 날을 말한다)의 전날까지로 한다.

⑥ 제1항부터 제5항까지에서 규정한 사항 외에 방염처리능력 평가 및 공시에 필요한 세부규정은 협회가 정하되, 소방청장의 승인을 받아야 한다.

① 15일 ② 10일 ③ 10일 ④ 1년간

시행규칙

[별표 3의2] 방염처리능력 평가 요약본

1. 방염처리업자의 방염처리능력은 다음 계산식으로 산정하되, 10 만원 미만의 숫자는 버린다. 이 경우 산정기준일은 평가를 하는 해의 전년도 12월 31일로 한다.

> 방염처리능력평가액 = 실적평가액 + 자본금평가액 + 기술력평가액 + 경력평가액 ±【 ⑤ 】

가. 방염처리능력평가액은 영 별표 1 제4호에 따른 방염처리업의 업종별로 산정해야 한다.

2. 실적평가액은 다음 계산식으로 산정한다.

> 실적평가액 = 연평균 방염처리실적액

가. 방염처리 실적은 제19조의2 제2항 제1호의 구분에 따른 실적을 말하며, 영 별표 1 제4호에 따른 방염처리업 업종별로 산정해야 한다.

나. 제조·가공 공정에서 방염처리한 물품을 수입한 경우에는 방염처리 실적에 포함되지 않는다.

다. 방염처리실적액(발주자가 공급하는 자재비를 제외한다)은 해당 업체의 수급금액 중 하수급금액은 포함하고 하도급금액은 제외한다.

라. 방염물품의 종류 및 처리방법에 따른 실적인정 비율은 소방청장이 정하여 고시한다.

마. 방염처리업을 한 기간이 산정일을 기준으로 3년 이상인 경우에는 최근【 ⑥ 】의 방염처리실적을 합산하여 3으로 나눈 금액을 연평균 방염처리실적액으로 한다.

바. 방염처리업을 한 기간이 산정일을 기준으로 1년 이상 3년 미만인 경우에는 그 기간의 방염처리실적을 합산한 금액을 그기간의 개월수로 나눈 금액에 12를 곱한 금액을 연평균 방염처리실적액으로 한다.

사. 방염처리업을 한 기간이 산정일을 기준으로 1년 미만인 경우에는 그 기간의 방염처리실적액을 연평균방염처리실적액으로 한다.

아. 다음의 어느 하나에 해당하는 경우의 실적은 종전 방염처리업자의 실적과 방염처리업을 승계한 자의 실적을 합산한다.

– 중략 –

3. 자본금평가액은 다음 계산식으로 산정한다.

> 자본금평가액 = 실질자본금

가. 실질자본금은 해당 방염처리업체 최근 결산일 현재의 총자산에서 총부채를 뺀 금액을 말하며, 방염처리업 외의 다른 업을 겸업하는 경우에는 실질자본금에서 겸업비율에 해당하는 금액을 공제한다.

4. 기술력평가액은 다음 계산식으로 산정한다.

> 기술력평가액 = 전년도 연구·인력개발비 + 전년도 방염처리시설 및 시험기기 구입비용

– 중략 –

5. 경력평가액은 다음 계산식으로 산정한다.

> 경력평가액 = 실적평가액 × 방염처리업 경영기간 평점 × 20/100

가. 방염처리업 경영기간은 등록일·양도신고일 또는 합병신고일부터 산정기준일까지로 한다.

나. 종전 방염처리업자의 방염처리업 경영기간과 방염처리업을 승계한 자의 방염처리업 경영기간의 합산에 관해서는 제2호 아목을 준용한다.

다. 방염처리업 경영기간 평점은 다음 표에 따른다.

방염처리업 경영기간	2년 미만	2년 이상 4년 미만	4년 이상 6년 미만	6년 이상 8년 미만	8년 이상 10년 미만
평점	1.0	1.1	1.2	1.3	1.4

10년 이상 12년 미만	12년 이상 14년 미만	14년 이상 16년 미만	16년 이상 18년 미만	18년 이상 20년 미만	20년 이상
1.5	1.6	1.7	1.8	1.9	2.0

6. 신인도평가액은 다음 계산식으로 산정하되, 신인도평가액은 실적평가액·자본금평가액·기술력평가액·경력평가액을 합친 금액의【 ⑦ 】의 범위를 초과할 수 없으며, 가점요소와 감점요소가 있는 경우에는 이를 상계한다.

> 신인도평가액 = (실적평가액 + 자본금평가액 + 기술력평가액 + 경력평가액) × 신인도 반영비율 합계

가. 신인도 반영비율 가점요소는 다음과 같다.
   1) 최근 1년간 국가기관·지방자치단체·공공기관으로부터 우수방염처리업자로 선정된 경우: +3퍼센트
   2) 최근 1년간 국가기관·지방자치단체 및 공공기관으로부터 방염처리업과 관련한 표창을 받은 경우
      가) 대통령 표창: +3퍼센트
      나) 그 밖의 표창: +2퍼센트
   3) 방염처리업자의 방염처리 상 환경관리 및 방염처리폐기물의 처리실태가 우수하여 환경부장관으로부터 방염처리능력의 증액 요청이 있는 경우: +2퍼센트
   4) 방염처리업에 관한 국제품질경영인증(ISO)을 받은 경우: +2퍼센트

나. 신인도 반영비율 감점요소는 다음과 같다.
   1) 최근 1년간 국가기관·지방자치단체·공공기관으로부터 부정당업자로 제재처분을 받은 사실이 있는 경우: -3퍼센트
   2) 최근 1년간 부도가 발생한 사실이 있는 경우: -2퍼센트

– 중략 –

⑤ 신인도평가액 ⑥ 3년간 ⑦ ±10퍼센트

1 공사의 도급 A

제21조【소방시설공사등의 도급】 ① 특정소방대상물의 관계인 또는 발주자는 소방시설공사등을 도급할 때에는 해당 소방시설업자에게 도급하여야 한다.

② 소방시설공사는 다른 업종의 공사와 분리하여 도급하여야 한다. 다만, 공사의 성질상 또는 기술관리상 분리하여 도급하는 것이 곤란한 경우로서 대통령령으로 정하는 경우에는 다른 업종의 공사와 분리하지 아니하고 도급할 수 있다.

(1) 소방시설공사등의 도급

① 특정소방대상물의 관계인 또는 발주자는 소방시설공사등을 도급할 때에는 해당 **소방시설업자**에게 도급하여야 한다.

② 벌칙 – 1년 이하의 징역 또는 1천만원 이하의 벌금(제36조): 제21조 제1항을 위반하여 해당 소방시설업자가 아닌 자에게 소방시설공사등을 도급한 자

> **참고** 「건설산업기본법」상 용어의 정의
>
> 1. **도급**: 원도급, 하도급, 위탁 등 명칭에 관계없이 건설공사를 완성할 것을 약정하고, 상대방이 그 공사의 결과에 대하여 대가를 지급할 것을 약정하는 계약
> 2. **수급인**: 발주자로부터 건설공사를 도급받은 건설업자(하도급의 경우 하도급하는 건설업자를 포함)
> 3. **하도급**: 도급받은 건설공사의 전부 또는 일부를 다시 도급하기 위하여 수급인이 제3자와 체결하는 계약
> 4. **하수급인**: 수급인으로부터 건설공사를 하도급받은 자

(2) 소방시설공사 분리 도급

① 소방시설공사는 다른 업종의 공사와 분리하여 도급하여야 한다.

② 소방시설공사 분리 도급의 예외: 공사의 성질상 또는 기술관리상 분리하여 도급하는 것이 곤란한 경우로서 대통령령으로 정하는 경우에는 다른 업종의 공사와 분리하지 아니하고 도급할 수 있다.

③ 벌칙 – 300만원 이하의 벌금(제37조): 제21조 제2항 본문을 위반하여 소방시설공사를 다른 업종의 공사와 분리하여 도급하지 아니한 자

(3) 소방시설공사 분리 도급의 예외(영 제11조의2)

① 재난의 발생으로 긴급하게 착공해야 하는 공사인 경우

② 국방 및 국가안보 등과 관련하여 기밀을 유지해야 하는 공사인 경우

③ 제4조 각 호(소방시설공사의 착공신고 대상)에 따른 소방시설공사에 해당하지 않는 공사인 경우

④ 연면적이 **1천제곱미터 이하**인 특정소방대상물에 **비상경보설비**를 설치하는 공사인 경우

정희's 톡talk

도급
1. 관계인·발주자: 소방시설업자에게 도급
2. 분리 도급의 원칙: 다른 업종의 공사와 분리 도급

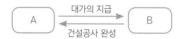

분리 도급
도급할 때 분리하여 도급하여야 하는 원칙은 수급인이 하수급인에게 하도급하여 공사를 수행하는 것을 방지하기 위한 목적도 있습니다.

핵심기출

「소방시설공사업법」상 공사의 도급에 관한 사항으로 옳지 않은 것은? 20. 공채(6월)

① 특정소방대상물의 관계인 또는 발주자는 소방시설공사등을 도급할 때에는 해당 소방시설업자에게 도급하여야 한다.

② 공사업자가 도급받은 소방시설공사의 도급금액 중 그 공사(하도급한 공사를 포함한다)의 근로자에게 지급하여야 할 노임(勞賃)에 해당하는 금액은 압류할 수 없다.

③ 도급을 받은 자는 소방시설공사의 전부를 한 번만 제3자에게 하도급할 수 있다.

④ 도급을 받은 자가 해당 소방시설공사등을 하도급할 때에는 행정안전부령으로 정하는 바에 따라 미리 관계인과 발주자에게 알려야 한다.

정답 ③

⑤ 다음의 어느 하나에 해당하는 입찰로 시행되는 공사인 경우

　ㄱ 대안입찰 또는 일괄입찰

　ㄴ 실시설계 기술제안입찰 또는 기본설계 기술제안입찰

⑥ 국가첨단전략기술 관련 연구시설·개발시설 또는 그 기술을 이용하여 제품을 생산하는 시설 공사인 경우

⑦ 그 밖에 문화재수리 및 재개발·재건축 등의 공사로서 공사의 성질상 분리하여 도급하는 것이 곤란하다고 소방청장이 인정하는 경우

관계법규 소방시설공사 분리 도급의 예외

시행령	NOTE
제11조의2【소방시설공사 분리 도급의 예외】 법 제21조 제2항 단서에서 "대통령령으로 정하는 경우"란 다음 각 호의 어느 하나에 해당하는 경우를 말한다. 1. 「재난 및 안전관리 기본법」 제3조 제1호에 따른 재난의 발생으로 긴급하게 착공해야 하는 공사인 경우 2. 국방 및 국가안보 등과 관련하여 기밀을 유지해야 하는 공사인 경우 3. 제4조 각 호에 따른 소방시설공사에 해당하지 않는 공사인 경우 4. 연면적이【 ① 】이하인 특정소방대상물에 비상경보설비를 설치하는 공사인 경우 5. 다음 각 목의 어느 하나에 해당하는 입찰로 시행되는 공사인 경우 　가. 「국가를 당사자로 하는 계약에 관한 법률 시행령」 제79조 제1항 제4호 또는 제5호 및 「지방자치단체를 당사자로 하는 계약에 관한 법률 시행령」 제95조 제1항 제4호 또는 제5호에 따른【 ② 】또는 일괄입찰 　나. 「국가를 당사자로 하는 계약에 관한 법률 시행령」 제98조 제2호 또는 제3호 및 「지방자치단체를 당사자로 하는 계약에 관한 법률 시행령」 제127조 제2호 또는 제3호에 따른 실시설계 기술제안입찰 또는 기본설계 기술제안입찰 5의2. 「국가첨단전략산업 경쟁력 강화 및 보호에 관한 특별조치법」 제2조 제1호에 따른 국가첨단전략기술 관련 연구시설·개발시설 또는 그 기술을 이용하여 제품을 생산하는 시설 공사인 경우 6. 그 밖에 문화재수리 및 재개발·재건축 등의 공사로서 공사의 성질상 분리하여 도급하는 것이 곤란하다고 소방청장이 인정하는 경우 ① 1천제곱미터 ② 대안입찰	**✎ 핵심기출** 「소방시설공사사업법 시행령」상 소방시설공사 분리 도급의 예외에 해당하는 것만을 〈보기〉에서 고른 것은? 　23. 공채 ─────〈보기〉───── ㄱ. 「재난 및 안전관리 기본법」에 따른 재난의 발생으로 긴급하게 착공해야 하는 공사인 경우 ㄴ. 국방 및 국가안보 등과 관련하여 기밀을 유지해야 하는 공사인 경우 ㄷ. 연면적이 3천제곱미터 이하인 특정소방대상물에 비상경보설비를 설치하는 공사인 경우 ㄹ. 「국가를 당사자로 하는 계약에 관한 법률 시행령」 및 「지방자치단체를 당사자로 하는 계약에 관한 법률 시행령」에 따른 원안입찰 또는 일부입찰 ㅁ. 「국가를 당사자로 하는 계약에 관한 법률 시행령」 및 「지방자치단체를 당사자로 하는 계약에 관한 법률 시행령」에 따른 실시설계 기술제안입찰 또는 기본설계 기술제안입찰 ㅂ. 문화재수리 및 재개발·재건축 등의 공사로서 공사의 성질상 분리하여 도급하는 것이 곤란하다고 시·도지사가 인정하는 경우 ① ㄱ, ㄴ, ㄷ　　② ㄱ, ㄴ, ㅁ ③ ㄴ, ㄷ, ㅁ　　④ ㄹ, ㅁ, ㅂ 정답 ②

1-2 노임에 대한 압류의 금지   B

제21조의2 【노임에 대한 압류의 금지】 ① 공사업자가 도급받은 소방시설공사의 도급금액 중 그 공사(하도급한 공사를 포함한다)의 근로자에게 지급하여야 할 노임(勞賃)에 해당하는 금액은 압류할 수 없다.
② 제1항의 노임에 해당하는 금액의 범위와 산정방법은 대통령령으로 정한다.

(1) 노임에 대한 압류 금지(제21조의2)

① 근로자 노임 압류 금지: 소방시설공사의 도급금액 중 공사의 근로자에게 지급하여야 할 노임에 해당하는 금액은 압류할 수 없다(하도급한 공사 포함).

② 노임에 해당하는 금액의 범위와 산정방법은 대통령령으로 정한다.

(2) 압류대상에서 제외되는 노임(영 제11조의2)

압류할 수 없는 노임은 설계도서에 기재된 노임을 합산하여 산정한다.

정희's 톡talk

설계도서에 기재된 노임
설계도서에 기재된 노임에는 직접노무비, 간접노무비 등이 있습니다.

1-3 도급의 원칙   A

제21조의3 【도급의 원칙 등】 ① 소방시설공사등의 도급 또는 하도급의 계약당사자는 서로 대등한 입장에서 합의에 따라 공정하게 계약을 체결하고, 신의에 따라 성실하게 계약을 이행하여야 한다.
② 소방시설공사등의 도급 또는 하도급의 계약당사자는 그 계약을 체결할 때 도급 또는 하도급 금액, 공사기간, 그 밖에 대통령령으로 정하는 사항을 계약서에 분명히 밝혀야 하며, 서명날인한 계약서를 서로 내주고 보관하여야 한다.
③ 수급인은 하수급인에게 하도급과 관련하여 자재구입처의 지정 등 하수급인에게 불리하다고 인정되는 행위를 강요하여서는 아니 된다.
④ 제21조에 따라 도급을 받은 자가 해당 소방시설공사등을 하도급할 때에는 행정안전부령으로 정하는 바에 따라 미리 관계인과 발주자에게 알려야 한다. 하수급인을 변경하거나 하도급 계약을 해지할 때에도 또한 같다.
⑤ 하도급에 관하여 이 법에서 규정하는 것을 제외하고는 그 성질에 반하지 아니하는 범위에서 「하도급거래 공정화에 관한 법률」의 해당 규정을 준용한다.

(1) 공정계약 및 신의성실의 원칙(제21조의3 제1항)

① 도급 · 하도급의 계약당사자는 서로 대등한 입장에서 합의에 따른 공정한 계약을 체결하여야 한다.

② 계약당사자는 신의성실의 원칙에 따른 계약을 이행하여야 한다.

(2) 도급 계약서 포함 사항(제21조의3 제2항)

① 소방시설공사등의 도급 또는 하도급의 계약당사자는 그 계약을 체결할 때 도급 또는 하도급 금액, 공사기간, 그 밖에 대통령령으로 정하는 사항을 계약서에 분명히 밝혀야 하며, 서명날인한 계약서를 서로 내주고 보관하여야 한다.

② 대통령령으로 정하는 사항(영 제11조의4)

㉠ 소방시설공사등의 내용

㉡ 도급(하도급 포함, 이하 같다)금액 중 노임에 해당하는 금액

㉢ 소방시설공사등의 착수 및 완성 시기

㉣ 도급금액의 선급금이나 기성금 지급을 약정한 경우에는 각각 그 지급의 시기·방법 및 금액

㉤ 도급계약당사자 어느 한쪽에서 설계변경, 공사중지 또는 도급계약의 해제를 요청하는 경우 손해부담에 관한 사항

㉥ 천재지변이나 그 밖의 불가항력으로 인한 면책의 범위에 관한 사항

㉦ 설계변경, 물가변동 등에 따른 도급금액 또는 소방시설공사등의 내용 변경에 관한 사항

㉧ 하도급대금 지급보증서의 발급에 관한 사항(하도급계약)

㉨ 하도급대금의 직접 지급 사유와 그 절차(하도급계약)

㉩ 산업안전보건관리비 지급에 관한 사항(소방시설공사업)

㉤ 해당 공사와 관련하여 보험료 등 관계 법령에 따라 부담하는 비용에 관한 사항(소방시설공사업)

㉣ 도급목적물의 인도를 위한 검사 및 인도시기

㉤ 소방시설공사등이 완성된 후 도급금액의 지급시기

㉥ 계약 이행이 지체되는 경우의 위약금 및 지연이자 지급 등 손해배상에 관한 사항

㉮ 하자보수 대상 소방시설과 하자보수 보증기간 및 하자담보 방법(소방시설공사업)

㉯ 해당 공사에서 발생된 폐기물의 처리방법과 재활용에 관한 사항(소방시설공사업)

㉰ 그 밖에 다른 법령 또는 계약 당사자 양쪽의 합의에 따라 명시되는 사항

(3) 수급인의 부당행위 금지(제21조의3 제3항)

수급인은 하수급인에게 하도급과 관련하여 자재구입처의 지정 등 하수급인에게 불리한 강요행위를 할 수 없다.

(4) 도급을 받은 자의 하도급 통지 의무(제21조의3 제4항)

도급을 받은 자가 하도급할 때에는 행정안전부령으로 정하는 바에 따라 미리 관계인과 발주자에게 알려야 한다(하수급인을 변경하거나 하도급계약을 해지할 때도 동일).

(5) 표준계약서·하도급표준계약서의 보급

① 표준계약서·하도급표준계약서의 수립: 소방청장

② 목적: 계약 당사자와 대등한 입장에서 계약체결

시행령	시행규칙
제11조의4【도급계약서의 내용】 ① 법 제21조의3 제2항에서 "그 밖에 대통령령으로 정하는 사항"이란 다음 각 호의 사항을 말한다. 1. 소방시설의 설계, 시공, 감리 및 방염(이하 "소방시설공사등"이라 한다)의 내용 2. 도급(하도급을 포함한다. 이하 이 항에서 같다)금액 중 노임(勞賃)에 해당하는 금액 3. 소방시설공사등의 착수 및 완성 시기 4. 도급금액의 선급금이나 기성금 지급을 약정한 경우에는 각각 그 지급의 시기·방법 및 금액 5. 도급계약당사자 어느 한쪽에서 설계변경, 공사중지 또는 도급계약의 해제를 요청하는 경우 손해부담에 관한 사항 6. 천재지변이나 그 밖의 불가항력으로 인한 면책의 범위에 관한 사항 7. 설계변경, 물가변동 등에 따른 도급금액 또는 소방시설공사등의 내용 변경에 관한 사항 8. 「하도급거래 공정화에 관한 법률」 제13조의2에 따른 하도급대금 지급보증서의 발급에 관한 사항(하도급계약의 경우만 해당한다) 9. 「하도급거래 공정화에 관한 법률」 제14조에 따른 하도급대금의 직접 지급 사유와 그 절차(하도급계약의 경우만 해당한다) 10. 「산업안전보건법」 제72조에 따른 산업안전보건관리비 지급에 관한 사항(소방시설공사업의 경우만 해당한다) 11. 해당 공사와 관련하여 「고용보험 및 산업재해보상보험의 보험료징수 등에 관한 법률」, 「국민연금법」 및 「국민건강보험법」에 따른 보험료 등 관계 법령에 따라 부담하는 비용에 관한 사항(소방시설공사업의 경우만 해당한다) 12. 도급목적물의 인도를 위한 검사 및 인도 시기 13. 소방시설공사등이 완성된 후 도급금액의 지급시기 14. 계약 이행이 지체되는 경우의 위약금 및 지연이자 지급 등 손해배상에 관한 사항 15. 하자보수 대상 소방시설과 하자보수 보증기간 및 하자담보 방법(소방시설공사업의 경우만 해당한다) 16. 해당 공사에서 발생된 폐기물의 처리방법과 재활용에 관한 사항(소방시설공사업의 경우만 해당한다) 17. 그 밖에 다른 법령 또는 계약 당사자 양쪽의 합의에 따라 명시되는 사항 ② 【 ① 】은 계약 당사자가 대등한 입장에서 공정하게 계약을 체결하도록 하기 위하여 소방시설공사등의 도급 또는 하도급에 관한 【 ② 】(하도급의 경우에는 「하도급거래 공정화에 관한 법률」에 따라 공정거래위원회가 권장하는 소방시설공사업종【 ③ 】를 말한다)를 정하여 보급할 수 있다.	**제20조【하도급의 통지】** ① 소방시설업자는 소방시설의 설계, 시공, 감리 및 방염(이하 "소방시설공사등"이라 한다)을 하도급하려고 하거나 하수급인을 변경하는 경우에는 법 제21조의3 제4항에 따라 별지 제31호 서식의 소방시설공사등의 하도급통지서(전자문서로 된 소방시설공사등의 하도급통지서를 포함한다)에 다음 각 호의 서류(전자문서를 포함한다)를 첨부하여 미리 관계인 및 발주자에게 알려야 한다. 1. 하도급계약서 1부 2. 예정공정표 1부 3. 하도급내역서 1부 4. 하수급인의 소방시설업 등록증 사본 1부 ② 제1항에 따라 하도급을 하려는 소방시설업자는 관계인 및 발주자에게 통지한 소방시설공사등의 하도급통지서(전자문서로 된 소방시설공사등의 하도급통지서를 포함한다) 사본을 【 ① 】에게 주어야 한다. ③ 소방시설업자는 하도급계약을 해지하는 경우에는 법 제21조의3 제4항에 따라 하도급계약 해지사실을 증명할 수 있는 서류(전자문서를 포함한다)를 관계인 및 발주자에게 알려야 한다.
① 소방청장 ② 표준계약서 ③ 표준하도급계약서	① 하수급자

제21조의4【공사대금의 지급보증 등】 ① 수급인이 국가, 지방자치단체 또는 대통령령으로 정하는 공공기관 외의 자가 발주하는 공사를 도급받은 경우로서 수급인이 발주자에게 계약의 이행을 보증하는 때에는 발주자도 수급인에게 공사대금의 지급을 보증하거나 담보를 제공하여야 한다. 다만, 발주자는 공사대금의 지급보증 또는 담보 제공을 하기 곤란한 경우에는 수급인이 그에 상응하는 보험 또는 공제에 가입할 수 있도록 계약의 이행보증을 받은 날부터 30일 이내에 보험료 또는 공제료(이하 "보험료등"이라 한다)를 지급하여야 한다.
② 발주자 및 수급인은 소규모공사 등 대통령령으로 정하는 소방시설공사의 경우 제1항에 따른 계약이행의 보증이나 공사대금의 지급보증, 담보의 제공 또는 보험료등의 지급을 아니할 수 있다.
③ 발주자가 제1항에 따른 공사대금의 지급보증, 담보의 제공 또는 보험료등의 지급을 하지 아니한 때에는 수급인은 10일 이내 기간을 정하여 발주자에게 그 이행을 촉구하고 공사를 중지할 수 있다. 발주자가 촉구한 기간 내에 그 이행을 하지 아니한 때에는 수급인은 도급계약을 해지할 수 있다.
④ 제3항에 따라 수급인이 공사를 중지하거나 도급계약을 해지한 경우에는 발주자는 수급인에게 공사 중지나 도급계약의 해지에 따라 발생하는 손해배상을 청구하지 못한다.
⑤ 제1항에 따른 공사대금의 지급보증, 담보의 제공 또는 보험료등의 지급 방법이나 절차 및 제3항에 따른 촉구의 방법 등에 필요한 사항은 행정안전부령으로 정한다.

정희's 톡talk

과태료 – 200만원 이하의 과태료(제40조)
제21조의4 제1항에 따른 공사대금의 지급보증, 담보의 제공 또는 보험료등의 지급을 정당한 사유 없이 이행하지 아니한 자

(1) 발주자 계약 이행 보증

① **대상:** 수급인이 국가, 지방자치단체 또는 대통령령으로 정하는 공공기관 외의 자가 발주하는 공사를 도급받은 경우로서 수급인이 발주자에게 계약의 이행을 보증하는 때

② **발주자에게 계약이행보증 요구:** 발주자도 수급인에게 공사대금의 지급을 보증하거나 담보를 제공하여야 한다[발주자는 공사대금의 지급보증 또는 담보 제공을 하기 곤란한 경우는 수급인이 그에 상응하는 보험 또는 공제에 가입할 수 있도록 계약의 이행보증을 받은 날부터 30일 이내에 보험료 또는 공제료(보험료등)를 지급하여야 한다].

(2) 예외사항

① 발주자 및 수급인은 소규모공사 등 대통령령으로 정하는 소방시설공사의 경우 계약이행의 보증이나 공사대금의 지급보증, 담보의 제공 또는 보험료등의 지급을 아니할 수 있다.

② **소규모공사 등 대통령령으로 정하는 소방시설공사(영 제11조의6)**
　㉠ 공사 1건의 도급금액이 **1천만원 미만**인 소규모 소방시설공사
　㉡ 공사기간이 **3개월 이내**인 단기의 소방시설공사

(3) 이행촉구

① 발주자가 공사대금의 지급보증, 담보의 제공 또는 보험료등의 지급을 하지 아니한 때에는 수급인은 10일 이내 기간을 정하여 발주자에게 그 이행을 촉구하고 공사를 중지할 수 있다.

② 발주자가 촉구한 기간 내에 그 이행을 하지 아니한 때에는 수급인은 도급계약을 해지할 수 있다.

(4) 계약해지에 따른 손해배상

제21조의4 제3항에 따라 수급인이 공사를 중지하거나 도급계약을 해지한 경우에는 발주자는 수급인에게 공사 중지나 도급계약의 해지에 따라 발생하는 손해배상을 청구하지 못한다.

(5) 위임규정

공사대금의 지급보증, 담보의 제공 또는 보험료등의 지급 방법이나 절차 및 발주자 이행 촉구의 방법 등에 필요한 사항은 행정안전부령으로 정한다.

(6) 공사대금의 지급보증 등의 방법 및 절차(규칙 제20조의2)

① 발주자가 수급인에게 공사대금의 지급을 보증하거나 담보를 제공해야 하는 금액

ㄱ 공사기간이 4개월 이내인 경우: 도급금액에서 계약상 선급금을 제외한 금액

ㄴ 공사기간이 4개월을 초과하는 경우로서 기성부분에 대한 대가를 지급하지 않기로 약정하거나 그 대가의 지급주기가 2개월 이내인 경우: 다음의 계산식에 따라 산출된 금액

$$\frac{\text{도급금액} - \text{계약상 선급금}}{\text{공사기간(월)}} \times 4$$

ㄷ 공사기간이 4개월을 초과하는 경우로서 기성부분에 대한 대가의 지급주기가 2개월을 초과하는 경우: 다음의 계산식에 따라 산출된 금액

$$\frac{\text{도급금액} - \text{계약상 선급금}}{\text{공사기간(월)}} \times \text{기성부분에 대한 대가의 지급주기(월수)} \times 2$$

② ①에 따른 공사대금의 지급 보증 또는 담보의 제공은 수급인이 발주자에게 계약의 이행을 보증한 날부터 30일 이내에 해야 한다.

③ 법 제21조의4 제1항 단서에 따라 발주자가 공사대금의 지급을 보증하거나 담보를 제공하기 곤란한 경우에 지급하는 보험료 또는 공제료는 ①에 따라 산정된 금액을 기초로 발주자의 신용도 등을 고려하여 규칙 제20조의2 제3항의 기관이 정하는 금액으로 한다.

시행령	시행규칙
제11조의5【공사대금의 지급보증 등의 예외가 되는 공공기관의 범위】 법 제21조의4 제1항 본문에서 "대통령령으로 정하는 공공기관"이란 다음 각 호의 공공기관을 말한다. 1. 「공공기관의 운영에 관한 법률」 제5조에 따른 공기업 및 준정부기관 2. 「지방공기업법」 제49조에 따른 지방공사 및 같은 법 제76조에 따른 지방공단 **제11조의6【공사대금의 지급보증 등의 예외가 되는 소방시설공사의 범위】** 법 제21조의4 제2항에서 "소규모공사 등 대통령령으로 정하는 소방시설공사"란 다음 각 호의 소방시설공사를 말한다. 1. 공사 1건의 도급금액이 1천만원 미만인 소규모 소방시설공사 2. 공사기간이 3개월 이내인 단기의 소방시설공사	**제20조의2【공사대금의 지급보증 등의 방법 및 절차】** ① 법 제21조의4 제1항 본문에 따라 발주자가 수급인에게 공사대금의 지급을 보증하거나 담보를 제공해야 하는 금액은 다음 각 호의 구분에 따른 금액으로 한다. 1. 공사기간이 4개월 이내인 경우: 도급금액에서 계약상 선급금을 제외한 금액 2. 공사기간이 4개월을 초과하는 경우로서 기성부분에 대한 대가를 지급하지 않기로 약정하거나 그 대가의 지급주기가 2개월 이내인 경우: 다음의 계산식에 따라 산출된 금액 $$\frac{\text{도급금액} - \text{계약상 선급금}}{\text{공사기간(월)}} \times 4$$ 3. 공사기간이 4개월을 초과하는 경우로서 기성부분에 대한 대가의 지급주기가 2개월을 초과하는 경우: 다음의 계산식에 따라 산출된 금액 $$\frac{\text{도급금액} - \text{계약상 선급금}}{\text{공사기간(월)}} \times \frac{\text{기성부분에 대한 대가의}}{\text{지급주기(월수)}} \times 2$$ ② 제1항에 따른 공사대금의 지급 보증 또는 담보의 제공은 수급인이 발주자에게 계약의 이행을 보증한 날부터 30일 이내에 해야 한다. ③ 공사대금의 지급 보증은 현금(체신관서 또는 「은행법」에 따른 은행이 발행한 자기앞수표를 포함한다)의 지급 또는 다음 각 호의 기관이 발행하는 보증서의 교부에 따른다. 1. 「소방산업의 진흥에 관한 법률」에 따른 소방산업공제조합 2. 「보험업법」에 따른 보험회사 3. 「신용보증기금법」에 따른 신용보증기금 4. 「은행법」에 따른 은행 5. 「주택도시기금법」에 따른 주택도시보증공사 ④ 법 제21조의4 제1항 단서에 따라 발주자가 공사대금의 지급을 보증하거나 담보를 제공하기 곤란한 경우에 지급하는 보험료 또는 공제료는 제1항에 따라 산정된 금액을 기초로 발주자의 신용도 등을 고려하여 제3항 각 호의 기관이 정하는 금액으로 한다. ⑤ 법 제21조의4 제3항 전단에 따른 이행촉구의 통지는 다음 각 호의 어느 하나에 해당하는 방법으로 한다. 1. 「우편법 시행규칙」 제25조 제1항 제4호 가목의 내용증명 2. 「전자문서 및 전자거래 기본법」에 따른 전자문서로서 다음 각 목의 어느 하나에 해당하는 요건을 갖춘 것 　가. 「전자서명법」에 따른 전자서명(서명자의 실지명의를 확인할 수 있는 것으로 한정한다)이 있을 것 　나. 「전자문서 및 전자거래 기본법」에 따른 공인전자주소를 이용할 것 3. 그 밖에 이행촉구의 내용 및 수신 여부를 객관적으로 확인할 수 있는 방법

제21조의5【부정한 청탁에 의한 재물 등의 취득 및 제공 금지】 ① 발주자·수급인·하수급인(발주자, 수급인 또는 하수급인이 법인인 경우 해당 법인의 임원 또는 직원을 포함한다) 또는 이해관계인은 도급계약의 체결 또는 소방시설공사등의 시공 및 수행과 관련하여 부정한 청탁을 받고 재물 또는 재산상의 이익을 취득하거나 부정한 청탁을 하면서 재물 또는 재산상의 이익을 제공하여서는 아니 된다.
② 국가, 지방자치단체 또는 대통령령으로 정하는 공공기관이 발주한 소방시설공사등의 업체 선정에 심사위원으로 참여한 사람은 그 직무와 관련하여 부정한 청탁을 받고 재물 또는 재산상의 이익을 취득하여서는 아니 된다.
③ 국가, 지방자치단체 또는 대통령령으로 정하는 공공기관이 발주한 소방시설공사등의 업체 선정에 참여한 법인, 해당 법인의 대표자, 상업사용인, 그 밖의 임원 또는 직원은 그 직무와 관련하여 부정한 청탁을 받고 재물 또는 재산상의 이익을 취득하거나 부정한 청탁을 하면서 재물 또는 재산상의 이익을 제공하여서는 아니 된다.

(1) 부정한 청탁에 의한 재물 등의 취득 및 제공 금지

① 발주자·수급인·하수급인(발주자, 수급인 또는 하수급인이 법인인 경우 해당 법인의 임원 또는 직원을 포함한다) 또는 이해관계인은 도급계약의 체결 또는 소방시설공사등의 시공 및 수행과 관련하여 부정한 청탁을 받고 재물 또는 재산상의 이익을 취득하거나 부정한 청탁을 하면서 재물 또는 재산상의 이익을 제공하여서는 아니 된다.

② 국가, 지방자치단체 또는 대통령령으로 정하는 공공기관이 발주한 소방시설공사등의 업체 선정에 심사위원으로 참여한 사람은 그 직무와 관련하여 부정한 청탁을 받고 재물 또는 재산상의 이익을 취득하여서는 아니 된다.

③ 국가, 지방자치단체 또는 대통령령으로 정하는 공공기관이 발주한 소방시설공사등의 업체 선정에 참여한 법인, 해당 법인의 대표자, 상업사용인, 그 밖의 임원 또는 직원은 그 직무와 관련하여 부정한 청탁을 받고 재물 또는 재산상의 이익을 취득하거나 부정한 청탁을 하면서 재물 또는 재산상의 이익을 제공하여서는 아니 된다.

(2) 벌칙 – 3년 이하의 징역 또는 3천만원 이하의 벌금(제35조)

제21조의5를 위반하여 부정한 청탁을 받고 재물 또는 재산상의 이익을 취득하거나 부정한 청탁을 하면서 재물 또는 재산상의 이익을 제공한 자

관계법규 부정한 청탁에 의한 재물 등의 취득 및 제공 금지 대상 공공기관의 범위

시행령	NOTE
제11조의7【부정한 청탁에 의한 재물 등의 취득 및 제공 금지 대상 공공기관의 범위】 법 제21조의5 제2항 및 제3항에서 "대통령령으로 정하는 공공기관"이란 각각 제11조의5 각 호의 공공기관을 말한다.	

> 제21조의6【위반사실의 통보】국가, 지방자치단체 또는 대통령령으로 정하는 공공
> 기관은 소방시설업자가 제21조의5를 위반한 사실을 발견하면 시·도지사가 제9조
> 제1항에 따라 그 등록을 취소하거나 6개월 이내의 기간을 정하여 그 영업의 정지를
> 명할 수 있도록 그 사실을 시·도지사에게 통보하여야 한다.

국가, 지방자치단체 또는 대통령령으로 정하는 공공기관은 소방시설업자가 제21조의5를
위반한 사실을 발견하면 시·도지사가 제9조 제1항에 따라 그 등록을 취소하거나 6개
월 이내의 기간을 정하여 그 영업의 정지를 명할 수 있도록 그 사실을 시·도지사에게
통보하여야 한다.

관계법규 위반사실 통보 대상 공공기관의 범위

시행령	시행규칙
제11조의7【부정한 청탁에 의한 재물 등의 취득 및 제공 금지 대상 공공기관의 범위】법 제21조의5 제2항 및 제3항에서 "대통령령으로 정하는 공공기관"이란 각각 제11조의5 각 호의 공공기관을 말한다.	제11조의5【공사대금의 지급보증 등의 예외가 되는 공공기관의 범위】법 제21조의4 제1항 본문에서 "대통령령으로 정하는 공공기관"이란 다음 각 호의 공공기관을 말한다. 1.「공공기관의 운영에 관한 법률」제5조에 따른 공기업 및 준정부기관 2.「지방공기업법」제49조에 따른 지방공사 및 같은 법 제76조에 따른 지방공단

2 하도급의 제한 B

> 제22조【하도급의 제한】① 제21조에 따라 도급을 받은 자는 소방시설의 설계, 시공,
> 감리를 제3자에게 하도급할 수 없다. 다만, 시공의 경우에는 대통령령으로 정하는
> 바에 따라 도급받은 소방시설공사의 일부를 다른 공사업자에게 하도급할 수 있다.
> ② 하수급인은 제1항 단서에 따라 하도급받은 소방시설공사를 제3자에게 다시 하
> 도급할 수 없다.

(1) 하도급의 제한

① 도급을 받은 자는 소방시설의 설계, 시공, 감리를 제3자에게 하도급할 수 없다.

② 예외사항: 시공의 경우에는 대통령령으로 정하는 바에 따라 도급받은 소방시설
공사의 일부를 다른 공사업자에게 하도급할 수 있다.

③ 벌칙 – 1년 이하의 징역 또는 1천만원 이하의 벌금(제36조): 제22조 제1항 본문을 위반하여 도급받은 소방시설의 설계, 시공, 감리를 하도급한 자

④ 소방시설공사의 시공을 하도급할 수 있는 경우(영 제12조): 소방시설공사업과 다음에 해당하는 사업을 함께 하는 소방시설공사업자가 소방시설공사와 해당 사업의 공사를 함께 도급받은 경우를 말한다.

㉠「주택법」제4조에 따른 주택건설사업

㉡「건설산업기본법」제9조에 따른 건설업

㉢「전기공사업법」제4조에 따른 전기공사업

㉣「정보통신공사업법」제14조에 따른 정보통신공사업

(2) 하수급인의 재하도급의 제한

① 하수급인은 하도급받은 소방시설공사를 제3자에게 다시 하도급할 수 없다.

② 벌칙 – 1년 이하의 징역 또는 1천만원 이하의 벌금(제36조): 제22조 제2항을 위반하여 하도급받은 소방시설공사를 다시 하도급한 자

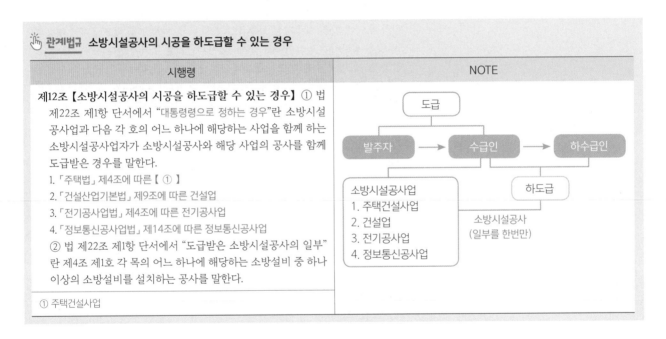

관계법규 소방시설공사의 시공을 하도급할 수 있는 경우

시행령	NOTE
제12조【소방시설공사의 시공을 하도급할 수 있는 경우】① 법 제22조 제1항 단서에서 "대통령령으로 정하는 경우"란 소방시설공사업과 다음 각 호의 어느 하나에 해당하는 사업을 함께 하는 소방시설공사업자가 소방시설공사와 해당 사업의 공사를 함께 도급받은 경우를 말한다. 1.「주택법」제4조에 따른【 ① 】 2.「건설산업기본법」제9조에 따른 건설업 3.「전기공사업법」제4조에 따른 전기공사업 4.「정보통신공사업법」제14조에 따른 정보통신공사업 ② 법 제22조 제1항 단서에서 "도급받은 소방시설공사의 일부"란 제4조 제1호 각 목의 어느 하나에 해당하는 소방설비 중 하나 이상의 소방설비를 설치하는 공사를 말한다. ① 주택건설사업	

제22조의2【하도급계약의 적정성 심사 등】 ① 발주자는 하수급인이 계약내용을 수행하기에 현저하게 부적당하다고 인정되거나 하도급계약금액이 대통령령으로 정하는 비율에 따른 금액에 미달하는 경우에는 하수급인의 시공 및 수행능력, 하도급계약 내용의 적정성 등을 심사할 수 있다. 이 경우, 국가, 지방자치단체 또는 대통령령으로 정하는 공공기관이 발주자인 때에는 적정성 심사를 실시하여야 한다.

② 발주자는 제1항에 따라 심사한 결과 하수급인의 시공 및 수행능력 또는 하도급계약 내용이 적정하지 아니한 경우에는 그 사유를 분명하게 밝혀 수급인에게 하수급인 또는 하도급계약 내용의 변경을 요구할 수 있다. 이 경우 제1항 후단에 따라 적정성 심사를 하였을 때에는 하수급인 또는 하도급계약 내용의 변경을 요구하여야 한다.

③ 발주자는 수급인이 정당한 사유 없이 제2항에 따른 요구에 따르지 아니하여 공사 등의 결과에 중대한 영향을 끼칠 우려가 있는 경우에는 해당 소방시설공사등의 도급계약을 해지할 수 있다.

④ 제1항 후단에 따른 발주자는 하수급인의 시공 및 수행능력, 하도급계약 내용의 적정성 등을 심사하기 위하여 하도급계약심사위원회를 두어야 한다.

⑤ 제1항 및 제2항에 따른 하도급계약의 적정성 심사기준, 하수급인 또는 하도급계약 내용의 변경 요구 절차, 그 밖에 필요한 사항 및 제4항에 따른 하도급계약심사위원회의 설치·구성 및 심사방법 등에 관하여 필요한 사항은 대통령령으로 정한다.

(1) 발주자의 하도급계약 적정성 심사

① **적정성 심사의 사유:** 발주자는 다음의 사유가 있는 경우 하도급 계약의 적정성을 심사할 수 있다.

㉠ 하수급인이 계약내용을 수행하기 현저히 부적당한 경우

㉡ 하도급계약금액이 대통령령으로 정하는 비율에 따른 금액에 미달하는 경우(영 제12조의2 제1항)

ⓐ 도급금액 중 하도급부분에 상당하는 금액의 82%에 미달하는 경우

ⓑ 발주자의 예정가격의 60%에 미달하는 경우

② **제22조의2 후단**

㉠ 국가, 지방자치단체 또는 대통령령으로 정하는 공공기관이 발주자인 때에는 적정성 심사를 실시하여야 한다.

㉡ 대통령령으로 정하는 공공기관(영 제12조의2 제2항)이란 제11조의5 각 호의 공공기관을 말한다.

> **참고** **제11조의5(공사대금의 지급보증 등의 예외가 되는 공공기관의 범위)**
>
> 법 제21조의4 제1항 본문에서 "대통령령으로 정하는 공공기관"이란 다음 각 호의 공공기관을 말한다.
>
> 1. 「공공기관의 운영에 관한 법률」 제5조에 따른 공기업 및 준정부기관
> 2. 「지방공기업법」 제49조에 따른 지방공사 및 같은 법 제76조에 따른 지방공단

🧑 정희's 톡talk

하도급부분에 상당하는 금액

> [계약단가(직접·간접노무비, 재료비·경비)+일반관리비, 이윤, 부가가치세] – 지급자재금액

'도급금액 중 하도급부분에 상당하는 금액의 82%에 미달하는 경우'의 의미는 수급인은 도급금액의 18% 정도를 일반관리비 또는 이윤의 명목으로 취하고 하도급업체가 적정한 공사를 수행할 수 있도록 최소한의 하도급금액을 보장하고자 하는 취지입니다.

정부공사 예정가격
정부공사 예정가격은 정부가 국고부담으로 공사등을 발주할 때 기준이 되는 입찰상한가격입니다. 따라서 정부공사 낙찰가격은 예정가격 이하 수준에서 결정합니다.

③ 적정성 심사 기준 고시(영 제12조의2 제3항): 소방청장은 하수급인의 시공 및 수행능력, 하도급계약 내용의 적정성 등을 심사하는 경우에 활용할 수 있는 기준을 정하여 고시하여야 한다.

(2) 하도급계약의 변경 요구

① 하도급계약을 심사한 결과 하수급인의 시공 및 수행능력 또는 하도급계약 내용이 적정하지 아니한 경우에는 그 사유를 분명하게 밝혀 수급인에게 하수급인 또는 하도급계약 내용의 변경을 요구할 수 있다.

② 국가, 지방자치단체 또는 대통령령으로 정하는 공공기관이 하도급 적정성 심사를 하였을 때에는 하수급인 또는 하도급계약 내용의 변경을 요구하여야 한다.

③ 내용의 변경 요구(영 제12조의2 제3항): 발주자는 하수급인 또는 하도급계약 내용의 변경을 요구하려는 경우에는 하도급에 관한 사항을 통보받은 날 또는 그 사유가 있음을 안 날부터 30일 이내에 서면으로 하여야 한다.

(3) 발주자의 도급계약 해지

수급인이 정당한 사유 없이 (2)에 따른 요구에 따르지 아니하여 공사 등의 결과에 중대한 영향을 끼칠 우려가 있는 경우 도급계약을 해지할 수 있다.

(4) 하도급계약심사위원회

발주자는 하도급계약의 적정성 등을 심사하기 위해 하도급계약심사위원회를 두어야 한다.

(5) 위임규정

하도급계약심사위원회의 설치·구성 및 심사방법 등 필요한 사항은 대통령령으로 정한다.

(6) 하도급계약심사위원회의 구성 및 운영

① 위원회 구성: 위원장 1명과 부위원장 1명을 포함하여 10명 이내의 위원으로 구성한다.

② 위원회의 위원장

㉠ 발주기관의 장: 발주기관이 특별시·광역시·특별자치시·도 및 특별자치도인 경우에는 해당 기관 소속 2급 또는 3급 공무원 중에서, 발주기관이 제11조의5 각 호의 공공기관인 경우에는 1급 이상 임직원 중에서 발주기관의 장이 지명하는 사람을 각각 말한다.

㉡ 부위원장과 위원(위원장이 임명하거나 성별을 고려하여 위촉한다)

ⓐ 해당 발주기관의 과장급 이상 공무원(제11조의5 각 호의 공공기관의 경우에는 2급 이상의 임직원을 말한다)

ⓑ 소방 분야 연구기관의 연구위원급 이상인 사람

ⓒ 소방 분야의 박사학위를 취득하고 그 분야에서 3년 이상 연구 또는 실무경험이 있는 사람

ⓓ 대학(소방 분야로 한정한다)의 조교수 이상인 사람

ⓔ 「국가기술자격법」에 따른 소방기술사 자격을 취득한 사람

③ ②의 ⓛ ⓑ부터 ⓔ까지의 규정에 해당하는 위원의 임기는 3년으로 하며, 한 차례만 연임할 수 있다.

④ 위원회의 회의는 재적위원 과반수의 출석으로 개의(開議)하고, 출석위원 과반수의 찬성으로 의결한다.

⑤ 규정한 사항 외에 위원회의 운영에 필요한 사항은 위원회의 의결을 거쳐 위원장이 정한다.

관계법규 하도급의 적정성 심사

시행령

제12조의2 【하도급계약의 적정성 심사 등】 ① 법 제22조의2 제1항 전단에서 "하도급계약금액이 대통령령으로 정하는 비율에 따른 금액에 미달하는 경우"란 다음 각 호의 어느 하나에 해당하는 경우를 말한다.

1. 하도급계약금액이 도급금액 중 하도급부분에 상당하는 금액[하도급하려는 소방시설공사등에 대하여 수급인의 도급금액 산출내역서의 계약단가(직접·간접 노무비, 재료비 및 경비를 포함한다)를 기준으로 산출한 금액에 일반관리비, 이윤 및 부가가치세를 포함한 금액을 말하며, 수급인이 하수급인에게 직접 지급하는 자재의 비용 등 관계 법령에 따라 수급인이 부담하는 금액은 제외한다]의【 ① 】에 해당하는 금액에 미달하는 경우

2. 하도급계약금액이 소방시설공사등에 대한 발주자의【 ② 】의【 ③ 】에 해당하는 금액에 미달하는 경우

② 법 제22조의2 제1항 후단에서 "대통령령으로 정하는 공공기관"이란 제11조의5 각 호의 공공기관을 말한다.

1. 삭제

2. 삭제

③【 ④ 】은 법 제22조의2 제1항에 따라 하수급인의 시공 및 수행능력, 하도급계약 내용의 적정성 등을 심사하는 경우에 활용할 수 있는 기준을 정하여 고시하여야 한다.

④ 발주자는 법 제22조의2 제2항에 따라 하수급인 또는 하도급계약 내용의 변경을 요구하려는 경우에는 법 제21조의3 제4항에 따라 하도급에 관한 사항을 통보받은 날 또는 그 사유가 있음을 안 날부터 30일 이내에 서면으로 하여야 한다.

제12조의3 【하도급계약심사위원회의 구성 및 운영】 ① 법 제22조의2 제4항에 따른 하도급계약심사위원회(이하 "위원회"라 한다)는 위원장 1명과 부위원장 1명을 포함하여 10명 이내의 위원으로 구성한다.

② 위원회의 위원장(이하 "위원장"이라 한다)은 발주기관의 장(발주기관이 특별시·광역시·특별자치시·도 및 특별자치도인 경우에는 해당 기관 소속 2급 또는 3급 공무원 중에서, 발주기관이 제12조의2 제2항에 따른 공공기관인 경우에는 1급 이상 임직원 중에서 발주기관의 장이 지명하는 사람을 각각 말한다)이 되고, 부위원장과 위원은 다음 각 호의 어느 하나에 해당하는 사람 중에서 위원장이 임명하거나 성별을 고려하여 위촉한다.

1. 해당 발주기관의 과장급 이상 공무원(제12조의2 제2항에 따른 공공기관의 경우에는 2급 이상의 임직원을 말한다)

2. 소방 분야 연구기관의 연구위원급 이상인 사람

3. 소방 분야의 박사학위를 취득하고 그 분야에서 3년 이상 연구 또는 실무경험이 있는 사람

4. 대학(소방 분야로 한정한다)의 조교수 이상인 사람

5. 「국가기술자격법」에 따른 소방기술사 자격을 취득한 사람

③ 제2항 제2호부터 제5호까지의 규정에 해당하는 위원의 임기는 3년으로 하며, 한 차례만 연임할 수 있다.

④ 위원회의 회의는 재적위원 과반수의 출석으로 개의(開議)하고, 출석위원 과반수의 찬성으로 의결한다.

⑤ 제1항부터 제4항까지에서 규정한 사항 외에 위원회의 운영에 필요한 사항은 위원회의 의결을 거쳐 위원장이 정한다.

---

① 100분의 82 ② 예정가격 ③ 100분의 60 ④ 소방청장

2-3 하도급대금의 지급   B

제22조의3 【하도급대금의 지급 등】 ① 수급인은 발주자로부터 도급받은 소방시설 공사등에 대한 준공금(竣工金)을 받은 경우에는 하도급대금의 전부를, 기성금(旣成金)을 받은 경우에는 하수급인이 시공하거나 수행한 부분에 상당한 금액을 각각 지급받은 날(수급인이 발주자로부터 대금을 어음으로 받은 경우에는 그 어음만기일을 말한다)부터 15일 이내에 하수급인에게 현금으로 지급하여야 한다.
② 수급인은 발주자로부터 선급금을 받은 경우에는 하수급인이 자재의 구입, 현장 근로자의 고용, 그 밖에 하도급 공사 등을 시작할 수 있도록 그가 받은 선급금의 내용과 비율에 따라 하수급인에게 선금을 받은 날(하도급 계약을 체결하기 전에 선급금을 받은 경우에는 하도급 계약을 체결한 날을 말한다)부터 15일 이내에 선급금을 지급하여야 한다. 이 경우 수급인은 하수급인이 선급금을 반환하여야 할 경우에 대비하여 하수급인에게 보증을 요구할 수 있다.
③ 수급인은 하도급을 한 후 설계변경 또는 물가변동 등의 사정으로 도급금액이 조정되는 경우에는 조정된 금액과 비율에 따라 하수급인에게 하도급 금액을 증액하거나 감액하여 지급할 수 있다.

(1) 하도급대금의 지급

  ① 수급인의 지급 의무

    ㉠ **준공금❶을 받은 경우:** 하도급대금의 전부를 지급하여야 한다.

    ㉡ **기성금❷을 받은 경우:** 하수급인이 시공하거나 수행한 부분에 상당한 금액을 지급하여야 한다.

    ㉢ 지급받은 날(수급인이 발주자로부터 어음을 받은 경우 어음만기일)로부터 15일 이내에 지급하여야 한다.

    ㉣ 하도급대금은 수급인이 하수급인에게 현금으로 지급하여야 한다.

  ② 수급인의 선급금 지급 의무

    ㉠ **선급금❸을 받은 경우:** 선급금의 내용과 비율에 따라 선급금을 받은 날로부터 15일 이내 지급(하도급계약 체결 전 선급금을 받은 경우에는 하도급계약을 체결한 날)하여야 한다.

    ㉡ **보증의 요구:** 수급인은 선급금 반환 대비를 위해 하수급인에게 보증을 요구할 수 있다.

(2) 하도급금액의 조정

  ① 수급인은 일정한 사유가 발생하는 경우 조정된 금액과 비율에 따라 하수급인에게 하도급금액을 증액하거나 감액하여 지급할 수 있다.

  ② 사유: 설계변경 또는 물가변동 등의 사정으로 도급금액이 조정되는 경우

📖 **시크릿 노트**

하도급대금의 지급

준공금 ⇨ 전부
기성금 ⇨ 시공·수행한 금액

수급인 ⇨ 지급받은 날부터 15일 이내 (현금 지급)

선급금 ⇨ 내용과 비율

수급인 ⇨ 지급받은 날부터 15일 이내 (선급금 지급)

📘 **용어사전**

❶ 준공금: 도급계약에 따라 건설공사를 완료하고 공사의 결과에 대하여 대가를 받는 금액(선급금 또는 기성금이 있는 경우는 약정된 금액에서 제외하고 청구함)

❷ 기성금: 건설현장에서 공사 중간에 공사가 이루어진 만큼 계산하여 주는 돈
  ＊기성: 공사의 진척도 또는 진행 정도

❸ 선급금: 공사의 원활한 수행을 위하여 기성이 이루어지지 않았거나 현재의 기성에 못 미치더라도 발주자로부터 미리 대금을 받아 공사를 수행하는 금액

정희's 톡talk

하도급금액의 조정
설계변경 또는 물가변동에 따라 도급금액에 조정되는 경우 증액되는 경우가 대부분이지만, 간혹 감액되는 경우에 하도급금액을 감액하여 지급할 수 있습니다.

제22조의4 【하도급계약 자료의 공개】 ① 국가·지방자치단체 또는 대통령령으로 정하는 공공기관이 발주하는 소방시설공사등을 하도급한 경우 해당 발주자는 다음 각 호의 사항을 누구나 볼 수 있는 방법으로 공개하여야 한다.
 1. 공사명
 2. 예정가격 및 수급인의 도급금액 및 낙찰률
 3. 수급인(상호 및 대표자, 영업소 소재지, 하도급 사유)
 4. 하수급인(상호 및 대표자, 업종 및 등록번호, 영업소 소재지)
 5. 하도급 공사업종
 6. 하도급 내용(도급금액 대비 하도급 금액 비교명세, 하도급률)
 7. 선급금 지급 방법 및 비율
 8. 기성금 지급 방법(지급 주기, 현금지급 비율)
 9. 설계변경 및 물가변동에 따른 대금 조정 여부
 10. 하자담보 책임기간
 11. 하도급대금 지급보증서 발급 여부(발급하지 아니한 경우에는 그 사유를 말한다)
 12. 표준하도급계약서 사용 유무
 13. 하도급계약 적정성 심사 결과
 ② 제1항에 따른 하도급계약 자료의 공개와 관련된 절차 및 방법, 공개대상 계약규모 등에 관하여 필요한 사항은 대통령령으로 정한다.

(1) 하도급계약 자료의 공개
① 국가·지방자치단체 또는 대통령령으로 정하는 공공기관이 발주하는 소방시설공사등을 하도급한 경우 하도급계약 자료를 누구나 볼 수 있는 방법으로 공개하여야 한다.
② 하도급계약 자료의 공개와 관련된 절차 및 방법, 공개대상 계약규모 등 필요한 사항은 대통령령으로 정한다.

(2) 하도급계약 자료의 공개대상, 절차 및 방법, 공개대상 계약규모 등(영 제12조의5)
① 하도급계약 자료의 공개대상
　㉠ 국가·지방자치단체
　㉡ 대통령령으로 정하는 공공기관
　　　ⓐ 「공공기관의 운영에 관한 법률」 제5조에 따른 공기업 및 준정부기관
　　　ⓑ 「지방공기업법」에 따른 지방공사 및 지방공단
② 하도급계약 자료의 공개 절차 및 방법
　㉠ 하도급에 관한 사항을 통보받은 날부터 30일 이내
　㉡ 소방시설공사등을 발주한 기관의 인터넷 홈페이지에 게재하는 방법
③ 하도급계약 자료의 공개대상 계약규모
　㉠ 하도급계약금액이 1천만원 이상인 경우
　㉡ 하수급인의 하도급금액 산출내역서의 계약단가를 기준으로 산출한 금액에 일반관리비, 이윤 및 부가가치세를 포함한 금액을 말한다.

정희's 톡talk

하수급인의 하도급금액 산출내역서의 계약단가
1. 직접·간접 노무비, 재료비 및 경비를 포함합니다.
2. 수급인이 하수급인에게 직접 지급하는 자재의 비용 등 관계 법령에 따라 수급인이 부담하는 금액은 제외합니다.

3 도급계약의 해지   B

제23조【도급계약의 해지】 특정소방대상물의 관계인 또는 발주자는 해당 도급계약의 수급인이 다음 각 호의 어느 하나에 해당하는 경우에는 도급계약을 해지할 수 있다.

　1. 소방시설업이 등록취소되거나 영업정지된 경우

　2. 소방시설업을 휴업하거나 폐업한 경우

　3. 정당한 사유 없이 30일 이상 소방시설공사를 계속하지 아니하는 경우

　4. 제22조의2 제2항에 따른 요구에 정당한 사유 없이 따르지 아니하는 경우

관계인 또는 발주자는 수급인이 다음 어느 하나에 해당하면 도급계약을 해지할 수 있다.

① 소방시설업이 등록취소되거나 영업정지된 경우

② 소방시설업을 휴업하거나 폐업한 경우

③ 정당한 사유 없이 30일 이상 소방시설공사를 계속하지 아니하는 경우

④ 적정성 심사에 따른 계약 내용 변경 요구에 정당한 사유 없이 따르지 아니하는 경우

 정희's 톡talk

도급계약의 해지

1. 등록취소 · 영업정지

2. 휴업 · 폐업한 경우

3. 정당한 사유 없이 30일 이상 공사를 계속하지 않는 경우

4. 수급인(하수급인 또는 하도급계약 변경 요구)이 정당한 사유 없이 따르지 아니하는 경우

✎ 핵심기출

「소방시설공사업법」 도급에 관한 내용이다. 빈칸에 옳은 것은?　　17. 중앙통합

> 정당한 사유없이 (　　)일 이상 소방시설공사를 계속하지 않은 경우에는 관계인은 수급인에게 도급계약을 해지할 수 있다.

① 10　　　　　② 30

③ 60　　　　　④ 90

정답 ②

4 공사업자의 감리 제한   C

제24조【공사업자의 감리 제한】 다음 각 호의 어느 하나에 해당되면 동일한 특정소방대상물의 소방시설에 대한 시공과 감리를 함께 할 수 없다.

　1. 공사업자(법인인 경우 법인의 대표자 또는 임원을 말한다. 이하 제4호에서 같다)와 감리업자(법인인 경우 법인의 대표자 또는 임원을 말한다. 이하 제4호에서 같다)가 같은 자인 경우

　2. 「독점규제 및 공정거래에 관한 법률」 제2조 제11호에 따른 기업집단의 관계인 경우

　3. 법인과 그 법인의 임직원의 관계인 경우

　4. 공사업자와 감리업자가 「민법」 제777조에 따른 친족관계인 경우

동일한 특정소방대상물의 소방시설에 대한 시공과 감리가 제한된다.

① 공사업자(법인인 경우 법인의 대표자 또는 임원을 말한다)와 감리업자(법인인 경우 법인의 대표자 또는 임원을 말한다)가 같은 자인 경우

② 「독점규제 및 공정거래에 관한 법률」 제2조 제11호에 따른 **기업집단**의 관계인 경우

③ **법인과 그 법인의 임직원의 관계인 경우**

④ 공사업자와 감리업자가 「민법」 제777조에 따른 **친족관계인 경우**

 정희's 톡talk

동일한 특정소방대상물 시공 & 감리 제한하는 이유

감리업자는 발주자의 권한을 대행하여 해당 공사가 설계도서와 법령에 적법하게 시공하는 지를 확인하여야 하나, 그 공정성을 기대하기 힘들기 때문에 해당사유를 규정하여 제한하고 있습니다.

행정안전부령으로 정하는 방식(규칙 제21조)

1. 소방시설설계의 대가: 통신부분에 적용하는 공사비 요율에 따른 방식
2. 소방공사감리의 대가: 실비정액 가산방식

제25조【소방 기술용역의 대가 기준】 소방시설공사의 설계와 감리에 관한 약정을 할 때 그 대가는 「엔지니어링산업 진흥법」 제31조에 따른 엔지니어링사업의 대가 기준 가운데 행정안전부령으로 정하는 방식에 따라 산정한다.

6 　시공능력 평가 및 공시　　　　　　　B

제26조【시공능력 평가 및 공시】 ① 소방청장은 관계인 또는 발주자가 적절한 공사업자를 선정할 수 있도록 하기 위하여 공사업자의 신청이 있으면 그 공사업자의 소방시설공사 실적, 자본금 등에 따라 시공능력을 평가하여 공시할 수 있다.
② 제1항에 따른 평가를 받으려는 공사업자는 전년도 소방시설공사 실적, 자본금, 그 밖에 행정안전부령으로 정하는 사항을 소방청장에게 제출하여야 한다.
③ 제1항 및 제2항에 따른 시공능력 평가신청 절차, 평가방법 및 공시방법 등에 필요한 사항은 행정안전부령으로 정한다.

(1) 시공능력 평가 및 공시

① **평가 및 공시 주체: 소방청장**

② **평가 및 공시:** 관계인 또는 발주자가 적절한 공사업자를 선정할 수 있도록 하기 위하여 **공사업자의 신청**이 있으면 시공능력을 평가하여 공시할 수 있다.

③ 시공능력 평가신청 절차, 평가방법 및 공시방법 등은 행정안전부령으로 정한다.

(2) 시공능력 평가의 신청(규칙 제22조)

① **평가 신청:** 시공능력 평가를 받으려는 공사업자는 소방시설공사 실적, 자본금, 그 밖에 행전안전부령으로 정하는 사항을 **소방청장**에게 제출하여야 한다.

② **평가 신청 시 첨부서류**

　　㉠ 소방공사실적을 증명하는 서류

　　㉡ 평가를 받는 해의 전년도 말일 현재의 소방시설업 등록수첩 사본

　　㉢ 소방기술자 보유 현황

　　㉣ 신인도평가신고서

　　㉤ **다음 어느 하나에 해당하는 서류**

　　　　ⓐ 조세에 관한 신고서

　　　　ⓑ 외부감사인의 회계감사를 받은 재무제표

　　　　ⓒ 공인회계사 또는 회계법인이 감사한 회계서류

　　　　ⓓ 출자·예치·담보 금액 확인서

「소방시설공사업법」상 소방시설업 시공능력 평가 공시자는?　　　16. 중앙통합

① 소방청장
② 시·도지사
③ 소방본부장
④ 소방시설업자 협회장

정답 ①

③ 서류제출 기한: 매년 2월 15일(②의 ㉤의 경우 법인 4월 15일, 개인 5월 10일)

④ 서류의 보완기간: 협회는 공사업자가 첨부하여야 할 서류를 갖추지 못한 경우 15일 이내의 보완기간을 부여하여 보완하게 해야 한다.

(3) 시공능력의 평가(규칙 제23조 및 규칙 [별표 4])

① 평가의 방법

㉠ 시공능력평가액

> 시공능력평가액 = 실적평가액 + 자본금평가액 + 기술력평가액 + 경력평가액 ± 신인도평가액

㉡ 실적평가액 = 연평균공사실적액

ⓐ 공사실적액(발주자가 공급하는 자재비 제외): 하수급금액은 포함하고, 하도급금액은 제외한다.

ⓑ 기간에 따른 연평균공사실적액

3년 이상	최근 3년간의 공사실적을 합산하여 3으로 나눈 금액
1년 이상 3년 미만	$\dfrac{\text{그 기간의 공사실적을 합산한 금액}}{\text{그 기간의 개월 수}} \times 12$
1년 미만	그 기간의 공사실적액

㉢ 자본금평가액

> 자본금평가액 = (실질자본금 × 실질자본금의 평점 + 소방청장이 지정한 금융회사 또는 소방산업공제조합에 출자·예치·담보한 금액) × 70 / 100

㉣ 기술력평가액

> 기술력평가액 = 전년도 공사업계의 기술자1인당 평균생산액 × 보유기술인력 가중치합계 × 30/100 + 전년도 기술개발투자액

㉤ 경력평가액

> 경력평가액 = 실적평가액 × 공사업 경영기간 평점 × 20 / 100

㉥ 신인도평가액

> 신인도평가액 = (실적평가액 + 자본금평가액 + 기술력평가액 + 경력평가액) × 신인도 반영비율 합계(반영비율은 ±10%의 범위를 초과할 수 없으며, 가점요소와 감점요소가 있는 경우에는 이를 상계함)

② 평가 결과 및 공시

㉠ 평가된 시공능력: 공사업자가 도급받을 수 있는 1건의 공사도급금액이다.

㉡ 유효기간: 공시일부터 1년간 유효하다.

㉢ 협회의 시공능력 평가 공시일: 매년 7월 31일

㉣ 거짓으로 확인된 경우: 10일 이내 평가, 등록수첩 기재 후 발급한다.

정희's 톡talk

실적평가액

실적평가액에서 발주자가 공급하는 관급자재는 포함하지 않습니다. 또한 소방시설업자 입장에서 하수급금액은 해당업체에서 공사를 수행한 부분이므로 포함하는 것이고, 하도급금액은 하도급업체에 하도급하여 해당업체에서 공사를 수행한 부분이 아니므로 제외하는 것입니다.

정희's 톡talk

평가된 시공능력평가액

평가된 시공능력평가액은 소방시설공사업자의 입장에서 아주 중요한 의미가 있습니다. 정부 발주공사의 입찰참여 시 시공능력평가액에 따른 입찰참여 제한을 받으므로 보다 높은 평가액을 받기 위해 최대한의 노력을 합니다.

시행규칙

제22조【소방시설공사 시공능력 평가의 신청】 ① 법 제26조 제 1항에 따라 소방시설공사의 시공능력을 평가받으려는 공사업 자는 법 제26조 제2항에 따라 별지 제32호 서식의 소방시설공 사 시공능력평가신청서(전자문서로 된 소방시설공사 시공능력 평가신청서를 포함한다)에 다음 각 호의 서류(전자문서를 포함 한다)를 첨부하여 협회에 매년 2월 15일[제5호의 서류는 법인의 경우에는 매년 4월 15일, 개인의 경우에는 매년 6월 10일(「소득 세법」 제70조의2 제1항에 따른 성실신고확인대상자는 매년 7월 10일)]까지 제출하여야 하며, 이 경우 협회는 공사업자가 첨부 하여야 할 서류를 갖추지 못하였을 때에는 15일의 보완기간을 부여하여 보완하게 하여야 한다. 다만, 「전자정부법」 제36조 제 1항에 따른 행정정보의 공동이용을 통하여 첨부서류에 대한 정 보를 확인할 수 있는 경우에는 그 확인으로 첨부서류를 갈음할 수 있다.

1. 소방공사실적을 증명하는 다음 각 목의 구분에 따른 해당 서 류(전자문서를 포함한다)
   가. 국가, 지방자치단체, 「공공기관의 운영에 관한 법률」 제 5조에 따른 공기업·준정부기관 또는 「지방공기업법」 제 49조에 따라 설립된 지방공사나 같은 법 제76조에 따라 설립된 지방공단(이하 "국가 등"이라 한다. 이하 같다)이 발주한 국내 소방시설공사의 경우: 해당 발주자가 발행한 별지 제33호 서식의 소방시설공사 실적증명서
   나. 가목, 라목 또는 마목 외의 국내 소방시설공사와 하도급 공사의 경우: 해당 소방시설공사의 발주자 또는 수급인이 발행한 별지 제33호 서식의 소방시설공사 실적증명서 및 부가가치세법령에 따른 세금계산서(공급자 보관용) 사본 이나 소득세법령에 따른 계산서(공급자 보관용) 사본. 다 만, 유지·보수공사는 공사시공명세서로 갈음할 수 있다.
   다. 해외 소방시설공사의 경우: 재외공관장이 발행한 해외공 사 실적증명서 또는 공사계약서 사본이 첨부된 외국환은 행이 발행한 외화입금증명서
   라. 주한국제연합군 또는 그 밖의 외국군의 기관으로부터 도 급받은 소방시설공사의 경우: 거래하는 외국환은행이 발 행한 외화입금증명서 및 도급계약서 사본
   마. 공사업자의 자기수요에 따른 소방시설공사의 경우: 그 공 사의 감리자가 확인한 별지 제33호 서식의 소방시설공사 실적증명서
2. 평가를 받는 해의 전년도 말일 현재의 소방시설업 등록수첩 사본
3. 별지 제35호 서식의 소방기술자보유현황
4. 별지 제36호 서식의 신인도평가신고서(다음 각 목의 어느 하 나에 해당하는 사실이 있는 경우에만 해당된다)
   가. 품질경영인증(ISO 9000) 취득
   나. 우수소방시설공사업자 지정
   다. 소방시설공사 표창 수상

5. 다음 각 목의 어느 하나에 해당하는 서류
   가. 「법인세법」 및 「소득세법」에 따라 관할 세무서장에게 제 출한 조세에 관한 신고서(「세무사법」 제6조에 따라 등록 한 세무사가 확인한 것으로서 대차대조표 및 손익계산서 가 포함된 것을 말한다)
   나. 「주식회사의 외부감사에 관한 법률」에 따라 외부감사인 의 회계감사를 받은 재무제표
   다. 「공인회계사법」 제7조에 따라 등록한 공인회계사 또는 같 은 법 제24조에 따라 등록한 회계법인이 감사한 회계서류
   라. 출자·예치·담보 금액 확인서(다만, 소방청장이 지정하 는 금융회사 또는 소방산업공제조합에서 통보하는 경우 에는 생략할 수 있다)

② 제1항에서 규정한 사항 외에 시공능력 평가 등 업무수행에 필요한 세부규정은 협회가 정하되, 소방청장의 승인을 받아야 한다.

제23조【시공능력의 평가】 ① 법 제26조 제3항에 따른 시공능력 평가의 방법은 별표 4와 같다.

② 제1항에 따라 평가된 【 ① 】은 공사업자가 도급받을 수 있는 1건 의 공사도급금액으로 하고, 시공능력 평가의 유효기간은 공시일부터 【 ② 】으로 한다. 다만, 다음 각 호의 어느 하나에 해당하는 사 유로 평가된 시공능력의 유효기간은 그 시공능력 평가 결과의 공시일부터 다음 해의 정기 공시일(제3항 본문에 따라 공시한 날을 말한다)의 전날까지로 한다.

1. 법 제4조에 따라 소방시설공사업을 등록한 경우
2. 법 제7조 제1항이나 제2항에 따라 소방시설공사업을 상속· 양수·합병하거나 소방시설 전부를 인수한 경우
3. 제22조 제1항 각 호의 서류가 거짓으로 확인되어 제4항에 따 라 새로 평가한 경우

③ 협회는 시공능력을 평가한 경우에는 그 사실을 해당 공사업 자의 등록수첩에 기재하여 발급하고, 매년 【 ③ 】까지 각 공사업 자의 시공능력을 일간신문(「신문 등의 진흥에 관한 법률」 제2 조 제1호 가목 또는 나목에 해당하는 일간신문으로서 같은 법 제9조 제1항에 따른 등록 시 전국을 보급지역으로 등록한 일간 신문을 말한다. 이하 같다) 또는 인터넷 홈페이지를 통하여 공 시하여야 한다. 다만, 제2항 각 호의 어느 하나에 해당하는 사유 로 시공능력을 평가한 경우에는 인터넷 홈페이지를 통하여 공 시하여야 한다.

④ 협회는 시공능력평가 및 공시를 위하여 제22조에 따라 제출 된 자료가 거짓으로 확인된 경우에는 그 확인된 날부터 【 ④ 】 에 제3항에 따라 공시된 해당 공사업자의 시공능력을 새로 평 가하고 해당 공사업자의 등록수첩에 그 사실을 기재하여 발급 하여야 한다.

① 시공능력 ② 1년간 ③ 7월 31일 ④ 10일 이내

[별표 4] 시공능력 평가의 방법(제23조 관련) 요약

소방시설공사업자의 시공능력 평가 계산식(10만원 미만 절사, 산정기준일: 평가해의 전년도 말일)

시공능력평가액 = 실적평가액 + 자본금평가액 + 【 ⑤ 】+ 경력평가액 ± 신인도평가액

① 실적평가액 = 연평균공사실적액

　가. 공사실적액(발주자가 공급하는 자재비 제외)

　　→ 하수급금액은 포함하고 하도급금액은 제외

　나. 기간에 따른 연평균공사실적액

3년 이상	【 ⑥ 】간의 공사실적을 합산하여 3으로 나눈 금액
1년 이상 3년 미만	$\dfrac{\text{그 기간의 공사실적을 합산한 금액}}{\text{그 기간의 개월 수}} \times 12$
1년 미만	그 기간의 공사실적액

② 자본금평가액

자본금평가액 = (실질자본금×실질자본금의 평점 + 소방청장이 지정한 금융회사 또는 소방산업공제조합에 출자·예치·담보한 금액)× 70/100

　⇨ 실질자본금 = 총자산 − 총부채(겸업하는 경우 겸업비율 해당부분 공제)

③ 기술력평가액

기술력평가액 = 전년도 공사업계의 기술자 1인당 평균생산액× 보유기술인력 가중치합계×30/100 + 전년도 기술개발투자액

　⇨ 보유기술인력의 등급별 가중치

보유 기술인력	특급 기술자	고급 기술자	중급 기술자	초급 기술자
가중치	2.5	2	1.5	1

　⇨ 보유기술인력 1명이 기계·전기분야 기술을 함께 보유한 경우: 가중치에 0.5를 가산한다.

④ 경력평가액

경력평가액 = 【 ⑦ 】×공사업 경영기간 평점×20/100

⑤ 신인도평가액(반영비율은 【 ⑧ 】%의 범위를 초과할 수 없으며, 가점요소와 감점요소가 있는 경우에는 이를 상계함)

신인도평가액 = (실적평가액 + 자본금평가액 + 기술력평가액 + 경력평가액)×신인도 반영비율 합계

관계법령	소방시설법	소방시설공사업법	
구분	관리업 점검능력	방염처리업 능력평가	소방시설공사 시공능력 평가액
평가·공시 주체	소방청장	소방청장	소방청장
평가항목	대행실적 + 점검실적 + 기술력 + 경력 + 신인도	실적 + 자본금 + 기술력 + 경력 + 신인도	실적 + 자본금 + 기술력 + 경력 ± 신인도
평가신청	소방시설 관리업자는 평가기관에 제출	방염 처리업자는 협회에 제출	공사업자는 협회에 제출
날짜	· 제출일자: 2월 15일 · 공시일자: 7월 31일		
비고		세부규정 → 협회결정 (청장승인)	

⑤ 기술력평가액　⑥ 최근 3년　⑦ 실적평가액　⑧ ±10

제26조의2 【설계 · 감리업자의 선정】 ① 국가, 지방자치단체 또는 대통령령으로 정하는 공공기관은 그가 발주하는 소방시설의 설계 · 공사 감리 용역 중 소방청장이 정하여 고시하는 금액 이상의 사업에 대하여는 대통령령으로 정하는 바에 따라 집행 계획을 작성하여 공고하여야 한다. 이 경우 공고된 사업을 하려면 기술능력, 경영능력, 그 밖에 대통령령으로 정하는 사업수행능력 평가기준에 적합한 설계 · 감리업자를 선정하여야 한다.

② 시 · 도지사 또는 시장 · 군수가 「주택법」 제15조 제1항에 따라 주택건설사업계획을 승인하거나 특별자치시장, 특별자치도지사, 시장, 군수 또는 자치구의 구청장이 「도시 및 주거환경정비법」 제50조 제1항에 따라 사업시행계획을 인가할 때에는 그 주택건설공사에서 소방시설공사의 감리를 할 감리업자를 제1항 후단에 따른 사업수행능력 평가기준에 따라 선정하여야 한다. 이 경우 감리업자를 선정하는 주택건설공사의 규모 및 대상 등에 관하여 필요한 사항은 대통령령으로 정한다. [시행일: 2025.1.31.]

③ 제1항 및 제2항에 따른 설계 · 감리업자의 선정 절차 등에 필요한 사항은 대통령령으로 정한다.

(1) 집행 계획의 작성 · 공고(제26조의2 제1항)

　① 대상: 국가, 지방자치단체 또는 대통령령으로 정하는 공공기관의 설계 · 공사감리용역 중 소방청장이 고시하는 금액 이상의 사업

> 참고 **대통령령으로 정하는 공공기관(영 제12조의6)**
>
> "대통령령으로 정하는 공공기관"이란 제11조의5 각 호의 공공기관을 말한다.
>
> > 제11조의5 【공사대금의 지급보증 등의 예외가 되는 공공기관의 범위】 법 제21조의4 제1항 본문에서 "대통령령으로 정하는 공공기관"이란 다음 각 호의 공공기관을 말한다.
> > 1. 「공공기관의 운영에 관한 법률」 제5조에 따른 공기업 및 준정부기관
> > 2. 「지방공기업법」 제49조에 따른 지방공사 및 같은 법 제76조에 따른 지방공단

　② 소방청장이 정하여 고시하는 금액: 2천만원 이상의 금액(「소방시설의 사업수행능력 평가적용 기준금액」 제2조)

　③ 집행 계획의 작성 · 공고

　　㉠ 발주자는 대통령령으로 정하는 바에 따라 집행 계획을 작성하여 공고하여야 한다.

　　㉡ 집행 계획의 내용(영 제12조의7 제1항)

　　　ⓐ 설계 · 공사 감리 용역명

　　　ⓑ 설계 · 공사 감리 용역사업 시행 기관명

　　　ⓒ 설계 · 공사 감리 용역사업의 주요 내용

　　　ⓓ 총사업비 및 해당 연도 예산 규모

　　　ⓔ 입찰 예정시기

　　　ⓕ 그 밖에 입찰 참가에 필요한 사항

정희's 톡talk

소방시설의 사업수행능력 평가적용 기준금액

제1조 【목적】 이 고시는 「소방시설공사업법」 제26조의2에 따라 국가, 지방자치단체 또는 같은 법 시행령 제12조의6에 따른 공공기관이 사업수행능력 평가를 적용하기 위한 기준금액을 정함을 목적으로 한다.

제2조 【기준금액】 「소방시설공사업법」 제26조의2 제1항에서 "소방청장이 정하여 고시하는 금액 이상"이란 2천만원 이상의 금액을 말한다.

④ 설계·감리업자 선정

    ㉠ 공고된 사업을 하려면 기술능력, 경영능력 그 밖에 대통령령으로 정하는 사업수행능력 평가기준에 적합한 설계·감리업자를 선정하여야 한다.

    ㉡ **과태료 – 200만원 이하의 과태료(제40조):** 제26조의2 제1항 후단에 따른 사업수행능력 평가에 관한 서류를 위조하거나 변조하는 등 거짓이나 그 밖의 부정한 방법으로 입찰에 참여한 자

⑤ **사업수행능력 평가기준(영 제12조의8 제1항)**

    ㉠ 참여하는 소방기술자의 실적 및 경력

    ㉡ 입찰참가 제한, 영업정지 등의 처분 유무 또는 재정상태 건실도 등에 따라 평가한 신용도

    ㉢ 기술개발 및 투자 실적

    ㉣ 참여하는 소방기술자의 업무 중첩도

    ㉤ 그 밖에 행정안전부령으로 정하는 사항

(2) 주택건설사업계획의 승인(제26조의2 제2항)

① 시·도지사 또는 시장·군수가 「주택법」 제15조 제1항에 따라 주택건설사업계획을 승인하거나 특별자치시장, 특별자치도지사, 시장, 군수 또는 자치구의 구청장이 「도시 및 주거환경정비법」 제50조 제1항에 따라 사업시행계획을 인가할 때에는 그 주택건설공사에서 소방시설공사의 감리를 할 감리업자를 제1항 후단에 따른 사업수행능력 평가기준에 따라 선정하여야 한다. 이 경우 감리업자를 선정하는 주택건설공사의 규모 및 대상 등에 관하여 필요한 사항은 대통령령으로 정한다.

② **규모 및 대상 등(영 제12조의9)**

    ㉠ 「주택법」에 따른 공동주택(기숙사는 제외한다)으로서 300세대 이상

    ㉡ **감리업자의 모집공고:** 주택건설사업계획을 승인한 날부터 7일 이내에 다른 공사와 별도로 소방시설공사의 감리를 할 감리업자의 모집공고를 해야 한다.

    ㉢ **예외사항:** 시·도지사는 「주택법 시행령」 제31조에 따른 공사 착수기간의 연장 등 부득이한 사유가 있어 사업주체가 요청하는 경우에는 그 사유가 없어진 날부터 7일 이내에 감리업자 모집공고를 할 수 있다.

    ㉣ **모집공고 포함사항**

        ⓐ 접수기간

        ⓑ 낙찰자 결정방법

        ⓒ 사업내용 및 제출서류

        ⓓ 감리원 응모자격 기준시점(신청접수 마감일을 원칙으로 한다)

        ⓔ 감리업자 실적과 감리원 경력의 기준시점(모집공고일을 원칙으로 한다)

        ⓕ 입찰의 전자적 처리에 관한 사항

        ⓖ 그 밖에 감리업자 모집에 필요한 사항

    ㉤ 모집공고는 일간신문에 싣거나 해당 특별시·광역시·특별자치시·도 또는 특별자치도의 게시판과 인터넷 홈페이지에 **7일 이상 게시하는 등의 방법**으로 한다.

(3) 설계·감리업자 선정 절차 등에 필요한 사항(영 제12조의8 제2항 내지 제4항)

① **국가 등의 용역 발주:** 국가, 지방자치단체 또는 제12조의6에 따른 공공기관(이하 "국가 등"이라 한다)은 법 제26조의2 제1항 전단에 따라 공고된 소방시설의 설계·공사감리 용역을 발주하는 경우(시·도지사가 제12조의9 제2항에 따라 감리업자를 선정하기 위하여 모집공고를 하는 경우를 포함한다)에는 입찰에 참가하려는 자를 (1)의 ⑤에 따른 사업수행능력 평가기준에 따라 평가하여 입찰에 참가할 자를 선정해야 한다.

② **기술과 가격을 분리하여 입찰:** 국가 등이 소방시설의 설계·공사감리 용역을 발주할 때 특별히 기술이 뛰어난 자를 낙찰자로 선정하려는 경우에는 ①에 따라 선정된 입찰에 참가할 자에게 기술과 가격을 분리하여 입찰하게 하여 기술능력을 우선적으로 평가한 후 기술능력 평가점수가 높은 업체의 순서로 협상하여 낙찰자를 선정할 수 있다.

③ **위임규정:** 규정에 따른 사업수행능력 평가의 세부 기준 및 방법, 기술능력 평가 기준 및 방법, 협상 방법 등 설계·감리업자의 선정에 필요한 세부적인 사항은 행정안전부령으로 정한다.

④ **설계업자 또는 감리업자의 선정 등(규칙 제23조의2)**

  ㉠ 영 제12조의8 제4항의 사업수행능력 평가의 세부기준은 다음의 평가기준이다.

    ⓐ **설계용역의 경우:** 별표 4의3의 사업수행능력 평가기준

    ⓑ **공사감리용역의 경우:** 별표 4의4의 사업수행능력 평가기준

  ㉡ 소방청장은 설계업자 또는 감리업자가 사업수행능력을 평가받을 때 제출하는 서류 등의 표준서식을 정하여 국가 등이 이를 이용하게 할 수 있다.

  ㉢ 설계업자 및 감리업자는 그가 수행하거나 수행한 설계용역 또는 공사감리 용역의 실적관리를 위하여 협회에 설계용역 또는 공사감리용역의 실적 현황을 제출할 수 있다.

  ㉣ 협회는 ㉢에 따라 설계용역 또는 공사감리용역의 현황을 접수받았을 때에는 그 내용을 기록·관리하여야 하며, 설계업자 또는 감리업자가 요청하면 설계용역 수행현황확인서 또는 공사감리용역 수행현황확인서를 발급하여야 한다.

  ㉤ 협회는 ㉣에 따라 설계용역 또는 공사감리용역의 기록·관리를 하는 경우나 설계용역 수행현황확인서, 공사감리용역 수행현황확인서를 발급할 때에는 그 신청인으로부터 실비(實費)의 범위에서 소방청장의 승인을 받아 정한 수수료를 받을 수 있다.

⑤ **기술능력 평가기준·방법(규칙 제23조의3):** 국가 등은 기술과 가격을 분리하여 낙찰자를 선정하려는 경우에는 다음의 기준에 따라야 한다.

  ㉠ **설계용역**

    ⓐ 별표 4의3의 평가 기준에 따른 평가 결과, 국가 등이 정하는 일정 점수 이상을 얻은 자를 입찰참가자로 선정한 후 기술제안서를 제출하게 한다.

    ⓑ 기술제안서를 제출한 자를 별표 4의5의 평가 기준에 따라 평가한 결과 그 점수가 가장 높은 업체부터 순서대로 기술제안서에 기재된 입찰금액이 예정가격 이내인 경우 그 업체와 협상하여 낙찰자를 선정한다.

ⓛ 공사감리용역

　ⓐ 별표 4의4의 평가 기준에 따른 평가 결과, 국가 등이 정하는 일정 점수 이상을 얻은 자를 입찰참가자로 선정한 후 기술제안서를 제출하게 한다.

　ⓑ 기술제안서를 제출한 자를 별표 4의6의 평가 기준에 따라 평가한 결과 그 점수가 가장 높은 업체부터 순서대로 기술제안서에 기재된 입찰금액이 예정가격 이내인 경우 그 업체와 협상하여 낙찰자를 선정한다.

⑥ **설계업자의 사업수행능력 평가 기준(규칙 [별표 4의3])**

평가항목	배점범위	평가방법
1. 참여소방기술자	50	참여한 소방기술자의 등급·실적 및 경력 등에 따라 평가
2. 유사용역 수행 실적	15	업체의 수행 실적에 따라 평가
3. 신용도	10	관계 법령에 따른 입찰참가 제한, 영업정지 등의 처분내용에 따라 평가 및 재정상태 건실도(健實度)에 따라 평가
4. 기술개발 및 투자 실적 등	15	기술개발 실적, 투자 실적 및 교육 실적에 따라 평가
5. 업무 중첩도	10	참여소방기술자의 업무 중첩 정도에 따라 평가

　㉠ 평가항목·배점범위·평가방법 등에 관한 세부 사항은 소방청장이 정하여 고시한다.

　㉡ 발주자는 설계용역의 특성에 맞도록 평가항목·배점범위·평가방법 등을 보완하여 설계용역 사업 수행능력 평가기준(설계용역평가기준)을 작성하여 적용할 수 있다. 이 경우 평가항목별 배점범위는 위 표의 배점의 ±10% 범위에서 조정하여 적용할 수 있다.

　㉢ 발주자는 설계용역평가기준을 입찰공고와 함께 공고할 수 있으며 입찰공고기간 중에 배부하거나 공람하도록 해야 한다.

　㉣ 공동도급으로 설계용역을 수행하는 경우에는 공동수급체 구성원별로 설계용역평가기준 또는 평가항목별 배점에 용역참여 지분율을 곱하여 배점을 산정한 후 이를 합산한다.

⑦ **감리업자의 사업수행능력 평가 기준(규칙 [별표 4의4])**

　㉠ 평가항목·배점범위·평가방법 등에 관한 세부 사항은 **소방청장**이 정하여 고시한다.

　㉡ 발주자는 공사감리용역의 특성에 맞도록 평가항목·배점범위·평가방법 등을 보완하여 공사감리용역사업 수행능력 평가기준(공사감리용역평가기준)을 작성하여 적용할 수 있다. 이 경우 평가항목별 배점범위는 ±10% 범위에서 조정하여 적용할 수 있다.

　㉢ 발주자는 해당 사항에 따라 **2점**의 범위에서 가점을 줄 수 있다. 이 경우 이 표에 따른 평가 점수와 가점을 준 점수의 합이 100점을 초과할 수 없다.

　　ⓐ 해당 지역에 주된 사무소가 등록된 경우

　　ⓑ 책임감리원이 「국가기술자격법」에 따른 안전관리 분야 중 소방분야 자격자인 경우 가점

ⓔ 발주자는 공사감리용역평가기준 등을 입찰공고 또는 모집공고와 함께 공고할 수 있으며 입찰공고 또는 모집공고기간 중에 **배부하거나 공람하도록 해야** 한다.

ⓜ 공동도급으로 공사감리용역을 수행하는 경우에는 공동수급체 구성원별로 공사감리용역평가기준 또는 평가항목별 배점 및 지역가산 등에 용역참여 지분율을 곱하여 배점을 산정한 후 이를 합산한다.

평가항목	배점범위	평가방법
1. 참여감리원	50	참여감리원의 등급·실적 및 경력 등에 따라 평가
2. 유사용역 수행 실적	10	참여업체의 공사감리용역 수행 실적에 따라 평가
3. 신용도	10	관계 법령에 따른 입찰참가 제한, 영업정지 등의 처분내용에 따라 평가 및 재정상태 건실도(健實度)에 따라 평가
4. 기술개발 및 투자 실적 등	10	기술개발 실적, 투자 실적 및 교육 실적에 따라 평가
5. 업무 중첩도	10	참여감리원의 업무 중첩 정도에 따라 평가
6. 교체 빈도	5	감리원의 교체 빈도에 따라 평가
7. 작업계획 및 기법	5	공사감리 업무수행계획의 적정성 등에 따라 평가

관계법규 설계·감리 용역사업의 집행 계획

시행령	시행규칙
제12조의6【설계 및 공사 감리 용역사업의 집행 계획 작성·공고 대상자】 법 제26조의2 제1항에서 "대통령령으로 정하는 공공기관"이란 제11조의5 각 호의 어느 하나에 해당하는 기관을 말한다. **제12조의7【설계 및 공사 감리 용역사업의 집행 계획의 내용 등】** ① 법 제26조의2 제1항에 따른 집행 계획에는 다음 각 호의 사항이 포함되어야 한다. 1. 설계·공사 감리 용역명 2. 설계·공사 감리 용역사업 시행 기관명 3. 설계·공사 감리 용역사업의 주요 내용 4. 총사업비 및 해당 연도 예산 규모 5. 입찰 예정시기 6. 그 밖에 입찰 참가에 필요한 사항 ② 법 제26조의2 제1항 전단에 따른 집행 계획의 공고는 입찰공고와 함께 할 수 있다. **제12조의8【설계·감리업자의 선정 절차 등】** ① 법 제26조의2 제1항에서 "대통령령으로 정하는 사업수행능력 평가기준"이란 다음 각 호의 사항에 대한 평가기준을 말한다.	**제23조의2【설계업자 또는 감리업자의 선정 등】** ① 영 제12조의8 제4항에 따른 사업수행능력 평가의 세부기준은 다음 각 호의 평가기준을 말한다. 1. 설계용역의 경우: 별표 4의3의 사업수행능력 평가기준 2. 공사감리용역의 경우: 별표 4의4의 사업수행능력 평가기준 ② 소방청장은 영 제12조의8에 따라 설계업자 또는 감리업자가 사업수행능력을 평가받을 때 제출하는 서류 등의 표준서식을 정하여 국가 등이 이를 이용하게 할 수 있다. ③ 설계업자 및 감리업자는 그가 수행하거나 수행한 설계용역 또는 공사감리용역의 실적관리를 위하여 협회에 설계용역 또는 공사감리용역의 실적 현황을 제출할 수 있다. ④ 협회는 제3항에 따라 설계용역 또는 공사감리용역의 현황을 접수받았을 때에는 그 내용을 기록·관리하여야 하며, 설계업자 또는 감리업자가 요청하면 별지 제36호의2 서식의 설계용역 수행현황확인서 또는 별지 제36호의3 서식의 공사감리용역 수행현황확인서를 발급하여야 한다. ⑤ 협회는 제4항에 따라 설계용역 또는 공사감리용역의 기록·관리를 하는 경우나 설계용역 수행현황확인서, 공사감리용역 수행현황확인서를 발급할 때에는 그 신청인으로부터 실비(實費)의 범위에서 소방청장의 승인을 받아 정한 수수료를 받을 수 있다.

시행령	시행규칙

시행령

1. 참여하는 소방기술자의【 ① 】및【 ② 】
2. 입찰참가 제한,【 ③ 】등의 처분 유무 또는 재정상태 건실도 등에 따라 평가한 신용도
3. 기술개발 및 투자 실적
4. 참여하는 소방기술자의 업무 중첩도
5. 그 밖에 행정안전부령으로 정하는 사항

② 국가, 지방자치단체 또는 제12조의6에 따른 공공기관(이하 "국가 등"이라 한다. 이하 이 조에서 같다)은 법 제26조의2 제1항 전단에 따라 공고된 소방시설의 설계·공사감리 용역을 발주하는 경우(시·도지사가 제12조 제2항에 따라 감리업자를 선정하기 위하여 모집공고를 하는 경우를 포함한다) 입찰에 참가하려는 자를 제1항에 따른 사업수행능력 평가기준에 따라 평가하여 입찰에 참가할 자를 선정하여야 한다.

③ 국가 등이 소방시설의 설계·공사감리 용역을 발주할 때 특별히 기술이 뛰어난 자를 낙찰자로 선정하려는 경우에는 제2항에 따라 선정된 입찰에 참가할 자에게【 ④ 】과【 ⑤ 】을 분리하여 입찰하게 하여 기술능력을 우선적으로 평가한 후【 ⑥ 】평가점수가 높은 업체의 순서로 협상하여 낙찰자를 선정할 수 있다.

④ 제1항부터 제3항까지의 규정에 따른 사업수행능력 평가의 세부 기준 및 방법, 기술능력 평가 기준 및 방법, 협상 방법 등 설계·감리업자의 선정에 필요한 세부적인 사항은【 ⑦ 】으로 정한다.

제12조의9【감리업자를 선정하는 주택건설공사의 규모 및 대상 등】 ① 법 제26조의2 제2항 전단에 따라 시·도지사가 감리업자를 선정해야 하는 주택건설공사의 규모 및 대상은「주택법」에 따른 공동주택(기숙사는 제외한다)으로서 300세대 이상인 것으로 한다.

② 시·도지사는 법 제26조의2 제2항 전단에 따라 감리업자를 선정하려는 경우에는 주택건설사업계획을 승인한 날부터 7일 이내에 다른 공사와는 별도로 소방시설공사의 감리를 할 감리업자의 모집공고를 해야 한다.

③ 시·도지사는 제2항에도 불구하고「주택법 시행령」제31조에 따른 공사 착수기간의 연장 등 부득이한 사유가 있어 사업주체가 요청하는 경우에는 그 사유가 없어진 날부터 7일 이내에 제2항에 따른 모집공고를 할 수 있다.

④ 제2항에 따른 모집공고에는 다음 각 호의 사항이 포함되어야 한다.

1. 접수기간
2. 낙찰자 결정방법
3. 사업내용 및 제출서류
4. 감리원 응모자격 기준시점(신청접수 마감일을 원칙으로 한다)
5. 감리업자 실적과 감리원 경력의 기준시점(모집공고일을 원칙으로 한다)
6. 입찰의 전자적 처리에 관한 사항
7. 그 밖에 감리업자 모집에 필요한 사항

⑤ 제2항에 따른 모집공고는 일간신문에 싣거나 해당 특별시·광역시·특별자치시·도 또는 특별자치도의 게시판과 인터넷 홈페이지에 7일 이상 게시하는 등의 방법으로 한다.

① 실적 ② 경력 ③ 영업정지 ④ 기술 ⑤ 가격 ⑥ 기술능력 ⑦ 행정안전부령

시행규칙

제23조의3【기술능력 평가기준·방법】 ① 국가 등은 법 제26조의2 및 영 제12조의8 제3항에 따라 기술과 가격을 분리하여 낙찰자를 선정하려는 경우에는 다음 각 호의 기준에 따라야 한다.

1. 설계용역의 경우: 별표 4의3의 평가기준에 따른 평가 결과 국가 등이 정하는 일정 점수 이상을 얻은 자를 입찰참가자로 선정한 후 기술제안서(입찰금액이 적힌 것을 말한다. 이하 이 조에서 같다)를 제출하게 하고, 기술제안서를 제출한 자를 별표 4의5의 평가기준에 따라 평가한 결과 그 점수가 가장 높은 업체부터 순서대로 기술제안서에 기재된 입찰금액이 예정가격 이내인 경우 그 업체와 협상하여 낙찰자를 선정한다.

2. 공사감리용역의 경우: 별표 4의4의 평가기준에 따른 평가 결과 국가 등이 정하는 일정 점수 이상을 얻은 자를 입찰참가자로 선정한 후 기술제안서를 제출하게 하고, 기술제안서를 제출한 자를 별표 4의6의 평가기준에 따라 평가한 결과 그 점수가 가장 높은 업체부터 순서대로 기술제안서에 기재된 입찰금액이 예정가격 이내인 경우 그 업체와 협상하여 낙찰자를 선정한다.

② 국가 등은 낙찰된 업체의 기술제안서를 설계용역 또는 감리용역 계약문서에 포함시켜야 한다.

제26조의3【소방시설업 종합정보시스템의 구축 등】① 소방청장은 다음 각 호의 정보를 종합적이고 체계적으로 관리·제공하기 위하여 소방시설업 종합정보시스템을 구축·운영할 수 있다.
1. 소방시설업자의 자본금·기술인력 보유 현황, 소방시설공사등 수행상황, 행정처분 사항 등 소방시설업자에 관한 정보
2. 소방시설공사등의 착공 및 완공에 관한 사항, 소방기술자 및 감리원의 배치 현황 등 소방시설공사등과 관련된 정보
② 소방청장은 제1항에 따른 정보의 종합관리를 위하여 소방시설업자, 발주자, 관련 기관 및 단체 등에게 필요한 자료의 제출을 요청할 수 있다. 이 경우 요청을 받은 자는 특별한 사유가 없으면 이에 따라야 한다.
③ 소방청장은 제1항에 따른 정보를 필요로 하는 관련 기관 또는 단체에 해당 정보를 제공할 수 있다.
④ 제1항에 따른 소방시설업 종합정보시스템의 구축 및 운영 등에 필요한 사항은 행정안전부령으로 정한다.

(1) 종합정보시스템의 구축 등

① **종합정보시스템의 구축**: 소방청장

② **소방시설업자에 관한 정보**: 소방시설업자의 자본금·기술인력 보유 현황, 소방시설공사등 수행상황, 행정처분 사항 등

③ **소방시설공사등과 관련된 정보**: 소방시설공사등의 착공 및 완공에 관한 사항, 소방기술자 및 감리원의 배치 현황 등

(2) 소방청장의 자료 제출 요청 및 제공

① 정보의 종합관리를 위하여 소방시설업자, 발주자, 관련 기관 및 단체 등에게 필요한 자료의 제출을 요청할 수 있다.

② 소방청장은 정보를 필요로 하는 관련 기관 또는 단체에 해당 정보를 제공할 수 있다.

관계법규 소방시설업 종합정보시스템의 구축·운영

시행규칙

제23조의4【소방시설업 종합정보시스템의 구축·운영】① 소방청장은 법 제26조의3 제1항에 따른 소방시설업 종합정보시스템(이하 "소방시설업 종합정보시스템"이라 한다)의 구축 및 운영 등을 위하여 다음 각 호의 업무를 수행할 수 있다.
1. 소방시설업 종합정보시스템의 구축 및 운영에 관한 연구개발
2. 법 제26조의3 제1항 각 호의 정보에 대한 수집·분석 및 공유
3. 소방시설업 종합정보시스템의 표준화 및 공동활용 촉진

② 소방청장은 소방시설업 종합정보시스템의 효율적인 구축과 운영을 위하여 협회, 소방기술과 관련된 법인 또는 단체와 협의체를 구성·운영할 수 있다.
③ 소방청장은 법 제26조의3 제2항 전단에 따라 필요한 자료의 제출을 요청하는 경우에는 그 범위, 사용 목적, 제출기한 및 제출방법 등을 명시한 서면으로 해야 한다.
④ 법 제26조의3 제3항에 따른 관련 기관 또는 단체는 소방청장에게 필요한 정보의 제공을 요청하는 경우에는 그 범위, 사용 목적 및 제공방법 등을 명시한 서면으로 해야 한다.

제4장 소방기술자

1 소방기술자의 의무   B

제27조【소방기술자의 의무】① 소방기술자는 이 법과 이 법에 따른 명령과 「소방시설 설치 및 관리에 관한 법률」 및 같은 법에 따른 명령에 따라 업무를 수행하여야 한다.
② 소방기술자는 다른 사람에게 자격증[제28조에 따라 소방기술 경력 등을 인정받은 사람의 경우에는 소방기술 인정 자격수첩(이하 "자격수첩"이라 한다)과 소방기술자 경력수첩(이하 "경력수첩"이라 한다)을 말한다]을 빌려 주어서는 아니 된다.
③ 소방기술자는 동시에 둘 이상의 업체에 취업하여서는 아니 된다. 다만, 제1항에 따른 소방기술자 업무에 영향을 미치지 아니하는 범위에서 근무시간 외에 소방시설업이 아닌 다른 업종에 종사하는 경우는 제외한다.

(1) 법령 준수 의무

① 소방기술자는 다음 법령에 따라 업무를 수행하여야 한다.
    ㉠ 「소방시설공사업법」 및 같은 법에 따른 명령
    ㉡ 「소방시설법」 및 같은 법 명령
② 벌칙 – 1년 이하의 징역 또는 1천만원 이하의 벌금(제36조): 제27조 제1항을 위반하여 같은 항에 따른 법 또는 명령을 따르지 아니하고 업무를 수행한 자

(2) 자격증 등의 대여금지

① 소방기술자는 자격증(자격수첩)과 경력수첩을 빌려 주어서는 아니 된다.
② 벌칙 – 300만원 이하의 벌금(제37조): 제27조 제2항을 위반하여 자격수첩 또는 경력수첩을 빌려 준 사람

(3) 이중취업금지

① 소방기술자는 동시에 둘 이상의 업체에 취업하여서는 아니 된다.
② 단, 근무시간 외 소방시설업이 아닌 다른 업종에 종사하는 경우는 제외한다.
③ 벌칙 – 300만원 이하의 벌금(제37조): 제27조 제3항을 위반하여 동시에 둘 이상의 업체에 취업한 사람

> **참고** 소방기술자(제2조 제1항)
>
> 1. 제28조에 따라 소방기술 경력 등을 인정받은 사람
> 2. 소방시설관리업과 소방시설업의 기술인력으로 등록된 다음에 해당하는 자
>   - 소방시설관리사
>   - 소방기술사, 소방설비기사, 소방설비산업기사, 위험물기능장, 위험물산업기사, 위험물기능사

 정희's 톡talk

소방기술자의 의무
1. 법령 준수
  • 「소방시설공사업법」과 이 법에 따른 명령
  • 소방시설법 및 같은 법에 따른 명령
2. 대여금지: 자격증 · 자격수첩 · 경력수첩
3. 이중취업금지 제외대상: 업무에 영향이 없는 범위 → 근무시간 외 → 다른 업종

제28조【소방기술 경력 등의 인정 등】① 소방청장은 소방기술의 효율적인 활용과 소방기술의 향상을 위하여 소방기술과 관련된 자격·학력 및 경력을 가진 사람을 소방기술자로 인정할 수 있다.

② 소방청장은 제1항에 따라 자격·학력 및 경력을 인정받은 사람에게 소방기술 인정 자격수첩과 경력수첩을 발급할 수 있다.

③ 제1항에 따른 소방기술과 관련된 자격·학력 및 경력의 인정 범위와 제2항에 따른 자격수첩 및 경력수첩의 발급 절차 등에 관하여 필요한 사항은 행정안전부령으로 정한다.

④ 소방청장은 제2항에 따라 자격수첩 또는 경력수첩을 발급받은 사람이 다음 각 호의 어느 하나에 해당하는 경우에는 행정안전부령으로 정하는 바에 따라 그 자격을 취소하거나 6개월 이상 2년 이하의 기간을 정하여 그 자격을 정지시킬 수 있다. 다만, 제1호와 제2호에 해당하는 경우에는 그 자격을 취소하여야 한다.
1. 거짓이나 그 밖의 부정한 방법으로 자격수첩 또는 경력수첩을 발급받은 경우
2. 제27조 제2항을 위반하여 자격수첩 또는 경력수첩을 다른 사람에게 빌려준 경우
3. 제27조 제3항을 위반하여 동시에 둘 이상의 업체에 취업한 경우
4. 이 법 또는 이 법에 따른 명령을 위반한 경우

⑤ 제4항에 따라 자격이 취소된 사람은 취소된 날부터 2년간 자격수첩 또는 경력수첩을 발급받을 수 없다.

(1) 소방기술 경력의 인정

① **소방기술자 인정권자:** 소방청장

② **목적:** 소방기술의 효율적인 활용과 소방기술의 향상

③ **인정기준:** 소방기술과 관련된 자격·학력·경력

(2) 자격수첩·경력수첩의 발급

① 소방청장은 자격·학력 및 경력을 인정받은 사람에게 자격수첩과 경력수첩을 발급할 수 있다.

② 자격수첩과 경력수첩 발급 절차 등에 필요한 사항은 행정안전부령으로 정한다.

(3) 소방기술자 자격의 취소·정지 대상

① 소방청장은 자격수첩 또는 경력수첩을 발급받은 사람이 다음의 어느 하나에 해당하는 경우에는 행정안전부령으로 정하는 바에 따라 그 자격을 취소하거나 6개월 이상 2년 이하의 기간을 정하여 그 자격을 정지시킬 수 있다.

㉠ 거짓이나 그 밖의 부정한 방법으로 자격수첩 또는 경력수첩을 발급받은 경우(반드시 취소)

㉡ 자격수첩 또는 경력수첩을 다른 사람에게 빌려준 경우(반드시 취소)

㉢ 동시에 둘 이상의 업체에 취업한 경우

㉣ 이 법 또는 이 법에 따른 명령을 위반한 경우

② 자격이 취소된 사람은 취소된 날부터 2년간 자격수첩 또는 경력수첩을 발급받을 수 없다.

✎ **핵심기출**

「소방시설공사업법」상 소방기술 경력 등의 인정 등에 관한 내용으로 옳은 것은?

23. 공채·경채

① 소방본부장, 소방서장은 소방기술의 효율적인 활용과 소방기술의 향상을 위하여 소방기술과 관련된 자격·학력 및 경력을 가진 사람을 소방기술자로 인정할 수 있다.

② 소방본부장, 소방서장은 소방기술과 관련된 자격·학력 및 경력을 인정받은 사람에게 소방기술 인정 자격수첩과 경력수첩을 발급할 수 있다.

③ 소방기술과 관련된 자격·학력 및 경력의 인정 범위와 자격수첩 및 경력수첩의 발급 절차 등에 관하여 필요한 사항은 대통령령으로 정한다.

④ 소방청장은 자격수첩 또는 경력수첩을 발급받은 사람이 거짓이나 그 밖의 부정한 방법으로 자격수첩 또는 경력수첩을 발급받은 경우에 그 자격을 취소하여야 한다.

정답 ④

시행규칙

제24조【소방기술과 관련된 자격·학력 및 경력의 인정 범위 등】 ① 법 제28조 제3항에 따른 소방기술과 관련된 자격·학력 및 경력의 인정 범위는 별표 4의2와 같다.

1. 삭제
2. 삭제
3. 삭제

② 협회, 영 제20조 제4항에 따라 소방기술과 관련된 자격·학력 및 경력의 인정업무를 위탁받은 소방기술과 관련된 법인 또는 단체는 법 제28조 제1항에 따라 소방기술과 관련된 자격·학력 및 경력을 가진 사람을 소방기술자로 인정하려는 경우에는 법 제28조의2 제1항에 따른 소방기술자 양성·인정 교육훈련(이하 "소방기술자 양성·인정 교육훈련"이라 한다)의 수료 여부를 확인하고 별지 제39호 서식의 소방기술 인정 자격수첩과 별지 제39호의2서식에 따른 소방기술자 경력수첩을 발급해야 한다.

③ 제1항 및 제2항에서 규정한 사항 외에 자격수첩과 경력수첩의 발급절차 수수료 등에 관하여 필요한 사항은 소방청장이 정하여 고시한다.

제25조【자격의 정지 및 취소에 관한 기준】 법 제28조 제4항에 따른 자격의 정지 및 취소기준은 별표 5와 같다.

① 8년 ② 11년

[별표 5] 자격의 취소·정지의 대상

자격의 취소·정지 대상 (위반사항)		취소 및 정지 처분		
		1차	2차	3차
거짓이나 부정한 방법으로 자격수첩 또는 경력수첩을 발급받은 경우		자격취소		
자격수첩 또는 경력수첩을 다른 사람에게 빌려준 경우		자격취소		
동시에 둘 이상의 업체에 취업한 경우		자격정지 1년	자격취소	
법 또는 법에 따른 명령에 위반한 경우	업무수행 중 해당 자격과 관련하여 고의 또는 중대한 과실로 다른 자에게 손해를 입히고 형의 선고를 받은 경우	자격취소		
	자격정지처분을 받고도 같은 기간 내에 자격증을 사용한 경우	자격정지 1년	자격정지 2년	자격취소

시행규칙 제24조【소방기술과 관련된 자격·학력 및 경력의 인정 범위 등】 ① 법 제 28조 제3항에 따른 소방기술과 관련된 자격·학력 및 경력의 인정 범위는 별표 4의 2와 같다.

(1) 공통기준

① 소방기술과 관련된 자격

㉠ 소방기술사, 소방시설관리사, 소방설비기사, 소방설비산업기사

㉡ 건축사, 건축기사, 건축산업기사

㉢ 건축기계설비기술사, 건축설비기사, 건축설비산업기사

㉣ 건설기계기술사, 건설기계설비기사, 건설기계설비산업기사, 일반기계기사

㉤ 공조냉동기계기술사, 공조냉동기계기사, 공조냉동기계산업기사

㉥ 화공기술사, 화공기사, 화공산업기사

㉦ 가스기술사, 가스기능장, 가스기사, 가스산업기사

㉧ 건축전기설비기술사, 전기기능장, 전기기사, 전기산업기사, 전기공사기사, 전기공사산업기사

㉨ 산업안전기사, 산업안전산업기사

㉩ 위험물기능장, 위험물산업기사, 위험물기능사

② 소방기술과 관련된 학력

㉠ 소방안전관리학과(소방안전관리과, 소방시스템과, 소방학과, 소방환경관리과, 소방공학과 및 소방행정학과를 포함한다)

㉡ 전기공학과(전기과, 전기설비과, 전자공학과, 전기전자과, 전기전자공학과, 전기제어공학과를 포함한다)

㉢ 산업안전공학과(산업안전과, 산업공학과, 안전공학과, 안전시스템공학과를 포함한다)

㉣ 기계공학과(기계과, 기계학과, 기계설계학과, 기계설계공학과, 정밀기계공학과를 포함한다)

㉤ 건축공학과(건축과, 건축학과, 건축설비학과, 건축설계학과를 포함한다)

㉥ 화학공학과(공업화학과, 화학공업과를 포함한다)

㉦ 학군 또는 학부제로 운영되는 대학의 경우에는 ㉠부터 ㉥까지에 해당하는 학과

③ 소방기술과 관련된 경력(이하 "소방 관련 업무"라 한다)(일부 요약)

㉠ 소방시설공사업, 소방시설설계업, 소방공사감리업, 소방시설관리업에서 소방시설의 설계·시공·감리 또는 소방시설의 점검 및 유지관리업무를 수행한 경력

ⓛ 소방공무원으로서 다음 어느 하나에 해당하는 업무를 수행한 경력

　　ⓐ 건축허가등의 동의 관련 업무

　　ⓑ 소방시설 착공·감리·완공검사 관련 업무

　　ⓒ 위험물 설치허가 및 완공검사 관련 업무

　　ⓓ 다중이용업소 완비증명서 발급 및 방염 관련 업무

　　ⓔ 소방시설점검 및 화재안전조사 관련 업무

　　ⓕ ⓐ부터 ⓔ까지의 업무와 관련된 법령의 제도개선 및 지도·감독 관련
　　　 업무

(2) 소방기술 인정 자격수첩의 자격 구분

구분		자격·학력·경력 인정기준	
소방시설공사업·소방시설설계업	기계 분야 보조 인력	가. 소방기술과 관련된 자격 제1호 가목 1)부터 7)까지, 9) 및 10)의 자격을 취득한 사람 나. 소방기술과 관련된 학력 「고등교육법」 제2조 제1호부터 제6호까지에 해당하는 학교에서 제1호 나목 3)부터 6)까지를 졸업한 사람	**기계·전기 분야 공통** 가. 「고등교육법」 제2조 제1호부터 제6호까지에 해당하는 학교에서 제1호 나목 1)에 해당하는 학과를 졸업한 사람 나. 4년제 대학 이상 또는 이와 같은 수준 이상의 교육기관을 졸업한 후 1년 이상 제1호 다목에 해당하는 경력이 있는 사람 다. 전문대학 또는 이와 같은 수준 이상의 교육기관을 졸업한 후 3년 이상 제1호 다목에 해당하는 경력이 있는 사람 라. 5년 이상 제1호 다목에 해당하는 경력이 있는 사람 마. 3년 이상 제1호 다목 2)에 해당하는 경력이 있는 사람 바. 제1호 가목에 해당하는 자격으로 1년 이상 같은 호 다목에 해당하는 경력이 있는 사람 사. 「초·중등교육법 시행령」 제90조 및 제91조에 따른 학교에서 제1호 나목 1)에 해당하는 학과(이하 "고등학교 소방학과"라 한다)를 졸업한 사람
	전기 분야 보조 인력	가. 소방기술과 관련된 자격 제1호 가목 1) 및 8)의 자격을 취득한 사람 나. 소방기술과 관련된 학력 「고등교육법」 제2조 제1호부터 제6호까지에 해당하는 학교에서 제1호 나목 2)를 졸업한 사람	

(3) 소방기술자 경력수첩의 자격 구분

① 소방기술자의 기술등급

㉠ 기술자격에 따른 기술등급

구분	기계분야	전기분야
특급 기술자	· 소방기술사 · 소방시설관리사 자격을 취득한 후 5년 이상 소방 관련 업무를 수행한 사람	
	· 건축사, 건축기계설비기술사, 건설기계기술사, 공조냉동기계기술사, 화공기술사, 가스기술사 자격을 취득한 후 5년 이상 소방 관련 업무를 수행한 사람 · 소방설비기사 기계분야의 자격을 취득한 후 8년 이상 소방 관련 업무를 수행한 사람 · 소방설비산업기사 기계분야의 자격을 취득한 후 11년 이상 소방 관련 업무를 수행한 사람 · 건축기사, 건축설비기사, 건설기계설비기사, 일반기계기사, 공조냉동기계기사, 화공기사, 가스기능장, 가스기사, 산업안전기사, 위험물기능장 자격을 취득한 후 13년 이상 소방 관련 업무를 수행한 사람	· 건축전기설비기술사 자격을 취득한 후 5년 이상 소방 관련 업무를 수행한 사람 · 소방설비기사 전기분야의 자격을 취득한 후 8년 이상 소방 관련 업무를 수행한 사람 · 소방설비산업기사 전기분야의 자격을 취득한 후 11년 이상 소방 관련 업무를 수행한 사람 · 전기기능장, 전기기사, 전기공사기사 자격을 취득한 후 13년 이상 소방 관련 업무를 수행한 사람
고급 기술자	· 소방시설관리사	
	· 건축사, 건축기계설비기술사, 건설기계기술사, 공조냉동기계기술사, 화공기술사, 가스기술사 자격을 취득한 후 3년 이상 소방 관련 업무를 수행한 사람 · 소방설비기사 기계분야의 자격을 취득한 후 5년 이상 소방 관련 업무를 수행한 사람 · 소방설비산업기사 기계분야의 자격을 취득한 후 8년 이상 소방 관련 업무를 수행한 사람 · 건축기사, 건축설비기사, 건설기계설비기사, 일반기계기사, 공조냉동기계기사, 화공기사, 가스기능장, 가스기사, 산업안전기사, 위험물기능장 자격을 취득한 후 11년 이상 소방 관련 업무를 수행한 사람	· 건축전기설비기술사 자격을 취득한 후 3년 이상 소방 관련 업무를 수행한 사람 · 소방설비기사 전기분야의 자격을 취득한 후 5년 이상 소방 관련 업무를 수행한 사람 · 소방설비산업기사 전기분야의 자격을 취득한 후 8년 이상 소방 관련 업무를 수행한 사람 · 전기기능장, 전기기사, 전기공사기사 자격을 취득한 후 11년 이상 소방 관련 업무를 수행한 사람 · 전기산업기사, 전기공사산업기사 자격을 취득한 후 13년 이상 소방 관련 업무를 수행한 사람

	· 건축산업기사, 건축설비산업기사, 건설기계설비산업기사, 공조냉동기계산업기사, 화공산업기사, 가스산업기사, 산업안전산업기사, 위험물산업기사 자격을 취득한 후 13년 이상 소방 관련 업무를 수행한 사람	
중급 기술자	· 건축사, 건축기계설비기술사, 건설기계기술사, 공조냉동기계기술사, 화공기술사, 가스기술사 · 소방설비기사(기계분야)	· 건축전기설비기술사 · 소방설비기사(전기분야)
	· 소방설비산업기사 기계분야의 자격을 취득한 후 3년 이상 소방 관련 업무를 수행한 사람 · 건축기사, 건축설비기사, 건설기계설비기사, 일반기계기사, 공조냉동기계기사, 화공기사, 가스기능장, 가스기사, 산업안전기사, 위험물기능장 자격을 취득한 후 5년 이상 소방 관련 업무를 수행한 사람 · 건축산업기사, 건축설비산업기사, 건설기계설비산업기사, 공조냉동기계산업기사, 화공산업기사, 가스산업기사, 산업안전산업기사, 위험물산업기사 자격을 취득한 후 8년 이상 소방 관련 업무를 수행한 사람	· 소방설비산업기사 전기분야의 자격을 취득한 후 3년 이상 소방 관련 업무를 수행한 사람 · 전기기능장, 전기기사, 전기공사기사 자격을 취득한 후 5년 이상 소방 관련 업무를 수행한 사람 · 전기산업기사, 전기공사산업기사 자격을 취득한 후 8년 이상 소방 관련 업무를 수행한 사람
초급 기술자	· 소방설비산업기사(기계분야) · 건축기사, 건축설비기사, 건설기계설비기사, 일반기계기사, 공조냉동기계기사, 화공기사, 가스기능장, 가스기사, 산업안전기사, 위험물기능장 자격을 취득한 후 2년 이상 소방 관련 업무를 수행한 사람 · 건축산업기사, 건축설비산업기사, 건설기계설비산업기사, 공조냉동기계산업기사, 화공산업기사, 가스산업기사, 산업안전산업기사, 위험물산업기사 자격을 취득한 후 4년 이상 소방 관련 업무를 수행한 사람 · 위험물기능사 자격을 취득한 후 6년 이상 소방 관련 업무를 수행한 사람	· 소방설비산업기사(전기분야) · 전기기능장, 전기기사, 전기공사기사 자격을 취득한 후 2년 이상 소방 관련 업무를 수행한 사람 · 전기산업기사, 전기공사산업기사 자격을 취득한 후 4년 이상 소방 관련 업무를 수행한 사람

기계분야	특급	고급	중급	초급
소방기술사	○	○	○	○
소방시설관리사	5년	○	○	○
건축사, 건축기계설비기술사	5년	3년	○	○
소방설비기사	8년	5년	○	○
소방설비산업기사	11년	8년	3년	○
건축기사, 위험물기능장	13년	11년	5년	2년
건축산업기사, 위험물산업기사	×	13년	8년	4년
위험물기능사	×	×	×	6년

전기분야	특급	고급	중급	초급
소방기술사	○	○	○	○
소방시설관리사	5년	○	○	○
건축사, 건축전기설비기술사	5년	3년	○	○
소방설비기사	8년	5년	○	○
소방설비산업기사	11년	8년	3년	○
전기기사, 위험물기능장	13년	11년	5년	2년
전기산업기사, 위험물산업기사	×	13년	8년	4년
위험물기능사	×	×	×	×

ⓒ 학력·경력 등에 따른 기술등급(요약본)

구분	학력·경력자	경력자
특급 기술자	· 박사학위를 취득한 후 3년 이상 소방 관련 업무를 수행한 사람 · 석사학위를 취득한 후 7년 이상 소방 관련 업무를 수행한 사람 · 학사학위를 취득한 후 11년 이상 소방 관련 업무를 수행한 사람 · 전문학사학위를 취득한 후 15년 이상 소방 관련 업무를 수행한 사람	
고급 기술자	· 박사학위를 취득한 후 1년 이상 소방 관련 업무를 수행한 사람 · 석사학위를 취득한 후 4년 이상 소방 관련 업무를 수행한 사람 · 학사학위를 취득한 후 7년 이상 소방 관련 업무를 수행한 사람 · 전문학사학위를 취득한 후 10년 이상 소방 관련 업무를 수행한 사람 · 고등학교 소방학과를 졸업한 후 13년 이상 소방 관련 업무를 수행한 사람	· 학사 이상의 학위를 취득한 후 12년 이상 소방 관련 업무를 수행한 사람 · 전문학사학위를 취득한 후 15년 이상 소방 관련 업무를 수행한 사람 · 고등학교를 졸업한 후 18년 이상 소방 관련 업무를 수행한 사람 · 22년 이상 소방 관련 업무를 수행한 사람
중급 기술자	· 박사학위를 취득한 사람 · 석사학위를 취득한 후 2년 이상 소방 관련 업무를 수행한 사람 · 학사학위를 취득한 후 5년 이상 소방 관련 업무를 수행한 사람 · 전문학사학위를 취득한 후 8년 이상 소방 관련 업무를 수행한 사람 · 고등학교 소방학과를 졸업한 후 10년 이상 소방 관련 업무를 수행한 사람	· 학사 이상의 학위를 취득한 후 9년 이상 소방 관련 업무를 수행한 사람 · 전문학사학위를 취득한 후 12년 이상 소방 관련 업무를 수행한 사람 · 고등학교를 졸업한 후 15년 이상 소방 관련 업무를 수행한 사람 · 18년 이상 소방 관련 업무를 수행한 사람
초급 기술자	· 석사 또는 학사학위를 취득한 사람 · 「고등교육법」 제2조 제1호부터 제6호까지에 해당하는 학교에서 제1호 나목 1)에 해당하는 학과를 졸업한 사람 · 전문학사학위를 취득한 후 2년 이상 소방 관련 업무를 수행한 사람 · 고등학교 소방학과를 졸업 후 3년 이상 소방 관련 업무를 수행한 사람	· 학사 이상의 학위를 취득한 후 3년 이상 소방 관련 업무를 수행한 사람 · 전문학사학위를 취득한 후 5년 이상 소방 관련 업무를 수행한 사람 · 고등학교를 졸업한 후 7년 이상 소방 관련 업무를 수행한 사람 · 9년 이상 소방 관련 업무를 수행한 사람

 정희's 톡talk

학력·경력 등에 따른 기술등급 비고

1. 동일한 기간에 수행한 경력이 두 가지 이상의 자격 기준에 해당하는 경우에는 하나의 자격 기준에 대해서만 그 기간을 인정하고 기간이 중복되지 아니하는 경우에는 각각의 기간을 경력으로 인정합니다. 이 경우 동일 기술등급의 자격 기준별 경력기간을 해당 경력기준기간으로 나누어 합한 값이 1 이상이면 해당 기술등급의 자격 기준을 갖춘 것으로 봅니다.

2. ㉠, ㉡의 표에서 "학력·경력자"란 [별표 4의2] 제1호 나목(본문 (1)의 ②)의 학과를 졸업하고 소방 관련 업무를 수행한 사람을 말합니다.

3. ㉠, ㉡의 표에서 "경력자"란 [별표 4의2] 제1호 나목(본문 (1)의 ②)의 학과 외의 학과를 졸업하고 소방 관련 업무를 수행한 사람을 말합니다.

1. 학력 · 경력에 따른 기술등급/학력 · 경력자

구분	특급	고급	중급	초급
박사학위	3년	1년	○	○
석사학위	7년	4년	2년	○
학사학위	11년	7년	5년	○
전문학사	15년	10년	8년	2년
고등학교 소방학과	–	13년	10년	3년
고등학교(소방안전관리학과 외)	–	15년	12년	5년

2. 학력 · 경력에 따른 기술등급/경력자

구분	특급	고급	중급	초급
박사학위	–	–	–	–
석사학위	–	–	–	–
학사학위	–	12년	9년	3년
전문학사	–	15년	12년	5년
고등학교	–	18년	15년	7년
소방관련 업무	–	22년	18년	9년

② 소방공사감리원의 기술등급(요약본)

구분	기계분야	전기분야
특급 감리원	・소방기술사 자격을 취득한 사람	
	・소방설비기사 기계분야 자격을 취득한 후 8년 이상 소방 관련 업무를 수행한 사람 ・소방설비산업기사 기계분야 자격을 취득한 후 12년 이상 소방 관련 업무를 수행한 사람	・소방설비기사 전기분야 자격을 취득한 후 8년 이상 소방 관련 업무를 수행한 사람 ・소방설비산업기사 전기분야 자격을 취득한 후 12년 이상 소방 관련 업무를 수행한 사람
고급 감리원	・소방설비기사 기계분야 자격을 취득한 후 5년 이상 소방 관련 업무를 수행한 사람 ・소방설비산업기사 기계분야 자격을 취득한 후 8년 이상 소방 관련 업무를 수행한 사람	・소방설비기사 전기분야 자격을 취득한 후 5년 이상 소방 관련 업무를 수행한 사람 ・소방설비산업기사 전기분야 자격을 취득한 후 8년 이상 소방 관련 업무를 수행한 사람
중급 감리원	・소방설비기사 기계분야 자격을 취득한 후 3년 이상 소방 관련 업무를 수행한 사람 ・소방설비산업기사 기계분야 자격을 취득한 후 6년 이상 소방 관련 업무를 수행한 사람 ・초급감리원을 취득한 후 5년 이상 기계분야 소방감리업무를 수행한 사람	・소방설비기사 전기분야 자격을 취득한 후 3년 이상 소방 관련 업무를 수행한 사람 ・소방설비산업기사 전기분야 자격을 취득한 후 6년 이상 소방 관련 업무를 수행한 사람 ・초급감리원을 취득한 후 5년 이상 전기분야 소방감리업무를 수행한 사람
초급 감리원	・제1호 나목 1)에 해당하는 학사 이상의 학위를 취득한 후 1년 이상 소방 관련 업무를 수행한 사람 ・「고등교육법」 제2조 제1호부터 제6호까지에 해당하는 학교에서 제1호 나목 1)에 해당하는 학과의 전문학사학위를 취득한 후 3년 이상 소방 관련 업무를 수행한 사람 ・고등학교 소방학과를 졸업한 후 4년 이상 소방 관련 업무를 수행한 사람 ・3년 이상 제1호 다목 2)에 해당하는 경력이 있는 사람 ・5년 이상 소방 관련 업무를 수행한 사람	
	・소방설비기사 기계분야 자격을 취득한 후 1년 이상 소방 관련 업무를 수행한 사람 ・소방설비산업기사 기계분야 자격을 취득한 후 2년 이상 소방 관련 업무를 수행한 사람 ・제1호 나목 3)부터 6)까지에 해당하는 학과의 학사 이상의 학위를 취득한 후 1년 이상 소방 관련 업무를 수행한 사람	・소방설비기사 전기분야 자격을 취득한 후 1년 이상 소방 관련 업무를 수행한 사람 ・소방설비산업기사 전기분야 자격을 취득한 후 2년 이상 소방 관련 업무를 수행한 사람 ・제1호 나목 2)에 해당하는 학과의 학사 이상의 학위를 취득한 후 1년 이상 소방 관련 업무를 수행한 사람

 정희's 톡talk

소방공사 감리원의 기술등급 비고

1. 동일한 기간에 수행한 경력이 두 가지 이상의 자격 기준에 해당하는 경우에는 하나의 자격 기준에 대해서만 그 기간을 인정하고 기간이 중복되지 아니하는 경우에는 각각의 기간을 경력으로 인정합니다. 이 경우 동일 기술등급의 자격 기준별 경력기간을 해당 경력기준기간으로 나누어 합한 값이 1 이상이면 해당 기술등급의 자격 기준을 갖춘 것으로 봅니다.

2. 소방 관련 업무를 수행한 경력으로서 위 표에서 정한 국가기술자격 취득 전의 경력은 그 경력의 50퍼센트만 인정합니다.

기계·전기분야	특급	고급	중급	초급
소방기술사	○	○	○	○
소방설비기사	8년	5년	3년	1년
소방설비산업기사	12년	8년	6년	2년
학사학위	–	–	–	1년
전문학사학위	–	–	–	3년
소방공무원	–	–	–	3년
고등학교 소방학과	–	–	–	4년
소방관련업무 수행	–	–	–	5년

③ 소방시설 자체점검 점검자의 기술등급

㉠ 기술자격에 따른 기술등급

구분		기술자격
보조 기술 인력	특급 점검자	· 소방시설관리사, 소방기술사 · 소방설비기사 자격을 취득한 후 8년 이상 소방 관련 업무를 수행한 사람 · 소방설비산업기사 자격을 취득한 후 소방시설관리업체에서 10년 이상 점검업무를 수행한 사람
	고급 점검자	· 소방설비기사 자격을 취득한 후 5년 이상 소방 관련 업무를 수행한 사람 · 소방설비산업기사 자격을 취득한 후 8년 이상 소방 관련 업무를 수행한 사람 · 건축설비기사, 건축기사, 공조냉동기계기사, 일반기계기사, 위험물기능장 자격을 취득한 후 15년 이상 소방 관련 업무를 수행한 사람
	중급 점검자	· 소방설비기사 자격을 취득한 사람 · 소방설비산업기사 자격을 취득한 후 3년 이상 소방 관련 업무를 수행한 사람 · 건축설비기사, 건축기사, 공조냉동기계기사, 일반기계기사, 위험물기능장, 전기기사, 전기공사기사, 전파통신기사, 정보통신기사자 자격을 취득한 후 10년 이상 소방 관련 업무를 수행한 사람
	초급 점검자	· 소방설비산업기사 자격을 취득한 사람 · 가스기능장, 전기기능장, 위험물기능장 자격을 취득한 사람 · 건축기사, 건축설비기사, 건설기계설비기사, 일반기계기사, 공조냉동기계기사, 화공기사, 가스기사, 전기기사, 전기공사기사, 산업안전기사, 위험물산업기사 자격을 취득한 사람 · 건축산업기사, 건축설비산업기사, 건설기계설비산업기사, 공조냉동기계산업기사, 화공산업기사, 가스산업기사, 전기산업기사, 전기공사산업기사, 산업안전산업기사, 위험물기능사 자격을 취득한 사람

📖 **SUMMARY** 소방시설 자체점검 점검자 기술등급(기술자격)

구분	특급	고급	중급	초급
소방기술사	○			
소방시설관리사	○			
소방설비기사	8년	5년	○	
소방설비산업기사	10년	8년	3년	○
위험물기능장		15년	10년	○

ⓛ 학력·경력 등에 따른 기술등급

구분		학력·경력자	경력자
보조 기술 인력	고급 점검자	• 학사 이상의 학위를 취득한 후 9년 이상 소방 관련 업무를 수행한 사람 • 전문학사학위를 취득한 후 12년 이상 소방 관련 업무를 수행한 사람	• 학사 이상의 학위를 취득한 후 12년 이상 소방 관련 업무를 수행한 사람 • 전문학사학위를 취득한 후 15년 이상 소방 관련 업무를 수행한 사람 • 22년 이상 소방 관련 업무를 수행한 사람
	중급 점검자	• 학사 이상의 학위를 취득한 후 6년 이상 소방 관련 업무를 수행한 사람 • 전문학사학위를 취득한 후 9년 이상 소방 관련 업무를 수행한 사람 • 고등학교를 졸업한 후 12년 이상 소방 관련 업무를 수행한 사람	• 학사 이상의 학위를 취득한 후 9년 이상 소방 관련 업무를 수행한 사람 • 전문학사학위를 취득한 후 12년 이상 소방 관련 업무를 수행한 사람 • 고등학교를 졸업한 후 15년 이상 소방 관련 업무를 수행한 사람 • 18년 이상 소방 관련 업무를 수행한 사람
	초급 점검자	•「고등교육법」제2조 제1호부터 제6호까지에 해당하는 학교에서 제1호 나목에 해당하는 학과 또는 고등학교 소방학과를 졸업한 사람	• 4년제 대학 이상 또는 이와 같은 수준 이상의 교육기관을 졸업한 후 1년 이상 소방 관련 업무를 수행한 사람 • 전문대학 또는 이와 같은 수준 이상의 교육기관을 졸업한 후 3년 이상 소방 관련 업무를 수행한 사람 • 5년 이상 소방 관련 업무를 수행한 사람 • 3년 이상 제1호 다목 2)에 해당하는 경력이 있는 사람

ⓒ 비고

ⓐ 동일한 기간에 수행한 경력이 두 가지 이상의 자격 기준에 해당하는 경우에는 하나의 자격 기준에 대해서만 그 기간을 인정하고 기간이 중복되지 않는 경우에는 각각의 기간을 경력으로 인정한다. 이 경우 동일 기술등급의 자격 기준별 경력기간을 해당 경력기준기간으로 나누어 합한 값이 1 이상이면 해당 기술등급의 자격 기준을 갖춘 것으로 본다.

ⓑ ㉠, ㉡의 표에서 "학력·경력자"란 고등학교·대학 또는 이와 같은 수준 이상의 교육기관에서 제1호 나목에 해당하는 학과의 정해진 교육과정을 이수하고 졸업하거나 그 밖의 관계 법령에 따라 국내 또는 외국에서 이와 같은 수준 이상의 학력이 있다고 인정되는 사람을 말한다.

ⓒ ㉠, ㉡의 표에서 "경력자"란 제1호 나목의 학과 외의 학과를 졸업하고 소방 관련 업무를 수행한 사람을 말한다.

ⓓ 소방시설 자체점검 점검자의 경력 산정 시에는 소방시설관리업에서 소방시설의 점검 및 유지·관리 업무를 수행한 경력에 1.2를 곱하여 계산된 값을 소방 관련 업무 경력에 산입한다.

제28조의2【소방기술자 양성 및 교육 등】 ① 소방청장은 소방기술자를 육성하고 소방기술자의 전문기술능력 향상을 위하여 소방기술자와 제28조에 따라 소방기술과 관련된 자격·학력 및 경력을 인정받으려는 사람의 양성·인정 교육훈련(이하 "소방기술자 양성·인정 교육훈련"이라 한다)을 실시할 수 있다.

② 소방청장은 전문적이고 체계적인 소방기술자 양성·인정 교육훈련을 위하여 소방기술자 양성·인정 교육훈련기관을 지정할 수 있다.

③ 제2항에 따라 지정된 소방기술자 양성·인정 교육훈련기관의 지정취소, 업무정지 및 청문에 관하여는 「소방시설 설치 및 관리에 관한 법률」 제47조 및 제49조를 준용한다.

④ 제1항 및 제2항에 따른 소방기술자 양성·인정 교육훈련 및 교육훈련기관 지정 등에 필요한 사항은 행정안전부령으로 정한다.

(1) 소방기술자 양성 및 교육

① 양성·교육훈련 실시권자: 소방청장

② 목적: 소방기술자를 육성하고 소방기술자의 전문기술능력 향상

(2) 소방기술자 양성·인정 교육훈련기관

① 지정권자: 소방청장

② 목적: 전문적이고 체계적인 소방기술자 양성·인정 교육훈련

(3) 규정의 준용

지정된 소방기술자 양성·인정 교육훈련기관의 지정취소, 업무정지 및 청문에 관하여는 「소방시설 설치 및 관리에 관한 법률」 제47조 및 제49조를 준용한다.

> **참고** 「소방시설 설치 및 관리에 관한 법률」 제47조 및 제49조
>
> 1. 제47조
>
> > **제47조【전문기관의 지정취소 등】** 소방청장은 전문기관이 다음 각 호의 어느 하나에 해당할 때에는 그 지정을 취소하거나 6개월 이내의 기간을 정하여 그 업무의 정지를 명할 수 있다. 다만, 제1호에 해당할 때에는 그 지정을 취소하여야 한다.
> > 1. 거짓이나 그 밖의 부정한 방법으로 지정을 받은 경우
> > 2. 정당한 사유 없이 1년 이상 계속하여 제품검사 또는 실무교육 등 지정받은 업무를 수행하지 아니한 경우
> > 3. 제46조 제1항 각 호의 요건을 갖추지 못하거나 제46조 제3항에 따른 조건을 위반한 경우
> > 4. 제52조 제1항 제7호에 따른 감독 결과 이 법이나 다른 법령을 위반하여 전문기관으로서의 업무를 수행하는 것이 부적당하다고 인정되는 경우
>
> 2. 제49조
>
> > **제49조【청문】** 소방청장 또는 시·도지사는 다음 각 호의 어느 하나에 해당하는 처분을 하려면 청문을 하여야 한다.
> > 1. 제28조에 따른 관리사 자격의 취소 및 정지

2. 제35조 제1항에 따른 관리업의 등록취소 및 영업정지
3. 제39조에 따른 소방용품의 형식승인 취소 및 제품검사 중지
4. 제42조에 따른 성능인증의 취소
5. 제43조 제5항에 따른 우수품질인증의 취소
6. 제47조에 따른 전문기관의 지정취소 및 업무정지

(4) 위임규정

소방기술자 양성·인정 교육훈련 및 교육훈련기관 지정 등에 필요한 사항은 행정안전부령으로 정한다.

(5) 소방기술자 양성·인정 교육훈련의 실시 등(규칙 제25조의2)
① 소방기술자 양성·인정 교육훈련기관의 지정 요건
ㄱ 전국 4개 이상의 시·도에 이론교육과 실습교육이 가능한 교육·훈련장을 갖출 것
ㄴ 소방기술자 양성·인정 교육훈련을 실시할 수 있는 전담인력을 6명 이상 갖출 것
ㄷ 교육과목별 교재 및 강사 매뉴얼을 갖출 것
ㄹ 교육훈련의 신청·수료, 성과측정, 경력관리 등에 필요한 교육훈련 관리시스템을 구축·운영할 것
② 소방기술자 양성·인정 교육훈련기관은 다음의 사항이 포함된 다음 연도 교육훈련계획을 수립하여 해당 연도 11월 30일까지 소방청장의 승인을 받아야 한다.
ㄱ 교육운영계획
ㄴ 교육 과정 및 과목
ㄷ 교육방법
ㄹ 그 밖에 소방기술자 양성·인정 교육훈련의 실시에 필요한 사항
③ 소방기술자 양성·인정 교육훈련기관은 교육 이수 사항을 기록·관리해야 한다.

👆 **관계법규** 소방기술자 양성·인정 교육훈련의 실시 등

시행규칙

제25조의2 【소방기술자 양성·인정 교육훈련의 실시 등】 ① 법 제28조의2 제2항에 따른 소방기술자 양성·인정 교육훈련기관(이하 "소방기술자 양성·인정 교육훈련기관"이라 한다)의 지정 요건은 다음 각 호와 같다. 1. 전국 4개 이상의 시·도에 이론교육과 실습교육이 가능한 교육·훈련장을 갖출 것 2. 소방기술자 양성·인정 교육훈련을 실시할 수 있는 전담인력을 6명 이상 갖출 것 3. 교육과목별 교재 및 강사 매뉴얼을 갖출 것 4. 교육훈련의 신청·수료, 성과측정, 경력관리 등에 필요한 교육훈련 관리시스템을 구축·운영할 것	② 소방기술자 양성·인정 교육훈련기관은 다음 각 호의 사항이 포함된 다음 연도 교육훈련계획을 수립하여 해당 연도 11월 30일까지 소방청장의 승인을 받아야 한다. 1. 교육운영계획 2. 교육 과정 및 과목 3. 교육방법 4. 그 밖에 소방기술자 양성·인정 교육훈련의 실시에 필요한 사항 ③ 소방기술자 양성·인정 교육훈련기관은 교육 이수 사항을 기록·관리해야 한다.

제29조【소방기술자의 실무교육】 ① 화재 예방, 안전관리의 효율화, 새로운 기술 등 소방에 관한 지식의 보급을 위하여 소방시설업 또는 「소방시설 설치 및 관리에 관한 법률」 제29조에 따른 소방시설관리업의 기술인력으로 등록된 소방기술자는 행정안전부령으로 정하는 바에 따라 실무교육을 받아야 한다.

② 제1항에 따른 소방기술자가 정하여진 교육을 받지 아니하면 그 교육을 이수할 때까지 그 소방기술자는 소방시설업 또는 「소방시설 설치 및 관리에 관한 법률」 제29조에 따른 소방시설관리업의 기술인력으로 등록된 사람으로 보지 아니한다.

③ 소방청장은 제1항에 따른 소방기술자에 대한 실무교육을 효율적으로 하기 위하여 실무교육기관을 지정할 수 있다.

④ 제3항에 따른 실무교육기관의 지정방법·절차·기준 등에 관하여 필요한 사항은 행정안전부령으로 정한다.

⑤ 제3항에 따라 지정된 실무교육기관의 지정취소, 업무정지 및 청문에 관하여는 「소방시설 설치 및 관리에 관한 법률」 제47조 및 제49조를 준용한다.

(1) 소방기술자의 실무교육 대상자

소방시설업 또는 소방시설관리업의 기술인력으로 등록된 소방기술자

(2) 소방실무교육의 미이수자

소방기술자가 교육을 이수할 때까지 소방시설업 또는 소방시설관리업의 기술인력으로 등록된 사람으로 보지 아니한다.

(3) 실무교육기관의 지정

① 지정권자: 소방청장

② 실무교육기관의 지정방법·절차·기준 등에 관하여 필요한 사항은 행정안전부령으로 정한다.

(4) 실무교육(규칙 제26조)

① 소방기술자는 실무교육을 2년마다 1회 이상 받아야 한다. 다만, 실무교육을 받아야 할 기간 내에 소방기술자 양성·인정 교육훈련을 받은 경우에는 해당 실무교육을 받은 것으로 본다.

② 영 제20조 제1항에 따라 소방기술자 실무교육에 관한 업무를 위탁받은 실무교육기관 또는 「소방기본법」 제40조에 따른 한국소방안전원의 장은 소방기술자에 대한 실무교육을 실시하려면 교육일정 등 교육에 필요한 계획을 수립하여 소방청장에게 보고한 후 교육 10일 전까지 교육대상자에게 알려야 한다.

③ 실무교육의 시간, 교육과목, 수수료, 그 밖에 실무교육에 관하여 필요한 사항은 소방청장이 정하여 고시한다.

(5) 교육수료 사항의 기록 등(규칙 제27조)

① 실무교육기관등의 장은 실무교육을 수료한 소방기술자의 기술자격증(자격수첩)에 교육수료 사항을 기재·날인하여 발급하여야 한다.

정희's 톡talk

소방기술자의 실무교육

1. 화재 예방, 안전관리 효율화, 새로운 기술 등 소방에 관한 지식 보급: 행정안전부령으로 정하는 바에 따라 실무교육을 받아야 합니다(2년마다 1회 이상).
2. 소방청장: 실무교육기관을 지정할 수 있습니다.

② 실무교육기관등의 장은 소방기술자 실무교육수료자 명단을 교육대상자가 소속된 소방시설업의 업종별로 작성하고 필요한 사항을 기록하여 갖춰 두어야 한다.

(6) 감독(규칙 제28조)

소방청장은 실무교육기관등의 장이 실시하는 소방기술자 실무교육의 계획·실시 및 결과에 대하여 지도·감독하여야 한다.

(7) 실무교육기관의 지정기준 및 지정방법·절차

① **지정기준(규칙 제29조)**
　　㉠ 실무교육기관의 지정을 받으려는 자가 갖추어야 하는 실무교육에 필요한 기술인력 및 시설장비는 규칙 별표 6과 같다.
　　㉡ 실무교육기관의 지정을 받으려는 자는 **비영리법인**이어야 한다.

② **지정신청**
　　㉠ 실무교육기관의 지정을 받으려는 자는 실무교육기관 지정신청서에 관계 첨부서류를 첨부하여 **소방청장**에게 제출하여야 한다.
　　㉡ 신청서를 제출받은 담당 공무원은 「전자정부법」 제36조 제1항에 따라 행정정보의 공동이용을 통하여 관계서류를 확인하여야 한다.

③ **서류심사 등**
　　㉠ 실무교육기관의 지정신청을 받은 소방청장은 지정기준을 충족하였는지를 현장 확인하여야 한다. 이 경우 소방청장은 「소방기본법」에 따른 **한국소방안전원**에 소속된 사람을 현장 확인에 참여시킬 수 있다.
　　㉡ 소방청장은 신청자가 제출한 신청서 및 첨부서류가 미비되거나 현장 확인 결과 지정기준을 충족하지 못하였을 때에는 15일 이내의 기간을 정하여 이를 보완하게 할 수 있다. 이 경우 보완기간 내에 보완하지 않으면 신청서를 되돌려 보내야 한다.

④ **지정서 발급 등**
　　㉠ 소방청장은 제출된 서류를 심사하고 현장 확인한 결과 지정기준을 충족한 경우에는 신청일부터 30일 이내에 실무교육기관 지정서를 발급하여야 한다.
　　㉡ 실무교육기관을 지정한 소방청장은 지정한 실무교육기관의 명칭, 대표자, 소재지, 교육실시 범위 및 교육업무 개시일 등 교육에 필요한 사항을 관보에 공고하여야 한다.

⑤ **지정사항의 변경:** 실무교육기관으로 지정된 기관은 다음의 어느 하나에 해당하는 사항을 변경하려면 변경일부터 10일 이내에 소방청장에게 보고하여야 한다.
　　㉠ 대표자 또는 각 지부의 책임임원
　　㉡ 기술인력 또는 시설장비 등 지정기준
　　㉢ 교육기관의 명칭 또는 소재지

⑥ **휴업·재개업 및 폐업 신고 등**
　　㉠ 지정을 받은 실무교육기관은 휴업·재개업 또는 폐업을 하려면 그 휴업 또는 재개업을 하려는 날의 14일 전까지 휴업·재개업·폐업 보고서에 실무교육기관 지정서 1부를 첨부(폐업하는 경우에만 첨부한다)하여 소방청장에게 보고하여야 한다.

ⓛ 보고는 방문·전화·팩스 또는 컴퓨터통신으로 할 수 있다.

ⓒ 소방청장은 휴업보고를 받은 경우에는 실무교육기관 지정서에 휴업기간을 기재하여 발급하고, 폐업보고를 받은 경우에는 실무교육기관 지정서를 회수하여야 한다. 이 경우 소방청장은 휴업·재개업·폐업 사실을 인터넷 등을 통하여 널리 알려야 한다.

⑦ **교육계획의 수립·공고 등**

ⓐ 실무교육기관등의 장은 매년 12월 31일까지 다음 해 교육계획을 실무교육의 종류별·대상자별·지역별로 수립하여 이를 일간신문 또는 인터넷 홈페이지에 공고하고 소방본부장 또는 소방서장에게 보고해야 한다.

ⓛ 교육계획을 변경하는 경우에는 변경한 날부터 10일 이내에 이를 일간신문 또는 인터넷 홈페이지에 공고하고 소방본부장 또는 소방서장에게 보고해야 한다.

(8) 소방기술자 실무교육에 필요한 기술인력 및 시설장비(규칙 [별표 6])

① **조직구성**

ⓐ 수도권(서울, 인천, 경기), 중부권(대전, 세종, 강원, 충남, 충북), 호남권(광주, 전남, 전북, 제주), 영남권(부산, 대구, 울산, 경남, 경북) 등 권역별로 1개 이상의 지부를 설치할 것

ⓛ 각 지부에는 법인에 선임된 임원 1명 이상을 책임자로 지정할 것

ⓒ 각 지부에는 기술인력 및 시설·장비 등 교육에 필요한 시설을 갖출 것

② **기술인력**

ⓐ **인원**: 강사 4명 및 교무요원 2명 이상을 확보할 것

ⓛ **자격요건**

ⓐ **강사**

- 소방 관련학의 박사학위를 가진 사람
- 전문대학 또는 이와 같은 수준 이상의 교육기관에서 소방안전 관련학과 전임 강사 이상으로 재직한 사람
- 소방기술사, 소방시설관리사, 위험물기능장 자격을 소지한 사람
- 소방설비기사 및 위험물산업기사 자격을 소지한 사람으로서 소방 관련 기관(단체)에서 2년 이상 강의경력이 있는 사람
- 소방설비산업기사 및 위험물기능사 자격을 소지한 사람으로서 소방 관련 기관(단체)에서 5년 이상 강의경력이 있는 사람
- 대학 또는 이와 같은 수준 이상의 교육기관에서 소방안전 관련학과를 졸업하고 소방 관련 기관(단체)에서 5년 이상 강의경력이 있는 사람
- 소방 관련 기관(단체)에서 10년 이상 실무경력이 있는 사람으로서 5년 이상 강의 경력이 있는 사람
- 소방경 이상의 소방공무원이나 소방설비기사 자격을 소지한 소방위 이상의 소방공무원

ⓑ **외래 초빙강사**: 강사의 자격요건에 해당하는 사람일 것

③ 시설 및 장비

ㄱ 사무실: 바닥면적이 60m²이상일 것

ㄴ 강의실: 바닥면적이 100m² 이상이고, 의자 · 탁자 및 교육용 비품을 갖출 것

ㄷ 실습실 · 실험실 · 제도실: 각 바닥면적이 100m² 이상(실습실은 소방안전관리자만 해당되고, 실험실은 위험물안전관리자만 해당되며, 제도실은 설계 및 시공자만 해당된다)

ㄹ 교육용 기자재(요약본)

기자재명	규격	수량(단위: 개)
빔 프로젝터(Beam Projector)		1
소화기(단면절개: 斷面切開)	3종	각 1
경보설비시스템		1
스프링클러모형		1
자동화재탐지설비 세트		1
소화설비 계통도		1
소화기 시뮬레이터		1
소화기 충전장치		1
방출포량 시험기		1
열감지기 시험기		1

관계법규 소방기술자의 실무교육

시행규칙

[별표 6] 소방기술자 실무교육에 필요한 기술인력 및 시설장비 (제29조 관련) 요약

1. 조직구성
   가. 수도권, 중부권, 호남권, 영남권 등 권역별로 1개 이상 지부
   나. 각 지부에는 법인에 선임된 임원 1명 이상을 책임자
   다. 각 지부에는 기술인력 및 시설 · 장비 등 교육에 필요한 시설
2. 기술인력
   가. 인원: 강사 4명 및 교무요원 2명 이상
   나. 자격요건
   1) 강사
      가) 소방 관련학의 박사학위
      나) 전문대학 또는 교육기관 소방안전 관련학과 전임 강사 이상
      다) 소방기술사, 소방시설관리사, 위험물기능장 자격자
      라) 소방설비기사 및 위험물산업기사 자격자로서 소방 관련 기관(단체)에서 2년 이상
      마) 소방설비산업기사 및 위험물기능사 자격을 소지자로서 소방 관련 기관(단체)에서 5년 이상 강의 경력자

바) 대학 또는 교육기관에서 소방안전 관련학과를 졸업하고 소방 관련 기관(단체)에서 5년 이상 강의 경력자
사) 소방 관련 기관(단체)에서 10년 이상 실무경력자로서 5년 이상 강의 경력자
아) 소방경 또는 지방소방경 이상의 소방공무원이나 소방설비기사 자격을 소지한 소방위 또는 지방소방위 이상의 소방공무원
   2) 외래 초빙강사: 강사의 자격요건에 해당하는 사람일 것
3. 시설 및 장비
   가. 사무실: 바닥면적이 60제곱미터 이상
   나. 강의실: 바닥면적이 100제곱미터 이상
   다. 실습실 · 실험실 · 제도실: 각 바닥면적이 100제곱미터 이상
   라. 교육용 기자재

제26조【소방기술자의 실무교육】 ① 소방기술자는 법 제29조 제1항에 따라 실무교육을 【 ① 】마다 1회 이상 받아야 한다.

① 2년

② 영 제20조 제1항에 따라 소방기술자 실무교육에 관한 업무를 위탁받은 실무교육기관 또는 「소방기본법」 제40조에 따른 한국소방안전원의 장(이하 "실무교육기관등의 장"이라 한다)은 소방기술자에 대한 실무교육을 실시하려면 교육일정 등 교육에 필요한 계획을 수립하여 소방청장에게 보고한 후 교육【 ② 】전까지 교육대상자에게 알려야 한다.

③ 제1항에 따른 실무교육의 시간, 교육과목, 수수료, 그 밖에 실무교육에 관하여 필요한 사항은 소방청장이 정하여 고시한다.

제27조【교육수료 사항의 기록 등】 ① 실무교육기관등의 장은 실무교육을 수료한 소방기술자의 기술자격증(자격수첩)에 교육수료 사항을 기재·날인하여 발급하여야 한다.

② 실무교육기관등의 장은 별지 제40호 서식의 소방기술자 실무교육수료자 명단을 교육대상자가 소속된 소방시설업의 업종별로 작성하고 필요한 사항을 기록하여 갖춰 두어야 한다.

제28조【감독】 소방청장은 실무교육기관등의 장이 실시하는 소방기술자 실무교육의 계획·실시 및 결과에 대하여 지도·감독하여야 한다.

제29조【소방기술자 실무교육기관의 지정기준】 ① 법 제29조 제4항에 따라 소방기술자에 대한 실무교육기관의 지정을 받으려는 자가 갖추어야 하는 실무교육에 필요한 기술인력 및 시설장비는 별표 6과 같다.

② 제1항에 따라 실무교육기관의 지정을 받으려는 자는 비영리법인이어야 한다.

제30조【지정신청】 ① 법 제29조 제4항에 따라 실무교육기관의 지정을 받으려는 자는 별지 제41호 서식의 실무교육기관 지정신청서(전자문서로 된 실무교육기관 지정신청서를 포함한다)에 다음 각 호의 서류(전자문서를 포함한다)를 첨부하여 소방청장에게 제출하여야 한다. 다만, 「전자정부법」 제36조 제1항에 따른 행정정보의 공동이용을 통하여 첨부서류에 대한 정보를 확인할 수 있는 경우에는 그 확인으로 첨부서류를 갈음할 수 있다.

1. 정관 사본 1부
2. 대표자, 각 지부의 책임임원 및 기술인력의 자격을 증명할 수 있는 서류(전자문서를 포함한다)와 기술인력의 명단 및 이력서 각 1부
3. 건물의 소유자가 아닌 경우 건물임대차계약서 사본 및 그 밖에 사무실 보유를 증명할 수 있는 서류(전자문서를 포함한다) 각 1부
4. 교육장 도면 1부
5. 시설 및 장비명세서 1부

② 제1항에 따른 신청서를 제출받은 담당 공무원은 「전자정부법」 제36조 제1항에 따라 행정정보의 공동이용을 통하여 다음 각 호의 서류를 확인하여야 한다.

1. 법인등기사항 전부증명서 1부
2. 건물등기사항 전부증명서(건물의 소유자인 경우에만 첨부한다)

제31조【서류심사 등】 ① 제30조에 따라 실무교육기관의 지정신청을 받은 소방청장은 제29조의 지정기준을 충족하였는지를 현장 확인하여야 한다. 이 경우 소방청장은 「소방기본법」 제40조에 따른 한국소방안전원에 소속된 사람을 현장 확인에 참여시킬 수 있다.

② 소방청장은 신청자가 제출한 신청서(전자문서로 된 신청서를 포함한다) 및 첨부서류(전자문서를 포함한다)가 미비되거나 현장 확인 결과 제29조에 따른 지정기준을 충족하지 못하였을 때에는 15일 이내의 기간을 정하여 이를 보완하게 할 수 있다. 이 경우 보완기간 내에 보완하지 않으면 신청서를 되돌려 보내야 한다.

제32조【지정서 발급 등】 ① 소방청장은 제30조에 따라 제출된 서류(전자문서를 포함한다)를 심사하고 현장 확인한 결과 제29조의 지정기준을 충족한 경우에는 신청일부터 30일 이내에 별지 제42호 서식의 실무교육기관 지정서(전자문서로 된 실무교육기관 지정서를 포함한다)를 발급하여야 한다.

② 제1항에 따라 실무교육기관을 지정한 소방청장은 지정한 실무교육기관의 명칭, 대표자, 소재지, 교육실시 범위 및 교육업무 개시일 등 교육에 필요한 사항을 관보에 공고하여야 한다.

제33조【지정사항의 변경】 제32조 제1항에 따라 실무교육기관으로 지정된 기관은 다음 각 호의 어느 하나에 해당하는 사항을 변경하려면 변경일부터 10일 이내에 소방청장에게 보고하여야 한다.

1. 대표자 또는 각 지부의 책임임원
2. 기술인력 또는 시설장비 등 지정기준
3. 교육기관의 명칭 또는 소재지

제34조【휴업·재개업 및 폐업 신고 등】 ① 제32조 제1항에 따라 지정을 받은 실무교육기관은 휴업·재개업 또는 폐업을 하려면 그 휴업 또는 재개업을 하려는 날의 14일 전까지 별지 제43호 서식의 휴업·재개업·폐업 보고서에 실무교육기관 지정서 1부를 첨부(폐업하는 경우에만 첨부한다)하여 소방청장에게 보고하여야 한다.

② 제1항에 따른 보고는 방문·전화·팩스 또는 컴퓨터통신으로 할 수 있다.

③ 소방청장은 제1항에 따라 휴업보고를 받은 경우에는 실무교육기관 지정서에 휴업기간을 기재하여 발급하고, 폐업보고를 받은 경우에는 실무교육기관 지정서를 회수하여야 한다. 이 경우 소방청장은 휴업·재개업·폐업 사실을 인터넷 등을 통하여 널리 알려야 한다.

제35조【교육계획의 수립·공고 등】 ① 실무교육기관등의 장은 매년 12월 31일까지 다음 해 교육계획을 실무교육의 종류별·대상별·지역별로 수립하여 이를 일간신문 또는 인터넷 홈페이지에 공고하고 소방본부장 또는 소방서장에게 보고해야 한다.

② 제1항에 따른 교육계획을 변경하는 경우에는 변경한 날부터 10일 이내에 이를 일간신문 또는 인터넷 홈페이지에 공고하고 소방본부장 또는 소방서장에게 보고해야 한다.

② 10일

제30조의2 【소방시설업자협회의 설립】 ① 소방시설업자는 소방시설업자의 권익보호와 소방기술의 개발 등 소방시설업의 건전한 발전을 위하여 소방시설업자협회(이하 "협회"라 한다)를 설립할 수 있다.

② 협회는 법인으로 한다.

③ 협회는 소방청장의 인가를 받아 주된 사무소의 소재지에 설립등기를 함으로써 성립한다.

④ 협회의 설립인가 절차, 정관의 기재사항 및 협회에 대한 감독에 관하여 필요한 사항은 대통령령으로 정한다.

제30조의3 【협회의 업무】 협회의 업무는 다음 각 호와 같다.

1. 소방시설업의 기술발전과 소방기술의 진흥을 위한 조사 · 연구 · 분석 및 평가
2. 소방산업의 발전 및 소방기술의 향상을 위한 지원
3. 소방시설업의 기술발전과 관련된 국제교류 · 활동 및 행사의 유치
4. 이 법에 따른 위탁 업무의 수행

제30조의4 【「민법」의 준용】 협회에 관하여 이 법에 규정되지 아니한 사항은 「민법」 중 사단법인에 관한 규정을 준용한다.

정회's 톡talk

협회의 설립 등
1. 소방시설업자
   · 협회: 법인
   · 성립조건: 소방청장의 인가 → 설립등기
   · 절차, 정관 → 대통령령
2. 「민법」의 준용: 사단법인에 관한 규정 준용

(1) 소방시설업자협회의 설립(제30조의2)

① **설립의 주체:** 소방시설업자는 소방시설업자협회를 설립할 수 있다.

② **설립의 목적:** 소방시설업자 권익보호와 소방기술의 개발 등 소방시설업의 건전한 발전의 도모하기 위함이다.

③ **협회의 성립:** 소방청장의 인가를 받아 주된 사무소 소재지에 설립등기를 함으로써 성립하며, 협회는 법인으로 한다.

④ 협회의 설립인가 절차, 정관의 기재사항 및 협회에 대한 감독에 필요한 사항은 대통령령으로 정한다.

(2) 소방시설업자협회의 설립인가 절차 및 공고(영 제19조의2)

① **설립인가 신청:** 협회설립을 위해서는 소방시설업자 10명 이상이 발기하고 창립총회에서 정관을 의결한 후 소방청장의 인가를 신청하여야 한다.

② **인가 및 공고:** 소방청장이 인가하며, 인가 사실을 공고하여야 한다.

(3) 협회의 업무(제30조의3)

① 소방시설업의 기술발전과 소방기술의 진흥을 위한 조사 · 연구 · 분석 및 평가

② 소방산업의 발전 및 소방기술의 향상을 위한 지원

③ 소방시설업의 기술발전과 관련된 국제교류 · 활동 및 행사의 유치

④ 위탁 업무의 수행

(4) 준용 규정(제30조의4)

이 법에 규정되지 않은 사항은 「민법」 중 사단법인에 관한 규정을 준용한다.

📖 SUMMARY 소방관계법규상 단체

구분	소방기본법	소방산업 진흥에 관한 법률	소방시설공사업법
관련법령	제40조	제14조	제30조의2
협회 및 단체	한국소방안전원	한국소방산업기술원 (기술원)	소방시설업자협회
설립 목적	·소방기술과 안전관리기술의 향상 및 홍보 ·위탁업무의 수행 ·소방관계종사자의 기술향상	소방산업의 진흥·발전의 효율적 지원	·소방시설업자의 권익보호 ·소방기술의 개발 ·소방시설업의 건전한 발전
업무	·교육 및 조사·연구 ·각종 간행물 발간 ·대국민 홍보 ·위탁업무 ·국제협력	·소방산업의 육성 ·기술진흥 정책·제도의 조사·연구 ·소방장비 품질확보·품질인증 ·소방용기계·기구, 소방시설 및 위험물 안전에 관한 조사·연구·기술개발	·조사·연구·분석·평가 ·지원사업 ·국제교류·활동 ·위탁업무
「민법」의 준용	「민법」상 재단법인 규정 준용	「민법」상 재단법인 규정 준용	「민법」상 사단법인 규정 준용
비고	·원장 1명 포함 9명 이내 이사와 1명의 감사 ·원장과 감사는 청장이 임명	법인	법인

👆 관계법규 소방시설업자협회의 설립인가 절차 등

시행령

제19조의2【소방시설업자협회의 설립인가 절차 등】 ① 법 제30조의2 제1항에 따라 소방시설업자협회(이하 "협회"라 한다)를 설립하려면 법 제2조 제1항 제2호에 따른 소방시설업자【 ① 】이상이 발기하고 창립총회에서 정관을 의결한 후 소방청장에게 인가를 신청하여야 한다.
② 소방청장은 제1항에 따른 【 ② 】를 하였을 때에는 그 사실을 공고하여야 한다.

제19조의4【감독】 ① 법 제30조의2 제4항에 따라 소방청장은 협회에 대하여 다음 각 호의 사항을 보고하게 할 수 있다.
1. 총회 또는 이사회의 중요 의결사항
2. 회원의 가입·탈퇴와 회비에 관한 사항
3. 그 밖에 협회 및 회원에 관계되는 중요한 사항

① 10명 ② 인가

제6장 보칙

제31조【감독】 ① 시·도지사, 소방본부장 또는 소방서장은 소방시설업의 감독을 위하여 필요할 때에는 소방시설업자나 관계인에게 필요한 보고나 자료 제출을 명할 수 있고, 관계 공무원으로 하여금 소방시설업체나 특정소방대상물에 출입하여 관계 서류와 시설등을 검사하거나 소방시설업자 및 관계인에게 질문하게 할 수 있다.
② 소방청장은 제33조 제2항부터 제4항까지의 규정에 따라 소방청장의 업무를 위탁받은 제29조 제3항에 따른 실무교육기관(이하 "실무교육기관"이라 한다) 또는 「소방기본법」 제40조에 따른 한국소방안전원, 협회, 법인 또는 단체에 필요한 보고나 자료 제출을 명할 수 있고, 관계 공무원으로 하여금 실무교육기관, 한국소방안전원, 협회, 법인 또는 단체의 사무실에 출입하여 관계 서류 등을 검사하거나 관계인에게 질문하게 할 수 있다.
③ 제1항과 제2항에 따라 출입·검사를 하는 관계 공무원은 그 권한을 표시하는 증표를 지니고 이를 관계인에게 보여주어야 한다.
④ 제1항과 제2항에 따라 출입·검사업무를 수행하는 관계 공무원은 관계인의 정당한 업무를 방해하거나 출입·검사업무를 수행하면서 알게 된 비밀을 다른 자에게 누설하여서는 아니 된다.

(1) 소방시설업자 및 관계인에 대한 감독(제31조 제1항)
  ① **감독권자:** 시·도지사, 소방본부장 또는 소방서장
  ② **자료 제출 명령:** 소방시설업 감독을 위하여 필요할 때에는 소방시설업자나 관계인에게 보고 또는 자료 제출을 명할 수 있다.
  ③ **검사 및 질문:** 관계 공무원으로 하여금 소방시설업체나 특정소방대상물에 출입하여 관계 서류와 시설등을 검사하거나 소방시설업자 및 관계인에게 질문하게 할 수 있다.
  ④ **벌칙 및 과태료**
    ㉠ **100만원 이하의 벌금(제38조):** 제31조 제1항을 위반하여 정당한 사유 없이 관계 공무원의 출입 또는 검사·조사를 거부·방해 또는 기피한 자
    ㉡ **200만원 이하의 과태료(제40조):** 제31조 제1항에 따른 명령을 위반하여 보고 또는 자료 제출을 하지 아니하거나 거짓으로 보고 또는 자료 제출을 한 자

(2) 실무교육기관 등에 대한 감독(제31조 제2항)
  ① **감독권자:** 소방청장
  ② **자료 제출 명령:** 소방청장의 업무를 위탁받은 실무교육기관 또는 한국소방안전원, 협회, 법인 또는 단체에 필요한 보고 또는 자료 제출을 명할 수 있다.

정희's 톡talk

감독(보·자, 검·질)
1. 시·도지사, 소방본부장·소방서장: 소방시설업자·관계인
2. 소방청장: 실무교육기관, 한국소방안전원, 협회, 법인 단체

③ **검사 및 질문**: 관계공무원으로 하여금 실무교육기관 또는 한국소방안전원, 협회, 법인 또는 단체의 사무실에 출입하여 관계 서류 등을 검사하거나 질문하게 할 수 있다.

(3) 출입·검사업무를 수행하는 관계 공무원의 의무(제31조 제3항·제4항)

관계공무원은 권한을 표시하는 증표를 지니고 관계인에게 보여주어야 한다.

(4) 비밀 누설 금지 의무 등

① **업무방해금지**: 관계 공무원은 관계인의 정당한 업무를 방해해서는 아니 된다.

② **비밀누설금지**: 관계 공무원은 업무 수행 중 알게 된 비밀을 누설하여서는 아니 된다.

2	청문	B

제32조【청문】 제9조 제1항에 따른 소방시설업 등록취소처분이나 영업정지처분 또는 제28조 제4항에 따른 소방기술 인정 자격취소처분을 하려면 청문을 하여야 한다.

(1) 청문대상(제32조)

① 소방시설업의 등록취소처분

② 소방시설업의 영업정지처분

③ 소방기술 인정 자격취소처분

(2) 「소방시설 설치 및 관리에 관한 법률」 제49조(청문)

청문대상	취소	정지	중지
관리사	자격 ○	자격 ○	
관리업	등록 ○	영업정지 ○	
소방용품	형식승인 ○		
소방용품			제품검사 ○
성능인증	○		
우수품질인증	○		
전문기관	지정취소 ○	업무정지 ○	

(3) 「화재의 예방 및 안전관리에 관한 법률」 제46조(청문)

청문대상	취소	정지	중지
소방안전관리자	자격 ○		
진단기관	지정취소 ○		

제33조【권한의 위임·위탁 등】① 소방청장은 이 법에 따른 권한의 일부를 대통령령으로 정하는 바에 따라 시·도지사에게 위임할 수 있다.

② 소방청장은 제29조에 따른 실무교육에 관한 업무를 대통령령으로 정하는 바에 따라 실무교육기관 또는 한국소방안전원에 위탁할 수 있다.

③ 소방청장 또는 시·도지사는 다음 각 호의 업무를 대통령령으로 정하는 바에 따라 협회에 위탁할 수 있다.

1. 제4조 제1항에 따른 소방시설업 등록신청의 접수 및 신청내용의 확인
2. 제6조에 따른 소방시설업 등록사항 변경신고의 접수 및 신고내용의 확인
2의2. 제6조의2에 따른 소방시설업 휴업·폐업 등 신고의 접수 및 신고내용의 확인
3. 제7조 제3항에 따른 소방시설업자의 지위승계 신고의 접수 및 신고내용의 확인
4. 제20조의3에 따른 방염처리능력 평가 및 공시
5. 제26조에 따른 시공능력 평가 및 공시
6. 제26조의3 제1항에 따른 소방시설업 종합정보시스템의 구축·운영

④ 소방청장은 다음 각 호의 업무를 대통령령으로 정하는 바에 따라 협회, 소방기술과 관련된 법인 또는 단체에 위탁할 수 있다.

1. 제28조에 따른 소방기술과 관련된 자격·학력 및 경력의 인정 업무
2. 제28조의2에 따른 소방기술자 양성·인정 교육훈련 업무

⑤ 삭제

(1) 권한의 위임

소방청장은 이 법에 따른 권한의 일부를 대통령령이 정하는 바에 따라 시·도지사에게 위임할 수 있다.

(2) 소방청장 업무의 위탁

소방청장은 소방기술자 실무교육에 관한 업무를 대통령령으로 정하는 바에 따라 실무교육기관 또는 한국소방안전원에 위탁할 수 있다.

① 소방청장이 지정하는 실무교육기관

② 한국소방안전원

(3) 소방청장 또는 시·도지사 업무의 위탁

① 소방청장 또는 시·도지사는 업무를 대통령령으로 정하는 바에 따라 협회에 위탁할 수 있다.

② 소방청장 업무의 협회 위탁사항(규칙 제20조 제2항)
　㉠ 방염처리능력평가 및 공시에 관한 업무
　㉡ 시공능력 평가 및 공시에 관한 업무
　㉢ 소방시설업 종합정보시스템의 구축·운영

③ 시·도지사 업무의 협회 위탁사항(규칙 제20조 제2항)
　㉠ 소방시설업 등록신청의 접수 및 신청내용의 확인
　㉡ 소방시설업 등록사항 변경신고의 접수 및 신고내용의 확인
　㉢ 소방시설업 휴업·폐업 또는 재개업신고의 접수 및 신고내용의 확인
　㉣ 소방시설업자의 지위승계신고의 접수 및 신고내용의 확인

✎**핵심기출**

01 「소방시설공사업법 시행령」상 시·도지사가 소방시설업자협회에 위탁하는 업무로 옳은 것만을 고른 것은?

24. 공채·경채

| ㄱ. 소방시설업 등록신청의 접수 및 신청내용의 확인 |
| ㄴ. 소방시설업 등록사항 변경신고의 접수 및 신고내용의 확인 |
| ㄷ. 시공능력 평가 및 공시에 관한 업무 |
| ㄹ. 소방시설업자의 지위승계 신고의 접수 및 신고내용의 확인 |
| ㅁ. 소방시설업 휴업·폐업 또는 재개업 신고의 접수 및 신고내용의 확인 |
| ㅂ. 방염처리능력 평가 및 공시에 관한 업무 |

① ㄱ, ㄴ, ㄹ, ㅁ
② ㄱ, ㄴ, ㅁ, ㅂ
③ ㄱ, ㄷ, ㄹ, ㅁ
④ ㄴ, ㄷ, ㄹ, ㅂ

정답 ①

02 「소방시설공사업법 시행령」상 업무의 위탁에 대한 설명으로 옳지 않은 것은?

18. 공채(10월)

① 시·도지사는 소방시설업 등록신청의 접수 및 신청내용의 확인에 관한 업무를 소방시설업자협회에 위탁한다.
② 소방청장은 소방기술과 관련된 자격·학력·경력의 인정 업무를 소방시설업자협회, 소방기술과 관련된 법인 또는 단체에 위탁한다.
③ 소방청장은 소방시설공사업을 등록한 자의 시공능력평가 및 공시에 관한 업무를 소방시설업자협회에 위탁한다.
④ 소방청장은 소방기술자 실무교육에 관한 업무를 소방청장이 지정하는 실무교육기관 또는 대한소방공제회에 위탁한다.

정답 ④

(4) 소방청장 업무의 위탁

소방청장은 다음의 업무를 대통령령으로 정하는 바에 따라 **협회, 소방기술과 관련된 법인 또는 단체에 위탁**할 수 있다.

① 소방기술과 관련된 자격·학력 및 경력의 인정 업무

② 소방기술자 양성·인정 교육훈련 업무

> **참고** 「대한소방공제회법」상 목적
>
> 이 법은 대한소방공제회를 설립하여 소방공무원에 대한 효율적인 공제제도를 확립·운영하고, 직무수행 중 사망하거나 상이(傷痍)를 입은 사람에 대한 지원사업을 함으로써 이들의 생활 안정과 복지 증진에 이바지함을 목적으로 한다.

관계법규 업무의 위탁

시행령	NOTE
제20조【업무의 위탁】 ① 소방청장은 법 제33조 제2항에 따라 법 제29조에 따른 소방기술자 실무교육에 관한 업무를 법 제29조 제3항에 따라 소방청장이 지정하는 실무교육기관 또는 「소방기본법」 제40조에 따른【 ① 】에 위탁한다. ②【 ② 】은 법 제33조 제3항에 따라 다음 각 호의 업무를 협회에 위탁한다. 1. 법 제20조의3에 따른 방염처리능력 평가 및 공시에 관한 업무 2. 법 제26조에 따른 시공능력 평가 및 공시에 관한 업무 3. 법 제26조의3 제1항에 따른 소방시설업 종합정보시스템의 구축·운영 ③【 ③ 】는 법 제33조 제3항에 따라 다음 각 호의 업무를 협회에 위탁한다. 1. 법 제4조 제1항에 따른 소방시설업 등록신청의 접수 및 신청내용의 확인 2. 법 제6조에 따른 소방시설업 등록사항 변경신고의 접수 및 신고내용의 확인 2의2. 법 제6조의2에 따른 소방시설업 휴업·폐업 또는 재개업 신고의 접수 및 신고내용의 확인 3. 법 제7조 제3항에 따른 소방시설업자의 지위승계 신고의 접수 및 신고내용의 확인 ④ 소방청장은 법 제33조 제4항에 따라 다음 각 호의 업무를 협회, 소방기술과 관련된 법인 또는 단체에 위탁한다. 이 경우 소방청장은 수탁기관을 지정하여 고시해야 한다. 1. 법 제28조에 따른 소방기술과 관련된 자격·학력 및 경력의 인정 업무 2. 법 제28조의2에 따른 소방기술자 양성·인정 교육훈련 업무 ① 한국소방안전원 ② 소방청장 ③ 시·도지사	■ **업무의 위탁** 1. 소방청장의 업무 위탁 2. 시·도지사의 업무 위탁

1. 소방청장의 업무 위탁

위임 및 위탁 대상	실무교육 기관	한국소방안전원	협회	소방기술 관련 법인·단체
소방기술자의 실무교육	○	○		
방염처리능력 평가 및 공시			○	
시공능력 평가 및 공시			○	
소방시설업 종합정보시스템의 구축·운영			○	
소방기술과 관련된 자격·학력·경력의 인정 업무			○	○
소방기술자 양성·인정 교육훈련 업무			○	○

2. 시·도지사의 업무 위탁

위임 및 위탁 대상	실무교육 기관	한국소방안전원	협회	소방기술 관련 법인·단체
소방시설업 등록신청 접수 및 신청내용 확인			○	
소방시설업 변경신고 접수			○	
소방시설업 휴업·폐업·재개업 신고 접수			○	
소방시설업자의 지위승계 신고의 접수 및 신고내용의 확인			○	

제34조 【수수료 등】 다음 각 호의 어느 하나에 해당하는 자는 행정안전부령으로 정하는 바에 따라 수수료나 교육비를 내야 한다.

　1. 제4조 제1항에 따라 소방시설업을 등록하려는 자

　2. 제4조 제3항에 따라 소방시설업 등록증 또는 등록수첩을 재발급받으려는 자

　3. 제7조 제3항에 따라 소방시설업자의 지위승계 신고를 하려는 자

　4. 제20조의3 제2항에 따라 방염처리능력 평가를 받으려는 자

　5. 제26조 제2항에 따라 시공능력 평가를 받으려는 자

　6. 제28조 제2항에 따라 자격수첩 또는 경력수첩을 발급받으려는 사람

　6의2. 제28조의2 제1항에 따른 소방기술자 양성·인정 교육훈련을 받으려는 사람

　7. 제29조 제1항에 따라 실무교육을 받으려는 사람

다음 어느 하나에 해당하는 자는 **행정안전부령**으로 정하는 바에 따라 수수료나 교육비를 내야 한다.

① 소방시설업을 등록하려는 자

② 소방시설업 등록증 또는 등록수첩을 재발급받으려는 자

③ 소방시설업자의 지위승계 신고를 하려는 자

④ 방염처리능력 평가를 받으려는 자

⑤ 시공능력 평가를 받으려는 자

⑥ 자격수첩 또는 경력수첩을 발급받으려는 사람

⑦ 소방기술자 양성·인정 교육훈련을 받으려는 사람

⑧ 실무교육을 받으려는 사람

👆 **관계법규 수수료의 기준**

NOTE	시행규칙
	제37조 【수수료 기준】 ① 법 제34조에 따른 수수료 또는 교육비는 별표 7과 같다. ② 제1항에 따른 수수료는 다음 각 호의 어느 하나에 해당하는 방법으로 납부하여야 한다. 다만, 소방청장 또는 시·도지사(영 제20조 제2항 또는 제3항에 따라 업무가 위탁된 경우에는 위탁받은 기관을 말한다)는 정보통신망을 이용한 전자화폐·전자결제 등의 방법으로 이를 납부하게 할 수 있다. 1. 법 제34조 제1호부터 제3호에 따른 수수료: 해당 지방자치단체의 수입증지 2. 법 제34조 제4호부터 제7호까지의 규정에 따른 수수료: 현금

제34조의2【벌칙 적용 시의 공무원 의제】 다음 각 호의 어느 하나에 해당하는 사람은 「형법」 제129조부터 제132조까지의 규정을 적용할 때에는 공무원으로 본다.

1. 제20조에 따라 그 업무를 수행하는 감리원
2. 제33조 제2항부터 제4항까지의 규정에 따라 위탁받은 업무를 수행하는 실무교육기관, 한국소방안전원, 협회 및 소방기술과 관련된 법인 또는 단체의 담당 임원 및 직원

(1) 벌칙 적용 시의 공무원 의제 대상자

① 제20조 업무를 수행하는 감리원

② 규정에 따라 위탁받은 업무를 수행하는 실무교육기관, 한국소방안전원, 협회 및 소방기술과 관련된 법인 또는 단체의 담당

(2) 「형법」 제129조 ~ 제132조 규정

제129조 (수뢰, 사전수뢰)	1. 공무원 또는 중재인이 그 직무에 관하여 뇌물을 수수, 요구 또는 약속한 때에는 5년 이하의 징역 또는 10년 이하의 자격정지에 처한다. 2. 공무원 또는 중재인이 될 자가 그 담당할 직무에 관하여 청탁을 받고 뇌물을 수수, 요구 또는 약속한 후 공무원 또는 중재인이 된 때에는 3년 이하의 징역 또는 7년 이하의 자격정지에 처한다.
제130조 (제삼자뇌물제공)	공무원 또는 중재인이 그 직무에 관하여 부정한 청탁을 받고 제3자에게 뇌물을 공여하게 하거나 공여를 요구 또는 약속한 때에는 5년 이하의 징역 또는 10년 이하의 자격정지에 처한다.
제131조 (수뢰후부정처사, 사후수뢰)	1. 공무원 또는 중재인이 전2조(제29조, 제30조)의 죄를 범하여 부정한 행위를 한 때에는 1년 이상의 유기징역에 처한다. 2. 공무원 또는 중재인이 그 직무상 부정한 행위를 한 후 뇌물을 수수, 요구 또는 약속하거나 제삼자에게 이를 공여하게 하거나 공여를 요구 또는 약속한 때에도 1.의 형과 같다. 3. 공무원 또는 중재인이었던 자가 그 재직 중에 청탁을 받고 직무상 부정한 행위를 한 후 뇌물을 수수, 요구 또는 약속한 때에는 5년 이하의 징역 또는 10년 이하의 자격정지에 처한다. 4. 3.의 경우에는 10년 이하의 자격정지를 병과할 수 있다.
제132조 (알선수뢰)	공무원이 그 지위를 이용하여 다른 공무원의 직무에 속한 사항의 알선에 관하여 뇌물을 수수, 요구 또는 약속한 때에는 3년 이하의 징역 또는 7년 이하의 자격정지에 처한다.

제7장 벌칙

1 | 3년 이하의 징역 또는 3천만원 이하의 벌금   B

제35조【벌칙】 다음 각 호의 어느 하나에 해당하는 자는 3년 이하의 징역 또는 3천만원 이하의 벌금에 처한다.
1. 제4조 제1항을 위반하여 소방시설업 등록을 하지 아니하고 영업을 한 자
2. 제21조의5를 위반하여 부정한 청탁을 받고 재물 또는 재산상의 이익을 취득하거나 부정한 청탁을 하면서 재물 또는 재산상의 이익을 제공한 자

(1) 제4조 제1항을 위반하여 소방시설업 등록을 하지 아니하고 영업을 한 자

> **제4조【소방시설업의 등록】** ① 특정소방대상물의 소방시설공사등을 하려는 자는 업종별로 자본금(개인인 경우에는 자산 평가액을 말한다), 기술인력 등 대통령령으로 정하는 요건을 갖추어 특별시장·광역시장·특별자치시장·도지사 또는 특별자치도지사(이하 "시·도지사"라 한다)에게 소방시설업을 등록하여야 한다.

(2) 제21조의5를 위반하여 부정한 청탁을 받고 재물 또는 재산상의 이익을 취득하거나 부정한 청탁을 하면서 재물 또는 재산상의 이익을 제공한 자

> **제21조의5【부정한 청탁에 의한 재물 등의 취득 및 제공 금지】** ① 발주자·수급인·하수급인(발주자, 수급인 또는 하수급인이 법인인 경우 해당 법인의 임원 또는 직원을 포함한다) 또는 이해관계인은 도급계약의 체결 또는 소방시설공사등의 시공 및 수행과 관련하여 부정한 청탁을 받고 재물 또는 재산상의 이익을 취득하거나 부정한 청탁을 하면서 재물 또는 재산상의 이익을 제공하여서는 아니 된다.
> ② 국가, 지방자치단체 또는 대통령령으로 정하는 공공기관이 발주한 소방시설공사등의 업체 선정에 심사위원으로 참여한 사람은 그 직무와 관련하여 부정한 청탁을 받고 재물 또는 재산상의 이익을 취득하여서는 아니 된다.
> ③ 국가, 지방자치단체 또는 대통령령으로 정하는 공공기관이 발주한 소방시설공사등의 업체 선정에 참여한 법인, 해당 법인의 대표자, 상업사용인, 그 밖의 임원 또는 직원은 그 직무와 관련하여 부정한 청탁을 받고 재물 또는 재산상의 이익을 취득하거나 부정한 청탁을 하면서 재물 또는 재산상의 이익을 제공하여서는 아니 된다.

제36조 【벌칙】 다음 각 호의 어느 하나에 해당하는 자는 1년 이하의 징역 또는 1천만원 이하의 벌금에 처한다.

1. 제9조 제1항을 위반하여 영업정지처분을 받고 그 영업정지 기간에 영업을 한 자
2. 제11조나 제12조 제1항을 위반하여 설계나 시공을 한 자
3. 제16조 제1항을 위반하여 감리를 하거나 거짓으로 감리한 자
4. 제17조 제1항을 위반하여 공사감리자를 지정하지 아니한 자
4의2. 제19조 제3항에 따른 보고를 거짓으로 한 자
4의3. 제20조에 따른 공사감리 결과의 통보 또는 공사감리 결과보고서의 제출을 거짓으로 한 자
5. 제21조 제1항을 위반하여 해당 소방시설업자가 아닌 자에게 소방시설공사등을 도급한 자
6. 제22조 제1항 본문을 위반하여 도급받은 소방시설의 설계, 시공, 감리를 하도급한 자
6의2. 제22조 제2항을 위반하여 하도급받은 소방시설공사를 다시 하도급한 자
7. 제27조 제1항을 위반하여 같은 항에 따른 법 또는 명령을 따르지 아니하고 업무를 수행한 자

(1) 제9조 제1항을 위반하여 영업정지처분을 받고 그 영업정지 기간에 영업을 한 자

> **제9조 【등록취소와 영업정지 등】** ① 시·도지사는 소방시설업자가 다음 각 호의 어느 하나에 해당하면 행정안전부령으로 정하는 바에 따라 그 등록을 취소하거나 6개월 이내의 기간을 정하여 시정이나 그 영업의 정지를 명할 수 있다. 다만, 제1호·제3호 또는 제7호에 해당하는 경우에는 그 등록을 취소하여야 한다.

(2) 제11조나 제12조 제1항을 위반하여 설계나 시공을 한 자

> **제11조 【설계】** ① 제4조 제1항에 따라 소방시설설계업을 등록한 자(이하 "설계업자"라 한다)는 이 법이나 이 법에 따른 명령과 화재안전기준에 맞게 소방시설을 설계하여야 한다. 다만, 「소방시설 설치 및 관리에 관한 법률」 제18조 제1항에 따른 중앙소방기술심의위원회의 심의를 거쳐 소방시설의 구조와 원리 등에서 특수한 설계로 인정된 경우는 화재안전기준을 따르지 아니할 수 있다.

> **제12조 【시공】** ① 제4조 제1항에 따라 소방시설공사업을 등록한 자(이하 "공사업자"라 한다)는 이 법이나 이 법에 따른 명령과 화재안전기준에 맞게 시공하여야 한다. 이 경우 소방시설의 구조와 원리 등에서 그 공법이 특수한 시공에 관하여는 제11조 제1항 단서를 준용한다.

(3) 제16조 제1항을 위반하여 감리를 하거나 거짓으로 감리한 자

> 제16조 【감리】 ① 제4조 제1항에 따라 소방공사감리업을 등록한 자(이하 "감리업자"라 한다)는 소방공사를 감리할 때 다음 각 호의 업무를 수행하여야 한다.
> 1. 소방시설등의 설치계획표의 적법성 검토
> 2. 소방시설등 설계도서의 적합성(적법성과 기술상의 합리성을 말한다. 이하 같다) 검토
> 3. 소방시설등 설계 변경 사항의 적합성 검토
> 4. 「소방시설 설치 및 관리에 관한 법률」 제2조 제1항 제7호의 소방용품의 위치·규격 및 사용 자재의 적합성 검토
> 5. 공사업자가 한 소방시설등의 시공이 설계도서와 화재안전기준에 맞는지에 대한 지도·감독
> 6. 완공된 소방시설등의 성능시험
> 7. 공사업자가 작성한 시공 상세 도면의 적합성 검토
> 8. 피난시설 및 방화시설의 적법성 검토
> 9. 실내장식물의 불연화(不燃化)와 방염 물품의 적법성 검토

(4) 제17조 제1항을 위반하여 공사감리자를 지정하지 아니한 자

> 제17조 【공사감리자의 지정 등】 ① 대통령령으로 정하는 특정소방대상물의 관계인이 특정소방대상물에 대하여 자동화재탐지설비, 옥내소화전설비등 대통령령으로 정하는 소방시설을 시공할 때에는 소방시설공사의 감리를 위하여 감리업자를 공사감리자로 지정하여야 한다. 다만, 제26조의2 제2항에 따라 시·도지사가 감리업자를 선정한 경우에는 그 감리업자를 공사감리자로 지정한다.

(5) 제19조 제3항에 따른 보고를 거짓으로 한 자

> 제19조 【위반사항에 대한 조치】 ③ 감리업자는 공사업자가 제1항에 따른 요구를 이행하지 아니하고 그 공사를 계속할 때에는 행정안전부령으로 정하는 바에 따라 소방본부장이나 소방서장에게 그 사실을 보고하여야 한다.

(6) 제20조에 따른 공사감리 결과의 통보 또는 공사감리 결과보고서의 제출을 거짓으로 한 자

> 제20조 【공사감리 결과의 통보 등】 감리업자는 소방공사의 감리를 마쳤을 때에는 행정안전부령으로 정하는 바에 따라 그 감리 결과를 그 특정소방대상물의 관계인, 소방시설공사의 도급인, 그 특정소방대상물의 공사를 감리한 건축사에게 서면으로 알리고, 소방본부장이나 소방서장에게 공사감리 결과보고서를 제출하여야 한다.

(7) 제21조 제1항을 위반하여 해당 소방시설업자가 아닌 자에게 소방시설공사등을 도급한 자

> 제21조 【소방시설공사등의 도급】 ① 특정소방대상물의 관계인 또는 발주자는 소방시설공사등을 도급할 때에는 해당 소방시설업자에게 도급하여야 한다.

(8) 제22조 제1항 본문을 위반하여 도급받은 소방시설의 설계, 시공, 감리를 하도급한 자

> **제22조【하도급의 제한】** ① 제21조에 따라 도급을 받은 자는 소방시설의 설계, 시공, 감리를 제3자에게 하도급할 수 없다. 다만, 시공의 경우에는 대통령령으로 정하는 바에 따라 도급받은 소방시설공사의 일부를 다른 공사업자에게 하도급 할 수 있다.

(9) 제22조 제2항을 위반하여 하도급받은 소방시설공사를 다시 하도급한 자

> **제22조【하도급의 제한】** ② 하수급인은 제1항 단서에 따라 하도급받은 소방시설 공사를 제3자에게 다시 하도급할 수 없다.

(10) 제27조 제1항을 위반하여 같은 항에 따른 법 또는 명령을 따르지 아니하고 업무를 수행한 자

> **제27조【소방기술자의 의무】** ① 소방기술자는 이 법과 이 법에 따른 명령과 「소방시설 설치 및 관리에 관한 법률」 및 같은 법에 따른 명령에 따라 업무를 수행하여야 한다.

1-3 300만원 이하의 벌금   B

제37조【벌칙】 다음 각 호의 어느 하나에 해당하는 자는 300만원 이하의 벌금에 처한다.

1. 제8조 제1항을 위반하여 다른 자에게 자기의 성명이나 상호를 사용하여 소방시설공사등을 수급 또는 시공하게 하거나 소방시설업의 등록증이나 등록수첩을 빌려준 자
2. 제18조 제1항을 위반하여 소방시설공사 현장에 감리원을 배치하지 아니한 자
3. 제19조 제2항을 위반하여 감리업자의 보완 요구에 따르지 아니한 자
4. 제19조 제4항을 위반하여 공사감리 계약을 해지하거나 대가 지급을 거부하거나 지연시키거나 불이익을 준 자
4의2. 제21조 제2항 본문을 위반하여 소방시설공사를 다른 업종의 공사와 분리하여 도급하지 아니한 자
5. 제27조 제2항을 위반하여 자격수첩 또는 경력수첩을 빌려 준 사람
6. 제27조 제3항을 위반하여 동시에 둘 이상의 업체에 취업한 사람
7. 제31조 제4항을 위반하여 관계인의 정당한 업무를 방해하거나 업무상 알게 된 비밀을 누설한 사람

(1) 제8조 제1항을 위반하여 다른 자에게 자기의 성명이나 상호를 사용하여 소방시설공사등을 수급 또는 시공하게 하거나 소방시설업의 등록증이나 등록수첩을 빌려준 자

> **제8조【소방시설업의 운영】** ① 소방시설업자는 다른 자에게 자기의 성명이나 상호를 사용하여 소방시설공사등을 수급 또는 시공하게 하거나 소방시설업의 등록증 또는 등록수첩을 빌려 주어서는 아니 된다.

(2) 제18조 제1항을 위반하여 소방시설공사 현장에 감리원을 배치하지 아니한 자

> **제18조【감리원의 배치 등】** ① 감리업자는 소방시설공사의 감리를 위하여 소속 감리원을 대통령령으로 정하는 바에 따라 소방시설공사 현장에 배치하여야 한다.

(3) 제19조 제2항을 위반하여 감리업자의 보완 요구에 따르지 아니한 자

> **제19조【위반사항에 대한 조치】** ② 공사업자가 제1항에 따른 요구를 받았을 때에는 그 요구에 따라야 한다.

(4) 제19조 제4항을 위반하여 공사감리 계약을 해지하거나 대가 지급을 거부하거나 지연시키거나 불이익을 준 자

> **제19조【위반사항에 대한 조치】** ④ 관계인은 감리업자가 제3항에 따라 소방본부장이나 소방서장에게 보고한 것을 이유로 감리계약을 해지하거나 감리의 대가 지급을 거부하거나 지연시키거나 그 밖의 불이익을 주어서는 아니 된다.

(5) 제21조 제2항 본문을 위반하여 소방시설공사를 다른 업종의 공사와 분리하여 도급하지 아니한 자

> **제21조【소방시설공사등의 도급】** ② 소방시설공사는 다른 업종의 공사와 분리하여 도급하여야 한다. 다만, 공사의 성질상 또는 기술관리상 분리하여 도급하는 것이 곤란한 경우로서 대통령령으로 정하는 경우에는 다른 업종의 공사와 분리하지 아니하고 도급할 수 있다.

(6) 제27조 제2항을 위반하여 자격수첩 또는 경력수첩을 빌려 준 사람

> **제27조【소방기술자의 의무】** ② 소방기술자는 다른 사람에게 자격증[제28조에 따라 소방기술 경력 등을 인정받은 사람의 경우에는 소방기술 인정 자격수첩(이하 "자격수첩"이라 한다)과 소방기술자 경력수첩(이하 "경력수첩"이라 한다)을 말한다]을 빌려 주어서는 아니 된다.

(7) 제27조 제3항을 위반하여 동시에 둘 이상의 업체에 취업한 사람

> **제27조【소방기술자의 의무】** ③ 소방기술자는 동시에 둘 이상의 업체에 취업하여서는 아니 된다. 다만, 제1항에 따른 소방기술자 업무에 영향을 미치지 아니하는 범위에서 근무시간 외에 소방시설업이 아닌 다른 업종에 종사하는 경우는 제외한다.

(8) 제31조 제4항을 위반하여 관계인의 정당한 업무를 방해하거나 업무상 알게 된 비밀을 누설한 사람

> **제31조【감독】** ④ 제1항과 제2항에 따라 출입·검사업무를 수행하는 관계 공무원은 관계인의 정당한 업무를 방해하거나 출입·검사업무를 수행하면서 알게 된 비밀을 다른 자에게 누설하여서는 아니 된다.

1-4　100만원 이하의 벌금　　　B

> **제38조【벌칙】** 다음 각 호의 어느 하나에 해당하는 자는 100만원 이하의 벌금에 처한다.
> 1. 제31조 제2항에 따른 명령을 위반하여 보고 또는 자료 제출을 하지 아니하거나 거짓으로 한 자
> 2. 제31조 제1항 및 제2항을 위반하여 정당한 사유 없이 관계 공무원의 출입 또는 검사·조사를 거부·방해 또는 기피한 자

(1) 제31조 제2항에 따른 명령을 위반하여 보고 또는 자료 제출을 하지 아니하거나 거짓으로 한 자

> **제31조【감독】** ② 소방청장은 제33조 제2항부터 제4항까지의 규정에 따라 소방청장의 업무를 위탁받은 제29조 제3항에 따른 실무교육기관(이하 "실무교육기관"이라 한다) 또는 「소방기본법」 제40조에 따른 한국소방안전원, 협회, 법인 또는 단체에 필요한 보고나 자료 제출을 명할 수 있고, 관계 공무원으로 하여금 실무교육기관, 한국소방안전원, 협회, 법인 또는 단체의 사무실에 출입하여 관계 서류 등을 검사하거나 관계인에게 질문하게 할 수 있다.

(2) 제31조 제1항 및 제2항을 위반하여 정당한 사유 없이 관계 공무원의 출입 또는 검사·조사를 거부·방해 또는 기피한 자

> **제31조【감독】** ① 시·도지사, 소방본부장 또는 소방서장은 소방시설업의 감독을 위하여 필요할 때에는 소방시설업자나 관계인에게 필요한 보고나 자료 제출을 명할 수 있고, 관계 공무원으로 하여금 소방시설업체나 특정소방대상물에 출입하여 관계 서류와 시설등을 검사하거나 소방시설업자 및 관계인에게 질문하게 할 수 있다.
> ② 소방청장은 제33조 제2항부터 제4항까지의 규정에 따라 소방청장의 업무를 위탁받은 제29조 제3항에 따른 실무교육기관(이하 "실무교육기관"이라 한다) 또는 「소방기본법」 제40조에 따른 한국소방안전원, 협회, 법인 또는 단체에 필요한 보고나 자료 제출을 명할 수 있고, 관계 공무원으로 하여금 실무교육기관, 한국소방안전원, 협회, 법인 또는 단체의 사무실에 출입하여 관계 서류 등을 검사하거나 관계인에게 질문하게 할 수 있다.

| 2 | 양벌규정 | | B |

제39조【양벌규정】 법인의 대표자나 법인 또는 개인의 대리인, 사용인, 그 밖의 종업원이 그 법인 또는 개인의 업무에 관하여 제35조부터 제38조까지의 어느 하나에 해당하는 위반행위를 하면 그 행위자를 벌하는 외에 그 법인 또는 개인에게도 해당 조문의 벌금형을 과(科)한다. 다만, 법인 또는 개인이 그 위반행위를 방지하기 위하여 해당 업무에 관하여 상당한 주의와 감독을 게을리하지 아니한 경우에는 그러하지 아니하다.

| 3 | 과태료 | | B |

제40조【과태료】 ① 다음 각 호의 어느 하나에 해당하는 자에게는 200만원 이하의 과태료를 부과한다.

1. 제6조, 제6조의2 제1항, 제7조 제3항, 제13조 제1항 및 제2항 전단, 제17조 제2항을 위반하여 신고를 하지 아니하거나 거짓으로 신고한 자
2. 제8조 제3항을 위반하여 관계인에게 지위승계, 행정처분 또는 휴업·폐업의 사실을 거짓으로 알린 자
3. 제8조 제4항을 위반하여 관계 서류를 보관하지 아니한 자
4. 제12조 제2항을 위반하여 소방기술자를 공사 현장에 배치하지 아니한 자
5. 제14조 제1항을 위반하여 완공검사를 받지 아니한 자
6. 제15조 제3항을 위반하여 3일 이내에 하자를 보수하지 아니하거나 하자보수계획을 관계인에게 거짓으로 알린 자
7. 삭제
8. 제17조 제3항을 위반하여 감리 관계 서류를 인수·인계하지 아니한 자
8의2. 제18조 제2항에 따른 배치통보 및 변경통보를 하지 아니하거나 거짓으로 통보한 자
9. 제20조의2를 위반하여 방염성능기준 미만으로 방염을 한 자
10. 제20조의3 제2항에 따른 방염처리능력 평가에 관한 서류를 거짓으로 제출한 자
10의2. 삭제
10의3. 제21조의3 제2항에 따른 도급계약 체결 시 의무를 이행하지 아니한 자(하도급 계약의 경우에는 하도급 받은 소방시설업자는 제외한다)
11. 제21조의3 제4항에 따른 하도급 등의 통지를 하지 아니한 자
11의2. 제21조의4 제1항에 따른 공사대금의 지급보증, 담보의 제공 또는 보험료등의 지급을 정당한 사유 없이 이행하지 아니한 자

12. 삭제

13. 삭제

13의2. 제26조 제2항에 따른 시공능력 평가에 관한 서류를 거짓으로 한 자

13의3. 제26조의2 제1항 후단에 따른 사업수행능력 평가에 관한 서류를 위조하거나 변조하는 등 거짓이나 그 밖의 부정한 방법으로 입찰에 참여한 자

14. 제31조 제1항에 따른 명령을 위반하여 보고 또는 자료 제출을 하지 아니하거나 거짓으로 보고 또는 자료 제출을 한 자

② 제1항에 따른 과태료는 대통령령으로 정하는 바에 따라 관할 시·도지사, 소방본부장 또는 소방서장이 부과·징수한다.

(1) 200만원 이하의 과태료

① 규정을 위반하여 신고를 하지 아니하거나 거짓으로 신고한 자

② 관계인에게 지위승계, 행정처분 또는 휴업·폐업의 사실을 거짓으로 알린 자

③ 관계 서류를 보관하지 아니한 자

④ 소방기술자를 공사 현장에 배치하지 아니한 자

⑤ 완공검사를 받지 아니한 자

⑥ 3일 이내에 하자를 보수하지 아니하거나 하자보수계획을 관계인에게 거짓으로 알린 자

⑦ 감리 관계 서류를 인수·인계하지 아니한 자

⑧ 배치통보 및 변경통보를 하지 아니하거나 거짓으로 통보한 자

⑨ 방염성능기준 미만으로 방염을 한 자

⑩ 방염처리능력 평가에 관한 서류를 거짓으로 제출한 자

⑪ 도급계약 체결 시 의무를 이행하지 아니한 자(하도급 계약의 경우에는 하도급 받은 소방시설업자는 제외한다)

⑫ 하도급 등의 통지를 하지 아니한 자

⑬ 공사대금의 지급보증, 담보의 제공 또는 보험료등의 지급을 정당한 사유 없이 이행하지 아니한 자

⑭ 시공능력 평가에 관한 서류를 거짓으로 제출한 자

⑮ 사업수행능력 평가에 관한 서류를 위조하거나 변조하는 등 거짓이나 그 밖의 부정한 방법으로 입찰에 참여한 자

⑯ 명령을 위반하여 보고 또는 자료 제출을 하지 아니하거나 거짓으로 보고 또는 자료 제출을 한 자

(2) 과태료 부과

대통령령으로 정하는 바에 따라 관할 시·도지사, 소방본부장 또는 소방서장이 부과·징수한다.

(3) 과태료 부과기준(영 제21조 관련 [별표 5])

　① 일반기준

　　㉠ 위반행위의 횟수에 따른 과태료의 가중된 부과기준은 최근 1년간 같은 위반행위로 과태료 부과처분을 받은 경우에 적용한다. 이 경우 기간의 계산은 위반행위에 대하여 과태료 부과처분을 받은 날과 그 처분 후 다시 같은 위반행위를 하여 적발된 날을 기준으로 한다.

　　㉡ ㉠에 따라 가중된 부과처분을 하는 경우 가중처분의 적용 차수는 그 위반행위 전 부과처분 차수(가목에 따른 기간 내에 과태료 부과처분이 둘 이상 있었던 경우에는 높은 차수를 말한다)의 다음 차수로 한다. 다만, 적발된 날부터 소급하여 1년이 되는 날 전에 한 부과처분은 가중처분의 차수 산정 대상에서 제외한다.

　　㉢ 과태료 부과권자는 위반행위자가 다음의 어느 하나에 해당하는 경우에는 제2호에 따른 과태료 금액의 2분의 1의 범위에서 그 금액을 줄여 부과할 수 있다. 다만, 과태료를 체납하고 있는 위반행위자에 대해서는 그렇지 않다.

　　　ⓐ 위반행위자가 「질서위반행위규제법 시행령」 제2조의2 제1항 각 호의 어느 하나에 해당하는 경우

　　　ⓑ 위반행위자가 처음 위반행위를 한 경우로서 3년 이상 해당 업종을 모범적으로 영위한 사실이 인정되는 경우

　　　ⓒ 위반행위자가 화재 등 재난으로 재산에 현저한 손실이 발생하거나 사업 여건의 악화로 사업이 중대한 위기에 처하는 등의 사정이 있는 경우

　　　ⓓ 위반행위가 사소한 부주의나 오류 등 과실로 인한 것으로 인정되는 경우

　　　ⓔ 위반행위자가 같은 위반행위로 다른 법률에 따라 과태료·벌금 또는 영업정지 등의 처분을 받은 경우

　　　ⓕ 위반행위자가 위법행위로 인한 결과를 시정하거나 해소한 경우

　　　ⓖ 그 밖에 위반행위의 정도, 위반행위의 동기와 그 결과 등을 고려하여 과태료 금액을 줄일 필요가 있다고 인정되는 경우

　② 개별기준(요약본)

위반행위	근거 법조문	과태료 금액(단위: 만원)		
		1차 위반	2차 위반	3차 이상 위반
가. 법 제6조, 제6조의2 제1항, 제7조 제3항, 제13조 제1항 및 제2항 전단, 제17조 제2항을 위반하여 신고를 하지 않거나 거짓으로 신고한 경우	법 제40조 제1항 제1호	60	100	200
나. 법 제8조 제3항을 위반하여 관계인에게 지위승계, 행정처분 또는 휴업·폐업의 사실을 거짓으로 알린 경우	법 제40조 제1항 제2호	60	100	200

다. 법 제8조 제4항을 위반하여 관계 서류를 보관하지 않은 경우	법 제40조 제1항 제3호	200
라. 법 제12조 제2항을 위반하여 소방기술자를 공사 현장에 배치하지 않은 경우	법 제40조 제1항 제4호	200
마. 법 제14조 제1항을 위반하여 완공검사를 받지 않은 경우	법 제40조 제1항 제5호	200
바. 법 제15조 제3항을 위반하여 3일 이내에 하자를 보수하지 않거나 하자보수계획을 관계인에게 거짓으로 알린 경우	법 제40조 제1항 제6호	
1) 4일 이상 30일 이내에 보수하지 않은 경우		60
2) 30일을 초과하도록 보수하지 않은 경우		100
3) 거짓으로 알린 경우		200

👆 **관계법규** **과태료 부과기준**

시행령	NOTE
제21조【과태료의 부과기준】 법 제40조 제1항에 따른 과태료의 부과기준은 별표 5와 같다.	

해커스소방 **김정희 소방관계법규** 기본서

제6편

위험물안전관리법

해커스소방 학원·인강 fire.Hackers.com

PREVIEW

위험물안전관리법

본문 내용을 중요도에 따라 A ~ D단계로 분류함으로써 학습 단계에 맞춰 중요 내용을 선별적으로 학습할 수 있습니다.

제1장 총칙

위험물안전관리법
[시행 2025.2.21.] [법률 제20315호,
2024.2.20., 일부개정]

위험물안전관리법
[시행 2023.7.4.] [대통령령 제33579호,
2023.6.27., 일부개정]

위험물안전관리법
[시행 2023.6.29.] [행정안전부령 제409
호, 2023.6.29., 일부개정]

1 목적   C

제1조【목적】 이 법은 위험물의 저장·취급 및 운반과 이에 따른 안전관리에 관한 사항을 규정함으로써 위험물로 인한 위해를 방지하여 공공의 안전을 확보함을 목적으로 한다.

「위험물안전관리법」의 목적은 위험물의 저장·취급 및 운반과 안전관리 사항을 규정하여 위험물로 인한 위해를 방지하여 공공의 안전을 확보하기 위함이다.

📖 **SUMMARY** 6개분법상 '목적'

구분	핵심내용	궁극적인 목적
소방기본법	· 화재의 예방·경계·진압 · 화재, 재난·재해, 그 밖의 위급한 상황으로부터 구조·구급 활동 등 · 국민의 생명·신체 및 재산을 보호함	공공의 안녕 질서 유지 복리 증진
화재예방법	· 화재의 예방과 안전관리에 필요한 사항을 규정함 · 화재로부터 국민의 생명·신체 및 재산을 보호함	공공의 안전 복리증진
소방시설법	· 특정소방대상물 등에 설치하여야 하는 소방시설 등의 설치·관리와 소방용품 성능관리에 필요한 사항 규정 · 국민의 생명·신체 및 재산 보호	공공의 안전 복리증진
화재조사법	· 화재예방 및 소방정책에 활용 · 화재원인, 화재성장 및 확산, 피해현황 등에 관한 과학적·전문적인 조사에 필요한 사항을 규정함	
소방시설 공사업법	· 소방시설공사 및 소방기술 · 소방시설업 건전한 발전과 소방기술 진흥	화재로부터 공공의 안전 국민경제 이바지
위험물 안전관리법	· 위험물의 저장·취급 및 운반과 안전관리사항 규정 · 위험물로 인한 위해 방지	공공의 안전

2 용어의 정의　　　　　　　　　A

제2조 【정의】 ① 이 법에서 사용하는 용어의 정의는 다음과 같다.
1. "위험물"이라 함은 인화성 또는 발화성 등의 성질을 가지는 것으로서 대통령령이 정하는 물품을 말한다.
2. "지정수량"이라 함은 위험물의 종류별로 위험성을 고려하여 대통령령이 정하는 수량으로서 제6호의 규정에 의한 제조소등의 설치허가 등에 있어서 최저의 기준이 되는 수량을 말한다.

(1) 위험물 및 지정수량
① 위험물: 인화성 또는 발화성 등의 성질을 가지는 것으로서 대통령령이 정하는 물품
　㉠ 산화성고체
　㉡ 가연성고체
　㉢ 자연발화성 물질 및 금수성물질
　㉣ 인화성액체
　㉤ 자기반응성물질
　㉥ 산화성액체
② 지정수량: 위험물의 종류별로 위험성을 고려하여 대통령령이 정하는 수량으로서 제조소등의 설치허가 등에 있어서 최저의 기준이 되는 수량

(2) 영 [별표 1] 비고 - 위험물 용어의 정의
① 산화성고체: 고체(액체 또는 기체 외의 것)로서 산화력의 잠재적인 위험성 또는 충격에 대한 민감성을 판단하기 위하여 소방청장이 정하여 고시하는 시험에서 고시로 정하는 성질과 상태를 나타내는 것
　㉠ 액체: 1기압 및 섭씨 20도에서 액상인 것 또는 섭씨 20도 초과 섭씨 40도 이하에서 액상인 것
　㉡ 기체: 1기압 및 섭씨 20도에서 기상인 것
　㉢ 액상: 수직으로 된 시험관에 시료를 55밀리미터까지 채운 다음 당해 시험관을 수평으로 하였을 때 시료액면의 선단이 30밀리미터를 이동하는 데 걸리는 시간이 90초 이내에 있는 것
　㉣ 시험관: 안지름 30밀리미터, 높이 120밀리미터의 원통형유리관
② 가연성고체: 고체로서 화염에 의한 발화의 위험성 또는 인화의 위험성을 판단하기 위하여 고시로 정하는 시험에서 고시로 정하는 성질과 상태를 나타내는 것
③ 유황: 순도 60중량퍼센트 이상인 것(불순물은 활석 등 불연성물질과 수분에 한함)
④ 철분: 철의 분말로서 53마이크로미터의 표준체를 통과하는 것이 50중량퍼센트 미만인 것은 제외
⑤ 금속분
　㉠ 알칼리금속·알칼리토류금속·철 및 마그네슘 외의 금속의 분말
　㉡ 구리분·니켈분 및 150마이크로미터의 체를 통과하는 것이 50중량퍼센트 미만인 것은 제외

정희's 톡talk

금속분
철분과 금속분은 해당 표준체를 통과한 것이 50중량퍼센트 미만인 것은 분말로 간주할 필요가 없는 것을 말합니다.

01 「위험물안전관리법」상 위험물에 관한 기준으로 옳지 않은 것은? 15. 중앙통합

① 유황은 순도 60중량퍼센트 이상인 것을 말한다.
② 알코올은 1분자를 구성하는 탄소원자의 수가 1개부터 3개인 포화1가 알코올을 말한다.
③ 질산은 그 비중이 1.49 이상인 것을 말한다.
④ 마그네슘을 2밀리미터의 체를 통과하지 않은 상태의 덩어리 것을 포함한다.

정답 ④

02 「위험물안전관리법 시행령」상 위험물의 지정수량이 가장 큰 것은? 19. 공채(4월)

① 브롬산염류
② 아염소산염류
③ 과염소산염류
④ 중크롬산염류

정답 ④

03 「위험물안전관리법 시행령」상 제1류 위험물의 품명으로 옳은 것은? 23. 경채

① 질산
② 과염소산
③ 과산화수소
④ 과염소산염류

정답 ④

04 「위험물안전관리법 시행령」상 위험물 지정수량으로 옳은 것은? 23. 경채

① 유기과산화물: 10kg
② 아염소산염류: 20kg
③ 황린: 30kg
④ 유황: 50kg

정답 ①

⑥ 마그네슘 및 마그네슘을 함유한 것
　㉠ 2밀리미터의 체를 통과하지 아니하는 덩어리 상태의 것은 제외
　㉡ 지름 2밀리미터 이상의 막대 모양의 것은 제외
⑦ 황화린 · 적린 · 유황 및 철분은 ②의 규정에 의한 성상이 있는 것으로 본다.
⑧ 인화성고체: 고형알코올 그 밖에 1기압에서 인화점이 섭씨 40도 미만인 고체
⑨ 자연발화성물질 및 금수성물질: 고체 또는 액체로서 공기 중에서 발화의 위험성이 있거나 물과 접촉하여 발화하거나 가연성 가스를 발생하는 위험성이 있는 것
⑩ 칼륨 · 나트륨 · 알킬알루미늄 · 알킬리튬 및 황린은 ⑨의 규정에 따른 성질과 상태가 있는 것으로 본다.
⑪ 인화성액체
　㉠ 액체로서 인화의 위험성이 있는 것(제3석유류, 제4석유류 및 동식물유류의 경우 1기압과 섭씨 20도에서 액체인 것)
　㉡ 중요기준과 세부기준에 따른 운반용기를 사용하여 운반하거나 저장하는 경우 제외되는 것
　　ⓐ 화장품 중 인화성액체를 포함하고 있는 것
　　ⓑ 의약품 중 인화성액체를 포함하고 있는 것
　　ⓒ 의약외품 중 수용성인 인화성액체를 50부피퍼센트 이하로 포함하고 있는 것
　　ⓓ 체외진단용 의료기기 중 인화성액체를 포함하고 있는 것
　　ⓔ 안전확인대상생활화학제품 중 수용성인 인화성액체를 50부피퍼센트 이하로 포함하고 있는 것
⑫ 특수인화물
　㉠ 이황화탄소, 디에틸에테르
　㉡ 1기압에서 발화점이 섭씨 100도 이하인 것 또는 인화점이 섭씨 영하 20도 이하이고 비점이 섭씨 40도 이하인 것
⑬ 제1석유류: 아세톤, 휘발유 그 밖에 1기압에서 인화점이 섭씨 21도 미만인 것
⑭ 알코올류
　㉠ 1분자를 구성하는 탄소원자의 수가 1개부터 3개까지인 포화1가 알코올(변성알코올 포함)
　㉡ 제외대상
　　ⓐ 1분자를 구성하는 탄소원자의 수가 1개 내지 3개의 포화1가 알코올의 함유량이 60중량퍼센트 미만인 수용액
　　ⓑ 가연성액체량이 60중량퍼센트 미만이고 인화점 및 연소점이 에틸알코올 60중량퍼센트 수용액의 인화점 및 연소점을 초과하는 것
⑮ 제2석유류
　㉠ 등유, 경유 그 밖에 1기압에서 인화점이 섭씨 21도 이상 70도 미만인 것
　㉡ 도료류 그 밖의 물품에 있어서 가연성액체량이 40중량퍼센트 이하이면서 인화점이 섭씨 40도 이상인 동시에 연소점이 섭씨 60도 이상인 것은 제외
⑯ 제3석유류
　㉠ 중유, 클레오소트유 그 밖에 1기압에서 인화점이 섭씨 70도 이상 섭씨 200도 미만인 것

ⓛ 도료류 그 밖의 물품은 가연성액체량이 40중량퍼센트 이하인 것은 제외

⑰ 제4석유류

    ㉠ 기어유, 실린더유 그 밖에 1기압에서 인화점이 섭씨 200도 이상 섭씨 250도 미만의 것

    ⓛ 도료류 그 밖의 물품은 가연성액체량이 40중량퍼센트 이하인 것은 제외

⑱ 동식물유류: 동물의 지육 등 또는 식물의 종자나 과육으로부터 추출한 것으로서 1기압에서 인화점이 섭씨 250도 미만인 것

⑲ 자기반응성물질: 고체 또는 액체로서 폭발의 위험성 또는 가열분해의 격렬함을 판단하기 위하여 고시로 정하는 시험에서 고시로 정하는 성질과 상태를 나타내는 것

⑳ 산화성액체: 액체로서 산화력의 잠재적인 위험성을 판단하기 위하여 고시로 정하는 시험에서 고시로 정하는 성질과 상태를 나타내는 것

㉑ 과산화수소: 농도가 36중량퍼센트 이상인 것

㉒ 질산: 비중이 1.49 이상인 것

(3) 규칙에서 사용하는 용어의 뜻

① 고속국도: 「도로법」 제10조 제1호에 따른 고속국도를 말한다.

② 도로

    ㉠ 「도로법」 제2조 제1호에 따른 도로

    ⓛ 「항만법」 제2조 제5호에 따른 항만시설 중 임항교통시설에 해당하는 도로

    ㉢ 「사도법」 제2조의 규정에 의한 사도

    ㉣ 일반교통에 이용되는 너비 2미터 이상의 도로로서 자동차의 통행이 가능한 것

③ 하천: 「하천법」 제2조 제1호에 따른 하천을 말한다.

④ 내화구조: 「건축법 시행령」 제2조 제7호에 따른 내화구조를 말한다.

⑤ 불연재료: 「건축법 시행령」 제2조 제10호에 따른 불연재료 중 유리 외의 것을 말한다.

(4) 위험물 품명의 지정

영 별표 1에서 '행정안전부령으로 정하는 것'이라 함은 다음의 것을 말한다.

① 제1류 위험물

    ㉠ 과요오드산염류

    ⓛ 과요오드산

    ㉢ 크롬, 납 또는 요오드의 산화물

    ㉣ 아질산염류

    ㉤ 차아염소산염류

    ㉥ 염소화이소시아눌산

    ㉦ 퍼옥소이황산염류

    ㉧ 퍼옥소붕산염류

② 제3류 위험물: 염소화규소화합물

③ 제5류 위험물

    ㉠ 금속의 아지화합물

    ⓛ 질산구아니딘

④ 제6류 위험물: 할로겐간화합물

정희's 톡talk

「건축법 시행령」상 용어의 정의

1. 내화구조: 화재에 견딜 수 있는 성능을 가진 구조로서 국토교통부령으로 정하는 기준에 적합한 구조
2. 방화구조: 화염의 확산을 막을 수 있는 성능을 가진 구조로서 국토교통부령으로 정하는 기준에 적합한 구조
3. 난연재료: 불에 잘 타지 아니하는 성능을 가진 재료로서 국토교통부령으로 정하는 기준에 적합한 재료
4. 불연재료: 불에 타지 아니하는 성질을 가진 재료로서 국토교통부령으로 정하는 기준에 적합한 재료
5. 준불연재료: 불연재료에 준하는 성질을 가진 재료로서 국토교통부령으로 정하는 기준에 적합한 재료

(5) 위험물 및 지정수량(영 제2조 및 제3조 관련 [별표 1])

위험물			지정수량	위험물				지정수량
유별	성질	품명		유별	성질	품명		
제1류	산화성 고체	1. 아염소산염류	50kg	제3류	자연 발화성 물질 및 금수성 물질	10. 칼슘 또는 알루미늄의 탄화물		300kg
		2. 염소산염류	50kg			11. 행정안전부령으로 정하는 것		10kg, 20kg, 50kg 또는 300kg
		3. 과염소산염류	50kg			12. 제1호 내지 제11호의 1에 해당 하는 어느 하나 이상을 함유한 것		
		4. 무기과산화물	50kg	제4류	인화성 액체	1. 특수인화물		50L
		5. 브롬산염류	300kg			2. 제1석유류	비수용성액체	200L
		6. 질산염류	300kg				수용성액체	400L
		7. 요오드산염류	300kg			3. 알코올류		400L
		8. 과망간산염류	1,000kg			4. 제2석유류	비수용성액체	1,000L
		9. 중크롬산염류	1,000kg				수용성액체	2,000L
		10. 행정안전부령으로 정하는 것	50kg, 300kg 또는 1,000kg			5. 제3석유류	비수용성액체	2,000L
		11. 제1호 내지 제10호의 1에 해당 하는 어느 하나 이상을 함유한 것					수용성액체	4,000L
제2류	가연성 고체	1. 황화린	100kg			6. 제4석유류		6,000L
		2. 적린	100kg			7. 동식물유류		10,000L
		3. 유황	100kg	제5류	자기 반응성 물질	1. 유기과산화물		10kg
		4. 철분	500kg			2. 질산에스테르류		10kg
		5. 금속분	500kg			3. 니트로화합물		200kg
		6. 마그네슘	500kg			4. 니트로소화합물		200kg
		7. 행정안전부령으로 정하는 것	100kg 또는 500kg			5. 아조화합물		200kg
		8. 제1호 내지 제7호의 1에 해당하 는 어느 하나 이상을 함유한 것				6. 디아조화합물		200kg
						7. 히드라진 유도체		200kg
		9. 인화성고체	1,000kg			8. 히드록실아민		100kg
제3류	자연 발화성 물질 및 금수성 물질	1. 칼륨	10kg			9. 히드록실아민염류		100kg
		2. 나트륨	10kg			10. 행정안전부령으로 정하는 것		10kg, 100kg 또는 200kg
		3. 알킬알루미늄	10kg			11. 제1호 내지 제10호의 1에 해당 하는 어느 하나 이상을 함유한 것		
		4. 알킬리튬	10kg	제6류	산화성 액체	1. 과염소산		300kg
		5. 황린	20kg			2. 과산화수소		300kg
		6. 알칼리금속(칼륨 및 나트륨을 제외한다) 및 알칼리토금속	50kg			3. 질산		300kg
		7. 유기금속화합물(알킬알루미늄 및 알킬리튬을 제외한다)	50kg			4. 행정안전부령으로 정하는 것		300kg
		8. 금속의 수소화물	300kg			5. 제1호 내지 제4호의 1에 해당하 는 어느 하나 이상을 함유한 것		300kg
		9. 금속의 인화물	300kg					

시행령	시행규칙
제2조【위험물】「위험물안전관리법」(이하 "법"이라 한다) 제2조 제1항 제1호에서 "대통령령이 정하는 물품"이라 함은 별표 1에 규정된 위험물을 말한다. **제3조【위험물의 지정수량】** 법 제2조 제1항 제2호에서 "대통령령이 정하는 수량"이라 함은 별표 1의 위험물별로 지정수량란에 규정된 수량을 말한다.	**제3조【위험물 품명의 지정】** ①「위험물안전관리법 시행령」(이하 "영"이라 한다) 별표 1 제1류의 품명란 제10호에서 "행정안전부령으로 정하는 것"이라 함은 다음 각 호의 1에 해당하는 것을 말한다. 1. 과요오드산염류 2. 과요오드산 3. 크롬, 납 또는 요오드의 산화물 4. 아질산염류 5. 차아염소산염류 6. 염소화이소시아눌산 7. 퍼옥소이황산염류 8. 퍼옥소붕산염류 ② 영 별표 1 제3류의 품명란 제11호에서 "행정안전부령으로 정하는 것"이라 함은【 ① 】을 말한다. ③ 영 별표 1 제5류의 품명란 제10호에서 "행정안전부령으로 정하는 것"이라 함은 다음 각 호의 1에 해당하는 것을 말한다. 1. 금속의 아지화합물 2. 질산구아니딘 ④ 영 별표 1 제6류의 품명란 제4호에서 "행정안전부령으로 정하는 것"이라 함은【 ② 】을 말한다.

[별표 1] 위험물 및 지정수량(제2조 및 제3조 관련)

유별/성질	품명/지정수량			
1. 일산고	아염과무	브질요	과중	
	50	300	1천	
2. 이가고	황건 적 有	철금 馬	인고	
	100	500	1천	
3. 삼자수	칼나알알	황린	알유	금수인칼슘알탄
	10	20	50	300
4. 사인액	특	석 (1, 2, 3, 4)	알	동
	50리터	2백, 1천, 2천, 6천리터	400리터	1만리터
5. 오자	유질	니·소, 아조·디, 히	히히록	
	10	200	100	
6. 육산액	과과질			
	300			

제4조【위험물의 품명】 ① 제3조 제1항 및 제3항 각 호의 1에 해당하는 위험물은 각각 다른 품명의 위험물로 본다.
② 영 별표 1 제1류의 품명란 제11호, 동표 제2류의 품명란 제8호, 동표 제3류의 품명란 제12호, 동표 제5류의 품명란 제11호 또는 동표 제6류의 품명란 제5호의 위험물로서 당해 위험물에 함유된 위험물의 품명이 다른 것은 각각 다른 품명의 위험물로 본다.

① 염소화규소화합물 ② 할로겐간화합물

📖 **SUMMARY** 「위험물안전관리법」 기한 정리

1. **안정성평가(규칙):** 평가 결과 30일 이내 관계인에게 제출
2. **변경신고 기한(법):** 변경하고자 하는 날의 1일 전까지
3. **지위승계(법):** 30일 이내
4. **제조소등의 폐지(법):** 폐지한 날부터 14일 이내
5. **사용 중지신고 또는 재개신고(법):** 중지·재개하려는 날의 14일 전까지
6. **안전관리자 선임(법):** 30일 이내
7. **선임신고(법):** 14일 이내
8. **대리자의 직무대행 기간(법):** 30일 이내
9. **탱크시험자 변경신고(법):** 30일 이내
10. **안전관리대행기관(규칙):** 변경 신고 – 14일 이내, 휴업·재개업 또는 폐업하고자 하는 날의 14일 전까지
11. **사고조사위원회:** 위원장 1명을 포함하여 7명 이하의 위원

제2조【정의】 ① 이 법에서 사용하는 용어의 정의는 다음과 같다.

3. "제조소"라 함은 위험물을 제조할 목적으로 지정수량 이상의 위험물을 취급하기 위하여 제6조 제1항의 규정에 따른 허가(동조 제3항의 규정에 따라 허가가 면제된 경우 및 제7조 제2항의 규정에 따라 협의로써 허가를 받은 것으로 보는 경우를 포함한다. 이하 제4호 및 제5호에서 같다)를 받은 장소를 말한다.

4. "저장소"라 함은 지정수량 이상의 위험물을 저장하기 위한 대통령령이 정하는 장소로서 제6조 제1항의 규정에 따른 허가를 받은 장소를 말한다.

5. "취급소"라 함은 지정수량 이상의 위험물을 제조외의 목적으로 취급하기 위한 대통령령이 정하는 장소로서 제6조 제1항의 규정에 따른 허가를 받은 장소를 말한다.

6. "제조소등"이라 함은 제3호 내지 제5호의 제조소·저장소 및 취급소를 말한다.

② 이 법에서 사용하는 용어의 정의는 제1항에서 규정하는 것을 제외하고는 「소방기본법」, 「화재의 예방 및 안전관리에 관한 법률」, 「소방시설 설치 및 관리에 관한 법률」 및 「소방시설공사업법」에서 정하는 바에 따른다.

(1) 제조소

위험물을 제조할 목적으로 지정수량 이상의 위험물을 취급하기 위하여 허가를 받은 장소

(2) 저장소

지정수량 이상의 위험물을 저장하기 위한 대통령령이 정하는 장소로서 허가를 받은 장소

① **옥내저장소**: 옥내에 저장하는 장소

② **옥외탱크저장소**: 옥외에 있는 탱크에 위험물을 저장하는 장소

③ **옥내탱크저장소**: 옥내에 있는 탱크에 위험물을 저장하는 장소

④ **지하탱크저장소**: 지하에 매설한 탱크에 위험물을 저장하는 장소

⑤ **간이탱크저장소**: 간이탱크에 위험물을 저장하는 장소

⑥ **이동탱크저장소**: 차량에 고정된 탱크에 위험물을 저장하는 장소

⑦ **옥외저장소**: 옥외에 다음 어느 하나에 해당하는 위험물을 저장하는 장소(옥외탱크저장소 제외)

ⓐ 제2류 위험물 중 유황 또는 인화성고체(인화점 섭씨 0도 이상)

ⓑ 제4류 위험물 중 제1석유류(인화점 섭씨 0도 이상)·알코올류·제2석유류·제3석유류·제4석유류 및 동식물유류

ⓒ 제6류 위험물

ⓓ 제2류 위험물 및 제4류 위험물 중 시·도의 조례에서 정하는 위험물(「관세법」 제154조의 규정에 의한 보세구역안에 저장하는 경우)

ⓔ 국제해상위험물규칙(IMDG Code)에 적합한 용기에 수납된 위험물

⑧ **암반탱크저장소**: 암반 내의 공간을 이용한 탱크에 액체의 위험물을 저장하는 장소

✏ **핵심기출**

01 「위험물안전관리법 시행령」상 지정수량 이상의 위험물을 옥외저장소에 저장할 수 있는 것으로 옳지 않은 것은? (다만, 「국제해사기구에 관한 협약」에 의하여 설치된 국제해사기구가 채택한 「국제해상위험물규칙」(IMDG Code)에 적합한 용기에 수납된 위험물은 제외한다) 23. 공채·경채

① 제1류 위험물 중 염소산염류
② 제2류 위험물 중 유황
③ 제4류 위험물 중 알코올류
④ 제6류 위험물

정답 ①

02 「위험물안전관리법」상 위험물에 대한 정의이다. ( ) 안에 들어갈 용어로 옳은 것은? 20. 공채(6월)

"위험물"이라 함은 (가) 또는 (나) 등의 성질을 가지는 것으로서 (다)이 정하는 물품을 말한다.

	가	나	다
①	인화성	가연성	대통령령
②	인화성	발화성	대통령령
③	휘발성	가연성	행정안전부령
④	인화성	휘발성	행정안전부령

정답 ②

03 「위험물안전관리법」상 용어의 정의에 관한 내용으로 옳지 않은 것은? 20. 공채(6월)

① "취급소"라 함은 지정수량 이상의 위험물을 제조외의 목적으로 취급하기 위한 대통령령이 정하는 장소로서 「위험물안전관리법」에 따른 허가를 받은 장소를 말한다.

② "지정수량"이라 함은 위험물의 종류별로 위험성을 고려하여 대통령령이 정하는 수량으로서 제조소등의 설치허가 등에 있어서 최대의 기준이 되는 수량을 말한다.

③ "제조소등"이라 함은 제조소·저장소 및 취급소를 말한다.

④ "저장소"라 함은 지정수량 이상의 위험물을 저장하기 위하여 대통령령이 정하는 장소로서 「위험물안전관리법」에 따른 허가를 받은 장소를 말한다.

정답 ②

참고 지정수량 이상의 위험물을 저장하기 위한 장소와 그에 따른 저장소의 구분(영 [별표 2])	
지정수량 이상의 위험물을 저장하기 위한 장소	**저장소의 구분**
1. 옥내(지붕과 기둥 또는 벽 등에 의하여 둘러싸인 곳을 말한다. 이하 같다)에 저장(위험물을 저장하는데 따르는 취급을 포함한다. 이하 이 표에서 같다)하는 장소. 다만, 제3호의 장소를 제외한다.	옥내저장소
2. 옥외에 있는 탱크(제4호 내지 제6호 및 제8호에 규정된 탱크를 제외한다. 이하 제3호에서 같다)에 위험물을 저장하는 장소	옥외탱크저장소
3. 옥내에 있는 탱크에 위험물을 저장하는 장소	옥내탱크저장소
4. 지하에 매설한 탱크에 위험물을 저장하는 장소	지하탱크저장소
5. 간이탱크에 위험물을 저장하는 장소	간이탱크저장소
6. 차량(피견인자동차에 있어서는 앞차축을 갖지 아니하는 것으로서 당해 피견인자동차의 일부가 견인자동차에 적재되고 당해 피견인자동차와 그 적재물의 중량의 상당부분이 견인자동차에 의하여 지탱되는 구조의 것에 한한다)에 고정된 탱크에 위험물을 저장하는 장소	이동탱크저장소
7. 옥외에 다음 각 목의 1에 해당하는 위험물을 저장하는 장소. 다만, 제2호의 장소를 제외한다. 가. 제2류 위험물중 유황 또는 인화성고체(인화점이 섭씨 0도 이상인 것에 한한다) 나. 제4류 위험물중 제1석유류(인화점이 섭씨 0도 이상인 것에 한한다)·알코올류·제2석유류·제3석유류·제4석유류 및 동식물유류 다. 제6류 위험물 라. 제2류 위험물 및 제4류 위험물중 특별시·광역시 또는 도의 조례에서 정하는 위험물(「관세법」제154조의 규정에 의한 보세구역안에 저장하는 경우에 한한다) 마. 「국제해사기구에 관한 협약」에 의하여 설치된 국제해사기구가 채택한 「국제해상위험물규칙」(IMDG Code)에 적합한 용기에 수납된 위험물	옥외저장소
8. 암반내의 공간을 이용한 탱크에 액체의 위험물을 저장하는 장소	암반탱크저장소

(3) 취급소

지정수량 이상의 위험물을 제조 외의 목적으로 취급하기 위한 **대통령령**이 정하는 장소로서 허가를 받은 장소

① **주유취급소**: 고정된 주유설비에 의하여 자동차·항공기 또는 선박 등의 **연료탱크**에 직접 주유하기 위하여 위험물을 취급하는 장소

　㉠ 항공기에 주유하는 경우에는 차량에 설치된 주유설비를 포함한다.

　㉡ 위험물에 「석유 및 석유대체연료 사업법」 제29조의 규정에 의한 가짜석유제품에 해당하는 물품을 제외한다.

　㉢ 위험물을 용기에 옮겨 담거나 차량에 고정된 5천리터 이하의 탱크에 주입하기 위하여 고정된 급유설비를 병설한 장소를 포함한다.

② **판매취급소**: 점포에서 위험물을 용기에 담아 판매하기 위하여 지정수량의 40배 이하의 위험물을 취급하는 장소

③ **이송취급소**: 배관 및 이에 부속된 설비에 의하여 위험물을 이송하는 장소. 다만, 다음의 장소를 제외한다.

ⓐ 송유관에 의하여 위험물을 이송하는 경우

ⓑ 제조소등에 관계된 시설(배관을 제외한다) 및 그 부지가 같은 사업소 안에 있고 당해 사업소 안에서만 위험물을 이송하는 경우

ⓒ 사업소와 사업소의 사이에 도로(폭 2미터 이상)만 있고 사업소와 사업소 사이의 이송배관이 그 도로를 횡단하는 경우

ⓓ 사업소와 사업소 사이의 이송배관이 제3자의 토지만을 통과하는 경우로서 당해 배관의 길이가 100미터 이하인 경우

ⓔ 해상구조물에 설치된 배관(제4류 위험물 중 제1석유류인 경우에는 배관의 내경이 30센티미터 미만인 것)으로서 당해 해상구조물에 설치된 배관이 길이가 30미터 이하인 경우

ⓕ 자가발전시설에 사용되는 위험물을 이송하는 경우

④ **일반취급소**: ① ~ ③ 외의 장소

📖 **SUMMARY** 위험물의 유별 정의(영 제2조)

구분		정의
제1류 위험물	산화성고체	고체로서 산화력의 잠재적인 위험성 또는 충격에 대한 민감성을 판단하기 위하여 소방청장이 정하여 고시(이하 "고시"라 한다)하는 시험에서 고시로 정하는 성질과 상태를 나타내는 것을 말한다.
제2류 위험물	가연성고체	고체로서 화염에 의한 발화의 위험성 또는 인화의 위험성을 판단하기 위하여 고시로 정하는 시험에서 고시로 정하는 성질과 상태를 나타내는 것을 말한다.
제3류 위험물	자연발화성 및 금수성물질	고체 또는 액체로서 공기 중에서 발화의 위험성이 있거나 물과 접촉하여 발화하거나 가연성가스를 발생하는 위험성이 있는 것을 말한다.
제4류 위험물	인화성액체	액체(제3석유류, 제4석유류 및 동식물유류에 있어서는 1기압과 섭씨 20도에서 액상인 것에 한한다)로서 인화의 위험성이 있는 것을 말한다.
제5류 위험물	자기반응성 물질	고체 또는 액체로서 폭발의 위험성 또는 가열분해의 격렬함을 판단하기 위하여 고시로 정하는 시험에서 고시로 정하는 성질과 상태를 나타내는 것을 말한다.
제6류 위험물	산화성액체	액체로서 산화력의 잠재적인 위험성을 판단하기 위하여 고시로 정하는 시험에서 고시로 정하는 성질과 상태를 나타내는 것을 말한다.

✏️ **핵심 기출**

01 「위험물안전관리법 시행령」상 용어에 대한 설명으로 옳지 않은 것은?

18. 공채(10월)

① 특수인화물: 이황화탄소, 디에틸에테르 그 밖에 1기압에서 발화점이 섭씨 100도 이하인 것 또는 인화점이 섭씨 영하 20도 이하이고 비점이 섭씨 40도 이하인 것

② 제1석유류: 아세톤, 휘발유 그 밖에 1기압에서 인화점이 섭씨 70도 미만인 것

③ 제3석유류: 중유, 클로오소트유 그 밖에 1기압에서 인화점이 섭씨 70도 이상 섭씨 200도 미만인 것

④ 동식물유류: 동물의 지육 등 또는 식물의 종자나 과육으로부터 추출한 것으로 1기압에서 인화점이 섭씨 250도 미만인 것

정답 ②

02 「위험물안전관리법」상 위험물의 지정수량에 관한 내용으로 옳지 않은 것은?

17. 중앙통합

① 특수인화물 - 100L

② 무기과산화물 - 50kg

③ 철분·마그네슘 - 500kg

④ 유기과산화물 - 10kg

정답 ①

(4) 제조소등

제조소등이란 제조소, 저장소 및 취급소를 의미한다.

(5) 준용 규정(제2조 제2항)

이 법에서 사용하는 용어의 정의는 (1)에서 규정하는 것을 제외하고는 「소방기본법」, 「화재의 예방 및 안전관리에 관한 법률」, 「소방시설 설치 및 관리에 관한 법률」 및 「소방시설공사업법」에서 정하는 바에 따른다.

> **참고** 위험물을 제조 외의 목적으로 취급하기 위한 장소와 그에 따른 취급소의 구분(영 [별표 3])
>
> | 위험물을 제조 외의 목적으로 취급하기 위한 장소 | 취급소의 구분 |
> |---|---|
> | 1. 고정된 주유설비(항공기에 주유하는 경우에는 차량에 설치된 주유설비를 포함한다)에 의하여 자동차·항공기 또는 선박 등의 연료탱크에 직접 주유하기 위하여 위험물(「석유 및 석유대체연료 사업법」제29조의 규정에 의한 가짜석유제품에 해당하는 물품을 제외한다. 이하 제2호에서 같다)을 취급하는 장소(위험물을 용기에 옮겨 담거나 차량에 고정된 5천리터 이하의 탱크에 주입하기 위하여 고정된 급유설비를 병설한 장소를 포함한다) | 주유취급소 |
> | 2. 점포에서 위험물을 용기에 담아 판매하기 위하여 지정수량의 40배 이하의 위험물을 취급하는 장소 | 판매취급소 |
> | 3. 배관 및 이에 부속된 설비에 의하여 위험물을 이송하는 장소. 다만, 다음 각 목의 1에 해당하는 경우의 장소를 제외한다.
가. 「송유관 안전관리법」에 의한 송유관에 의하여 위험물을 이송하는 경우
나. 제조소등에 관계된 시설(배관을 제외한다) 및 그 부지가 같은 사업소안에 있고 당해 사업소안에서만 위험물을 이송하는 경우
다. 사업소와 사업소의 사이에 도로(폭 2미터 이상의 일반교통에 이용되는 도로로서 자동차의 통행이 가능한 것을 말한다)만 있고 사업소와 사업소 사이의 이송배관이 그 도로를 횡단하는 경우
라. 사업소와 사업소 사이의 이송배관이 제3자(당해 사업소와 관련이 있거나 유사한 사업을 하는 자에 한한다)의 토지만을 통과하는 경우로서 당해 배관의 길이가 100미터 이하인 경우
마. 해상구조물에 설치된 배관(이송되는 위험물이 별표 1의 제4류 위험물중 제1석유류인 경우에는 배관의 안지름이 30센티미터 미만인 것에 한한다)으로서 해당 해상구조물에 설치된 배관이 길이가 30미터 이하인 경우
바. 사업소와 사업소 사이의 이송배관이 다목 내지 마목의 규정에 의한 경우중 2이상에 해당하는 경우
사. 「농어촌 전기공급사업 촉진법」에 따라 설치된 자가발전시설에 사용되는 위험물을 이송하는 경우 | 이송취급소 |
> | 4. 제1호 내지 제3호외의 장소(「석유 및 석유대체연료 사업법」제29조의 규정에 의한 가짜석유제품에 해당하는 위험물을 취급하는 경우의 장소를 제외한다) | 일반취급소 |

📖 SUMMARY 인화성액체 분류(영 제3조)

인화성액체	종류	그 밖의 것(1기압 상태에서)
특수인화물	이황화탄소, 디에틸에테르	· 발화점 섭씨 100도 이하 · 인화점 섭씨 − 20도 이하이고 비점 섭씨 40도 이하
알코올류		탄소원자 수 1 ~ 3개 포화1가 알코올(변성 알코올 포함)
제1석유류	아세톤, 휘발유	인화점 섭씨 21도 미만
제2석유류	등유, 경유	인화점 섭씨 21도 이상 섭씨 70도 미만
제3석유류	중유, 클레오소트유	인화점 섭씨 70도 이상 섭씨 200도 미만
제4석유류	기어유, 실린더유	인화점 섭씨 200도 이상 섭씨 250도 미만
동식물유류	동물의 지육·식물의 종자나 과육으로부터 추출한 것	인화점 섭씨 250도 미만

📖 SUMMARY 유사내용 정리

구분	정의
특수가연물 중 가연성고체류	· 인화점 섭씨 40도 이상 섭씨 100도 미만 · 인화점 섭씨 100도 이상 섭씨 200도 미만·연소열량 8kcal/g · 인화점 섭씨 200도 이상·연소열량 8kcal/g 이상·융점 섭씨 100도 미만 · 1기압 섭씨 20도 초과 섭씨 40도 이하(액상·인화점 섭씨 70도 이상 섭씨 200도 이하)
특수가연물 중 가연성액체류	· 1기압 섭씨 20도 이하(액상인 것) 가연성액체량 40 중량퍼센트 이하이고 인화점 섭씨 40도 이상 섭씨 70도 미만이고 연소점 섭씨 60도 이상인 물품 · 1기압 섭씨 20도(액상인 것) 가연성액체량 40 중량퍼센트 이하이고 인화점 섭씨 70도 이상 섭씨 250도 미만인 물품 · 동물 기름기·살코기, 식물 씨·과일 살 추출물 1기압 섭씨 20도[액상인 것이고 인화점 섭씨 250도 미만(화기엄금 표시한 것)] 1기압 섭씨 20도(액상인 것이고 인화점 섭씨 250도 이상)
제2류 위험물 가연성고체	고체로서 화염에 의한 발화의 위험성 또는 인화의 위험성을 판단하기 위하여 고시로 정하는 시험에서 고시로 정하는 성질과 상태를 나타내는 것을 말한다.
제4류 위험물 인화성액체	액체(제3석유류, 제4석유류 및 동식물유류에 있어서는 1기압과 섭씨 20도에서 액상인 것에 한한다)로서 인화의 위험성이 있는 것을 말한다.
제2류 위험물 인화성고체	고형알코올 그 밖에 1기압에서 인화점이 섭씨 40도 미만인 고체를 말한다(지정수량 1천킬로그램).

NOTE	시행규칙

제2조【정의】 이 규칙에서 사용하는 용어의 뜻은 다음과 같다.

1. "고속국도"란 「도로법」 제10조 제1호에 따른 고속국도를 말한다.
2. "도로"란 다음 각 목의 어느 하나에 해당하는 것을 말한다.
    가. 「도로법」 제2조 제1호에 따른 도로
    나. 「항만법」 제2조 제5호에 따른 항만시설 중 임항교통시설에 해당하는 도로
    다. 「사도법」 제2조의 규정에 의한 사도
    라. 그 밖에 일반교통에 이용되는 너비 2미터 이상의 도로로서 자동차의 통행이 가능한 것
3. "하천"이란 「하천법」 제2조 제1호에 따른 하천을 말한다.
4. "내화구조"란 「건축법 시행령」 제2조 제7호에 따른 내화구조를 말한다.
5. "불연재료"란 「건축법 시행령」 제2조 제10호에 따른 불연재료 중 【 ① 】 외의 것을 말한다.

제3조【위험물 품명의 지정】 ① 「위험물안전관리법 시행령」(이하 "영"이라 한다) 별표 1 제1류의 품명란 제10호에서 "행정안전부령으로 정하는 것"이라 함은 다음 각 호의 1에 해당하는 것을 말한다.

1. 과요오드산염류
2. 과요오드산
3. 크롬, 납 또는 요오드의 산화물
4. 아질산염류
5. 차아염소산염류
6. 염소화이소시아눌산
7. 퍼옥소이황산염류
8. 퍼옥소붕산염류

② 영 별표 1 제3류의 품명란 제11호에서 "행정안전부령으로 정하는 것"이라 함은 염소화규소화합물을 말한다.

③ 영 별표 1 제5류의 품명란 제10호에서 "행정안전부령으로 정하는 것"이라 함은 다음 각 호의 1에 해당하는 것을 말한다.

1. 금속의 아지화합물
2. 【 ② 】

④ 영 별표 1 제6류의 품명란 제4호에서 "행정안전부령으로 정하는 것"이라 함은 【 ③ 】을 말한다.

제5조【탱크 용적의 산정기준】 ① 위험물을 저장 또는 취급하는 탱크의 용량은 해당 【 ④ 】에서 【 ⑤ 】을 뺀 용적으로 한다. 이 경우 위험물을 저장 또는 취급하는 영 별표 2 제6호에 따른 차량에 고정된 탱크(이하 "이동저장탱크"라 한다)의 용량은 「자동차 및 자동차부품의 성능과 기준에 관한 규칙」에 따른 최대적재량 이하로 하여야 한다.

② 제1항의 규정에 의한 탱크의 내용적 및 공간용적의 계산방법은 소방청장이 정하여 고시한다.

③ 제1항의 규정에 불구하고 제조소 또는 일반취급소의 위험물을 취급하는 탱크 중 특수한 구조 또는 설비를 이용함에 따라 당해 탱크내의 위험물의 최대량이 제1항의 규정에 의한 용량 이하인 경우에는 당해 최대량을 용량으로 한다.

---

① 유리 ② 질산구아니딘 ③ 할로겐화합물 ④ 탱크의 내용적 ⑤ 공간용적

시행규칙 제2조 【정의】 이 규칙에서 사용하는 용어의 뜻은 다음과 같다.
1. "고속국도"란 「도로법」 제10조 제1호에 따른 고속국도를 말한다.
2. "도로"란 다음 각 목의 어느 하나에 해당하는 것을 말한다.
    가. 「도로법」 제2조 제1호에 따른 도로
    나. 「항만법」 제2조 제5호에 따른 항만시설 중 임항교통시설에 해당하는 도로
    다. 「사도법」 제2조의 규정에 의한 사도
    라. 그 밖에 일반교통에 이용되는 너비 2미터 이상의 도로로서 자동차의 통행이
        가능한 것
3. "하천"이란 「하천법」 제2조 제1호에 따른 하천을 말한다.
4. "내화구조"란 「건축법 시행령」 제2조 제7호에 따른 내화구조를 말한다.
5. "불연재료"란 「건축법 시행령」 제2조 제10호에 따른 불연재료 중 유리 외의 것을
    말한다.

(1) 고속국도

「도로법」 제10조 제1호에 따른 고속국도를 말한다.

(2) 도로

① 「도로법」 제2조 제1호에 따른 도로
② 「항만법」 제2조 제5호에 따른 항만시설 중 임항교통시설에 해당하는 도로
③ 「사도법」 제2조의 규정에 의한 사도
④ 그 밖에 일반교통에 이용되는 너비 2미터 이상의 도로로서 자동차의 통행이
   가능한 것

(3) 하천

「하천법」 제2조 제1호에 따른 하천을 말한다.

(4) 내화구조

「건축법 시행령」 제2조 제7호에 따른 내화구조를 말한다.

> **참고** **내화구조**
>
> **1. 「건축법 시행령」 제2조 제7호**
>
> > "내화구조(耐火構造)"란 화재에 견딜 수 있는 성능을 가진 구조로서 국토교통부
> > 령으로 정하는 기준에 적합한 구조를 말한다.
>
> **2. 건축물의 피난·방화구조 등의 기준에 관한 규칙**
>
> > **제3조 【내화구조】** 영 제2조 제7호에서 "국토교통부령으로 정하는 기준에 적합
> > 한 구조"란 다음 각 호의 어느 하나에 해당하는 것을 말한다.
> > 1. 벽의 경우에는 다음 각 목의 어느 하나에 해당하는 것
> >   가. 철근콘크리트조 또는 철골철근콘크리트조로서 두께가 10센티미터 이상
> >   인 것

나. 골구를 철골조로 하고 그 양면을 두께 4센티미터 이상의 철망모르타르(그 바름바탕을 불연재료로 한 것으로 한정한다. 이하 이 조에서 같다) 또는 두께 5센티미터 이상의 콘크리트블록·벽돌 또는 석재로 덮은 것

다. 철재로 보강된 콘크리트블록조·벽돌조 또는 석조로서 철재에 덮은 콘크리트블록등의 두께가 5센티미터 이상인 것

라. 벽돌조로서 두께가 19센티미터 이상인 것

마. 고온·고압의 증기로 양생된 경량기포 콘크리트패널 또는 경량기포 콘크리트블록조로서 두께가 10센티미터 이상인 것

2. 외벽 중 비내력벽인 경우에는 제1호에도 불구하고 다음 각 목의 어느 하나에 해당하는 것

가. 철근콘크리트조 또는 철골철근콘크리트조로서 두께가 7센티미터 이상인 것

나. 골구를 철골조로 하고 그 양면을 두께 3센티미터 이상의 철망모르타르 또는 두께 4센티미터 이상의 콘크리트블록·벽돌 또는 석재로 덮은 것

다. 철재로 보강된 콘크리트블록조·벽돌조 또는 석조로서 철재에 덮은 콘크리트블록등의 두께가 4센티미터 이상인 것

라. 무근콘크리트조·콘크리트블록조·벽돌조 또는 석조로서 그 두께가 7센티미터 이상인 것

3. 기둥의 경우에는 그 작은 지름이 25센티미터 이상인 것으로서 다음 각 목의 어느 하나에 해당하는 것. 다만, 고강도 콘크리트(설계기준강도가 50MPa 이상인 콘크리트를 말한다. 이하 이 조에서 같다)를 사용하는 경우에는 국토교통부장관이 정하여 고시하는 고강도 콘크리트 내화성능 관리기준에 적합해야 한다.

가. 철근콘크리트조 또는 철골철근콘크리트조

나. 철골을 두께 6센티미터(경량골재를 사용하는 경우에는 5센티미터)이상의 철망모르타르 또는 두께 7센티미터 이상의 콘크리트블록·벽돌 또는 석재로 덮은 것

다. 철골을 두께 5센티미터 이상의 콘크리트로 덮은 것

4. 바닥의 경우에는 다음 각 목의 어느 하나에 해당하는 것

가. 철근콘크리트조 또는 철골철근콘크리트조로서 두께가 10센티미터 이상인 것

나. 철재로 보강된 콘크리트블록조·벽돌조 또는 석조로서 철재에 덮은 콘크리트블록등의 두께가 5센티미터 이상인 것

다. 철재의 양면을 두께 5센티미터 이상의 철망모르타르 또는 콘크리트로 덮은 것

5. 보(지붕틀을 포함한다)의 경우에는 다음 각 목의 어느 하나에 해당하는 것. 다만, 고강도 콘크리트를 사용하는 경우에는 국토교통부장관이 정하여 고시하는 고강도 콘크리트내화성능 관리기준에 적합해야 한다.

가. 철근콘크리트조 또는 철골철근콘크리트조

나. 철골을 두께 6센티미터(경량골재를 사용하는 경우에는 5센티미터)이상의 철망모르타르 또는 두께 5센티미터 이상의 콘크리트로 덮은 것

다. 철골조의 지붕틀(바닥으로부터 그 아랫부분까지의 높이가 4미터 이상인 것에 한한다)로서 바로 아래에 반자가 없거나 불연재료로 된 반자가 있는 것

- 중략 -

(5) 불연재료

「건축법 시행령」 제2조 제10호에 따른 불연재료 중 유리 외의 것을 말한다.

> **참고** 불연재료
>
> **1. 「건축법 시행령」 제2조 제10호**
>
> > "불연재료(不燃材料)"란 불에 타지 아니하는 성질을 가진 재료로서 국토교통부령으로 정하는 기준에 적합한 재료를 말한다.
>
> **2. 건축물의 피난·방화구조 등의 기준에 관한 규칙**
>
> > **제6조 【불연재료】** 영 제2조 제10호에서 "국토교통부령으로 정하는 기준에 적합한 재료"란 다음 각 호의 어느 하나에 해당하는 것을 말한다.
> > 1. 콘크리트·석재·벽돌·기와·철강·알루미늄·유리·시멘트모르타르 및 회. 이 경우 시멘트모르타르 또는 회 등 미장재료를 사용하는 경우에는 「건설기술 진흥법」 제44조 제1항 제2호에 따라 제정된 건축공사표준시방서에서 정한 두께 이상인 것에 한한다.
> > 2. 한국산업표준에 따라 시험한 결과 질량감소율 등이 국토교통부장관이 정하여 고시하는 불연재료의 성능기준을 충족하는 것
> > 3. 그 밖에 제1호와 유사한 불연성의 재료로서 국토교통부장관이 인정하는 재료. 다만, 제1호의 재료와 불연성재료가 아닌 재료가 복합으로 구성된 경우를 제외한다.

2-4 탱크 용적의 산정기준   B

시행규칙 제5조 【탱크 용적의 산정기준】 ① 위험물을 저장 또는 취급하는 탱크의 용량은 해당 탱크의 내용적에서 공간용적을 뺀 용적으로 한다. 이 경우 위험물을 저장 또는 취급하는 영 별표 2 제6호에 따른 차량에 고정된 탱크(이하 "이동저장탱크"라 한다)의 용량은 「자동차 및 자동차부품의 성능과 기준에 관한 규칙」에 따른 최대적재량 이하로 하여야 한다.
② 제1항의 규정에 의한 탱크의 내용적 및 공간용적의 계산방법은 소방청장이 정하여 고시한다.
③ 제1항의 규정에 불구하고 제조소 또는 일반취급소의 위험물을 취급하는 탱크 중 특수한 구조 또는 설비를 이용함에 따라 당해 탱크내의 위험물의 최대량이 제1항의 규정에 의한 용량 이하인 경우에는 당해 최대량을 용량으로 한다.

① 위험물을 저장 또는 취급하는 **탱크의 용량**은 해당 탱크의 내용적에서 공간용적을 뺀 용적으로 한다.
② 이동저장탱크의 용량은 **최대적재량 이하**로 하여야 한다.
③ 탱크의 내용적 및 공간용적의 계산방법은 소방청장이 정하여 고시한다.
④ ①의 규정에 불구하고 제조소 또는 일반취급소의 위험물을 취급하는 탱크 중 특수한 구조 또는 설비를 이용함에 따라 당해 탱크 내의 위험물의 최대량이 ①의 규정에 의한 용량 이하인 경우에는 당해 최대량을 용량으로 한다.

3 | 적용제외   B

제3조【적용제외】 이 법은 항공기·선박(「선박법」 제1조의2 제1항의 규정에 따른 선박을 말한다)·철도 및 궤도에 의한 위험물의 저장·취급 및 운반에 있어서는 이를 적용하지 아니한다.

이 법은 항공기, 선박, 철도 및 궤도에 의한 위험물의 저장·취급 및 운반에 있어서는 적용하지 아니한다.

정희's 톡talk

적용제외
항공기, 선박, 철도 및 궤도와 관련된 저장·취급 및 운반과 관련된 기준은 「위험물안전관리법」에서 정하고 있지 않으나. 기타 관련 법에서 규정하고 있습니다.

3-2 | 국가의 책무   C

제3조의2【국가의 책무】 ① 국가는 위험물에 의한 사고를 예방하기 위하여 다음 각 호의 사항을 포함하는 시책을 수립·시행하여야 한다.
1. 위험물의 유통실태 분석
2. 위험물에 의한 사고 유형의 분석
3. 사고 예방을 위한 안전기술 개발
4. 전문인력 양성
5. 그 밖에 사고 예방을 위하여 필요한 사항
② 국가는 지방자치단체가 위험물에 의한 사고의 예방·대비 및 대응을 위한 시책을 추진하는 데에 필요한 행정적·재정적 지원을 하여야 한다.

(1) 시책의 수립·시행(제3조의2 제1항)
① 국가는 위험물에 의한 사고를 예방하기 위한 시책을 수립·시행하여야 한다.

② **시책 포함사항**
  ㉠ 위험물의 유통실태 분석
  ㉡ 위험물에 의한 사고 유형의 분석
  ㉢ 사고 예방을 위한 안전기술 개발
  ㉣ 전문인력 양성
  ㉤ 그 밖에 사고 예방을 위하여 필요한 사항

(2) 행정적·재정적 지원(제3조의2 제2항)
국가는 지방자치단체가 위험물에 의한 사고의 예방·대비 및 대응을 위한 시책을 추진하는 데에 필요한 행정적·재정적 지원을 하여야 한다.

제4조【지정수량 미만인 위험물의 저장 · 취급】 지정수량 미만인 위험물의 저장 또는 취급에 관한 기술상의 기준은 특별시 · 광역시 · 특별자치시 · 도 및 특별자치도 (이하 "시 · 도"라 한다)의 조례로 정한다.

지정수량 미만인 위험물의 저장 · 취급에 관한 기술상 기준은 시 · 도 조례로 정한다.

참고 **경기도 위험물안전관리 조례 제2조 및 제3조**

1. 제2조

> **제2조【지정수량 미만인 위험물의 저장 · 취급 기준】**「위험물안전관리법」(이하 "법"이라 한다) 제4조에 따라 지정수량 미만인 위험물의 저장 또는 취급의 기준은 다음 각 호와 같다.
>
> 1. 위험물을 저장 또는 취급하는 장소
>   가. 방화상 안전한 장소일 것
>   나. 청결하며 주변에 위험물의 안전관리를 위하여 필요한 물건 외에 다른 물건 이 방치되어 있지 아니할 것
> 2. 위험물의 저장 또는 취급시의 처리기준
>   가. 위험물이 새거나, 넘치거나, 비산(飛散)하지 아니하도록 필요한 조치를 할 것
>   나. 발화의 원인이 될 수 있는 다른 위험물이나 물품의 접근 · 접촉 · 혼합 또는 과 열 · 충격 · 마찰을 피할 것. 실험 등을 위한 경우로서 화재예방상 안전한 조치 를 하는 때에는 예외로 한다.
>   다. 위험물을 판매하기 위하여 저장 또는 취급하는 경우에는 자동판매기를 사용 하지 아니할 것. 제4류 위험물 중 인화점이 섭씨 130도 이상인 위험물을 섭씨 100도 미만의 온도에서 저장 또는 취급하는 경우에는 예외로 한다.
>   라. 위험물 또는 위험물의 찌꺼기 등을 폐기하는 경우에는 하수, 하천 등에 투기 하지 말고 그 성질에 따라 소각, 중화 또는 희석하는 등 다른 사람에게 위해 (危害)나 손해를 끼치지 아니하는 안전한 방법으로 처리할 것
> 3. 위험물을 수납한 용기의 저장 또는 취급의 기준
>   가. 용기를 올려놓는 선반 등은 쉽게 기울어지거나 넘어지지 아니하도록 고정시 킬 것
>   나. 용기가 넘어지거나 떨어지는 것을 방지할 수 있도록 필요한 조치를 하고 용 기에 충격을 가하는 등의 행위를 하지 아니할 것
>   다. 다른 물품이 쉽게 낙하할 우려가 있는 장소에는 저장하지 아니할 것
>   라. 접촉 또는 혼합으로 발화할 우려가 있는 위험물 또는 물품은 서로 근접하여 두지 아니할 것

2. 제3조

> **제3조【소량위험물 저장 · 취급의 공통기준】** ① 「위험물안전관리법 시행령」(이하 "영"이라 한다) 제3조에 따라 지정수량의 2분의 1 이상, 지정수량 미만의 위험물(이 하 "소량위험물"이라 한다)을 저장 또는 취급하고자 하는 때에는 제2조에 정하는 것 외에 다음 각 호의 기준에 따라야 한다.

---

5 위험물의 저장 및 취급의 제한   B

제5조 【위험물의 저장 및 취급의 제한】 ① 지정수량 이상의 위험물을 저장소가 아닌 장소에서 저장하거나 제조소등이 아닌 장소에서 취급하여서는 아니 된다.

② 제1항의 규정에 불구하고 다음 각 호의 어느 하나에 해당하는 경우에는 제조소 등이 아닌 장소에서 지정수량 이상의 위험물을 취급할 수 있다. 이 경우 임시로 저장 또는 취급하는 장소에서의 저장 또는 취급의 기준과 임시로 저장 또는 취급하는 장소의 위치·구조 및 설비의 기준은 시·도의 조례로 정한다.

1. 시·도의 조례가 정하는 바에 따라 관할소방서장의 승인을 받아 지정수량 이상의 위험물을 90일 이내의 기간동안 임시로 저장 또는 취급하는 경우
2. 군부대가 지정수량 이상의 위험물을 군사목적으로 임시로 저장 또는 취급하는 경우

③ 제조소등에서의 위험물의 저장 또는 취급에 관하여는 다음 각 호의 중요기준 및 세부기준에 따라야 한다.

1. 중요기준: 화재 등 위해의 예방과 응급조치에 있어서 큰 영향을 미치거나 그 기준을 위반하는 경우 직접적으로 화재를 일으킬 가능성이 큰 기준으로서 행정안전부령이 정하는 기준
2. 세부기준: 화재 등 위해의 예방과 응급조치에 있어서 중요기준보다 상대적으로 적은 영향을 미치거나 그 기준을 위반하는 경우 간접적으로 화재를 일으킬 수 있는 기준 및 위험물의 안전관리에 필요한 표시와 서류·기구 등의 비치에 관한 기준으로서 행정안전부령이 정하는 기준

④ 제1항의 규정에 따른 제조소등의 위치·구조 및 설비의 기술기준은 행정안전부령으로 정한다.

⑤ 둘 이상의 위험물을 같은 장소에서 저장 또는 취급하는 경우에 있어서 당해 장소에서 저장 또는 취급하는 각 위험물의 수량을 그 위험물의 지정수량으로 각각 나누어 얻은 수의 합계가 1 이상인 경우 당해 위험물은 지정수량 이상의 위험물로 본다.

(1) 지정수량 이상의 위험물의 저장·취급의 제한

① 지정수량 이상의 위험물은 저장소가 아닌 장소에서 저장하여서는 아니 된다.
② 지정수량 이상의 위험물은 제조소등이 아닌 장소에서 취급하여서는 아니 된다.
③ 벌칙 - 3년 이하의 징역 또는 3천만원 이하의 벌금(**제34조의3**): 제5조 제1항을 위반하여 저장소 또는 제조소등이 아닌 장소에서 지정수량 이상의 위험물을 저장 또는 취급한 자

(2) 제조소등이 아닌 장소에서 지정수량 이상의 위험물을 취급할 수 있는 경우

① 시·도의 조례가 정하는 바에 따라 관할소방서장의 승인을 받아 90일 이내의 기간 동안 임시로 저장 또는 취급하는 경우
② 군부대가 군사목적으로 임시로 저장 또는 취급하는 경우
③ ①과 ②의 경우 임시로 저장 또는 취급하는 장소에서의 저장 또는 취급의 기준과, 임시로 저장 또는 취급하는 장소의 위치·구조 및 설비의 기준은 시·도의 조례로 정한다.

④ **과태료 - 500만원 이하의 과태료(제39조):** 제5조 제2항 제1호의 규정에 따른 승인을 받지 아니한 자

(3) 제조소등에서의 위험물 저장 또는 취급 기준(제5조 제3항)제조소등에서의 위험물의 저장 또는 취급에 관하여는 다음의 기준을 따라야 한다.

① **중요기준:** 화재 등 위해의 예방과 응급조치에 있어서 큰 영향을 미치거나 그 기준을 위반하는 경우 직접적으로 화재를 일으킬 가능성이 큰 기준으로서 행정안전부령이 정하는 기준

② **세부기준:** 화재 등 위해의 예방과 응급조치에 있어서 중요기준보다 상대적으로 적은 영향을 미치거나 그 기준을 위반하는 경우 **간접적으로 화재를 일으킬 수 있는 기준** 및 위험물의 안전관리에 필요한 표시와 서류·기구 등의 비치에 관한 기준으로서 행정안전부령이 정하는 기준

③ **벌칙 및 과태료**

㉠ **1천500만원 이하의 벌금(제36조):** 제5조 제3항 제1호의 규정에 따른 위험물의 저장 또는 취급에 관한 중요기준에 따르지 아니한 자

㉡ **500만원 이하의 과태료(제39조):** 제5조 제3항 제2호의 규정에 따른 위험물의 저장 또는 취급에 관한 세부기준을 위반한 자

(4) 제조소등의 위치·구조 및 설비의 기술기준은 행정안전부령으로 정한다.

(5) **둘 이상의 위험물을 같은 장소에서 저장 또는 취급하는 경우**

당해 장소에서 저장 또는 취급하는 각 위험물의 수량을 그 위험물의 지정수량으로 각각 나누어 얻은 수의 합계가 1 이상인 경우 당해 위험물은 지정수량 이상의 위험물로 본다.

(6) **소화설비의 기준(규칙 제41조)**

① 제조소등에는 화재 발생 시 소화가 곤란한 정도에 따라 그 소화에 적응성이 있는 소화설비를 설치하여야 한다.

② 소화가 곤란한 정도에 따른 소화난이도는 **소화난이도등급Ⅰ, 소화난이도등급Ⅱ 및 소화난이도등급Ⅲ**으로 구분한다.

③ 소화난이도등급에 해당하는 제조소등의 규모, 저장 또는 취급하는 위험물의 품명 및 최대수량 등과 그에 따라 제조소등별로 설치하여야 하는 소화설비의 종류, 각 소화설비의 적응성 및 소화설비의 설치기준은 별표 17과 같다.

(7) **경보설비의 기준(규칙 제42조)**

① 지정수량의 10배 이상의 위험물을 저장 또는 취급하는 제조소등에는 화재발생 시 이를 알릴 수 있는 경보설비를 설치하여야 한다(이동탱크저장소 제외).

② 경보설비는 자동화재탐지설비·자동화재속보설비·비상경보설비(비상벨장치 또는 경종)·확성장치(휴대용확성기 포함) 및 비상방송설비로 구분한다.

③ 제조소등별로 설치하여야 하는 경보설비의 종류 및 자동화재탐지설비의 설치기준은 별표 17과 같다.

④ 자동신호장치를 갖춘 스프링클러설비 또는 물분무등소화설비를 설치한 제조소등에 있어서는 자동화재탐지설비를 설치한 것으로 본다.

정회's 톡talk

기술기준

제조소등의 위치·구조 및 설비의 기술기준은 규칙 [별표 4 ~ 16]으로 상당히 중요하며, 방대한 기준이 있습니다.

✏️ **핵심기출**

「위험물안전관리법 시행규칙」상 위험물 제조소등(이동탱크저장소를 제외한다)에 설치하는 경보설비로 옳지 않은 것은? 20. 공채(6월)

① 확성장치
② 비상방송설비
③ 비상경보설비
④ 자동화재속보설비

정답 없음

* 관련 규정 개정, 자동화재속보설비가 추가 개정되었다.

(8) 피난설비의 기준(규칙 제43조)

　① 주유취급소 중 건축물의 2층 이상의 부분을 점포·휴게음식점 또는 전시장의 용도로 사용하는 것과 옥내주유취급소에는 피난설비를 설치하여야 한다.

　② 피난설비의 설치기준은 별표 17과 같다.

(9) 제조소등의 기준의 특례(규칙 제47조)

　① 시·도지사 또는 소방서장의 제조소등의 기준 적용 제외 대상

　　㉠ 위험물의 품명 및 최대수량, 지정수량의 배수, 위험물의 저장 또는 취급의 방법 및 제조소등의 주위의 지형 그 밖의 상황 등에 비추어 볼 때 화재의 발생 및 연소의 정도나 화재 등의 재난에 의한 피해가 제조소등의 위치·구조 및 설비의 기준에 의한 경우와 동등 이하가 된다고 인정되는 경우

　　㉡ 예상하지 아니한 특수한 구조나 설비를 이용하는 것으로서 제조소등의 위치·구조 및 설비의 기준에 의한 경우와 동등 이상의 효력이 있다고 인정되는 경우

　② 시·도지사 또는 소방서장은 제조소등의 기준의 특례 적용 여부를 심사함에 있어서 전문기술적인 판단이 필요하다고 인정하는 사항에 대해서는 **기술원**이 실시한 해당 제조소등의 안전성에 관한 평가(안전성 평가)를 참작할 수 있다.

　③ 안전성 평가를 받으려는 자는 **기술원**에 제출하여 안전성 평가를 신청할 수 있다.

　④ 안전성 평가의 신청을 받은 **기술원**은 소방기술사, 위험물기능장 등 해당분야의 전문가가 참여하는 위원회(안전성평가위원회)의 심의를 거쳐 안전성 평가 결과를 30일 이내에 신청인에게 통보하여야 한다.

　⑤ 안전성평가위원회의 구성 및 운영과 신청절차 등 안전성 평가에 관하여 필요한 사항은 기술원의 원장이 정한다.

👆 **관계법규** 위험물의 저장 또는 취급 기준

시행규칙

제41조【소화설비의 기준】 ① 법 제5조 제4항의 규정에 의하여 제조소등에는 화재 발생 시 소화가 곤란한 정도에 따라 그 소화에 적응성이 있는 소화설비를 설치하여야 한다.

② 제1항의 규정에 의한 소화가 곤란한 정도에 따른 소화난이도는 소화난이도등급Ⅰ, 소화난이도등급Ⅱ 및 소화난이도등급Ⅲ으로 구분하되, 각 소화난이도등급에 해당하는 제조소등의 규모, 저장 또는 취급하는 위험물의 품명 및 최대수량 등과 그에 따라 제조소등별로 설치하여야 하는 소화설비의 종류, 각 소화설비의 적응성 및 소화설비의 설치기준은 별표 17과 같다.

제42조【경보설비의 기준】 ① 법 제5조 제4항의 규정에 의하여 영 별표 1의 규정에 의한 지정수량의【 ① 】의 위험물을 저장 또는 취급하는 제조소등(이동탱크저장소를 제외한다)에는 화재 발생 시 이를 알릴 수 있는 경보설비를 설치하여야 한다.

② 제1항에 따른 경보설비는 자동화재탐지설비·자동화재속보설비·비상경보설비(비상벨장치 또는 경종을 포함한다)·【 ② 】(휴대용확성기를 포함한다) 및 비상방송설비로 구분하되, 제조소등별로 설치하여야 하는 경보설비의 종류 및 자동화재탐지설비의 설치기준은 별표 17과 같다.

③ 자동신호장치를 갖춘 스프링클러설비 또는 물분무등소화설비를 설치한 제조소등에 있어서는 제2항의 규정에 의한 자동화재탐지설비를 설치한 것으로 본다.

제43조【피난설비의 기준】 ① 법 제5조 제4항의 규정에 의하여 주유취급소 중 건축물의 2층 이상의 부분을 점포·휴게음식점 또는 전시장의 용도로 사용하는 것과 옥내주유취급소에는 피난설비를 설치하여야 한다.

② 제1항의 규정에 의한 피난설비의 설치기준은 별표 17과 같다.

① 10배 이상　② 확성장치

제2장 위험물시설의 설치 및 변경

1 위험물시설의 설치·변경 등   A

제6조【위험물시설의 설치 및 변경 등】 ① 제조소등을 설치하고자 하는 자는 대통령령이 정하는 바에 따라 그 설치장소를 관할하는 특별시장·광역시장·특별자치시장·도지사 또는 특별자치도지사(이하 "시·도지사"라 한다)의 허가를 받아야 한다. 제조소등의 위치·구조 또는 설비 가운데 행정안전부령이 정하는 사항을 변경하고자 하는 때에도 또한 같다.

② 제조소등의 위치·구조 또는 설비의 변경 없이 당해 제조소등에서 저장하거나 취급하는 위험물의 품명·수량 또는 지정수량의 배수를 변경하고자 하는 자는 변경하고자 하는 날의 1일 전까지 행정안전부령이 정하는 바에 따라 시·도지사에게 신고하여야 한다.

③ 제1항 및 제2항의 규정에 불구하고 다음 각 호의 어느 하나에 해당하는 제조소등의 경우에는 허가를 받지 아니하고 당해 제조소등을 설치하거나 그 위치·구조 또는 설비를 변경할 수 있으며, 신고를 하지 아니하고 위험물의 품명·수량 또는 지정수량의 배수를 변경할 수 있다.

1. 주택의 난방시설(공동주택의 중앙난방시설을 제외한다)을 위한 저장소 또는 취급소
2. 농예용·축산용 또는 수산용으로 필요한 난방시설 또는 건조시설을 위한 지정수량 20배 이하의 저장소

(1) 제조소등의 설치허가 또는 변경허가

① 위험물시설의 설치허가 또는 변경허가 대상자는 대통령령이 정하는 바에 따라 그 설치장소를 관할하는 시·도지사의 허가를 받아야 한다.

   ㉠ 설치허가: 제조소등을 설치하고자 하는 경우

   ㉡ 변경허가: 제조소등의 위치·구조 또는 설비 가운데 행정안전부령이 정하는 사항을 변경하고자 하는 경우

② 벌칙

   ㉠ 벌칙 - 제33조

      ⓐ 제조소등 또는 제6조 제1항에 따른 허가를 받지 않고 지정수량 이상의 위험물을 저장 또는 취급하는 장소에서 위험물을 유출·방출 또는 확산시켜 사람의 생명·신체 또는 재산에 대하여 위험을 발생시킨 자는 1년 이상 10년 이하의 징역에 처한다.

      ⓑ ⓐ의 규정에 따른 죄를 범하여 사람을 상해(傷害)에 이르게 한 때에는 무기 또는 3년 이상의 징역에 처하며, 사망에 이르게 한 때에는 무기 또는 5년 이상의 징역에 처한다.

ⓛ 벌칙 – 제34조

    ⓐ 업무상 과실로 제33조 제1항의 죄를 범한 자는 7년 이하의 금고 또는 7천만 원 이하의 벌금에 처한다.

    ⓑ ⓐ의 죄를 범하여 사람을 사상(死傷)에 이르게 한 자는 10년 이하의 징역 또는 금고나 1억원 이하의 벌금에 처한다.

③ 제조소등의 설치 및 변경의 허가(영 제6조 제2항)

    ㉠ 제조소등의 위치 · 구조 및 설비가 기술기준에 적합할 것

    ㉡ 제조소등에서의 위험물의 저장 또는 취급이 공공의 안전유지 또는 재해의 발생방지에 지장을 줄 우려가 없다고 인정될 것

    ㉢ 다음의 제조소등은 해당사항에 대해서 한국소방산업기술원의 기술검토를 받고 그 결과가 행정안전부령으로 정하는 기준에 적합한 것으로 인정되어야 한다.

        ⓐ 지정수량의 1천배 이상의 위험물을 취급하는 제조소 또는 일반취급소: 구조 · 설비에 관한 사항

        ⓑ 옥외탱크저장소(저장용량 50만리터 이상인 것) 또는 암반탱크저장소: 위험물탱크의 기초 · 지반, 탱크본체 및 소화설비에 관한 사항

④ 제조소등의 설치허가의 신청(규칙 제6조)

    ㉠ 설치허가신청서 제출: 시 · 도지사 또는 소방서장

    ㉡ 설치허가신청서 첨부 서류

        ⓐ 제조소등의 위치 · 구조 및 설비에 관한 도면

        ⓑ 구조설비명세표

        ⓒ 소화설비(소화기구를 제외한다)를 설치하는 제조소등의 경우에는 당해 설비의 설계도서

        ⓓ 화재탐지설비를 설치하는 제조소등의 경우에는 당해 설비의 설계도서

        ⓔ 50만리터 이상의 옥외탱크저장소의 경우에는 당해 옥외탱크저장소의 탱크(옥외저장탱크)의 기초 · 지반 및 탱크본체의 설계도서, 공사계획서, 공사공정표, 지질조사자료 등 기초 · 지반에 관하여 필요한 자료와 용접부에 관한 설명서 등 탱크에 관한 자료

        ⓕ 암반탱크저장소의 경우에는 당해 암반탱크의 탱크본체 · 갱도 및 배관 그 밖의 설비의 설계도서, 공사계획서, 공사공정표 및 지질 · 수리조사서

        ⓖ 옥외저장탱크❶가 지중탱크❷인 경우에는 당해 지중탱크의 지반 및 탱크본체의 설계도서, 공사계획서, 공사공정표 및 지질조사자료 등 지반에 관한 자료

        ⓗ 옥외저장탱크가 해상탱크❸인 경우에는 당해 해상탱크의 탱크본체 · 정치설비, 그 밖의 설비의 설계도서, 공사계획서 및 공사공정표

        ⓘ 이송취급소의 경우에는 공사계획서, 공사공정표

⑤ 제조소등의 변경허가의 신청(규칙 제7조)
  ㉠ 변경허가신청서 제출: 시·도지사 또는 소방서장
  ㉡ 변경허가신청서 첨부 서류
    ⓐ 제조소등의 완공검사합격확인증
    ⓑ 제6조 제1호의 규정에 의한 서류
    ⓒ 제6조 제2호 내지 제10호의 규정에 디한 서류 중 변경에 관계된 서류
    ⓓ 법 제9조 제1항 단서의 규정에 의한 화재예방에 관한 조치사항을 기재한 서류(변경공사와 관계가 없는 부분을 완공검사 전에 사용하고자 하는 경우에 한한다)

(2) 품명 등의 변경신고

① 변경신고대상: 제조소등의 위치·구조 또는 설비의 변경 없이 당해 제조소등에서 저장하거나 취급하는 위험물의 품명·수량 또는 지정수량의 배수를 변경하고자 하는 경우
② 변경신고기한: 변경하고자 하는 날의 1일 전까지
③ 변경신고: 행정안전부령이 정하는 바에 따라 시·도지사에게 신고
④ 품명 등의 변경신고서(규칙 제10조): 저장 또는 취급하는 위험물의 품명·수량 또는 지정수량의 배수에 관한 변경신고를 하려는 자는 별지 제19호 서식의 신고서(전자문서로 된 신고서를 포함한다)에 제조소등의 완공검사합격확인증을 첨부하여 시·도지사 또는 소방서장에게 제출해야 한다.
⑤ 과태료 – 500만원 이하의 과태료(제39조): 제6조 제2항의 규정에 따른 품명 등의 변경신고를 기간 이내에 하지 아니하거나 허위로 한 자

(3) 위험물시설의 설치허가·변경허가·변경신고 예외사항

다음 어느 하나에 해당하는 제조소등의 경우에는 허가를 받지 않고 설치하거나 변경할 수 있다. 또한 신고를 하지 아니하고 위험물의 품명·수량 또는 지정수량의 배수를 변경할 수 있다.

① 주택의 난방시설(공동주택의 중앙난방시설 제외)을 위한 저장소 또는 취급소
② 농예용·축산용 또는 수산용으로 필요한 난방시설 또는 건조시설을 위한 지정수량 20배 이하의 저장소

시행령	시행규칙
제6조【제조소등의 설치 및 변경의 허가】 ① 법 제6조 제1항에 따라 제조소등의 설치허가 또는 변경허가를 받으려는 자는 설치허가 또는 변경허가신청서에 행정안전부령으로 정하는 서류를 첨부하여 특별시장·광역시장·특별자치시장·도지사 또는 특별자치도지사(이하 "시·도지사"라 한다)에게 제출하여야 한다. ② 시·도지사는 제1항에 따른 제조소등의 설치허가 또는 변경허가 신청 내용이 다음 각 호의 기준에 적합하다고 인정하는 경우에는 허가를 하여야 한다. 1. 제조소등의 위치·구조 및 설비가 법 제5조 제4항의 규정에 의한 기술기준에 적합할 것 2. 제조소등에서의 위험물의 저장 또는 취급이 공공의 안전유지 또는 재해의 발생방지에 지장을 줄 우려가 없다고 인정될 것 3. 다음 각 목의 제조소등은 해당 목에서 정한 사항에 대하여 「소방산업의 진흥에 관한 법률」 제14조에 따른 한국소방산업기술원(이하 "기술원"이라 한다)의 기술검토를 받고 그 결과가 행정안전부령으로 정하는 기준에 적합한 것으로 인정될 것. 다만, 【 ① 】 등을 위한 부분적인 변경으로서 【 ② 】이 정하여 고시하는 사항에 대해서는 기술원의 기술검토를 받지 않을 수 있으나 【 ③ 】으로 정하는 기준에는 적합해야 한다. 　가. 지정수량의 1천배 이상의 위험물을 취급하는 제조소 또는 일반취급소: 구조·설비에 관한 사항 　나. 옥외탱크저장소(【 ④ 】 이상인 것만 해당한다) 또는 암반탱크저장소: 위험물탱크의 기초·지반, 탱크본체 및 【 ⑤ 】에 관한 사항 ③ 제2항 제3호 각 목의 어느 하나에 해당하는 제조소등에 관한 설치허가 또는 변경허가를 신청하는 자는 그 시설의 설치계획에 관하여 미리 【 ⑥ 】의 기술검토를 받아 그 결과를 설치허가 또는 변경허가신청서류와 함께 제출할 수 있다.	**제9조【기술검토의 신청 등】** ① 영 제6조 제3항에 따라 기술검토를 미리 받으려는 자는 다음 각 호의 구분에 따른 신청서(전자문서로 된 신청서를 포함한다)와 서류(전자문서를 포함한다)를 기술원에 제출하여야 한다. 다만, 「전자정부법」 제36조 제1항에 따른 행정정보의 공동이용을 통하여 제출하여야 하는 서류에 대한 정보를 확인할 수 있는 경우에는 그 확인으로 서류의 제출을 갈음할 수 있다. 1. 영 제6조 제2항 제3호 가목의 사항에 대한 기술검토 신청: 별지 제17호의2서식의 신청서와 제6조 제1호(가목은 제외한다)부터 제4호까지의 서류 중 해당 서류(변경허가와 관련된 경우에는 변경에 관계된 서류로 한정한다) 2. 영 제6조 제2항 제3호 나목의 사항에 대한 기술검토 신청: 별지 제18호 서식의 신청서와 제6조 제3호 및 같은 조 제5호부터 제8호까지의 서류 중 해당 서류(변경허가와 관련된 경우에는 변경에 관계된 서류로 한정한다) ② 기술원은 제1항에 따른 신청의 내용이 다음 각 호의 구분에 따른 기준에 적합하다고 인정되는 경우에는 기술검토서를 교부하고, 적합하지 아니하다고 인정되는 경우에는 신청인에게 서면으로 그 사유를 통보하고 보완을 요구하여야 한다. 1. 영 제6조 제2항 제3호 가목의 사항에 대한 기술검토 신청: 별표 4 Ⅳ부터 Ⅻ까지의 기준, 별표 16 Ⅰ·Ⅵ·ⅩⅠ·Ⅻ의 기준 및 별표 17의 관련 규정 2. 영 제6조 제2항 제3호 나목의 사항에 대한 기술검토 신청: 별표 6 Ⅳ부터 Ⅷ까지, Ⅻ 및 ⅩⅢ의 기준과 별표 12 및 별표 17 Ⅰ. 소화설비의 관련 규정 **제10조【품명 등의 변경신고서】** 법 제6조 제2항에 따라 저장 또는 취급하는 위험물의 품명·수량 또는 지정수량의 배수에 관한 변경신고를 하려는 자는 별지 제19호 서식의 신고서(전자문서로 된 신고서를 포함한다)에 제조소등의 완공검사합격확인증을 첨부하여 시·도지사 또는 소방서장에게 제출해야 한다.

① 보수 ② 소방청장 ③ 행정안전부령 ④ 저장용량이 50만리터
⑤ 소화설비 ⑥ 기술원

위험물안전관리법

6

해커스소방 김정희 소방관계법규 기본서

시행규칙

제6조【제조소등의 설치허가의 신청】「위험물안전관리법」(이하 "법"이라 한다) 제6조 제1항 전단 및 영 제6조 제1항에 따라 제조소등의 설치허가를 받으려는 자는 별지 제1호 서식 또는 별지 제2호 서식의 신청서(전자문서로 된 신청서를 포함한다)에 다음 각 호의 서류(전자문서를 포함한다)를 첨부하여 특별시장·광역시장·특별자치시장·도지사 또는 특별자치도지사(이하 "시·도지사"라 한다)나 소방서장에게 제출하여야 한다. 다만, 「전자정부법」 제36조 제1항에 따른 행정정보의 공동이용을 통하여 첨부서류에 대한 정보를 확인할 수 있는 경우에는 그 확인으로 첨부서류에 갈음할 수 있다.

1. 다음 각 목의 사항을 기재한 제조소등의 위치·구조 및 설비에 관한 도면
   가. 당해 제조소등을 포함하는 사업소 안 및 주위의 주요 건축물과 공작물의 배치
   나. 당해 제조소등이 설치된 건축물 안에 제조소등의 용도로 사용되지 아니하는 부분이 있는 경우 그 부분의 배치 및 구조
   다. 당해 제조소등을 구성하는 건축물, 공작물 및 기계·기구 그 밖의 설비의 배치(제조소 또는 일반취급소의 경우에는 공정의 개요를 포함한다)
   라. 당해 제조소등에서 위험물을 저장 또는 취급하는 건축물, 공작물 및 기계·기구 그 밖의 설비의 구조(주유취급소의 경우에는 별표 13 Ⅴ 제1호 각 목의 규정에 의한 건축물 및 공작물의 구조를 포함한다)
   마. 당해 제조소등에 설치하는 전기설비, 피뢰설비, 소화설비, 경보설비 및 피난설비의 개요
   바. 압력안전장치·누설점검장치 및 긴급차단밸브 등 긴급대책에 관계된 설비를 설치하는 제조소등의 경우에는 당해 설비의 개요
2. 당해 제조소등에 해당하는 별지 제3호 서식 내지 별지 제15호 서식에 의한 구조설비명세표
3. 소화설비(소화기구를 제외한다)를 설치하는 제조소등의 경우에는 당해 설비의 설계도서
4. 화재탐지설비를 설치하는 제조소등의 경우에는 당해 설비의 설계도서
5. 【 ① 】이상의 옥외탱크저장소의 경우에는 당해 옥외탱크저장소의 탱크(이하 "옥외저장탱크"라 한다)의 기초·지반 및 탱크본체의 설계도서, 공사계획서, 공사공정표, 지질조사자료 등 기초·지반에 관하여 필요한 자료와 용접부에 관한 설명서 등 탱크에 관한 자료
6. 암반탱크저장소의 경우에는 당해 암반탱크의 탱크본체·갱도(坑道) 및 배관 그 밖의 설비의 설계도서, 공사계획서, 공사공정표 및 지질·수리(水理)조사서

7. 옥외저장탱크가 지중탱크(저부가 지반면 아래에 있고 상부가 지반면 이상에 있으며 탱크내 위험물의 최고액면이 지반면 아래에 있는 원통종형식의 위험물탱크를 말한다. 이하 같다)인 경우에는 당해 지중탱크의 지반 및 탱크본체의 설계도서, 공사계획서, 공사공정표 및 지질조사자료 등 지반에 관한 자료
8. 옥외저장탱크가 해상탱크[해상의 동일장소에 정치(定置)되어 육상에 설치된 설비와 배관 등에 의하여 접속된 위험물탱크를 말한다. 이하 같다]인 경우에는 당해 해상탱크의 탱크본체·정치설비(해상탱크를 동일장소에 정치하기 위한 설비를 말한다. 이하 같다) 그 밖의 설비의 설계도서, 공사계획서 및 공사공정표
9. 이송취급소의 경우에는 공사계획서, 공사공정표 및 별표 1의 규정에 의한 서류
10. 「소방산업의 진흥에 관한 법률」 제14조에 따른 한국소방산업기술원(이하 "기술원"이라 한다)이 발급한 기술검토서(영 제6조 제3항의 규정에 의하여 기술원의 기술검토를 미리 받은 경우에 한한다)

제7조【제조소등의 변경허가의 신청】 법 제6조 제1항 후단 및 영 제6조 제1항에 따라 제조소등의 위치·구조 또는 설비의 변경허가를 받으려는 자는 별지 제16호 서식 또는 별지 제17호 서식의 신청서(전자문서로 된 신청서를 포함한다)에 다음 각 호의 서류(전자문서를 포함한다)를 첨부하여 설치허가를 한 시·도지사 또는 소방서장에게 제출해야 한다. 다만, 「전자정부법」 제36조 제1항에 따른 행정정보의 공동이용을 통하여 첨부서류에 대한 정보를 확인할 수 있는 경우에는 그 확인으로 첨부서류를 갈음할 수 있다.

1. 제조소등의 완공검사합격확인증
2. 제6조 제1호의 규정에 의한 서류(라목 내지 바목의 서류는 변경에 관계된 것에 한한다)
3. 제6조 제2호 내지 제10호의 규정에 의한 서류 중 변경에 관계된 서류
4. 법 제9조 제1항 단서의 규정에 의한 화재예방에 관한 조치사항을 기재한 서류(변경공사와 관계가 없는 부분을 완공검사 전에 사용하고자 하는 경우에 한한다)

제8조【제조소등의 변경허가를 받아야 하는 경우】 법 제6조 제1항 후단에서 "행정안전부령이 정하는 사항"이라 함은 별표 1의2에 따른 사항을 말한다.

---

① 50만리터

제7조【군용위험물시설의 설치 및 변경에 대한 특례】 ① 군사목적 또는 군부대시설을 위한 제조소등을 설치하거나 그 위치·구조 또는 설비를 변경하고자 하는 군부대의 장은 대통령령이 정하는 바에 따라 미리 제조소등의 소재지를 관할하는 시·도지사와 협의하여야 한다.

② 군부대의 장이 제1항의 규정에 따라 제조소등의 소재지를 관할하는 시·도지사와 협의한 경우에는 제6조 제1항의 규정에 따른 허가를 받은 것으로 본다.

③ 군부대의 장은 제1항의 규정에 따라 협의한 제조소등에 대하여는 제8조 및 제9조의 규정에 불구하고 탱크안전성능검사와 완공검사를 자체적으로 실시할 수 있다. 이 경우 완공검사를 자체적으로 실시한 군부대의 장은 지체 없이 행정안전부령이 정하는 사항을 시·도지사에게 통보하여야 한다.

(1) 군용위험시설물의 설치·변경 특례

① 특례 대상

㉠ 군사목적 또는 군부대시설을 위한 제조소등의 설치공사

㉡ 군사목적 또는 군부대시설을 위한 제조소등의 위치·구조 또는 설비의 변경공사

② 설치·변경공사의 협의에 따른 특례

㉠ 군부대의 장이 대통령령이 정하는 바에 따라 미리 제조소등의 소재지를 관할하는 시·도지사와 협의하여야 한다.

㉡ 군부대의 장이 제조소등의 소재지를 관할하는 시·도지사와 협의한 경우에는 허가를 받은 것으로 본다.

③ 군용위험물시설의 설치 및 변경에 대한 특례(영 제7조)

㉠ 군부대의 장은 군사목적 또는 군부대시설을 위한 제조소등을 설치하거나 그 위치·구조 또는 설비를 변경하고자 하는 경우에는 당해 제조소등의 설치공사 또는 변경공사를 착수하기 전에 그 공사의 설계도서와 행정안전부령이 정하는 서류를 시·도지사에게 제출하여야 한다.

㉡ 다만, 국가안보상 중요하거나 국가기밀에 속하는 제조소등을 설치 또는 변경하는 경우에는 당해 공사의 설계도서의 제출을 생략할 수 있다.

㉢ 시·도지사는 ㉠에 의하여 제출받은 설계도서와 관계서류를 검토한 후 그 결과를 당해 군부대의 장에게 통지하여야 한다. 이 경우 시·도지사는 검토결과를 통지하기 전에 설계도서와 관계서류의 보완요청을 할 수 있고, 보완요청을 받은 군부대의 장은 특별한 사유가 없는 한 이에 응하여야 한다.

(2) 탱크안전성능검사와 완공검사

① 군부대의 장과 시·도지사가 협의한 제조소등에 대해서는 탱크안전성능검사와 완공검사를 자체적으로 실시할 수 있다.

② 완공검사를 자체적으로 실시한 군부대의 장은 지체 없이 행정안전부령이 정하는 사항을 시·도지사에게 통보하여야 한다.

③ 시 · 도지사에게 통보하여야 하는 사항(규칙 제11조 제2항)
　㉠ 제조소등의 완공일 및 사용개시일
　㉡ 탱크안전성능검사의 결과(탱크안전성능검사의 대상이 되는 위험물탱크가 있는 경우에 한한다)
　㉢ 완공검사의 결과
　㉣ 안전관리자 선임계획
　㉤ 예방규정(영 제15조 각 호의 1에 해당하는 제조소등의 경우에 한한다)

관계법규　군용위험물시설의 설치 및 변경에 대한 특례 등

시행령	시행규칙
제7조【군용위험물시설의 설치 및 변경에 대한 특례】 ① 군부대의 장은 법 제7조 제1항의 규정에 의하여 군사목적 또는 군부대시설을 위한 제조소등을 설치하거나 그 위치 · 구조 또는 설비를 변경하고자 하는 경우에는 당해 제조소등의 설치공사 또는 변경공사를 【 ① 】에 그 공사의 설계도서와 행정안전부령이 정하는 서류를 시 · 도지사에게 제출하여야 한다. 다만, 국가안보상 중요하거나 국가기밀에 속하는 제조소등을 설치 또는 변경하는 경우에는 당해 공사의 설계도서의 제출을 생략할 수 있다. ② 시 · 도지사는 제1항의 규정에 의하여 제출받은 설계도서와 관계서류를 검토한 후 그 결과를 당해 군부대의 장에게 통지하여야 한다. 이 경우 시 · 도지사는 검토결과를 통지하기 전에 설계도서와 관계서류의 보완요청을 할 수 있고, 보완요청을 받은 군부대의 장은 특별한 사유가 없는 한 이에 응하여야 한다.	**제11조【군용위험물시설의 설치 등에 관한 서류 등】** ① 영 제7조 제1항 본문에서 "행정안전부령이 정하는 서류"라 함은 군사목적 또는 군부대시설을 위한 제조소등의 설치공사 또는 변경공사에 관한 제6조 또는 제7조의 규정에 의한 서류를 말한다. ② 법 제7조 제3항 후단에서 "행정안전부령이 정하는 사항"이라 함은 다음 각 호의 사항을 말한다. 1. 제조소등의 완공일 및 사용개시일 2. 탱크안전성능검사의 결과(영 제8조 제1항의 규정에 의한 탱크안전성능검사의 대상이 되는 위험물탱크가 있는 경우에 한한다) 3. 완공검사의 결과 4. 【 ① 】 선임계획 5. 예방규정(영 제15조 각 호의 1에 해당하는 제조소등의 경우에 한한다)
① 착수하기 전	① 안전관리자

제8조【탱크안전성능검사】 ① 위험물을 저장 또는 취급하는 탱크로서 대통령령이 정하는 탱크(이하 "위험물탱크"라 한다)가 있는 제조소등의 설치 또는 그 위치·구조 또는 설비의 변경에 관하여 제6조 제1항의 규정에 따른 허가를 받은 자가 위험물탱크의 설치 또는 그 위치·구조 또는 설비의 변경공사를 하는 때에는 제9조 제1항의 규정에 따른 완공검사를 받기 전에 제5조 제4항의 규정에 따른 기술기준에 적합한지의 여부를 확인하기 위하여 시·도지사가 실시하는 탱크안전성능검사를 받아야 한다. 이 경우 시·도지사는 제6조 제1항의 규정에 따른 허가를 받은 자가 제16조 제1항의 규정에 따른 탱크안전성능시험자 또는 「소방산업의 진흥에 관한 법률」 제14조에 따른 한국소방산업기술원(이하 "기술원"이라 한다)로부터 탱크안전성능시험을 받은 경우에는 대통령령이 정하는 바에 따라 당해 탱크안전성능검사의 전부 또는 일부를 면제할 수 있다.
② 제1항의 규정에 따른 탱크안전성능검사의 내용은 대통령령으로 정하고, 탱크안전성능검사의 실시 등에 관하여 필요한 사항은 행정안전부령으로 정한다.

(1) 탱크안전성능검사의 실시(제8조 제1항 전단)

① 위험물을 저장 또는 취급하는 탱크로서 대통령령이 정하는 탱크(이하 "**위험물탱크**"라 한다)가 있는 제조소등의 설치 또는 그 위치·구조 또는 설비의 변경에 관하여 제6조 제1항의 규정에 따른 허가를 받은 자가 위험물탱크의 설치 또는 그 위치·구조 또는 설비의 변경공사를 하는 때에는 제9조 제1항의 규정에 따른 **완공검사를 받기 전에 제5조 제4항의 규정에 따른 기술기준에 적합한지의 여부를 확인하기 위하여 시·도지사가 실시하는 탱크안전성능검사를 받아야 한다.**

② 탱크안전성능검사 실시권자: **시·도지사**

③ 탱크안전성능검사를 받아야 하는 위험물탱크(영 제8조 제1항)

㉠ **기초·지반검사**: 옥외탱크저장소의 액체위험물탱크 중 그 용량이 100만리터 이상인 탱크

㉡ **충수(充水)·수압검사**: 액체위험물을 저장 또는 취급하는 탱크. 단, 다음에 해당하는 탱크는 제외한다.

ⓐ 제조소 또는 일반취급소에 설치된 탱크로서 용량이 지정수량 미만인 것

ⓑ 「고압가스 안전관리법」 제17조 제1항에 따른 특정설비에 관한 검사에 합격한 탱크

ⓒ 「산업안전보건법」 제34조 제2항에 따른 안전인증을 받은 탱크

㉢ **용접부검사**

ⓐ **대상:** 옥외탱크저장소의 액체위험물탱크 중 그 용량이 **100만리터 이상**인 탱크

ⓑ **예외:** 탱크의 저부에 관계된 변경공사(탱크의 옆판 관련 공사를 포함하는 것 제외) 시에 행하여진 법 제18조 제2항의 규정에 의한 정기검사에 의하여 용접부에 관한 사항이 행정안전부령으로 정하는 기준에 적합하다고 인정된 탱크

ⓔ 암반탱크검사: 액체위험물을 저장 또는 취급하는 암반 내의 공간을 이용한 탱크

④ 검사의 면제(제8조 제1항 후단)

　㉠ 시·도지사는 제6조 제1항의 규정에 따라 설치허가를 받은 자가 탱크안전성능시험자 또는 한국소방산업기술원으로부터 탱크안전성능시험을 받은 경우에는 대통령령이 정하는 바에 따라 검사의 전부 또는 일부를 면제할 수 있다.

　㉡ 탱크안전성능검사의 면제(영 제9조)

　　ⓐ 시·도지사가 면제할 수 있는 탱크안전성능검사는 충수·수압검사로 한다.

　　ⓑ 위험물탱크에 대한 충수·수압검사를 면제받고자 하는 자는 위험물탱크안전성능시험자(이하 "탱크시험자"라 한다) 또는 기술원으로부터 충수·수압검사에 관한 탱크안전성능시험을 받아 완공검사를 받기 전(지하에 매설하는 위험물탱크에 있어서는 지하에 매설하기 전)에 해당 시험에 합격하였음을 증명하는 서류(이하 "탱크시험합격확인증"이라 한다)를 시·도지사에게 제출해야 한다.

　　ⓒ 시·도지사는 탱크시험합격확인증과 해당 위험물탱크를 확인한 결과 법 제5조 제4항에 따른 기술기준에 적합하다고 인정되는 때에는 해당 충수·수압검사를 면제한다.

(2) 탱크안전성능검사의 내용·종류(영 제8조 제2항, 영 [별표 4])

탱크안전성능검사는 기초·지반검사, 충수·수압검사, 용접부검사 및 암반탱크검사로 구분하되, 그 내용은 별표 4와 같다.

① 기초·지반검사

　㉠ 옥외탱크저장소의 액체위험물탱크 중 그 용량이 100만리터 이상인 탱크 중 행정안전부령으로 정하는 탱크: 탱크의 기초 및 지반에 관한 공사에 상당한 것으로서 행정안전부령으로 정하는 공사에 있어서 당해 탱크의 기초 및 지반에 상당하는 부분이 행정안전부령으로 정하는 기준에 적합한지 여부를 확인하는 검사

　㉡ ㉠에 해당하지 아니하는 탱크: 탱크의 기초 및 지반에 관한 공사에 있어서 탱크의 기초 및 지반 또는 이에 상당하는 부분이 행정안전부령으로 정하는 기준에 적합한지 여부를 확인하는 검사

② 충수·수압검사: 탱크에 배관 및 부속설비를 부착하기 전에 탱크 본체의 누설 및 변형에 대한 안정성이 행정안전부령으로 정하는 기준에 적합한지 여부를 확인하는 검사

③ 용접부 검사: 배관 및 부속설비의 부착 전에 행하는 탱크의 본체에 관한 공사에 있어서 탱크의 용접부가 행정안전부령으로 정하는 기준에 적합한지 여부를 확인하는 검사

④ 암반탱크공사: 탱크의 본체에 관한 공사에 있어서 탱크의 구조가 행정안전부령으로 정하는 기준에 적합한지 여부를 확인하는 검사

(3) 탱크안전성능검사의 신청 등(규칙 제18조)

① 신청

　㉠ 탱크안전성능검사를 받아야 하는 자는 신청서를 해당 위험물탱크의 설치 장소를 관할하는 소방서장 또는 기술원에 제출하여야 한다.

　㉡ 다만, 설치장소에서 제작하지 아니하는 위험물탱크에 대한 탱크안전성능 검사(충수 · 수압검사에 한한다)의 경우에는 신청서에 해당 위험물탱크의 구조명세서 1부를 첨부하여 해당 위험물탱크의 제작지를 관할하는 소방서 장에게 신청할 수 있다.

② 법 제8조 제1항 후단에 따른 탱크안전성능시험을 받고자 하는 자는 신청서에 해당 위험물탱크의 구조명세서 1부를 첨부하여 기술원 또는 탱크시험자에게 신청할 수 있다.

③ 영 제9조 제2항에 따라 충수 · 수압검사를 면제받으려는 자는 별지 제21호 서식 의 탱크시험합격확인증에 탱크시험성적서를 첨부하여 소방서장에게 제출해야 한다.

④ 탱크안전성능검사의 신청시기

　㉠ **기초 · 지반검사**: 위험물탱크의 기초 및 지반에 관한 공사의 개시 전

　㉡ **충수 · 수압검사**: 위험물을 저장 또는 취급하는 탱크에 배관 그 밖의 부속설비를 부착하기 전

　㉢ **용접부검사**: 탱크본체에 관한 공사의 개시 전

　㉣ **암반탱크검사**: 암반탱크의 본체에 관한 공사의 개시 전

⑤ **탱크검사합격확인증의 교부 등**: 소방서장 또는 기술원은 탱크안전성능검사를 실 시한 결과 기준에 적합하다고 인정되는 때에는 해당 탱크안전성능검사를 신 청한 자에게 탱크검사합격확인증을 교부하고, 적합하지 않다고 인정되는 때 에는 신청인에게 서면으로 그 사유를 통보해야 한다.

(4) 위임규정

탱크안전성능검사의 내용은 **대통령령**으로 정하고, 탱크안전성능검사의 실시 등 에 관하여 필요한 사항은 **행정안전부령**으로 정한다.

시행령	시행규칙
제8조【탱크안전성능검사의 대상이 되는 탱크 등】 ① 법 제8조 제1항 전단에 따라 탱크안전성능검사를 받아야 하는 위험물탱크는 제2항에 따른 탱크안전성능검사별로 다음 각 호의 어느 하나에 해당하는 탱크로 한다. 1. 기초ㆍ지반검사: 옥외탱크저장소의 액체위험물탱크 중 그 용량이 【 ① 】 이상인 탱크 2. 충수(充水)ㆍ수압검사: 액체위험물을 저장 또는 취급하는 탱크. 다만, 다음 각 목의 어느 하나에 해당하는 탱크는 제외한다. 　가. 제조소 또는 일반취급소에 설치된 탱크로서 용량이 지정수량 미만인 것 　나. 「고압가스 안전관리법」 제17조 제1항에 따른 특정설비에 관한 검사에 합격한 탱크 　다. 「산업안전보건법」 제84조 제1항에 따른 안전인증을 받은 탱크 　라. 삭제 3. 【 ② 】: 제1호의 규정에 따른 탱크. 다만, 탱크의 저부에 관계된 변경공사(탱크의 옆판과 관련되는 공사를 포함하는 것을 제외한다) 시에 행하여진 법 제18조 제3항에 따른 정기검사에 의하여 용접부에 관한 사항이 행정안전부령으로 정하는 기준에 적합하다고 인정된 탱크를 제외한다. 4. 암반탱크검사: 액체위험물을 저장 또는 취급하는 암반 내의 공간을 이용한 탱크 ② 법 제8조 제1항에 따른 탱크안전성능검사는 기초ㆍ지반검사, 충수ㆍ수압검사, 용접부검사 및 암반탱크검사로 구분하되, 그 내용은 별표 4와 같다. **제9조【탱크안전성능검사의 면제】** ① 법 제8조 제1항 후단의 규정에 의하여 시ㆍ도지사가 면제할 수 있는 탱크안전성능검사는 제8조 제2항 및 별표 4의 규정에 의한 【 ③ 】로 한다. ② 위험물탱크에 대한 충수ㆍ수압검사를 면제받고자 하는 자는 위험물탱크안전성능시험자(이하 "탱크시험자"라 한다) 또는 기술원으로부터 충수ㆍ수압검사에 관한 탱크안전성능시험을 받아 법 제9조 제1항의 규정에 따른 완공검사를 받기 전(지하에 매설하는 위험물탱크에 있어서는 지하에 매설하기 전)에 해당 시험에 합격하였음을 증명하는 서류(이하 "탱크시험합격확인증"이라 한다)를 시ㆍ도지사에게 제출해야 한다. ③ 시ㆍ도지사는 제2항에 따라 제출받은 탱크시험합격확인증과 해당 위험물탱크를 확인한 결과 법 제5조 제4항에 따른 기술기준에 적합하다고 인정되는 때에는 해당 충수ㆍ수압검사를 면제한다.	**제12조【기초ㆍ지반검사에 관한 기준 등】** ① 영 별표 4 제1호 가목에서 "행정안전부령으로 정하는 기준"이라 함은 당해 위험물탱크의 구조 및 설비에 관한 사항 중 별표 6 Ⅳ 및 Ⅴ의 규정에 의한 기초 및 지반에 관한 기준을 말한다. ② 영 별표 4 제1호 나목에서 "행정안전부령으로 정하는 탱크"라 함은 【 ① 】 및 【 ② 】(이하 "특수액체위험물탱크"라 한다)를 말한다. ③ 영 별표 4 제1호 나목에서 "행정안전부령으로 정하는 공사"라 함은 지중탱크의 경우에는 【 ③ 】에 관한 공사를 말하고, 해상탱크의 경우에는 정치설비의 지반에 관한 공사를 말한다. ④ 영 별표 4 제1호 나목에서 "행정안전부령으로 정하는 기준"이라 함은 지중탱크의 경우에는 별표 6 ⅩⅡ 제2호 라목의 규정에 의한 기준을 말하고, 해상탱크의 경우에는 별표 6 ⅩⅢ 제3호 라목의 규정에 의한 기준을 말한다. ⑤ 법 제8조 제2항에 따라 기술원은 100만리터 이상 옥외탱크저장소의 기초ㆍ지반검사를 「엔지니어링산업 진흥법」에 따른 엔지니어링사업자가 실시하는 기초ㆍ지반에 관한 시험의 과정 및 결과를 확인하는 방법으로 할 수 있다. **제13조【충수ㆍ수압검사에 관한 기준 등】** ① 영 별표 4 제2호에서 "행정안전부령으로 정하는 기준"이라 함은 다음 각 호의 1에 해당하는 기준을 말한다. 1. 100만리터 이상의 액체위험물탱크의 경우 　별표 6 Ⅵ 제1호의 규정에 의한 기준[충수시험(물 외의 적당한 액체를 채워서 실시하는 시험을 포함한다. 이하 같다) 또는 수압시험에 관한 부분에 한한다] 2. 100만리터 미만의 액체위험물탱크의 경우 　별표 4 Ⅸ 제1호 가목, 별표 6 Ⅵ 제1호, 별표 7 Ⅰ 제1호 마목, 별표 8 Ⅰ제6호ㆍⅡ 제1호ㆍ제4호ㆍ제6호ㆍⅢ, 별표 9 제6호, 별표 10 Ⅱ 제1호ㆍⅩ제1호 가목, 별표 13 Ⅲ 제3호, 별표 16 Ⅰ 제1호의 규정에 의한 기준(충수시험ㆍ수압시험 및 그 밖의 탱크의 누설ㆍ변형에 대한 안전성에 관련된 탱크안전성능시험의 부분에 한한다) ② 법 제8조 제2항의 규정에 의하여 기술원은 제18조 제6항의 규정에 의한 이중벽탱크에 대하여 제1항 제2호의 규정에 의한 수압검사를 법 제16조 제1항의 규정에 의한 탱크안전성능시험자(이하 "탱크시험자"라 한다)가 실시하는 수압시험의 과정 및 결과를 확인하는 방법으로 할 수 있다. **제14조【용접부검사에 관한 기준 등】** ① 영 별표 4 제3호에서 "행정안전부령으로 정하는 기준"이라 함은 다음 각 호의 1에 해당하는 기준을 말한다. 1. 특수액체위험물탱크 외의 위험물탱크의 경우: 별표 6 Ⅵ 제2호의 규정에 의한 기준 2. 지중탱크의 경우: 별표 6 ⅩⅡ 제2호 마목 4) 라)의 규정에 의한 기준(용접부에 관련된 부분에 한한다)
① 100만리터 ② 용접부검사 ③ 충수ㆍ수압검사	① 지중탱크 ② 해상탱크 ③ 지반

시행령	시행규칙

[별표 4] 탱크안전성능검사의 내용(제8조 제2항 관련)

구분	검사내용
기초·지반검사	가. 제8조 제1항 제1호의 규정에 의한 탱크 중 나목 외의 탱크: 탱크의 기초 및 지반에 관한 공사에 있어서 당해 탱크의 기초 및 지반이 행정안전부령으로 정하는 기준에 적합한지 여부를 확인함
	나. 제8조 제1항 제1호의 규정에 의한 탱크 중 행정안전부령으로 정하는 탱크: 탱크의 기초 및 지반에 관한 공사에 상당한 것으로서 행정안전부령으로 정하는 공사에 있어서 당해 탱크의 기초 및 지반에 상당하는 부분이 행정안전부령으로 정하는 기준에 적합한지 여부를 확인함
충수·수압검사	탱크에 배관 그 밖의 부속설비를 부착하기 전에 당해 탱크 본체의 누설 및 변형에 대한 안전성이 행정안전부령으로 정하는 기준에 적합한지 여부를 확인함
용접부검사	탱크의 배관 그 밖의 부속설비를 부착하기 전에 행하는 당해 탱크의 본체에 관한 공사에 있어서 탱크의 용접부가 행정안전부령으로 정하는 기준에 적합한지 여부를 확인함
암반탱크검사	탱크의 본체에 관한 공사에 있어서 탱크의 구조가 행정안전부령으로 정하는 기준에 적합한지 여부를 확인함

② 법 제8조 제2항의 규정에 의하여 기술원은 용접부검사를 탱크시험자가 실시하는 용접부에 관한 시험의 과정 및 결과를 확인하는 방법으로 할 수 있다.

제15조【암반탱크검사에 관한 기준 등】 ① 영 별표 4 제4호에서 "행정안전부령으로 정하는 기준"이라 함은 별표 12 Ⅰ의 규정에 의한 기준을 말한다.

② 법 제8조 제2항에 따라 기술원은 암반탱크검사를 「엔지니어링산업 진흥법」에 따른 엔지니어링사업자가 실시하는 암반탱크에 관한 시험의 과정 및 결과를 확인하는 방법으로 할 수 있다.

제16조【탱크안전성능검사에 관한 세부기준 등】 제13조부터 제15조까지에서 정한 사항 외에 탱크안전성능검사의 세부기준·방법·절차 및 탱크시험자 또는 엔지니어링사업자가 실시하는 탱크안전성능시험에 대한 기술원의 확인 등에 관하여 필요한 사항은 소방청장이 정하여 고시한다.

제17조【용접부검사의 제외기준】 ① 삭제

② 영 제8조 제1항 제3호 단서의 규정에 의하여 용접부검사 대상에서 제외되는 탱크로 인정되기 위한 기준은 별표 6 Ⅵ 제2호의 규정에 의한 기준으로 한다

제18조【탱크안전성능검사의 신청 등】 ① 법 제8조 제1항에 따라 탱크안전성능검사를 받아야 하는 자는 별지 제20호 서식의 신청서(전자문서로 된 신청서를 포함한다)를 해당 위험물탱크의 설치장소를 관할하는【 ④ 】 또는 기술원에 제출하여야 한다.

다만, 설치장소에서 제작하지 아니하는 위험물탱크에 대한 탱크안전성능검사(충수·수압검사에 한한다)의 경우에는 별지 제20호 서식의 신청서(전자문서로 된 신청서를 포함한다)에 해당 위험물탱크의 구조명세서 1부를 첨부하여 해당 위험물탱크의 제작지를 관할하는 소방서장에게 신청할 수 있다.

② 법 제8조 제1항 후단에 따른 탱크안전성능시험을 받고자 하는 자는 별지 제20호 서식의 신청서에 해당 위험물탱크의 구조명세서 1부를 첨부하여 기술원 또는 탱크시험자에게 신청할 수 있다.

③ 영 제9조 제2항에 따라 충수·수압검사를 면제받고자 하는 자는 별지 제21호 서식의 탱크검사합격확인증에 탱크시험성적서를 첨부하여 소방서장에게 제출해야 한다.

④ 제1항의 규정에 의한 탱크안전성능검사의 신청시기는 다음 각 호의 구분에 의한다.

1. 기초·지반검사: 위험물탱크의 기초 및 지반에 관한 공사의 개시 전
2. 충수·수압검사: 위험물을 저장 또는 취급하는 탱크에 배관 그 밖의 부속설비를 부착하기 전
3. 용접부검사: 탱크본체에 관한 공사의 개시 전
4. 암반탱크검사: 암반탱크의 본체에 관한 공사의 개시 전

⑤ 소방서장 또는 기술원은 탱크안전성능검사를 실시한 결과 제12조 제1항·제4항, 제13조 제1항, 제14조 제1항 및 제15조 제1항에 따른 기준에 적합하다고 인정되는 때에는 해당 탱크안전성능검사를 신청한 자에게 별지 제21호 서식의 탱크검사합격확인증을 교부하고, 적합하지 아니하다고 인정되는 때에는 신청인에게 서면으로 그 사유를 통보해야 한다.

⑥ 영 제22조 제1항 제1호 다목에서 "행정안전부령이 정하는 액체위험물탱크"라 함은 별표 8 Ⅱ의 규정에 의한 이중벽탱크를 말한다.

④ 소방서장

제9조【완공검사】 ① 제6조 제1항의 규정에 따른 허가를 받은 자가 제조소등의 설치를 마쳤거나 그 위치·구조 또는 설비의 변경을 마친 때에는 당해 제조소등마다 시·도지사가 행하는 완공검사를 받아 제5조 제4항의 규정에 따른 기술기준에 적합하다고 인정받은 후가 아니면 이를 사용하여서는 아니 된다. 다만, 제조소등의 위치·구조 또는 설비를 변경함에 있어서 제6조 제1항 후단의 규정에 따른 변경허가를 신청하는 때에 화재예방에 관한 조치사항을 기재한 서류를 제출하는 경우에는 당해 변경공사와 관계가 없는 부분은 완공검사를 받기 전에 미리 사용할 수 있다.
② 제1항 본문의 규정에 따른 완공검사를 받고자 하는 자가 제조소등의 일부에 대한 설치 또는 변경을 마친 후 그 일부를 미리 사용하고자 하는 경우에는 당해 제조소등의 일부에 대하여 완공검사를 받을 수 있다.

정희's 톡talk

완공검사
위험물제조소등의 허가권자인 시·도지사에게 설치·변경을 마친 때에는 완공검사를 받아야 합니다.

(1) 시·도지사의 완공검사

① 허가를 받은 자가 제조소등의 설치를 마쳤거나 그 위치·구조 또는 설비의 변경을 마친 때에는 당해 제조소등마다 **시·도지사**가 행하는 **완공검사**를 받아야 한다.

② 변경허가를 신청하는 때에 화재예방에 관한 조치사항을 기재한 서류를 제출하는 경우에는 **당해 변경공사와 관계가 없는 부분**은 완공검사를 받기 전에 **미리 사용할 수 있다.**

③ 벌칙 − 1천500만원 이하의 벌금(제36조): 제9조 제1항의 규정을 위반하여 제조소등의 완공검사를 받지 아니하고 위험물을 저장·취급한 자

(2) 부분완공검사

완공검사를 받고자 하는 자가 일부에 대한 설치·변경을 마친 후 그 일부를 미리 사용하려는 경우에는 당해 제조소등의 일부에 대하여 완공검사를 받을 수 있다.

(3) 완공검사의 신청(영 제10조)

① 완공검사: **시·도지사**에게 신청한다.

② 완공검사합격확인증의 교부: 기술기준에 적합하다고 인정하는 때는 **완공검사합격확인증**을 교부해야 한다.

③ **완공검사합격확인증의 재교부 신청**

㉠ **재교부 사유**: 분실, 멸실·훼손 또는 파손한 경우

㉡ **분실 완공검사합격확인증을 발견한 경우**: **10일 이내**에 완공검사합격확인증을 재교부한 시·도지사에게 제출해야 한다.

(4) 완공검사의 신청 등(규칙 제19조)

① 제조소등에 대한 완공검사를 받고자 하는 자는 신청서에 서류를 첨부하여 시·도지사 또는 소방서장(영 제22조 업무의 위탁에 따라 완공검사를 기술원에 위탁하는 제조소등의 경우에는 기술원)에게 제출해야 한다.

② 완공검사 첨부 서류

　㉠ 배관에 관한 내압시험, 비파괴시험 등에 합격하였음을 증명하는 서류(내압시험 등을 하여야 하는 배관이 있는 경우)

　㉡ 소방서장, 기술원 또는 탱크시험자가 교부한 탱크검사합격확인증 또는 탱크시험합격확인증(해당 위험물탱크의 완공검사를 실시하는 소방서장 또는 기술원이 그 위험물탱크의 탱크안전성능검사를 실시한 경우는 제외한다)

　㉢ 재료의 성능을 증명하는 서류(이중벽탱크에 한한다)

③ 업무의 위탁에 규정에 의하여 기술원은 완공검사를 실시한 경우에는 완공검사결과서를 소방서장에게 송부하고, 검사대상명·접수일시·검사일·검사번호·검사자·검사결과 및 검사결과서 발송일 등을 기재한 **완공검사업무대장**을 작성하여 **10년간 보관**하여야 한다.

(5) 완공검사의 신청시기(규칙 제20조)

① **지하탱크가 있는 제조소등**: 당해 지하탱크를 매설하기 전

② **이동탱크저장소**: 이동저장탱크를 완공하고 상시 설치 장소(상치장소)를 확보한 후

③ **이송취급소**: 이송배관 공사의 **전체 또는 일부를 완료한 후**(단, 지하·하천 등에 매설하는 이송배관의 공사는 이송배관을 매설하기 전)

④ **전체 공사가 완료된 후에는 완공검사를 실시하기 곤란한 경우**

　㉠ 위험물설비 또는 배관의 설치가 완료되어 기밀시험 또는 내압시험을 실시하는 시기

　㉡ 배관을 지하에 설치하는 경우에는 시·도지사, 소방서장 또는 기술원이 지정하는 부분을 매몰하기 직전

　㉢ 기술원이 지정하는 부분의 비파괴시험을 실시하는 시기

⑤ **그 외의 경우**: 제조소등의 공사를 완료한 후

정희's 톡talk

완공검사의 신청시기

완공검사의 신청시기는 원칙적으로 제조소등의 공사를 완료한 후 신청합니다. 다만, 공사를 완료한 후에는 제대로 완공검사를 실시할 수 없는 경우 별도의 기준을 정하고 있습니다.

핵심기출

「위험물안전관리법」상 완공검사의 신청시기로 옳지 않은 것은?　18. 중앙통합

① 지하탱크가 있는 제조소등의 경우 당해 지하탱크를 매설하기 전

② 이동탱크저장소의 경우 상치장소를 확보하기 전 이동저장탱크를 완공한 후

③ 이송취급소의 경우 이송배관 공사의 전체 또는 일부를 완료한 후. 다만, 지하·하천 등에 매설하는 이송배관의 공사의 경우에는 이송배관을 매설하기 전

④ 전체 공사가 완료된 후에는 완공검사를 실시하기곤란한 경우 위 험물설비 또는 배관의 설치가 완료되어 기밀시험 또는 내압시험을 실시하는 시기

정답 ②

시행령	시행규칙
제10조【완공검사의 신청 등】 ① 법 제9조의 규정에 의한 제조소 등에 대한 완공검사를 받고자 하는 자는 이를 시·도지사에게 신청하여야 한다. ② 제1항에 따른 신청을 받은 시·도지사는 제조소등에 대하여 완공검사를 실시하고, 완공검사를 실시한 결과 해당 제조소등이 법 제5조 제4항에 따른 기술기준(탱크안전성능검사에 관련된 것을 제외한다)에 적합하다고 인정하는 때에는 완공검사합격확인증을 교부해야 한다. ③ 제2항의 완공검사합격확인증을 교부받은 자는 완공검사합격확인증을 잃어버리거나 멸실·훼손 또는 파손한 경우에는 이를 교부한 시·도지사에게 재교부를 신청할 수 있다. ④ 완공검사합격확인증을 훼손 또는 파손하여 제3항의 규정에 의한 신청을 하는 경우에는 신청서에 해당 완공검사합격확인증을 첨부하여 제출해야 한다. ⑤ 제2항의 완공검사합격확인증을 잃어버려 재교부를 받은 자는 잃어버린 완공검사합격확인증을 발견하는 경우에는 이를 【 ① 】이내에 완공검사합격확인증을 재교부한 시·도지사에게 제출해야 한다.	**제19조【완공검사의 신청 등】** ① 법 제9조에 따라 제조소등에 대한 완공검사를 받고자 하는 자는 별지 제22호 서식 또는 별지 제23호 서식의 신청서(전자문서로 된 신청서를 포함한다)에 다음 각 호의 서류(전자문서를 포함한다)를 첨부하여 시·도지사 또는 【 ① 】(영 제22조 제1항 제2호에 따라 완공검사를 기술원에 위탁하는 제조소등의 경우에는 기술원)에게 제출해야 한다. 다만, 첨부서류는 완공검사를 실시할 때까지 제출할 수 있되, 「전자정부법」 제36조 제1항에 따른 행정정보의 공동이용을 통하여 첨부서류에 대한 정보를 확인할 수 있는 경우에는 그 확인으로 첨부서류를 갈음할 수 있다. 1. 배관에 관한 내압시험, 비파괴시험 등에 합격하였음을 증명하는 서류(내압시험 등을 하여야 하는 배관이 있는 경우에 한한다) 2. 소방서장, 기술원 또는 탱크시험자가 교부한 탱크검사합격확인증 또는 탱크시험합격확인증(해당 위험물탱크의 완공검사를 실시하는 소방서장 또는 기술원이 그 위험물탱크의 탱크안전성능검사를 실시한 경우는 제외한다) 3. 재료의 성능을 증명하는 서류(이중벽탱크에 한한다) ② 영 제22조 제1항 제2호의 규정에 의하여 기술원은 완공검사를 실시한 경우에는 완공검사결과서를 소방서장에게 송부하고, 검사대상명·접수일시·검사일·검사번호·검사자·검사결과 및 검사결과서 발송일 등을 기재한 완공검사업무대장을 작성하여 【 ② 】보관하여야 한다. ③ 영 제10조 제2항의 완공검사합격확인증은 별지 제24호 서식 또는 별지 제25호 서식에 의한다. ④ 영 제10조 제3항의 규정에 의한 완공검사합격확인증의 재교부신청은 별지 제26호 서식의 신청서에 의한다.

■ 완공검사의 비교

구분	완공검사 (소방시설공사업법)	완공검사 (위험물안전관리법)
관련법령	제14조	제9조
실시권자	소방본부장 또는 소방서장	시·도지사
신청시기	공사업자가 소방시설공사를 완료한 후	1. 지하탱크저장소 → 매설하기 전 2. 이동탱크저장소 → 완공하고 상치장소 확보 후 3. 이송취급소 → 공사의 전체 또는 일부 완료 후
대상	1. 소방시설공사의 완료 특·소 2. 참고 – 완공검사를 위한 현장확인 특정소방대상물의 범위(영 제5조) · 문판숙노 창수다지상 · 스·물(호·제)등가천 (지상) · 일만고가(아제)	제조소등의 설치허가 및 변경허가

제20조【완공검사의 신청시기】 법 제9조 제1항에 따른 제조소등의 완공검사 신청시기는 다음 각 호의 구분에 따른다.
1. 지하탱크가 있는 제조소등의 경우: 당해 지하탱크를 매설하기 전
2. 이동탱크저장소의 경우: 이동저장탱크를 완공하고 상시 설치 장소(이하 "【 ③ 】"라 한다)를 확보한 후
3. 이송취급소의 경우: 이송배관 공사의 전체 또는 일부를 완료한 후. 다만, 지하·하천 등에 매설하는 이송배관의 공사의 경우에는 이송배관을 매설하기 전
4. 전체 공사가 완료된 후에는 완공검사를 실시하기 곤란한 경우: 다음 각 목에서 정하는 시기
   가. 위험물설비 또는 배관의 설치가 완료되어 기밀시험 또는 내압시험을 실시하는 시기
   나. 배관을 지하에 설치하는 경우에는 시·도지사, 소방서장 또는 기술원이 지정하는 부분을 매몰하기 직전
   다. 기술원이 지정하는 부분의 비파괴시험을 실시하는 시기
5. 제1호 내지 제4호에 해당하지 아니하는 제조소등의 경우: 제조소등의 공사를 완료한 후

① 10일

① 소방서장 ② 10년간 ③ 상치장소

제10조 [제조소등 설치자의 지위승계] ① 제조소등의 설치자(제6조 제1항의 규정에 따라 허가를 받아 제조소등을 설치한 자를 말한다. 이하 같다)가 사망하거나 그 제조소등을 양도·인도한 때 또는 법인인 제조소등의 설치자의 합병이 있는 때에는 그 상속인, 제조소등을 양수·인수한 자 또는 합병후 존속하는 법인이나 합병에 의하여 설립되는 법인은 그 설치자의 지위를 승계한다.
② 민사집행법에 의한 경매, 「채무자 회생 및 파산에 관한 법률」에 의한 환가, 「국세징수법」·「관세법」 또는 「지방세징수법」에 따른 압류재산의 매각과 그 밖에 이에 준하는 절차에 따라 제조소등의 시설의 전부를 인수한 자는 그 설치자의 지위를 승계한다.
③ 제1항 또는 제2항의 규정에 따라 제조소등의 설치자의 지위를 승계한 자는 행정안전부령이 정하는 바에 따라 승계한 날부터 30일 이내에 시·도지사에게 그 사실을 신고하여야 한다.

(1) 제조소등의 지위승계자

① 제조소등의 설치자의 사망 시 그 상속인

② 제조소등의 설치자가 제조소등을 양도·인도할 때 그 양수자·인수자

③ 법인인 제조소등의 합병이 있는 때 그 합병 후 존속하는 법인이나 합병에 의하여 설립되는 법인

④ **제조소등의 시설의 전부를 인수한 자**: 경매, 환가, 압류재산의 매각, 그 밖에 제조소등의 시설의 전부를 인수한 자

(2) 지위승계신고

① 제조소등의 설치자의 지위를 승계한 자는 행정안전부령이 정하는 바에 따라 승계한 날부터 30일 이내에 시·도지사에게 그 사실을 신고하여야 한다.

② **과태료 – 500만원 이하의 과태료(제39조)**: 제10조 제3항의 규정에 따른 지위승계신고를 기간 이내에 하지 아니하거나 허위로 한 자

③ **지위승계의 신고(규칙 제22조)**: 제조소등의 설치자의 지위승계를 신고하려는 자는 신고서에 제조소등의 완공검사합격확인증과 지위승계를 증명하는 서류를 첨부하여 시·도지사 또는 소방서장에게 제출해야 한다.

정희's 톡talk

지위승계신고기한
지위승계신고기한을 위험물은 법에 규정하고 있고 「소방시설공사업법」에서는 행정안전부령으로 위임하고 있습니다. 「위험물안전관리법」에서 지위승계와 관련하여 엄격히 규정하고 있습니다.

👆 **관계법규** **지위승계의 신고**

NOTE	시행규칙
「소방시설공사업법 시행규칙」 제7조 [지위승계 신고 등] ① 법 제7조 제3항에 따라 소방시설업자 지위 승계를 신고하려는 자는 그 지위를 승계한 날부터 【 ① 】에 다음 각 호의 구분에 따른 서류(전자문서를 포함한다)를 협회에 제출하여야 한다. – 중략 –	제22조 [지위승계의 신고] 법 제10조 제3항에 따라 제조소등의 설치자의 지위승계를 신고하려는 자는 별지 제28호 서식의 신고서(전자문서로 된 신고서를 포함한다)에 제조소등의 완공검사합격확인증과 지위승계를 증명하는 서류(전자문서를 포함한다)를 첨부하여 시·도지사 또는 【 ① 】에게 제출해야 한다.
① 30일 이내	① 소방서장

제11조【제조소등의 폐지】제조소등의 관계인(소유자·점유자 또는 관리자를 말한다. 이하 같다)은 당해 제조소등의 용도를 폐지(장래에 대하여 위험물시설로서의 기능을 완전히 상실시키는 것을 말한다)한 때에는 행정안전부령이 정하는 바에 따라 제조소등의 용도를 폐지한 날부터 14일 이내에 시·도지사에게 신고하여야 한다.

(1) 제조소등의 폐지

① **신고:** 제조소등의 관계인은 당해 제조소등의 용도를 폐지(장래에 대하여 위험물시설로서의 기능을 완전히 상실시키는 것을 말한다)한 때에는 **행정안전부령**이 정하는 바에 따라 제조소등의 용도를 폐지한 날부터 **14일 이내**에 **시·도지사**에게 신고하여야 한다.

② **관계인:** 소유자·점유자 또는 관리자

③ **제조소등의 용도 폐지:** 장래에 대하여 위험물시설로서의 기능을 완전히 상실시키는 것을 말한다.

④ **과태료 – 500만원 이하의 과태료(제39조):** 제11조의 규정에 따른 제조소등의 폐지신고를 기간 이내에 하지 아니하거나 허위로 한 자

(2) 용도폐지의 신고(규칙 제23조)

① 제조소등의 용도폐지신고를 하려는 자는 신고서에 제조소등의 완공검사합격확인증을 첨부하여 **시·도지사 또는 소방서장**에게 제출해야 한다.

② 신고서를 접수한 **시·도지사 또는 소방서장**은 당해 제조소등을 확인하여 위험물시설의 철거 등 용도폐지에 필요한 안전조치를 한 것으로 인정하는 경우에는 당해 신고서의 사본에 수리사실을 표시하여 용도폐지신고를 한 자에게 통보하여야 한다.

🖐 **관계법규** 제조소등의 폐지

NOTE	시행규칙
「**소방시설공사업법 시행규칙」 제6조의2【소방시설업의 휴업·폐업 등의 신고】** ① 소방시설업자는 법 제6조의2 제1항에 따라 휴업·폐업 또는 재개업 신고를 하려면 휴업·폐업 또는 재개업일부터 30일 이내에 별지 제7호의3 서식의 소방시설업 휴업·폐업·재개업 신고서(전자문서로 된 신고서를 포함한다)에 다음 각 호의 구분에 따른 서류(전자문서를 포함한다)를 첨부하여 협회를 경유하여 시·도지사에게 제출하여야 한다. 다만, 「전자정부법」 제36조 제1항에 따른 행정정보의 공동이용을 통하여 첨부서류에 대한 정보를 확인할 수 있는 경우에는 그 확인으로 첨부서류를 갈음할 수 있다. – 중략 –	제23조【용도폐지의 신고】① 법 제11조의 규정에 의하여 제조소등의 용도폐지신고를 하고자 하는 자는 별지 제29호 서식의 신고서(전자문서로 된 신고서를 포함한다)에 제조소등의 【 ① 】을 첨부하여 시·도지사 또는 【 ② 】에게 제출해야 한다. ② 제1항의 규정에 의한 신고서를 접수한 시·도지사 또는 소방서장은 당해 제조소등을 확인하여 위험물시설의 철거 등 용도폐지에 필요한 【 ③ 】를 한 것으로 인정하는 경우에는 당해 신고서의 사본에 수리사실을 표시하여 용도폐지신고를 한 자에게 통보하여야 한다. ① 완공검사합격확인증 ② 소방서장 ③ 안전조치

제11조2【제조소등의 사용 중지 등】 ① 제조소등의 관계인은 제조소등의 사용을 중지(경영상 형편, 대규모 공사 등의 사유로 3개월 이상 위험물을 저장하지 아니하거나 취급하지 아니하는 것을 말한다. 이하 같다)하려는 경우에는 위험물의 제거 및 제조소등에의 출입통제 등 행정안전부령으로 정하는 안전조치를 하여야 한다. 다만, 제조소등의 사용을 중지하는 기간에도 제15조 제1항 본문에 따른 위험물안전관리자가 계속하여 직무를 수행하는 경우에는 안전조치를 아니할 수 있다.

② 제조소등의 관계인은 제조소등의 사용을 중지하거나 중지한 제조소등의 사용을 재개하려는 경우에는 해당 제조소등의 사용을 중지하려는 날 또는 재개하려는 날의 14일 전까지 행정안전부령으로 정하는 바에 따라 제조소등의 사용 중지 또는 재개를 시 · 도지사에게 신고하여야 한다.

③ 시 · 도지사는 제2항에 따라 신고를 받으면 제조소등의 관계인이 제1항 본문에 따른 안전조치를 적합하게 하였는지 또는 제15조 제1항 본문에 따른 위험물안전관리자가 직무를 적합하게 수행하는지를 확인하고 위해 방지를 위하여 필요한 안전조치의 이행을 명할 수 있다.

④ 제조소등의 관계인은 제2항의 사용 중지신고에 따라 제조소등의 사용을 중지하는 기간 동안에는 제15조 제1항 본문에도 불구하고 위험물안전관리자를 선임하지 아니할 수 있다.

(1) 제조소등의 사용 중지

① 제조소등의 관계인은 제조소등의 사용을 중지하려는 경우에는 위험물의 제거 및 제조소등에의 출입통제 등 행정안전부령으로 정하는 안전조치를 하여야 한다.

② 다만, 제조소등의 사용을 중지하는 기간에도 제15조 제1항 본문에 따른 위험물안전관리자가 계속하여 직무를 수행하는 경우에는 안전조치를 아니할 수 있다.

③ **제조소등의 사용 중지:** 경영상 형편, 대규모 공사 등의 사유로 3개월 이상 위험물을 저장하지 아니하거나 취급하지 아니하는 것을 말한다.

④ 위험물의 제거 및 제조소등에의 출입통제 등 행정안전부령으로 정하는 안전조치 (규칙 제23조의2 제1항)

　㉠ 탱크 · 배관 등 위험물을 저장 또는 취급하는 설비에서 위험물 및 가연성 증기 등의 제거

　㉡ 관계인이 아닌 사람에 대한 해당 제조소등에의 출입금지 조치

　㉢ 해당 제조소등의 사용중지 사실의 게시

　㉣ 그 밖에 위험물의 사고 예방에 필요한 조치

(2) 사용 중지신고 또는 재개신고

① 제조소등의 관계인은 제조소등의 사용을 중지하거나 중지한 제조소등의 사용을 재개하려는 경우에는 해당 제조소등의 사용을 중지하려는 날 또는 재개하려는 날의 **14일** 전까지 행정안전부령으로 정하는 바에 따라 제조소등의 사용 중지 또는 재개를 시 · 도지사에게 신고하여야 한다.

정희's 톡talk

사용 중지신고
사용 중지신고에 따라 제조소의 사용을 중지하는 기간 동안에 안전관리자를 선임하여 과도한 비용이 발생되는 문제점이 있어 위험물안전관리자를 선임하지 않을 수 있는 규정을 두고 있습니다.

② 과태료 – 500만원 이하의 과태료(제39조): 제11조의2 제2항을 위반하여 사용 중지신고 또는 재개신고를 기간 이내에 하지 아니하거나 거짓으로 한 자
③ 위임규정(규칙 제23조의2 제2항 및 제3항)
　　㉠ 제조소등의 사용 중지신고 또는 재개신고를 하려는 자는 신고서에 해당 제조소등의 완공검사합격확인증을 첨부하여 시·도지사 또는 소방서장에게 제출해야 한다.
　　㉡ 사용중지 신고서를 접수한 시·도지사 또는 소방서장은 해당 제조소등에 대한 법 제11조의2 제1항 본문에 따른 안전조치 또는 같은 항 단서에 따른 위험물안전관리자의 직무수행이 적합하다고 인정되면 해당 신고서의 사본에 수리사실을 표시하여 신고를 한 자에게 통보해야 한다.

(3) 안전조치 이행 명령

① 시·도지사는 제2항에 따라 신고를 받으면 제조소등의 관계인이 제1항 본문에 따른 안전조치를 적합하게 하였는지 또는 제15조 제1항 본문에 따른 위험물안전관리자가 직무를 적합하게 수행하는지를 확인하고 위해 방지를 위하여 필요한 안전조치의 이행을 명할 수 있다.
② 벌칙 – 1천500만원 이하의 벌금(제36조): 제11조의2 제3항에 따른 안전조치 이행명령을 따르지 아니한 자

(4) 사용 중지 기간의 안전관리자 선임 여부

제조소등의 관계인은 사용 중지신고에 따라 제조소등의 사용을 중지하는 기간 동안에는 제15조 제1항 본문에도 불구하고 위험물안전관리자를 선임하지 아니할 수 있다.

👆 **관계법규** 사용 중지신고 또는 재개신고 등

NOTE	시행규칙
	제23조의2 【사용 중지신고 또는 재개신고 등】 ① 법 제11조의2 제1항에서 "위험물의 제거 및 제조소등에의 출입통제 등 행정안전부령으로 정하는 안전조치"란 다음 각 호의 조치를 말한다. 1. 탱크·배관 등 위험물을 저장 또는 취급하는 설비에서 위험물 및 가연성 증기 등의 제거 2. 관계인이 아닌 사람에 대한 해당 제조소등에의 출입금지 조치 3. 해당 제조소등의 사용중지 사실의 게시 4. 그 밖에 위험물의 사고 예방에 필요한 조치 ② 법 제11조의2 제2항에 따라 제조소등의 사용 중지신고 또는 재개신고를 하려는 자는 별지 제29호의2서식의 신고서(전자문서로 된 신고서를 포함한다)에 해당 제조소등의 완공검사합격확인증을 첨부하여 시·도지사 또는 소방서장에게 제출해야 한다. ③ 제2항에 따라 사용중지 신고서를 접수한 시·도지사 또는 소방서장은 해당 제조소등에 대한 법 제11조의2 제1항 본문에 따른 안전조치 또는 같은 항 단서에 따른 위험물안전관리자의 직무수행이 적합하다고 인정되면 해당 신고서의 사본에 수리사실을 표시하여 신고를 한 자에게 통보해야 한다.

제12조 【제조소등 설치허가의 취소와 사용정지 등】 시·도지사는 제조소등의 관계인이 다음 각 호의 어느 하나에 해당하는 때에는 행정안전부령이 정하는 바에 따라 제6조 제1항에 따른 허가를 취소하거나 6월 이내의 기간을 정하여 제조소등의 전부 또는 일부의 사용정지를 명할 수 있다.

1. 제6조 제1항 후단의 규정에 따른 변경허가를 받지 아니하고 제조소등의 위치·구조 또는 설비를 변경한 때
2. 제9조의 규정에 따른 완공검사를 받지 아니하고 제조소등을 사용한 때
2의2. 제11조의2 제3항에 따른 안전조치 이행명령을 따르지 아니한 때
3. 제14조 제2항의 규정에 따른 수리·개조 또는 이전의 명령을 위반한 때
4. 제15조 제1항 및 제2항의 규정에 따른 위험물안전관리자를 선임하지 아니한 때
5. 제15조 제5항을 위반하여 대리자를 지정하지 아니한 때
6. 제18조 제1항의 규정에 따른 정기점검을 하지 아니한 때
7. 제18조 제3항에 따른 정기검사를 받지 아니한 때
8. 제26조의 규정에 따른 저장·취급기준 준수명령을 위반한 때

(1) 설치허가의 취소·사용정지

① **명령권자:** 시·도지사

② **취소·사용정지의 명령:** 시·도지사는 제조소등의 관계인이 설치허가의 취소와 사용정지 사항에 해당하는 때에는 행정안전부령으로 정하는 바에 따라 허가를 취소하거나 6개월 이내의 기간을 정하여 제조소등의 전부 또는 일부의 사용정지를 명할 수 있다.

③ **벌칙 - 1천500만원 이하의 벌금(제36조):** 제12조의 규정에 따른 제조소등의 사용정지명령을 위반한 자

(2) 설치허가의 취소와 사용정지 해당 사항

① 변경허가를 받지 아니하고 제조소등의 위치·구조 또는 설비를 변경한 때
② 완공검사를 받지 아니하고 제조소등을 사용한 때
③ 안전조치 이행명령을 위반한 때
④ 수리·개조 또는 이전의 명령을 위반한 때
⑤ 위험물안전관리자를 선임하지 아니한 때
⑥ 대리자를 지정하지 아니한 때
⑦ 정기점검을 하지 아니한 때(단, 1년 이하의 징역 또는 1천만원 이하의 벌금)
⑧ 정기검사를 받지 아니한 때(단, 1년 이하의 징역 또는 1천만원 이하의 벌금)
⑨ 저장·취급기준 준수명령을 위반한 때

(3) 행정처분기준(규칙 [별표 2])

① 일반기준

㉠ 위반행위가 2 이상인 때에는 그 중 중한 처분기준(중한 처분기준이 동일한 때에는 그 중 하나의 처분기준을 말한다. 이하 이 호에서 같다)에 의하되, 2 이상의 처분기준이 동일한 사용정지이거나 업무정지인 경우에는 중한 처분의 2분의 1까지 가중처분할 수 있다.

㉡ 사용정지 또는 업무정지의 처분기간 중에 사용정지 또는 업무정지에 해당하는 새로운 위반행위가 있는 때에는 종전의 처분기간 만료일의 다음 날부터 새로운 위반행위에 따른 사용정지 또는 업무정지의 행정처분을 한다.

㉢ 위반행위의 횟수에 따른 행정처분기준은 최근 2년간 같은 위반행위로 행정처분을 받은 경우에 적용한다. 이 경우 기간의 계산은 위반행위에 대하여 행정처분을 받은 날과 그 처분 후 다시 같은 위반행위를 하여 적발된 날을 기준으로 한다.

㉣ ㉢에 따라 가중된 행정처분을 하는 경우 가중처분의 적용 차수는 그 위반행위 전 행정처분 차수(다목에 따른 기간 내에 행정처분이 둘 이상 있었던 경우에는 높은 차수를 말한다)의 다음 차수로 한다.

㉤ 사용정지 또는 업무정지의 처분기간이 완료될 때까지 위반행위가 계속되는 경우에는 사용정지 또는 업무정지의 행정처분을 다시 한다.

㉥ 처분권자는 다음의 사항을 고려하여 ②의 개별기준에 따른 처분을 감경할 수 있다. 이 경우 그 처분이 사용정지 또는 업무정지인 경우에는 그 처분기준의 2분의 1 범위에서 처분기간을 감경할 수 있고, 그 처분이 지정취소(제58조 제1항 제1호부터 제3호까지에 해당하는 경우는 제외한다) 또는 등록취소(법 제16조 제5항 제1호부터 제3호까지에 해당하는 경우는 제외한다)인 경우에는 6개월의 업무정지 처분으로 감경할 수 있다.

ⓐ 위반행위의 동기·내용·횟수 또는 그 결과 등을 고려할 때 ②의 개별기준을 적용하는 것이 불합리하다고 인정되는 경우

ⓑ 고의 또는 중과실이 없는 위반행위자가 「소상공인기본법」 제2조에 따른 소상공인인 경우로서 해당 행정처분으로 위반행위자가 더 이상 영업을 영위하기 어렵다고 객관적으로 인정되는지 여부, 경제위기 등으로 위반행위자가 속한 시장·산업 여건이 현저하게 변동되거나 지속적으로 악화된 상태인지 여부 등을 종합적으로 고려할 때 행정처분을 감경할 필요가 있다고 인정되는 경우

> **참고** 안전관리대행기관의 지정취소 등(「위험물안전관리법 시행규칙」 제58조 제1항)
>
> 「기업활동 규제완화에 관한 특별조치법」 제40조 제3항의 규정에 의하여 소방청장은 안전관리대행기관이 다음 각 호의 1에 해당하는 때에는 별표 2의 기준에 따라 그 지정을 취소하거나 6월 이내의 기간을 정하여 그 업무의 정지를 명하거나 시정하게 할 수 있다. 다만, 제1호 내지 제3호의 1에 해당하는 때에는 그 지정을 취소하여야 한다.
>
> 1. 허위 그 밖의 부정한 방법으로 지정을 받은 때
> 2. 탱크시험자의 등록 또는 다른 법령에 의하여 안전관리업무를 대행하는 기관의 지정·승인 등이 취소된 때

3. 다른 사람에게 지정서를 대여한 때

4. 별표 22의 안전관리대행기관의 지정기준에 미달되는 때

5. 제57조 제4항의 규정에 의한 소방청장의 지도·감독에 정당한 이유 없이 따르지 아니하는 때

6. 제57조 제5항의 규정에 의한 변경·휴업 또는 재개업의 신고를 연간 2회 이상 하지 아니한 때

7. 안전관리대행기관의 기술인력이 제59조의 규정에 의한 안전관리업무를 성실하게 수행하지 아니한 때

참고 탱크시험자의 등록 등(「위험물안전관리법」 제16조 제5항)

시·도지사는 탱크시험자가 다음 각 호의 어느 하나에 해당하는 경우에는 행정안전부령으로 정하는 바에 따라 그 등록을 취소하거나 6월 이내의 기간을 정하여 업무의 정지를 명할 수 있다. 다만, 제1호 내지 제3호에 해당하는 경우에는 그 등록을 취소하여야 한다.

1. 허위 그 밖의 부정한 방법으로 등록을 한 경우

2. 제4항 각 호의 어느 하나의 등록의 결격사유에 해당하게 된 경우

3. 등록증을 다른 자에게 빌려준 경우

4. 제2항의 규정에 따른 등록기준에 미달하게 된 경우

5. 탱크안전성능시험 또는 점검을 허위로 하거나 이 법에 의한 기준에 맞지 아니하게 탱크안전성능시험 또는 점검을 실시하는 경우 등 탱크시험자로서 적합하지 아니하다고 인정하는 경우

② 개별기준

　㉠ 제조소등에 대한 행정처분기준

위반행위	근거 법조문	행정처분기준		
		1차	2차	3차
1. 법 제6조 제1항의 후단에 따른 변경허가를 받지 않고, 제조소등의 위치·구조 또는 설비를 변경한 경우	법 제12조 제1호	경고 또는 사용정지 15일	사용정지 60일	허가취소
2. 법 제9조에 따른 완공검사를 받지 않고 제조소등을 사용한 경우	법 제12조 제2호	사용정지 15일	사용정지 60일	허가취소
3. 법 제11조의2 제3항에 따른 안전조치 이행명령을 따르지 않은 경우	법 제12조 제2호의2	경고	허가취소	–
4. 법 제14조 제2항에 따른 수리·개조 또는 이전의 명령을 위반한 경우	법 제12조 제3호	사용정지 30일	사용정지 90일	허가취소
5. 법 제15조 제1항 및 제2항에 따른 위험물안전관리자를 선임하지 않은 경우	법 제12조 제4호	사용정지 15일	사용정지 60일	허가취소

위반사항	근거법규	1차	2차	3차
6. 법 제15조 제5항을 위반하여 대리자를 지정하지 않은 경우	법 제12조 제5호	사용정지 10일	사용정지 30일	허가취소
7. 법 제18조 제1항에 따른 정기점검을 하지 않은 경우	법 제12조 제6호	사용정지 10일	사용정지 30일	허가취소
8. 법 제18조 제3항에 따른 정기검사를 받지 않은 경우	법 제12조 제7호	사용정지 10일	사용정지 30일	허가취소
9. 법 제26조에 따른 저장·취급기준 준수명령을 위반한 경우	법 제12조 제8호	사용정지 30일	사용정지 60일	허가취소

ⓒ 안전관리대행기관에 대한 행정처분기준

위반사항	근거법규	행정처분기준		
		1차	2차	3차
1. 허위 그 밖의 부정한 방법으로 등록을 한 때	제58조	지정취소		
2. 탱크시험자의 등록 또는 다른 법령에 의한 안전관리업무대행기관의 지정·승인 등이 취소된 때	제58조	지정취소		
3. 다른 사람에게 지정서를 대여한 때	제58조	지정취소		
4. 별표 22의 규정에 의한 안전관리대행기관의 지정기준에 미달되는 때	제58조	업무정지 30일	업무정지 60일	지정취소
5. 제57조 제4항의 규정에 의한 소방청장의 지도·감독에 정당한 이유없이 따르지 아니한 때	제58조	업무정지 30일	업무정지 60일	지정취소
6. 제57조 제5항의 규정에 의한 변경 등의 신고를 연간 2회 이상 하지 아니한 때	제58조	경고 또는 업무정지 30일	업무정지 90일	지정취소
7. 안전관리대행기관의 기술인력이 제59조의 규정에 의한 안전관리업무를 성실하게 수행하지 아니한 때	제58조	경고	업무정지 90일	지정취소

👆 **관계법규** 설치허가의 취소

시행령	시행규칙
	제25조【허가취소 등의 처분기준】 법 제12조의 규정에 의한 제조소등에 대한 허가취소 및 사용정지의 처분기준은 별표 2와 같다.

제13조【과징금처분】① 시·도지사는 제12조 각 호의 어느 하나에 해당하는 경우로 서 제조소등에 대한 사용의 정지가 그 이용자에게 심한 불편을 주거나 그 밖에 공 익을 해칠 우려가 있는 때에는 사용정지처분에 갈음하여 2억원 이하의 과징금을 부 과할 수 있다.
② 제1항의 규정에 따른 과징금을 부과하는 위반행위의 종별·정도 등에 따른 과징 금의 금액 그 밖의 필요한 사항은 행정안전부령으로 정한다.
③ 시·도지사는 제1항의 규정에 따른 과징금을 납부하여야 하는 자가 납부기한까 지 이를 납부하지 아니한 때에는「지방행정제재·부과금의 징수 등에 관한 법률」에 따라 징수한다.

(1) 과징금처분

시·도지사는 제12조 각 호의 어느 하나에 해당하는 경우로서 제조소등에 대한 사 용의 정지가 그 이용자에게 심한 불편을 주거나 그 밖에 공익을 해칠 우려가 있는 때에는 **사용정지처분에 갈음하여 2억원 이하의 과징금을 부과할 수 있다.**

> **참고** **제12조 각 호(제조소등 설치허가의 취소와 사용정지 등)**
> 1. 제6조 제1항 후단의 규정에 따른 변경허가를 받지 아니하고 제조소등의 위치·구조 또 는 설비를 변경한 때
> 2. 제9조의 규정에 따른 완공검사를 받지 아니하고 제조소등을 사용한 때
> 2의2. 제11조의2 제3항에 따른 안전조치 이행명령을 따르지 아니한 때
> 3. 제14조 제2항의 규정에 따른 수리·개조 또는 이전의 명령을 위반한 때
> 4. 제15조 제1항 및 제2항의 규정에 따른 위험물안전관리자를 선임하지 아니한 때
> 5. 제15조 제5항을 위반하여 대리자를 지정하지 아니한 때
> 6. 제18조 제1항의 규정에 따른 정기점검을 하지 아니한 때
> 7. 제18조 제3항에 따른 정기검사를 받지 아니한 때
> 8. 제26조의 규정에 따른 저장·취급기준 준수명령을 위반한 때

(2) 위임규정

① 과징금을 부과하는 위반행위의 종별·정도 등에 따른 과징금의 금액 그 밖의 필요한 사항은 **행정안전부령으로 정한다.**
② **과징금의 금액(규칙 제26조):** 과징금을 부과하는 위반행위의 종류와 위반 정도 등에 따른 과징금의 금액은 다음의 구분에 따른 기준에 따라 산정한다.
  ㉠ **2016년 2월 1일부터 2018년 12월 31일까지의 기간 중에 위반행위를 한 경우:** 별표 3
  ㉡ **2019년 1월 1일 이후에 위반행위를 한 경우:** 별표 3의2
③ **과징금의 징수절차(규칙 제27조):** 과징금의 징수절차에 관하여는「국고금 관리 법 시행규칙」을 준용한다.

(3) 체납자에 대한 징수

시·도지사는 과징금을 납부하여야 하는 자가 납부기한까지 이를 납부하지 아니한 때에는 「지방행정제재·부과금의 징수 등에 관한 법률」에 따라 징수한다.

> **참고** 「지방행정제재·부과금의 징수 등에 관한 법률」 제1조 및 제2조
>
> **1. 제1조**
>
> > **제1조【목적】** 이 법은 지방행정제재·부과금의 체납처분절차를 명확하게 하고 지방행정제재·부과금의 효율적 징수 및 관리 등에 필요한 사항을 규정함으로써 지방자치단체의 재정 확충 및 재정건전성 제고에 이바지함을 목적으로 한다.
>
> **2. 제2조**
>
> > **제2조【정의】** 이 법에서 사용하는 용어의 뜻은 다음과 같다.
> > 1. "지방행정제재·부과금"이란 지방자치단체의 장 및 그 소속 행정기관의 장이 행정목적을 달성하기 위하여 법률에 따라 부과·징수(국가기관의 장으로부터 위임·위탁받아 부과·징수하는 경우를 포함한다)하여 지방자치단체의 수입으로 하는 조세 외의 금전으로서 다음 각 목의 어느 하나에 해당되는 것을 말한다.
> >   가. 다른 법률에서 이 법에 따라 징수하기로 한 과징금, 이행강제금, 부담금 및 변상금
> >   나. 그 밖의 조세 외의 금전으로서 다른 법률에서 이 법에 따라 징수하기로 한 금전
> > 1의2. "지방세외수입"이란 지방행정제재·부과금과 그 밖의 다른 법률 또는 조례에 따라 부과·징수하는 지방자치단체의 조세 외의 금전 수입으로서 수수료, 재산임대수입 등 행정안전부령으로 정하는 금전 수입을 말한다.
> > 4. "납부의무자"란 지방행정제재·부과금관계법에 따라 지방행정제재·부과금을 납부할 의무가 있는 자를 말한다.
> > 5. "체납자"란 납부의무자로서 지방행정제재·부과금을 납부기한까지 납부하지 아니한 자를 말한다.
> > 10. "징수"란 지방자치단체의 장이 이 법 및 지방행정제재·부과금관계법에 따라 납부의무자로부터 지방행정제재·부과징수금을 거두어들이는 것을 말한다.
> > 11. "체납액"이란 체납된 지방행정제재·부과징수금을 말한다.

👆 관계법규 과징금의 금액 및 징수절차

NOTE	시행규칙
	제26조【과징금의 금액】 법 제13조 제1항에 따라 과징금을 부과하는 위반행위의 종류와 위반 정도 등에 따른 과징금의 금액은 다음 각 호의 구분에 따른 기준에 따라 산정한다. 1. 2016년 2월 1일부터 2018년 12월 31일까지의 기간 중에 위반행위를 한 경우: 별표 3 2. 2019년 1월 1일 이후에 위반행위를 한 경우: 별표 3의2 **제27조【과징금 징수절차】** 법 제13조 제2항에 따른 과징금의 징수절차에 관하여는 「국고금 관리법 시행규칙」을 준용한다.

시행규칙 [별표 3]	시행규칙 [별표 3의 2]

시행규칙 [별표 3]

1. 일반기준
   가. 과징금을 부과하는 위반행위의 종별에 따른 과징금의 금액은 제25조 및 별표 2의 규정에 의한 사용정지의 기간에 나목 또는 다목에 의하여 산정한 1일당 과징금의 금액을 곱하여 얻은 금액으로 한다.
   나. 1일당 과징금의 금액은 당해 제조소등의 연간 매출액을 기준으로 하여 제2호 가목의 기준에 의하여 산정한다. 이 경우 연간 매출액은 전년도의 1년간의 총 매출액을 기준으로 하되, 신규사업·휴업 등으로 인하여 1년간의 총 매출액을 산출할 수 없는 경우에는 분기별·월별 또는 일별 매출액을 기준으로 하여 연간 매출액을 환산한다.
   다. 연간 매출액이 없거나 연간 매출액의 산출이 곤란한 제조소등의 경우에는 당해 제조소등에서 저장 또는 취급하는 위험물의 허가수량(지정수량의 배수)을 기준으로 하여 제2호 나목의 기준에 의하여 산정한다.

2. 과징금 산정기준
   가. 연간 매출액을 기준으로 한 과징금 산정기준

등급	연간 매출액	1일당 과징금의 금액 (단위: 원)
1	5천만원 이하	7,000
2	5천만원 초과 ~ 1억원 이하	20,000
5	3억원 초과 ~ 5억원 이하	110,000
	- 중략 -	
22	500억원 초과 ~ 600억원 이하	2,168,000
23	600억원 초과	2,222,000

   나. 저장 또는 취급하는 위험물의 허가수량을 기준으로 한 과징금 산정기준

등급	저장 또는 취급하는 위험물의 허가수량 (지정수량의 배수)		1일당 과징금의 금액 (단위 : 천원)
	저장량	취급량	
1	50배 이하	30배 이하	30
2	50배 초과 ~ 100배 이하	30배 초과 ~ 100배 이하	100
	- 중략 -		
6	100,000배 초과	2,000배 초과	1000

▶ 비고
1. 저장량과 취급량이 다른 경우에는 둘중 많은 수량을 기준으로 한다.
2. 자가발전, 자가난방 그 밖의 이와 유사한 목적의 제조소등에 있어서는 이표에 의한 금액의 2분의 1을 과징금의 금액으로 한다.

시행규칙 [별표 3의 2]

1. 일반기준
   가. 위반행위의 종류에 따른 과징금의 금액은 제25조 및 별표 2에 따른 해당 위반행위에 대한 사용정지의 기간에 따라 나목 또는 다목의 기준에 따라 산정한다.
   나. 과징금 금액은 해당 제조소등의 1일 평균 매출액을 기준으로 하여 제2호 가목의 기준에 따라 산정한다. 이 경우 1일 평균 매출액은 전년도의 1년간의 총 매출액의 1일 평균 매출액을 기준으로 하되, 신규사업·휴업 등으로 인하여 1년간의 총 매출액을 산출할 수 없는 경우에는 분기별·월별 또는 일별 매출액을 기준으로 하여 1년간의 총 매출액을 환산한다.
   다. 1년간의 총 매출액이 없거나 산출하기 곤란한 제조소등의 경우에는 해당 제조소등에서 저장 또는 취급하는 위험물의 허가수량(지정수량의 배수)을 기준으로 하여 제2호 나목의 기준에 따라 산정한다.

2. 과징금 산정기준
   가. 1일 평균 매출액을 기준으로 한 과징금 산정기준

$$과징금 금액 = 1일 평균 매출액 \times 사용정지 일수 \times 0.0574$$

   나. 저장 또는 취급하는 위험물의 허가수량을 기준으로 한 과징금 산정기준

등급	저장 또는 취급하는 위험물의 허가수량 (지정수량의 배수)		1일당 과징금의 금액 (단위 : 원)
	저장량	취급량	
1	50배 이하	30배 이하	30,000
2	50배 초과 ~ 100배 이하	30배 초과 ~ 100배 이하	100,000
3	100배 초과 ~ 1,000배 이하	100배 초과 ~ 500배 이하	400,000
4	1,000배 초과 ~ 10,000배 이하	500배 초과 ~ 1,000배 이하	600,000
5	10,000배 초과 ~ 100,000배 이하	1,000배 초과 ~ 2,000배 이하	800,000
6	100,000배 초과	2,000배 초과	1,000,000

▶ 비고
1. 저장량과 취급량이 다른 경우에는 둘 중 많은 수량을 기준으로 한다.
2. 자가발전, 자가난방, 그 밖의 이와 유사한 목적의 제조소등에 대해서는 이 목에 따른 금액의 2분의 1을 과징금 금액으로 한다.

| 1 | 위험물시설의 유지 · 관리 | B |

제14조 【위험물시설의 유지 · 관리】 ① 제조소등의 관계인은 당해 제조소등의 위치 · 구조 및 설비가 제5조 제4항의 규정에 따른 기술기준에 적합하도록 유지 · 관리하여야 한다.

② 시 · 도지사, 소방본부장 또는 소방서장은 제1항의 규정에 따른 유지 · 관리의 상황이 제5조 제4항의 규정에 따른 기술기준에 부적합하다고 인정하는 때에는 그 기술기준에 적합하도록 제조소등의 위치 · 구조 및 설비의 수리 · 개조 또는 이전을 명할 수 있다.

(1) 위험물시설의 유지 · 관리

제조소등의 관계인은 제조소등의 위치 · 구조 및 설비가 제5조 제4항의 규정에 따른 기술기준에 적합하도록 유지 · 관리하여야 한다.

(2) 수리 · 개조 또는 이전 명령(제14조 제2항)

① **명령권자**: 시 · 도지사, 소방본부장 또는 소방서장
② **명령시기**: 유지 · 관리의 상황이 제5조 제4항의 규정에 따른 기술기준에 부적합하다고 인정하는 때
③ **벌칙 − 1천500만원 이하의 벌금(제36조)**: 제14조 제2항의 규정에 따른 수리 · 개조 또는 이전의 명령에 따르지 아니한 자

(3) 제5조 제4항의 규정 등

제5조 【위험물의 저장 및 취급의 제한】 ④ 제1항의 규정에 따른 제조소등의 위치 · 구조 및 설비의 기술기준은 행정안전부령으로 정한다.

👆 **관계법규** 제조소등의 위치 · 구조 및 설비의 기준

시행규칙	
제28조 【제조소의 기준】 법 제5조 제4항의 규정에 의한 제조소등의 위치 · 구조 및 설비의 기준 중 제조소에 관한 것은 별표 4와 같다.	**제31조 【옥내탱크저장소의 기준】** 법 제5조 제4항의 규정에 의한 제조소등의 위치 · 구조 및 설비의 기준 중 옥내탱크저장소에 관한 것은 별표 7과 같다.
제29조 【옥내저장소의 기준】 법 제5조 제4항의 규정에 의한 제조소등의 위치 · 구조 및 설비의 기준 중 옥내저장소에 관한 것은 별표 5와 같다.	**제32조 【지하탱크저장소의 기준】** 법 제5조 제4항의 규정에 의한 제조소등의 위치 · 구조 및 설비의 기준 중 지하탱크저장소에 관한 것은 별표 8과 같다.
제30조 【옥외탱크저장소의 기준】 법 제5조 제4항의 규정에 의한 제조소등의 위치 · 구조 및 설비의 기준 중 옥외탱크저장소에 관한 것은 별표 6과 같다.	**제33조 【간이탱크저장소의 기준】** 법 제5조 제4항의 규정에 의한 제조소등의 위치 · 구조 및 설비의 기준 중 간이탱크저장소에 관한 것은 별표 9와 같다.

제15조【위험물안전관리자】 ① 제조소등[제6조 제3항의 규정에 따라 허가를 받지 아니하는 제조소등과 이동탱크저장소(차량에 고정된 탱크에 위험물을 저장 또는 취급하는 저장소를 말한다)를 제외한다. 이하 이 조에서 같다]의 관계인은 위험물의 안전관리에 관한 직무를 수행하게 하기 위하여 제조소등마다 대통령령이 정하는 위험물의 취급에 관한 자격이 있는 자(이하 "위험물취급자격자"라 한다)를 위험물안전관리자(이하 "안전관리자"라 한다)로 선임하여야 한다. 다만, 제조소등에서 저장·취급하는 위험물이 「화학물질관리법」에 따른 유독물질에 해당하는 경우 등 대통령령이 정하는 경우에는 당해 제조소등을 설치한 자는 다른 법률에 의하여 안전관리업무를 하는 자로 선임된 자 가운데 대통령령이 정하는 자를 안전관리자로 선임할 수 있다.
② 제1항의 규정에 따라 안전관리자를 선임한 제조소등의 관계인은 그 안전관리자를 해임하거나 안전관리자가 퇴직한 때에는 해임하거나 퇴직한 날부터 30일 이내에 다시 안전관리자를 선임하여야 한다.
③ 제조소등의 관계인은 제1항 및 제2항에 따라 안전관리자를 선임한 경우에는 선임한 날부터 14일 이내에 행정안전부령으로 정하는 바에 따라 소방본부장 또는 소방서장에게 신고하여야 한다.
④ 제조소등의 관계인이 안전관리자를 해임하거나 안전관리자가 퇴직한 경우 그 관계인 또는 안전관리자는 소방본부장이나 소방서장에게 그 사실을 알려 해임되거나 퇴직한 사실을 확인받을 수 있다.

(1) 위험물안전관리자의 선임

① 제조소등의 관계인은 위험물의 안전관리에 관한 직무를 수행하게 하기 위하여 제조소등마다 위험물취급자격자를 위험물안전관리자로 선임하여야 한다.

② **제외대상:** 허가를 받지 아니하는 제조소등과 이동탱크저장소

③ **위험물취급자격자(영 제11조[별표 5])**

위험물취급자격자의 구분	취급할 수 있는 위험물
위험물기능장·위험물산업기사·위험물기능사	모든 위험물
안전관리자교육이수자 (소방청장이 실시하는 안전관리자교육 이수자)	제4류 위험물 (인화성액체)
소방공무원 경력자 (소방공무원 근무 경력 3년 이상)	제4류 위험물 (인화성액체)

④ **단서조항**

㉠ 제조소등에서 저장·취급하는 위험물이 「화학물질관리법」에 따른 유독물질에 해당하는 경우 등 대통령령이 정하는 경우에는 당해 제조소등을 설치한 자는 다른 법률에 의하여 안전관리업무를 하는 자로 선임된 자 가운데 대통령령이 정하는 자를 안전관리자로 선임할 수 있다(영 제11조 제2항 및 제3항).

ⓛ 단서조항에 따른 위험물 취급자격자

ⓐ 제조소등에서 저장·취급하는 위험물이 「화학물질관리법」에 따른 유독물질에 해당하는 경우: 유해화학물질관리자로 선임된 자로서 유해화학물질 안전교육을 받은 자

ⓑ 「소방시설 설치 및 관리에 관한 법률」에 따른 특정소방대상물의 난방·비상발전 또는 자가발전에 필요한 위험물을 저장·취급하기 위하여 설치된 저장소 또는 일반취급소가 해당 특정소방대상물 안에 있거나 인접하여 있는 경우: 소방안전관리자로 선임된 자로서 위험물안전관리자의 자격이 있는 자

⑤ 벌칙 - 1천500만원 이하의 벌금(제36조): 제15조 제1항의 규정을 위반하여 안전관리자를 선임하지 아니한 관계인으로서 제6조 제1항의 규정에 따른 허가를 받은 자

핵심기출

「위험물안전관리법」상 위험물안전관리자의 선임 등에 관한 사항이다. ( ) 안에 들어갈 숫자로 옳은 것은?　20. 공채(6월)

· 위험물안전관리자를 선임한 제조소등의 관계인은 그 위험물안전관리자를 해임하거나 위험물안전관리자가 퇴직한 때에는 해임하거나 퇴직한 날부터 (가)일 이내에 다시 위험물안전관리자를 선임하여야 한다.
· 제조소등의 관계인은 위험물안전관리자를 선임한 경우에는 선임한 날부터 (나)일 이내에 행정안전부령으로 정하는 바에 따라 소방본부장 또는 소방서장에게 신고하여야 한다.

	가	나
①	15	14
②	15	30
③	30	14
④	30	30

정답 ③

(2) 안전관리자 선임 기한(제15조 제2항)

① 안전관리자를 해임하거나 안전관리자가 퇴직한 때에는 해임하거나 퇴직한 날부터 30일 이내에 다시 선임하여야 한다.

② 벌칙 - 1천500만원 이하의 벌금(제36조): 제15조 제2항의 규정을 위반하여 안전관리자를 선임하지 아니한 관계인으로서 제6조 제1항의 규정에 따른 허가를 받은 자

(3) 안전관리자의 선임신고(제15조 제3항)

① 신고기간: 선임한 날부터 14일 이내

② 신고대상: 소방본부장 또는 소방서장

③ 과태료 - 500만원 이하의 과태료(제39조): 제15조 제3항의 규정에 따른 안전관리자의 선임신고를 기간 이내에 하지 아니하거나 허위로 한 자

④ 선임신고 첨부 서류(규칙 제53조)

ⓗ 위험물안전관리업무대행계약서

ⓛ 위험물안전관리교육 수료증(안전관리자 강습교육을 받은 자)

ⓒ 위험물안전관리자를 겸직할 수 있는 관련 안전관리자로 선임된 사실을 증명할 수 있는 서류

ⓔ 소방공무원 경력증명서

(4) 안전관리자 해임·퇴직 통지 및 확인(제15조 제4항)

① 사유

ⓗ 제조소등의 관계인이 안전관리자를 해임한 경우

ⓛ 안전관리자가 퇴직한 경우

② 통지 및 확보: 관계인 또는 안전관리자는 소방본부장 또는 소방서장에게 알리고 확인받을 수 있다.

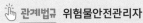

시행령	시행규칙
제11조【위험물안전관리자로 선임할 수 있는 위험물취급자격자 등】 ① 법 제15조 제1항 본문에서 "대통령령이 정하는 위험물의 취급에 관한 자격이 있는 자"라 함은 별표 5에 규정된 자를 말한다. ② 법 제15조 제1항 단서에서 "대통령령이 정하는 경우"란 다음 각 호의 어느 하나에 해당하는 경우를 말한다. 1. 제조소등에서 저장·취급하는 위험물이 「화학물질관리법」 제2조 제2호에 따른 유독물질에 해당하는 경우 2. 「소방시설 설치 및 관리에 관한 법률」 제2조 제1항 제3호에 따른 특정소방대상물의 난방·비상발전 또는 【 ① 】에 필요한 위험물을 저장·취급하기 위하여 설치된 저장소 또는 일반취급소가 해당 특정소방대상물 안에 있거나 인접하여 있는 경우 ③ 법 제15조 제1항 단서에서 "대통령령이 정하는 자"란 다음 각 호의 어느 하나에 해당하는 자를 말한다. 1. 제2항 제1호의 경우: 「화학물질관리법」 제32조 제1항에 따라 해당 제조소등의 유해화학물질관리자로 선임된 자로서 법 제28조 또는 「화학물질관리법」 제33조에 따라 유해화학물질 안전교육을 받은 자 2. 제2항 제2호의 경우: 「화재의 예방 및 안전관리에 관한 법률」 제24조 제1항 또는 「공공기관의 소방안전관리에 관한 규정」 제5조에 따라 소방안전관리자로 선임된 자로서 법 제15조 제9항에 따른 위험물안전관리자(이하 "안전관리자"라 한다)의 자격이 있는 자	**제53조【안전관리자의 선임신고 등】** ① 제조소등의 관계인은 법 제15조 제3항에 따라 안전관리자(「기업활동 규제완화에 관한 특별조치법」 제29조 제1항·제3항 및 제32조 제1항에 따른 안전관리자와 제57조 제1항에 따른 안전관리대행기관을 포함한다)의 선임을 신고하려는 경우에는 별지 제32호 서식의 신고서(전자문서로 된 신고서를 포함한다)에 다음 각 호의 해당 서류(전자문서를 포함한다)를 첨부하여 소방본부장 또는 소방서장에게 제출하여야 한다. 1. 위험물안전관리업무대행계약서(제57조 제1항에 따른 안전관리대행기관에 한한다) 2. 위험물안전관리교육 수료증(제78조 제1항 및 별표 24에 따른 안전관리자 강습교육을 받은 자에 한한다) 3. 위험물안전관리자를 겸직할 수 있는 관련 안전관리자로 선임된 사실을 증명할 수 있는 서류(「기업활동 규제완화에 관한 특별조치법」 제29조 제1항 제1호부터 제3호까지 및 제3항에 해당하는 안전관리자 또는 영 제11조 제3항 각 호의 어느 하나에 해당하는 사람으로서 위험물의 취급에 관한 국가기술자격자가 아닌 사람으로 한정한다) 4. 소방공무원 경력증명서(소방공무원 경력자에 한한다) ② 제1항에 따라 신고를 받은 담당 공무원은 「전자정부법」 제36조 제1항에 따른 행정정보의 공동이용을 통하여 다음 각 호의 행정정보를 확인하여야 한다. 다만, 신고인이 확인에 동의하지 아니하는 경우에는 그 서류(국가기술자격증의 경우에는 그 사본을 말한다)를 제출하도록 하여야 한다. 1. 국가기술자격증(위험물의 취급에 관한 국가기술자격자에 한한다) 2. 국가기술자격증(「기업활동 규제완화에 관한 특별조치법」 제29조 제1항 및 제3항에 해당하는 자로서 국가기술자격자에 한한다)

[별표 5] 위험물취급자격자의 자격(제11조 제1항 관련)

위험물취급자격자의 구분	취급 위험물
1. 위험물기능장·위험물산업기사·위험물기능사의 자격을 취득한 사람	모든 위험물
2. 안전관리자교육이수자 　(소방청장이 실시하는 안전관리자교육)	제4류 위험물 (인화성액체)
3. 소방공무원 경력자 　(소방공무원 근무 경력【 ② 】)	제4류 위험물 (인화성액체)

① 자가발전　② 3년

제15조【위험물안전관리자】 ⑤ 제1항의 규정에 따라 안전관리자를 선임한 제조소등의 관계인은 안전관리자가 여행·질병 그 밖의 사유로 인하여 일시적으로 직무를 수행할 수 없거나 안전관리자의 해임 또는 퇴직과 동시에 다른 안전관리자를 선임하지 못하는 경우에는 국가기술자격법에 따른 위험물의 취급에 관한 자격취득자 또는 위험물안전에 관한 기본지식과 경험이 있는 자로서 행정안전부령이 정하는 자를 대리자(代理者)로 지정하여 그 직무를 대행하게 하여야 한다. 이 경우 대리자가 안전관리자의 직무를 대행하는 기간은 30일을 초과할 수 없다.

⑥ 안전관리자는 위험물을 취급하는 작업을 하는 때에는 작업자에게 안전관리에 관한 필요한 지시를 하는 등 행정안전부령이 정하는 바에 따라 위험물의 취급에 관한 안전관리와 감독을 하여야 하고, 제조소등의 관계인과 그 종사자는 안전관리자의 위험물 안전관리에 관한 의견을 존중하고 그 권고에 따라야 한다.

⑦ 제조소등에 있어서 위험물취급자격자가 아닌 자는 안전관리자 또는 제5항에 따른 대리자가 참여한 상태에서 위험물을 취급하여야 한다.

(1) 안전관리자의 대리자 지정(제15조 제5항)

① 지정 사유

    ⊙ 안전관리자가 여행·질병 그 밖의 사유로 인하여 일시적으로 직무를 수행할 수 없는 경우

    ⓛ 안전관리자의 해임 또는 퇴직과 동시에 다른 안전관리자를 선임하지 못하는 경우

② 벌칙 – 1천500만원 이하의 벌금(제36조): 제15조 제5항을 위반하여 대리자를 지정하지 아니한 관계인으로서 제6조 제1항의 규정에 따른 허가를 받은 자

③ 대리자의 자격(규칙 제54조)

    ⊙ 안전교육을 받은 자

    ⓛ 제조소등의 위험물 안전관리업무에 있어서 안전관리자를 지휘·감독하는 직위에 있는 자

④ 대리자의 직무대행 기간: 30일 이내(30일을 초과할 수 없다)

(2) 안전관리자의 책무

① 안전관리자는 위험물을 취급하는 작업을 하는 때에는 작업자에게 안전관리에 관한 필요한 지시를 하는 등 행정안전부령이 정하는 바에 따라 위험물의 취급에 관한 안전관리와 감독을 하여야 한다.

② 벌칙 – 1천만원 이하의 벌금(제37조): 제15조 제6항을 위반하여 위험물의 취급에 관한 안전관리와 감독을 하지 아니한 자

③ 제조소등의 관계인과 그 종사자는 안전관리자의 위험물 안전관리에 관한 의견을 존중하고 그 권고에 따라야 한다.

✎ **핵심기출**

「위험물안전관리법」상 위험물안전관리자의 대리자에 대한 설명으로 옳지 않은 것은?

17. 중앙통합

① 위험물 취급 자격취득자를 대리자로 선임할 수 있다.

② 위험물취급자격자가 아닌 자는 안전관리자 또는 대리자가 참여한 상태에서 위험물을 취급하여야 한다.

③ 대리자는 안전관리자를 선임하지 못한 경우에만 지정할 수 있다.

④ 위험물안전에 관한 기본지식과 경험이 있는 자를 대리자로 지정할 수 있다.

정답 ③

④ 안전관리자의 업무(규칙 제55조)

㉠ 위험물의 취급작업에 참여하여 당해 작업이 저장 또는 취급에 관한 기술기준과 예방규정에 적합하도록 해당 작업자에 대하여 지시 및 감독하는 업무

㉡ 화재 등의 재난이 발생한 경우 응급조치 및 소방관서 등에 대한 연락업무

㉢ 위험물시설의 안전을 담당하는 자를 따로 두는 제조소등의 경우에는 그 담당자에게 다음의 규정에 의한 업무의 지시, 그 밖의 제조소등의 경우에는 다음의 규정에 의한 업무

ⓐ 제조소등의 위치·구조 및 설비를 법 제5조 제4항의 기술기준에 적합하도록 유지하기 위한 점검과 점검상황의 기록·보존

ⓑ 제조소등의 구조 또는 설비의 이상을 발견한 경우 관계자에 대한 연락 및 응급조치

ⓒ 화재가 발생하거나 화재발생의 위험성이 현저한 경우 소방관서 등에 대한 연락 및 응급조치

ⓓ 제조소등의 계측장치·제어장치 및 안전장치 등의 적정한 유지·관리

ⓔ 제조소등의 위치·구조 및 설비에 관한 설계도서 등의 정비·보존 및 제조소등의 구조 및 설비의 안전에 관한 사무의 관리

㉣ 화재 등의 재해의 방지와 응급조치에 관하여 인접하는 제조소등과 그 밖의 관련되는 시설의 관계자와 협조체제의 유지

㉤ 위험물의 취급에 관한 일지의 작성·기록

㉥ 그 밖에 위험물을 수납한 용기를 차량에 적재하는 작업, 위험물설비를 보수하는 작업 등 위험물의 취급과 관련된 작업의 안전에 관하여 필요한 감독의 수행

(3) 위험물의 취급 등

① 제조소등에 있어서 위험물취급자격자가 아닌 자는 안전관리자 또는 대리자가 참여한 상태에서 위험물을 취급하여야 한다.

② 벌칙 – 1천만원 이하의 벌금(제37조): 제15조 제7항을 위반하여 안전관리자 또는 그 대리자가 참여하지 아니한 상태에서 위험물을 취급한 자

NOTE	시행규칙
	제54조【안전관리자의 대리자】 법 제15조 제5항 전단에서 "행정안전부령이 정하는 자"란 다음 각 호의 어느 하나에 해당하는 사람을 말한다. 1. 법 제28조 제1항에 따른 【 ① 】 2. 삭제 3. 제조소등의 위험물 안전관리업무에 있어서 안전관리자를 지휘·감독하는 직위에 있는 자 **제55조【안전관리자의 책무】** 법 제15조 제6항에 따라 안전관리자는 위험물의 취급에 관한 안전관리와 감독에 관한 다음 각 호의 업무를 성실하게 수행하여야 한다. 1. 위험물의 취급작업에 참여하여 당해 작업이 법 제5조 제3항의 규정에 의한 저장 또는 취급에 관한 기술기준과 법 제17조의 규정에 의한 예방규정에 적합하도록 해당 작업자(당해 작업에 참여하는 위험물취급자격자를 포함한다)에 대하여 지시 및 감독하는 업무 2. 화재 등의 재난이 발생한 경우 응급조치 및 소방관서 등에 대한 연락업무 3. 위험물시설의 안전을 담당하는 자를 따로 두는 제조소등의 경우에는 그 담당자에게 다음 각 목의 규정에 의한 업무의 지시, 그 밖의 제조소등의 경우에는 다음 각 목의 규정에 의한 업무 　가. 제조소등의 위치·구조 및 설비를 법 제5조 제4항의 기술기준에 적합하도록 유지하기 위한 점검과 점검상황의 기록·보존 　나. 제조소등의 구조 또는 설비의 이상을 발견한 경우 관계자에 대한 연락 및 응급조치 　다. 화재가 발생하거나 화재발생의 위험성이 현저한 경우 소방관서 등에 대한 연락 및 응급조치 　라. 제조소등의 계측장치·제어장치 및 안전장치 등의 적정한 유지·관리 　마. 제조소등의 위치·구조 및 설비에 관한 설계도서 등의 정비·보존 및 제조소등의 구조 및 설비의 안전에 관한 사무의 관리 4. 화재 등의 재해의 방지와 응급조치에 관하여 인접하는 제조소등과 그 밖의 관련되는 시설의 관계자와 협조체제의 유지 5. 위험물의 취급에 관한 일지의 작성·기록 6. 그 밖에 위험물을 수납한 용기를 차량에 적재하는 작업, 위험물설비를 보수하는 작업 등 위험물의 취급과 관련된 작업의 안전에 관하여 필요한 감독의 수행
	① 안전교육을 받은 자

2-3 위험물안전관리자의 중복 선임   **B**

제15조【위험물안전관리자】 ⑧ 다수의 제조소등을 동일인이 설치한 경우에는 제1항의 규정에 불구하고 관계인은 대통령령이 정하는 바에 따라 1인의 안전관리자를 중복하여 선임할 수 있다. 이 경우 대통령령이 정하는 제조소등의 관계인은 제5항에 따른 대리자의 자격이 있는 자를 각 제조소등별로 지정하여 안전관리자를 보조하게 하여야 한다.

⑨ 제조소등의 종류 및 규모에 따라 선임하여야 하는 안전관리자의 자격은 대통령령으로 정한다.

(1) 1인의 안전관리자를 중복하여 선임할 수 있는 경우 등

① 다수의 제조소등을 동일인이 설치한 경우 관계인은 대통령령이 정하는 바에 따라 1인의 안전관리자를 중복하여 선임할 수 있다.

② 1인의 안전관리자를 중복하여 선임한 경우 대통령령이 정하는 제조소등의 관계인은 대리자의 자격이 있는 자를 각 제조소등별로 지정하여 안전관리자를 보조하게 하여야 한다.

③ 법 제15조 제8항 후단에서 대통령령으로 정하는 제조소등(영 제12조 제2항)

  ㉠ 대통령령이 정하는 제조소등

    ⓐ 제조소

    ⓑ 이송취급소

    ⓒ 일반취급소. 단, 인화점 38도 이상인 제4류 위험물만을 지정수량의 30배 이하로 취급하는 다음의 일반취급소를 제외한다.

      • 보일러·버너 또는 이와 비슷한 것으로서 위험물을 소비하는 장치로 이루어진 일반취급소

      • 위험물을 용기에 옮겨 담거나 차량에 고정된 탱크에 주입하는 일반취급소

  ㉡ 대리자의 자격(규칙 제54조)

    ⓐ 안전교육을 받은 자

    ⓑ 제조소등의 위험물 안전관리업무에 있어서 안전관리자를 지휘·감독하는 직위에 있는 자

(2) 1인의 안전관리자를 중복하여 선임할 수 있는 경우(영 제12조 제1항)

법 제15조 제8항 전단에 따라 다수의 제조소등을 설치한 자가 1인의 안전관리자를 중복하여 선임할 수 있는 경우는 다음의 어느 하나와 같다.

① 보일러·버너 또는 이와 비슷한 것으로서 위험물을 소비하는 장치로 이루어진 7개 이하의 일반취급소와 그 일반취급소에 공급하기 위한 위험물을 저장하는 저장소를 동일인이 설치한 경우: 일반취급소 및 저장소가 모두 동일구내에 있는 경우에 한한다.

② 위험물을 차량에 고정된 탱크 또는 운반용기에 옮겨 담기 위한 5개 이하의 일반취급소와 그 일반취급소에 공급하기 위한 위험물을 저장하는 저장소를 동일인이 설치한 경우: 일반취급소 및 저장소가 모두 동일구내에 있는 경우에 한하며, 일반취급소간 의 거리(보행거리)가 300m 이내인 경우에 한한다.

③ 동일구내에 있거나 상호 100m 이내의 거리에 있는 저장소로서 저장소의 규모, 저 장하는 위험물의 종류 등을 고려하여 행정안전부령(규칙 제56조 제1항)이 정하는 다음의 저장소를 동일인이 설치한 경우
  ㉠ 10개 이하의 옥내저장소
  ㉡ 30개 이하의 옥외탱크저장소
  ㉢ 옥내탱크저장소
  ㉣ 지하탱크저장소
  ㉤ 간이탱크저장소
  ㉥ 10개 이하의 옥외저장소
  ㉦ 10개 이하의 암반탱크저장소

④ 다음 기준에 모두 적합한 5개 이하의 제조소등을 동일인이 설치한 경우
  ㉠ 각 제조소등이 동일구내에 위치하거나 상호 100m 이내의 거리에 있을 것
  ㉡ 각 제조소등에서 저장 또는 취급하는 위험물의 최대수량이 지정수량의 3천 배 미만일 것(단, 저장소의 경우는 제외)

⑤ 그 밖에 제1호 또는 제2호의 규정에 의한 제조소등과 비슷한 것으로서 행정안전부령 이 정하는 제조소등을 동일인이 설치한 경우: 선박주유취급소의 고정주유설비에 공급하기 위한 위험물을 저장하는 저장소와 당해 선박주유취급소를 말한다.

(3) 위임규정
① 제조소등의 종류 및 규모에 따라 선임하여야 하는 안전관리자의 자격은 대통 령령으로 정한다.

② 제조소등의 종류 및 규모에 따라 선임하여야 하는 안전관리자의 자격(영 [별표 6]) (요약본)

제조소등의 종류 및 규모		안전관리자의 자격
제조소	1. 제4류 위험물만을 취급하는 것으 로서 지정수량 5배 이하의 것	위험물기능장, 위험물산업기사, 위험 물기능사, 안전관리자교육이수자 또 는 소방공무원경력자
	2. 제1호에 해당하지 아니하는 것	위험물기능장, 위험물산업기사 또는 2년 이상의 실무경력이 있는 위험물 기능사

시행령	시행규칙
제12조【1인의 안전관리자를 중복하여 선임할 수 있는 경우 등】 ① 법 제15조 제8항 전단에 따라 다수의 제조소등을 설치한 자가 1인의 안전관리자를 중복하여 선임할 수 있는 경우는 다음 각 호의 어느 하나와 같다.	**제54조【안전관리자의 대리자】** 법 제15조 제5항 전단에서 "행정안전부령이 정하는 자"란 다음 각 호의 어느 하나에 해당하는 사람을 말한다.
1. 보일러·버너 또는 이와 비슷한 것으로서 위험물을 소비하는 장치로 이루어진【 ① 】의 일반취급소와 그 일반취급소에 공급하기 위한 위험물을 저장하는 저장소[일반취급소 및 저장소가 모두 동일구내(같은 건물 안 또는 같은 울 안을 말한다. 이하 같다)에 있는 경우에 한한다. 이하 제2호에서 같다]를 동일인이 설치한 경우	1. 법 제28조 제1항에 따른 안전교육을 받은 자
	2. 삭제
	3. 제조소등의 위험물 안전관리업무에 있어서 안전관리자를 지휘·감독하는 직위에 있는 자
2. 위험물을 차량에 고정된 탱크 또는 운반용기에 옮겨 담기 위한【 ② 】의 일반취급소[일반취급소간의 거리(보행거리를 말한다. 제3호 및 제4호에서 같다)가 300미터 이내인 경우에 한한다]와 그 일반취급소에 공급하기 위한 위험물을 저장하는 저장소를 동일인이 설치한 경우	**제56조【1인의 안전관리자를 중복하여 선임할 수 있는 저장소 등】** ① 영 제12조 제1항 제3호에서 "행정안전부령이 정하는 저장소"라 함은 다음 각 호의 1에 해당하는 저장소를 말한다.
3. 동일구내에 있거나 상호【 ③ 】이내의 거리에 있는 저장소로서 저장소의 규모, 저장하는 위험물의 종류 등을 고려하여 행정안전부령이 정하는 저장소를 동일인이 설치한 경우	1. 10개 이하의 옥내저장소
	2. 30개 이하의【 ① 】
	3. 옥내탱크저장소
	4. 지하탱크저장소
4. 다음 각 목의 기준에 모두 적합한 5개 이하의 제조소등을 동일인이 설치한 경우	5.【 ② 】
가. 각 제조소등이 동일구내에 위치하거나 상호 100미터 이내의 거리에 있을 것	6. 10개 이하의 옥외저장소
나. 각 제조소등에서 저장 또는 취급하는 위험물의 최대수량이 지정수량의 3천배 미만일 것. 다만, 저장소의 경우에는 그러하지 아니하다.	7. 10개 이하의 암반탱크저장소
5. 그 밖에 제1호 또는 제2호의 규정에 의한 제조소등과 비슷한 것으로서 행정안전부령이 정하는 제조소등을 동일인이 설치한 경우	② 영 제12조 제1항 제5호에서 "행정안전부령이 정하는 제조소등"이라 함은 선박주유취급소의 고정주유설비에 공급하기 위한 위험물을 저장하는 저장소와 당해 선박주유취급소를 말한다.
② 법 제15조 제8항 후단에서 "대통령이 정하는 제조소등"이란 다음 각 호의 어느 하나에 해당하는 제조소등을 말한다.	
1. 제조소	
2. 이송취급소	
3. 일반취급소. 다만, 인화점이 38도 이상인 제4류 위험물만을 지정수량의 30배 이하로 취급하는 일반취급소로서 다음 각 목의 1에 해당하는 일반취급소를 제외한다.	
가. 보일러·버너 또는 이와 비슷한 것으로서 위험물을 소비하는 장치로 이루어진 일반취급소	
나. 위험물을 용기에 옮겨 담거나 차량에 고정된 탱크에 주입하는 일반취급소	
제13조【위험물안전관리자의 자격】 법 제15조 제9항에 따라 제조소등의 종류 및 규모에 따라 선임하여야 하는 안전관리자의 자격은 별표 6과 같다.	
① 7개 이하 ② 5개 이하 ③ 100미터	① 옥외탱크저장소 ② 간이탱크저장소

제16조【탱크시험자의 등록 등】 ① 시·도지사 또는 제조소등의 관계인은 안전관리 업무를 전문적이고 효율적으로 수행하기 위하여 탱크안전성능시험자(이하 "탱크 시험자"라 한다)로 하여금 이 법에 의한 검사 또는 점검의 일부를 실시하게 할 수 있다.

② 탱크시험자가 되고자 하는 자는 대통령령이 정하는 기술능력·시설 및 장비를 갖추어 시·도지사에게 등록하여야 한다.

③ 제2항의 규정에 따라 등록한 사항 가운데 행정안전부령이 정하는 중요사항을 변경한 경우에는 그 날부터 30일 이내에 시·도지사에게 변경신고를 하여야 한다.

④ 다음 각 호의 어느 하나에 해당하는 자는 탱크시험자로 등록하거나 탱크시험자의 업무에 종사할 수 없다.

1. 피성년후견인

2. 삭제

3. 이 법, 「소방기본법」, 「화재의 예방 및 안전관리에 관한 법률」, 「소방시설 설치 및 관리에 관한 법률」 또는 「소방시설공사업법」에 따른 금고 이상의 실형의 선고를 받고 그 집행이 종료(집행이 종료된 것으로 보는 경우를 포함한다)되거나 집행이 면제된 날부터 2년이 지나지 아니한 자

4. 이 법, 「소방기본법」, 「화재의 예방 및 안전관리에 관한 법률」, 「소방시설 설치 및 관리에 관한 법률」 또는 「소방시설공사업법」에 따른 금고 이상의 형의 집행유예 선고를 받고 그 유예기간 중에 있는 자

5. 제5항의 규정에 따라 탱크시험자의 등록이 취소(제1호에 해당하여 자격이 취소된 경우는 제외한다)된 날부터 2년이 지나지 아니한 자

6. 법인으로서 그 대표자가 제1호 내지 제5호의 1에 해당하는 경우

⑤ 시·도지사는 탱크시험자가 다음 각 호의 어느 하나에 해당하는 경우에는 행정안전부령으로 정하는 바에 따라 그 등록을 취소하거나 6월 이내의 기간을 정하여 업무의 정지를 명할 수 있다. 다만, 제1호 내지 제3호에 해당하는 경우에는 그 등록을 취소하여야 한다.

1. 허위 그 밖의 부정한 방법으로 등록을 한 경우

2. 제4항 각 호의 어느 하나의 등록의 결격사유에 해당하게 된 경우

3. 등록증을 다른 자에게 빌려준 경우

4. 제2항의 규정에 따른 등록기준에 미달하게 된 경우

5. 탱크안전성능시험 또는 점검을 허위로 하거나 이 법에 의한 기준에 맞지 아니하게 탱크안전성능시험 또는 점검을 실시하는 경우 등 탱크시험자로서 적합하지 아니하다고 인정하는 경우

⑥ 탱크시험자는 이 법 또는 이 법에 의한 명령에 따라 탱크안전성능시험 또는 점검에 관한 업무를 성실히 수행하여야 한다.

(1) 탱크시험자의 등록

시·도지사 **또는 제조소등의 관계인의 업무 위탁:** 안전관리업무를 전문적이고 효율적으로 수행하기 위하여 탱크안전성능시험자(탱크시험자)로 하여금 검사 또는 점검의 일부를 실시하게 할 수 있다.

(2) 위임규정

① 탱크시험자가 되고자 하는 자는 대통령령이 정하는 기술능력·시설 및 장비를 갖추어 시·도지사에게 등록하여야 한다.

② 벌칙 – 1년 이하의 징역 또는 1천만원 이하의 벌금(제35조): 제16조 제2항의 규정에 따른 탱크시험자로 등록하지 아니하고 탱크시험자의 업무를 한 자

③ 탱크시험자 기술능력·시설 및 장비(영 [별표 7])

ㄱ 기술능력

정희's 톡talk

기술능력

탱크시험자의 기술능력 중 필수인력으로 위험관련 자격증을 소지한 자를 반드시 1명 이상 두어야 합니다.

> 가. 필수인력
>
> 　1) 위험물기능장·위험물산업기사·위험물기능사 중 1명 이상
>
> 　2) 비파괴검사기술사 1명 이상 또는 초음파비파괴검사·자기비파괴검사 및 침투비파괴검사별로 기사 또는 산업기사 각 1명 이상
>
> 나. 필요한 경우에 두는 인력
>
> 　1) 충·수압시험, 진공시험, 기밀시험 또는 내압시험의 경우: 누설비파괴검사 기사, 산업기사 또는 기능사
>
> 　2) 수직·수평도시험의 경우: 측량 및 지형공간정보 기술사, 기사, 산업기사 또는 측량기능사
>
> 　3) 방사선투과시험의 경우: 방사선비파괴검사 기사 또는 산업기사
>
> 　4) 필수 인력의 보조: 방사선비파괴검사·초음파비파괴검사·자기비파괴검사 또는 침투비파괴검사 기능사

ㄴ **시설:** 전용사무실

ㄷ **장비**

> 가. 필수장비: 자기탐상시험기, 초음파두께측정기 및 다음 1) 또는 2) 중 어느 하나
>
> 　1) 영상초음파탐상시험기
>
> 　2) 방사선투과시험기 및 초음파탐상시험기
>
> 나. 필요한 경우에 두는 장비
>
> 　1) 충·수압시험, 진공시험, 기밀시험 또는 내압시험의 경우
>
> 　　· 진공능력 53KPa 이상의 진공누설시험기
>
> 　　· 기밀시험장치
>
> 　2) 수직·수평도 시험의 경우: 수직·수평도 측정기
>
> ▶ 비고: 둘 이상의 기능을 함께 가지고 있는 장비를 갖춘 경우에는 각각의 장비를 갖춘 것으로 본다.

④ 탱크시험자의 등록신청 첨부서류(규칙 제60조 제1항)

ㄱ 탱크시험자로 등록하려는 자는 신청서에 다음 각의 서류를 첨부하여 시·도지사에게 제출하여야 한다.

ⓐ 기술능력자 연명부 및 기술자격증

ⓑ 안전성능시험장비의 명세서

ⓒ 보유장비 및 시험방법에 대한 기술검토를 기술원으로부터 받은 경우에는 그에 대한 자료

ⓓ 방사성동위원소이동사용허가증 또는 방사선발생장치이동사용허가증의 사본 1부

ⓔ 사무실의 확보를 증명할 수 있는 서류

ⓛ 위험물탱크안전성능시험자등록증: 시·도지사는 15일 이내 발급

(3) 변경신고
① 등록한 사항 가운데 행정안전부령이 정하는 주요사항을 변경하는 경우 그 날부터 30일 이내에 시·도지사에게 변경신고를 하여야 한다.
② 변경사항의 신고 등(규칙 제61조)
ⓐ 변경사항의 신고
    ⓐ 영업소 소재지의 변경: 사무소의 사용을 증명하는 서류와 위험물탱크안전성능시험자등록증
    ⓑ 기술능력의 변경: 변경하는 기술인력의 자격증과 위험물탱크안전성능시험자등록증
    ⓒ 대표자의 변경: 위험물탱크안전성능시험자등록증
    ⓓ 상호 또는 명칭의 변경: 위험물탱크안전성능시험자등록증
ⓛ 시·도지사는 신고서를 수리한 때에는 등록증을 새로 교부하거나 제출된 등록증에 변경사항을 기재하여 교부하고, 기술자격증에는 그 변경된 사항을 기재하여 교부하여야 한다(규칙 제61조 제3항).

(4) 탱크시험자 등록하거나 탱크시험자의 업무에 종사할 수 없는 자
① 피성년후견인
② 소방관계법규에 따른 금고 이상의 실형의 선고를 받고 그 집행이 종료되거나 집행이 면제된 날부터 2년이 지나지 아니한 자
③ 소방관계법규에 따른 금고 이상의 형의 집행유예 선고를 받고 그 유예기간 중에 있는 자
④ 탱크시험자의 등록이 취소(피성년후견인에 해당하여 자격이 취소된 경우는 제외)된 날부터 2년이 지나지 아니한 자
⑤ 법인으로서 그 대표자가 ① 내지 ④에 해당하는 경우

(5) 등록의 취소 또는 업무의 정지(6개월 이내) 사유
시·도지사는 탱크시험자가 다음의 어느 하나에 해당하는 경우에는 행정안전부령으로 정하는 바에 따라 그 등록을 취소하거나 6월 이내의 기간을 정하여 업무의 정지를 명할 수 있다.
① 허위 그 밖의 부정한 방법으로 등록을 한 경우(등록취소)
② 등록의 결격사유에 해당하게 된 경우(등록취소)
③ 등록증을 다른 자에게 빌려준 경우(등록취소)
④ 등록기준에 미달하게 된 경우
⑤ 탱크안전성능시험 또는 점검을 허위로 하거나 이 법에 의한 기준에 맞지 아니하게 탱크안전성능시험 또는 점검을 실시하는 경우 등 탱크시험자로서 적합하지 아니하다고 인정하는 경우

(6) 탱크시험자의 의무
탱크시험자는 이 법 또는 이 법에 의한 명령에 따라 탱크안전성능시험 또는 점검에 관한 업무를 성실히 수행하여야 한다.

정희's 톡talk

과태료 - 500만원 이하의 과태료(제39조)
제16조 제3항의 규정을 위반하여 등록사항의 변경신고를 기간 이내에 하지 아니하거나 허위로 한 자

✎ 핵심기출

「위험물안전관리법 시행규칙」상 탱크안전성능시험자가 변경사항을 신고해야 하는 중요사항으로 옳지 않은 것은?   24. 경채
① 영업소 소재지의 변경
② 기술능력의 변경
③ 보유장비의 변경
④ 상호 또는 명칭의 변경

정답 ③

정희's 톡talk

벌칙 - 1천500만원 이하의 벌금(제36조)
제16조 제5항의 규정에 따른 업무정지명령을 위반한 자

정희's 톡talk

벌칙 - 1천500만원 이하의 벌금(제36조)
제16조 제6항의 규정을 위반하여 탱크안전성능시험 또는 점검에 관한 업무를 허위로 하거나 그 결과를 증명하는 서류를 허위로 교부한 자

시행령	시행규칙
제14조 【탱크시험자의 등록기준 등】 ① 법 제16조 제2항의 규정에 의하여 탱크시험자가 갖추어야 하는 기술능력·시설 및 장비는 별표 7과 같다. ② 탱크시험자로 등록하고자 하는 자는 등록신청서에 행정안전부령이 정하는 서류를 첨부하여 시·도지사에게 제출하여야 한다. ③ 시·도지사는 제2항에 따른 등록신청을 접수한 경우에 다음 각 호의 어느 하나에 해당하는 경우를 제외하고는 등록을 해 주어야 한다. 1. 제1항에 따른 기술능력·시설 및 장비 기준을 갖추지 못한 경우 2. 등록을 신청한 자가 법 제16조 제4항 각 호의 어느 하나에 해당하는 경우 3. 그 밖에 법, 이 영 또는 다른 법령에 따른 제한에 위반되는 경우 **[별표 7] 탱크시험자의 기술능력·시설 및 장비(제14조 제1항 관련)** 1. 기술능력 　가. 필수인력 　　1) 위험물기능장·【 ① 】또는 위험물기능사 중 【 ② 】 　　2) 비파괴검사기술사 1명 이상 또는 초음파비파괴검사·자기비파괴검사 및 침투비파괴검사별로 기사 또는 산업기사 각 1명 이상 　나. 필요한 경우에 두는 인력 　　1) 충·수압시험, 진공시험, 기밀시험 또는 내압시험의 경우: 누설비파괴검사 기사, 산업기사 또는 기능사 　　2) 수직·수평도시험의 경우: 측량 및 지형공간정보 기술사, 기사, 산업기사 또는 측량기능사 　　3) 방사선투과시험의 경우: 방사선비파괴검사 기사 또는 산업기사 　　4) 필수 인력의 보조: 방사선비파괴검사·초음파비파괴검사·자기비파괴검사 또는 침투비파괴검사 기능사 2. 시설: 전용사무실 3. 장비 　가. 필수장비: 자기탐상시험기, 초음파두께측정기 및 다음 1) 또는 2) 중 어느 하나 　　1) 영상초음파탐상시험기 　　2) 방사선투과시험기 및 초음파탐상시험기 　나. 필요한 경우에 두는 장비 　　1) 충·수압시험, 진공시험, 기밀시험 또는 내압시험의 경우 　　가) 진공능력 53kPa 이상의 진공누설시험기 　　나) 기밀시험장치(안전장치가 부착된 것으로서 가압능력 200kPa 이상, 감압의 경우에는 감압능력 10kPa 이상·감도 10Pa 이하의 것으로서 각각의 압력 변화를 스스로 기록할 수 있는 것) 　　　　　　 - 중략 -	**제60조 【탱크시험자의 등록신청 등】** ① 법 제16조 제2항에 따라 탱크시험자로 등록하려는 자는 별지 제36호 서식의 신청서에 다음 각 호의 서류를 첨부하여 시·도지사에게 제출하여야 한다. 1. 삭제 2. 기술능력자 연명부 및 기술자격증 3. 안전성능시험장비의 명세서 4. 보유장비 및 시험방법에 대한 기술검토를 기술원으로부터 받은 경우에는 그에 대한 자료 5. 「원자력안전법」에 따른 방사성동위원소이동사용허가증 또는 방사선발생장치이동사용허가증의 사본 1부 6. 사무실의 확보를 증명할 수 있는 서류 ② 제1항에 따른 신청서를 제출받은 경우에 담당공무원은 법인등기사항증명서를 제출받는 것에 갈음하여 그 내용을 「전자정부법」 제36조 제1항에 따른 행정정보의 공동이용을 통하여 확인하여야 한다. ③ 시·도지사는 제1항의 신청서를 접수한 때에는 【 ① 】이내에 그 신청이 영 제14조 제1항의 규정에 의한 등록기준에 적합하다고 인정하는 때에는 별지 제37호 서식의 위험물탱크안전성능시험자등록증을 교부하고, 제1항의 규정에 의하여 제출된 기술인력자의 기술자격증에 그 기술인력자가 당해 탱크시험기관의 기술인력자임을 기재하여 교부하여야 한다. **제61조 【변경사항의 신고 등】** ① 탱크시험자는 법 제16조 제3항의 규정에 의하여 다음 각 호의 1에 해당하는 중요사항을 변경한 경우에는 별지 제38호 서식의 신고서(전자문서로 된 신고서를 포함한다)에 다음 각 호의 구분에 따른 서류(전자문서를 포함한다)를 첨부하여 시·도지사에게 제출하여야 한다. 1. 영업소 소재지의 변경: 사무소의 사용을 증명하는 서류와 위험물탱크안전성능시험자등록증 2. 기술능력의 변경: 변경하는 기술인력의 자격증과 위험물탱크안전성능시험자등록증 3. 대표자의 변경: 위험물탱크안전성능시험자등록증 4. 상호 또는 명칭의 변경: 위험물탱크안전성능시험자등록증 ② 제1항에 따른 신고서를 제출받은 경우에 담당공무원은 법인등기사항증명서를 제출받는 것에 갈음하여 그 내용을 「전자정부법」 제36조 제1항에 따른 행정정보의 공동이용을 통하여 확인하여야 한다. ③ 시·도지사는 제1항의 신고서를 수리한 때에는 등록증을 새로 교부하거나 제출된 등록증에 변경사항을 기재하여 교부하고, 기술자격증에는 그 변경된 사항을 기재하여 교부하여야 한다. **제62조 【등록의 취소 등】** ① 법 제16조 제5항의 규정에 의한 탱크시험자의 등록취소 및 업무정지의 기준은 별표 2와 같다. ② 시·도지사는 법 제16조 제2항에 따라 탱크시험자의 등록을 받거나 법 제16조 제5항에 따라 등록의 취소 또는 업무의 정지를 한 때에는 이를 특별시·광역시·특별자치시·도 또는 특별자치도(이하 "시·도"라 한다)의 공보에 공고하여야 한다. ③ 시·도지사는 탱크시험자의 등록을 취소한 때에는 등록증을 회수하여야 한다.
① 위험물산업기사 ② 1명 이상	① 15일

시행규칙 제57조【안전관리대행기관의 지정 등】 ① 「기업활동 규제완화에 관한 특별조치법」 제40조 제1항 제3호의 규정에 의하여 위험물안전관리자의 업무를 위탁받아 수행할 수 있는 관리대행기관(이하 "안전관리대행기관"이라 한다)은 다음 각 호의 1에 해당하는 기관으로서 별표 22의 안전관리대행기관의 지정기준을 갖추어 소방청장의 지정을 받아야 한다.

1. 법 제16조 제2항의 규정에 의한 탱크시험자로 등록한 법인

2. 다른 법령에 의하여 안전관리업무를 대행하는 기관으로 지정·승인 등을 받은 법인

② 안전관리대행기관으로 지정받고자 하는 자는 별지 제33호 서식의 신청서(전자문서로 된 신청서를 포함한다)에 다음 각 호의 서류(전자문서를 포함한다)를 첨부하여 소방청장에게 제출하여야 한다.

1. 삭제

2. 기술인력 연명부 및 기술자격증

3. 사무실의 확보를 증명할 수 있는 서류

4. 장비보유명세서

③ 제2항의 규정에 의한 지정신청을 받은 소방청장은 자격요건·기술인력 및 시설·장비보유현황 등을 검토하여 적합하다고 인정하는 때에는 별지 제34호 서식의 위험물안전관리대행기관지정서를 발급하고, 제2항 제2호의 규정에 의하여 제출된 기술인력의 기술자격증에는 그 자격자가 안전관리대행기관의 기술인력자임을 기재하여 교부하여야 한다.

④ 소방청장은 안전관리대행기관에 대하여 필요한 지도·감독을 하여야 한다.

⑤ 안전관리대행기관은 지정받은 사항의 변경이 있는 때에는 그 사유가 있는 날부터 14일 이내에, 휴업·재개업 또는 폐업을 하고자 하는 때에는 휴업·재개업 또는 폐업하고자 하는 날의 14일 전에 별지 제35호 서식의 신고서(전자문서로 된 신고서를 포함한다)에 다음 각 호의 구분에 의한 해당 서류(전자문서를 포함한다)를 첨부하여 소방청장에게 제출하여야 한다.

1. 영업소의 소재지, 법인명칭 또는 대표자를 변경하는 경우
   가. 삭제
   나. 위험물안전관리대행기관지정서

2. 기술인력을 변경하는 경우
   가. 기술인력자의 연명부
   나. 변경된 기술인력자의 기술자격증

3. 휴업·재개업 또는 폐업을 하는 경우: 위험물안전관리대행기관지정서

⑥ 제2항에 따른 신청서 또는 제5항 제1호에 따른 신고서를 제출받은 경우에 담당 공무원은 법인 등기사항증명서를 제출받는 것에 갈음하여 그 내용을 「전자정부법」 제36조 제1항에 따른 행정정보의 공동이용을 통하여 확인하여야 한다.

(1) 안전관리대행기관의 지정 등

① 안전관리대행기관은 다음의 1에 해당하는 기관으로서 별표 22의 안전관리대행 기관의 지정기준을 갖추어 소방청장의 지정을 받아야 한다.

    ㉠ 탱크시험자로 등록한 법인

    ㉡ 다른 법령에 의하여 안전관리업무를 대행하는 기관으로 지정·승인 등을 받은 법인

② 안전관리대행기관의 지정기준(규칙 [별표 22])

기술인력	1. 위험물기능장 또는 위험물산업기사 1인 이상
	2. 위험물산업기사 또는 위험물기능사 2인 이상
	3. 기계분야 및 전기분야의 소방설비기사 1인 이상
시설	전용사무실을 갖출 것
장비	1. 절연저항계(절연저항측정기)
	2. 접지저항측정기(최소눈금 0.1Ω 이하)
	3. 가스농도측정기(탄화수소계 가스의 농도측정이 가능할 것)
	4. 정전기 전위측정기
	5. 토크렌치(Torque Wrench: 볼트와 너트를 규정된 회전력에 맞춰 조이는 데 사용하는 도구)
	6. 진동시험기
	7. 삭제
	8. 표면온도계(-10℃ ~ 300℃)
	9. 두께측정기(1.5mm ~ 99.mm)
	10. 삭제
	11. 안전용구(안전모, 안전화, 손전등, 안전로프 등)
	12. 소화설비점검기구(소화전밸브압력계, 방수압력측정계, 포콜렉터, 헤드렌치, 포콘테이너)

▶ 비고: 기술인력란의 각 호에 정한 2 이상의 기술인력을 동일인이 겸할 수 없다.

③ **신청 첨부 서류**

    ㉠ 기술인력 연명부 및 기술자격증

    ㉡ 사무실의 확보를 증명할 수 있는 서류

    ㉢ 장비보유명세서

④ **지도·감독권자:** 소방청장

⑤ **변경신고 및 휴업·재개업·폐업신고 기한 등**

    ㉠ 신고서 제출: 소방청장

    ㉡ 변경신고: 그 사유가 있는 날부터 14일 이내

    ㉢ 휴업·재개업 또는 폐업: 휴업·재개업·폐업 하고자 하는 날의 14일 전

    ㉣ 첨부 서류

        ⓐ 영업소의 소재지, 법인명칭 또는 대표자를 변경하는 경우: 위험물안전관리 대행기관지정서

        ⓑ 기술인력을 변경하는 경우: 기술인력자의 연명부 및 변경된 기술인력자의 기술자격증

        ⓒ 휴업·재개업 또는 폐업을 하는 경우: 위험물안전관리대행기관지정서

정희's 톡talk

지정권자

안전관리대행기관의 지정권자는 시·도지사 가 아니라 소방청장임을 유의하여야 합니다!

정희's 톡talk

신고기한

제조소의 폐지신고기한은 용도를 폐지한 날 로부터 14일 이내이고, 안전관리대행기관의 휴업·재개업, 폐업신고기간은 하고자 하는 날의 14일 전입니다.

위험물안전관리법

6

해커스소방 김정희 소방관계법규 기본서

(2) 안전관리대행기관의 지정취소 등(규칙 제58조)

소방청장은 안전관리대행기관이 다음에 해당하는 때에는 그 지정을 취소하거나 6월 이내의 기간을 정하여 그 업무의 정지를 명하거나 시정하게 할 수 있다.

① 허위 그 밖의 부정한 방법으로 지정을 받은 때(지정취소)
② 탱크시험자의 등록 또는 다른 법령에 의하여 안전관리업무를 대행하는 기관의 지정·승인 등이 취소된 때(지정취소)
③ 다른 사람에게 지정서를 대여한 때(지정취소)
④ 안전관리대행기관의 지정기준에 미달되는 때
⑤ 소방청장의 지도·감독에 정당한 이유 없이 따르지 아니하는 때
⑥ 변경·휴업 또는 재개업의 신고를 연간 2회 이상 하지 아니한 때
⑦ 안전관리대행기관의 기술인력이 안전관리업무를 성실하게 수행하지 아니한 때

(3) 안전관리대행기관의 업무수행(규칙 제59조)

① 안전관리대행기관은 안전관리자의 업무를 위탁받는 경우에는 규정에 적합한 기술인력을 당해 제조소등의 안전관리자로 지정하여 안전관리자의 업무를 하게 하여야 한다.
② 1인의 기술인력을 다수의 제조소등의 안전관리자로 중복하여 지정하는 경우
　　㉠ 영 제12조 제1항 및 이 규칙 제56조의 규정에 적합하게 지정하여야 한다.
　　㉡ 안전관리자의 업무를 성실히 대행할 수 있는 범위 내에서 관리하는 제조소등의 수가 25를 초과하지 아니하도록 지정하여야 한다.
　　㉢ 안전관리원의 지정 등
　　　　ⓐ 대상 및 지정권자: 각 제조소등(지정수량 20배 이하의 저장소 제외)의 관계인
　　　　ⓑ 안전관리원의 자격: 위험물의 취급에 관한 국가기술자격자 또는 안전교육을 받은 자
　　　　ⓒ 안전관리원의 업무: 대행기관이 지정한 안전관리자의 업무를 보조한다.
③ 기술인력 또는 안전관리원의 책무
　　㉠ 기술인력 또는 안전관리원으로 지정된 자는 위험물의 취급작업에 참여하여 안전관리자의 책무를 성실히 수행하여야 한다.
　　㉡ 기술인력이 위험물의 취급작업에 참여하지 아니하는 경우에 기술인력은 다음의 점검 및 감독을 매월 4회(저장소: 매월 2회) 이상 실시하여야 한다.
　　　　ⓐ 제조소등의 위치·구조 및 설비를 법 제5조 제4항의 기술기준에 적합하도록 유지하기 위한 점검과 점검상황의 기록·보존(제55조 제3호 가목)
　　　　ⓑ 위험물을 수납한 용기를 차량에 적재하는 작업, 위험물설비를 보수하는 작업 등 위험물의 취급과 관련된 작업의 안전에 관하여 필요한 감독의 수행(제55조 제6호)
④ 안전관리의 대리 직무 수행
　　㉠ 사유: 기술인력이 여행·질병 그 밖의 사유로 인하여 일시적으로 직무를 수행할 수 없는 경우
　　㉡ 대리직무: 안전관리대행기관에 소속된 다른 기술인력을 안전관리자로 지정하여 수행

NOTE	시행규칙

제58조【안전관리대행기관의 지정취소 등】 ① 「기업활동 규제완화에 관한 특별조치법」 제40조 제3항의 규정에 의하여 소방청장은 안전관리대행기관이 다음 각 호의 1에 해당하는 때에는 별표 2의 기준에 따라 그 지정을 취소하거나 6월 이내의 기간을 정하여 그 업무의 정지를 명하거나 시정하게 할 수 있다. 다만, 제1호 내지 제3호의 1에 해당하는 때에는 그 지정을 취소하여야 한다.

1. 허위 그 밖의 부정한 방법으로 지정을 받은 때
2. 탱크시험자의 등록 또는 다른 법령에 의하여 안전관리업무를 대행하는 기관의 지정·승인 등이 취소된 때
3. 다른 사람에게 지정서를 대여한 때
4. 별표 22의 안전관리대행기관의 지정기준에 미달되는 때
5. 제57조 제4항의 규정에 의한 소방청장의 지도·감독에 정당한 이유 없이 따르지 아니하는 때
6. 제57조 제5항의 규정에 의한 변경·휴업 또는 재개업의 신고를 연간 2회 이상 하지 아니한 때
7. 안전관리대행기관의 기술인력이 제59조의 규정에 의한 안전관리업무를 성실하게 수행하지 아니한 때

② 소방청장은 안전관리대행기관의 지정·업무정지 또는 지정취소를 한 때에는 이를 관보에 공고하여야 한다.

③ 안전관리대행기관의 지정을 취소한 때에는 지정서를 회수하여야 한다.

제59조【안전관리대행기관의 업무수행】 ① 안전관리대행기관은 안전관리자의 업무를 위탁받는 경우에는 영 제13조 및 영 별표 6의 규정에 적합한 기술인력을 당해 제조소등의 안전관리자로 지정하여 안전관리자의 업무를 하게 하여야 한다.

② 안전관리대행기관은 제1항의 규정에 의하여 기술인력을 안전관리자로 지정함에 있어서 1인의 기술인력을 다수의 제조소등의 안전관리자로 중복하여 지정하는 경우에는 영 제12조 제1항 및 이 규칙 제56조의 규정에 적합하게 지정하거나 안전관리자의 업무를 성실히 대행할 수 있는 범위 내에서 관리하는 제조소등의 수가 【 ① 】를 초과하지 아니하도록 지정하여야 한다. 이 경우 각 제조소등(지정수량의 20배 이하를 저장하는 저장소는 제외한다)의 관계인은 당해 제조소등마다 위험물의 취급에 관한 국가기술자격자 또는 법 제28조 제1항에 따른 안전교육을 받은 자를 안전관리원으로 지정하여 대행기관이 지정한 안전관리자의 업무를 보조하게 하여야 한다.

③ 제1항에 따라 안전관리자로 지정된 안전관리대행기관의 기술인력(이하 이항에서 "기술인력"이라 한다) 또는 제2항에 따라 안전관리원으로 지정된 자는 위험물의 취급작업에 참여하여 법 제15조 및 이 규칙 제55조에 따른 안전관리자의 책무를 성실히 수행하여야 하며, 기술인력이 위험물의 취급작업에 참여하지 아니하는 경우에 기술인력은 제55조 제3호 가목에 따른 점검 및 동조 제6호에 따른 감독을 매월 【 ② 】(저장소의 경우에는 매월 2회) 이상 실시하여야 한다.

④ 안전관리대행기관은 제1항의 규정에 의하여 안전관리자로 지정된 안전관리대행기관의 기술인력이 여행·질병 그 밖의 사유로 인하여 일시적으로 직무를 수행할 수 없는 경우에는 안전관리대행기관에 소속된 다른 기술인력을 안전관리자로 지정하여 안전관리자의 책무를 계속 수행하게 하여야 한다.

① 25 ② 4회

제17조【예방규정】① 대통령령으로 정하는 제조소등의 관계인은 해당 제조소등의 화재예방과 화재 등 재해발생시의 비상조치를 위하여 행정안전부령으로 정하는 바에 따라 예방규정을 정하여 해당 제조소등의 사용을 시작하기 전에 시·도지사에게 제출하여야 한다. 예방규정을 변경한 때에도 또한 같다.

② 시·도지사는 제1항에 따라 제출한 예방규정이 제5조 제3항에 따른 기준에 적합하지 아니하거나 화재예방이나 재해발생시의 비상조치를 위하여 필요하다고 인정하는 때에는 이를 반려하거나 그 변경을 명할 수 있다.

③ 제1항에 따른 제조소등의 관계인과 그 종업원은 예방규정을 충분히 잘 익히고 준수하여야 한다.

④ 소방청장은 대통령령으로 정하는 제조소등에 대하여 행정안전부령으로 정하는 바에 따라 예방규정의 이행 실태를 정기적으로 평가할 수 있다. [시행일: 2024.7.14.]

(1) 예방규정

① 예방규정 제정한 경우

ㄱ 대통령령이 정하는 제조소등의 관계인은 당해 제조소등의 화재예방과 화재 등 재해발생시의 비상조치를 위하여 행정안전부령이 정하는 바에 따라 **예방규정을 정하여 당해 제조소등의 사용을 시작하기 전에 시·도지사에게 제출하여야 한다.**

ㄴ **벌칙 – 1천5백만원 이하의 벌금(제36조):** 제17조 제1항 전단의 규정을 위반하여 예방규정을 제출하지 아니하거나 동조 제2항의 규정에 따른 변경명령을 위반한 관계인으로서 제6조 제1항의 규정에 따른 허가를 받은 자

② 예방규정을 변경한 경우

ㄱ 대통령령이 정하는 제조소등의 관계인은 **예방규정을 변경한 경우에는 시·도지사에게 제출하여야 한다.**

ㄴ **벌칙 – 1천만원 이하의 벌금(제37조):** 제17조 제1항 후단의 규정을 위반하여 변경한 예방규정을 제출하지 아니한 관계인으로서 제6조 제1항의 규정에 따른 허가를 받은 자

(2) 관계인이 예방규정을 정하여야 하는 제조소등(영 제15조)

① 지정수량의 **10배** 이상의 위험물을 취급하는 제조소

② 지정수량의 **100배** 이상의 위험물을 저장하는 옥외저장소

③ 지정수량의 **150배** 이상의 위험물을 저장하는 옥내저장소

④ 지정수량의 **200배** 이상의 위험물을 저장하는 옥외탱크저장소

⑤ **암반탱크저장소**

⑥ **이송취급소**

⑦ **지정수량의 10배 위험물을 취급하는 일반취급소:** 다만, 제4류 위험물(특수인화물을 제외한다)만을 지정수량의 **50배** 이하로 취급하는 일반취급소(제1석유류·알코올류의 취급량이 지정수량의 **10배** 이하인 경우에 한한다)로서 다음 어느 하나에 해당하는 것을 **제외한다.**

     ㉠ 보일러·버너 또는 이와 비슷한 것으로서 위험물을 소비하는 장치로 이루
        어진 일반취급소

     ㉡ 위험물을 용기에 옮겨 담거나 차량에 고정된 탱크에 주입하는 일반취급소

(3) 예방규정의 포함 사항(규칙 제63조 제1항)

① 위험물의 안전관리업무를 담당하는 자의 직무 및 조직에 관한 사항

② 안전관리자가 여행·질병 등으로 인하여 그 직무를 수행할 수 없을 경우 그 직무의 대리자에 관한 사항

③ 자체소방대를 설치하여야 하는 경우에는 자체소방대의 편성과 화학소방자동차의 배치에 관한 사항

④ 위험물의 안전에 관계된 작업에 종사하는 자에 대한 안전교육 및 훈련에 관한 사항

⑤ 위험물시설 및 작업장에 대한 안전순찰에 관한 사항

⑥ 위험물시설·소방시설 그 밖의 관련시설에 대한 점검 및 정비에 관한 사항

⑦ 위험물시설의 운전 또는 조작에 관한 사항

⑧ 위험물 취급작업의 기준에 관한 사항

⑨ 이송취급소에 있어서는 배관공사 현장책임자의 조건 등 배관공사 현장에 대한 감독체제에 관한 사항과 배관주위에 있는 이송취급소 시설 외의 공사를 하는 경우 배관의 안전확보에 관한 사항

⑩ 재난 그 밖의 비상 시의 경우에 취하여야 하는 조치에 관한 사항

⑪ 위험물의 안전에 관한 기록에 관한 사항

⑫ 제조소등의 위치·구조 및 설비를 명시한 서류와 도면의 정비에 관한 사항

⑬ 그 밖에 위험물의 안전관리에 관하여 필요한 사항

(4) 반려 및 변경명령(제17조 제2항)

시·도지사는 제출한 예방규정이 규정에 따른 기준에 적합하지 아니하거나 화재예방이나 재해발생 시의 비상조치를 위하여 필요하다고 인정하는 때에는 이를 반려하거나 그 변경을 명할 수 있다.

(5) 관계인과 종업원의 준수사항

① 제조소등의 관계인과 그 종업원은 예방규정을 충분히 잘 익히고 준수하여야 한다.

② **과태료 – 500만원 이하의 과태료(제39조):** 제17조 제3항을 위반하여 예방규정을 준수하지 아니한 자

(6) 예방규정 이행 실태 평가

소방청장은 대통령령으로 정하는 제조소등에 대하여 행정안전부령으로 정하는 바에 따라 예방규정의 이행 실태를 정기적으로 평가할 수 있다.

시행령	시행규칙
제15조【관계인이 예방규정을 정하여야 하는 제조소등】 법 제17조 제1항에서 "대통령령이 정하는 제조소등"이라 함은 다음 각 호의 1에 해당하는 제조소등을 말한다. 1. 지정수량의 10배 이상의 위험물을 취급하는 제조소 2. 지정수량의 100배 이상의 위험물을 저장하는 옥외저장소 3. 지정수량의【 ① 】이상의 위험물을 저장하는 옥내저장소 4. 지정수량의 200배 이상의 위험물을 저장하는 옥외탱크저장소 5.【 ② 】 6.【 ③ 】 7. 지정수량의 10배 이상의 위험물을 취급하는 일반취급소. 다만, 제4류 위험물(특수인화물을 제외한다)만을 지정수량의 50배 이하로 취급하는 일반취급소(제1석유류·알코올류의 취급량이 지정수량의 10배 이하인 경우에 한한다)로서 다음 각 목의 어느 하나에 해당하는 것을 제외한다. 　가. 보일러·버너 또는 이와 비슷한 것으로서 위험물을 소비하는 장치로 이루어진 일반취급소 　나. 위험물을 용기에 옮겨 담거나 차량에 고정된 탱크에 주입하는 일반취급소	**제63조【예방규정의 작성 등】** ① 법 제17조 제1항에 따라 영 제15조 각 호의 어느 하나에 해당하는 제조소등의 관계인은 다음 각 호의 사항이 포함된 예방규정을 작성하여야 한다. 1. 위험물의 안전관리업무를 담당하는 자의 직무 및 조직에 관한 사항 2. 안전관리자가 여행·질병 등으로 인하여 그 직무를 수행할 수 없을 경우 그 직무의 대리자에 관한 사항 3. 영 제18조의 규정에 의하여 자체소방대를 설치하여야 하는 경우에는 자체소방대의 편성과 화학소방자동차의 배치에 관한 사항 4. 위험물의 안전에 관계된 작업에 종사하는 자에 대한 안전교육 및 훈련에 관한 사항 5. 위험물시설 및 작업장에 대한【 ① 】에 관한 사항 6. 위험물시설·소방시설 그 밖의 관련시설에 대한 점검 및 정비에 관한 사항 7. 위험물시설의【 ② 】에 관한 사항 8. 위험물 취급작업의 기준에 관한 사항 9. 이송취급소에 있어서는 배관공사 현장책임자의 조건 등 배관공사 현장에 대한 감독체제에 관한 사항과 배관주위에 있는 이송취급소 시설 외의 공사를 하는 경우 배관의 안전확보에 관한 사항 10. 재난 그 밖의 비상시의 경우에 취하여야 하는 조치에 관한 사항 11. 위험물의 안전에 관한 기록에 관한 사항 12. 제조소등의 위치·구조 및 설비를 명시한 서류와 도면의 정비에 관한 사항 13. 그 밖에 위험물의 안전관리에 관하여 필요한 사항 ② 예방규정은「산업안전보건법」제25조에 따른 안전보건관리규정과 통합하여 작성할 수 있다. ③ 영 제15조 각 호의 어느 하나에 해당하는 제조소등의 관계인은 예방규정을 제정하거나 변경한 경우에는 별지 제39호 서식의 예방규정제출서에 제정 또는 변경한 예방규정 1부를 첨부하여 시·도지사 또는【 ③ 】에게 제출하여야 한다.
① 150배 ② 암반탱크저장소 ③ 이송취급소	① 안전순찰 ② 운전 또는 조작 ③ 소방서장

제18조【정기점검 및 정기검사】 ① 대통령령이 정하는 제조소등의 관계인은 그 제조소등에 대하여 행정안전부령이 정하는 바에 따라 제5조 제4항의 규정에 따른 기술기준에 적합한지의 여부를 정기적으로 점검하고 점검결과를 기록하여 보존하여야 한다.
② 제1항에 따라 정기점검을 한 제조소등의 관계인은 점검을 한 날부터 30일 이내에 점검결과를 시·도지사에게 제출하여야 한다.

(1) 정기점검(제18조 제1항)

① **정기점검의 실시:** 대통령령으로 정하는 제조소등의 관계인은 행정안전부령이 정하는 바에 따라 기술기준에 적합한지의 여부를 정기적으로 점검하여야 한다.

② **벌칙 – 1년 이하의 징역 또는 1천만원 이하의 벌금(제35조):** 제18조 제1항의 규정을 위반하여 정기점검을 하지 아니하거나 점검기록을 허위로 작성한 관계인으로서 제6조 제1항의 규정에 따른 허가를 받은 자

(2) 정기점검 대상인 제조소등(영 제15조)

① 영 제15조 각 호의 1에 해당하는 제조소등

　　㉠ 지정수량의 10배 이상의 위험물을 취급하는 제조소

　　㉡ 지정수량의 100배 이상의 위험물을 저장하는 옥외저장소

　　㉢ 지정수량의 150배 이상의 위험물을 저장하는 옥내저장소

　　㉣ 지정수량의 200배 이상의 위험물을 저장하는 옥외탱크저장소

　　㉤ 암반탱크저장소

　　㉥ 이송취급소

　　㉦ 지정수량의 10배 이상의 위험물을 취급하는 일반취급소. 단, 제4류 위험물(특수인화물 제외)만을 지정수량의 50배 이하로 취급하는 (제1석유류·알코올류는 지정수량의 10배 이하인 경우에 한함) 다음 일반취급소를 제외한다.

　　　ⓐ 보일러·버너 또는 이와 비슷한 것으로서 위험물을 소비하는 장치로 이루어진 일반취급소

　　　ⓑ 위험물을 용기에 옮겨 담거나 차량에 고정된 탱크에 주입하는 일반취급소

② 지하탱크저장소

③ 이동탱크저장소

④ 위험물을 취급하는 탱크로서 지하에 매설된 탱크가 있는 제조소·주유취급소 또는 일반취급소

⑤ 관계인은 점검 이후 점검결과를 기록하여 보존하여야 한다.

(3) 정기점검의 결과 제출

정기점검을 한 제조소등의 관계인은 점검을 한 날부터 30일 이내에 점검결과를 시·도지사에게 제출하여야 한다.

정희's 톡talk

정기점검 대상
정기점검 대상은 예방규정을 작성하여야 하는 대상은 이동탱크저장소, 지하탱크저장소, 지하에 매설된 탱크가 있는 제조소·주유취급소 또는 일반취급소입니다.

핵심기출

「위험물안전관리법」상 정기점검 대상에 해당하지 않는 것은?　18. 중앙통합
① 암반탱크저장소
② 지하탱크저장소
③ 이동탱크저장소
④ 간이탱크저장소

정답 ④

(4) 정기점검의 횟수(규칙 제64조)

연 1회 이상 실시하여야 한다.

(5) 특정·준특정옥외탱크저장소의 정기점검(규칙 제65조)

① 특정·준특정옥외탱크저장소에 대해서는 정기점검 외에 다음의 어느 하나에 해당하는 기간 이내에 1회 이상 구조안전점검을 해야 한다

ⓖ 특정·준특정옥외탱크저장소의 설치허가에 따른 완공검사합격확인증을 발급받은 날부터 12년

ⓛ 최근의 정밀정기검사를 받은 날부터 11년

ⓒ (5)의 ②에 따라 특정·준특정옥외저장탱크에 안전조치를 한 후 구조안전점검시기 연장신청을 하여 해당 안전조치가 적정한 것으로 인정받은 경우에는 최근의 정밀정기검사를 받은 날부터 13년

② 다만, 해당 기간 이내에 특정·준특정옥외저장탱크의 사용중단 등으로 구조안전점검을 실시하기가 곤란한 경우에는 관할소방서장에게 구조안전점검의 실시기간 연장신청을 할 수 있으며, 그 신청을 받은 소방서장은 1년(특정·준특정옥외저장탱크의 사용을 중지한 경우에는 사용중지기간)의 범위에서 실시기간을 연장할 수 있다.

③ 특정·준특정옥외저장탱크의 안전조치

ⓖ 특정·준특정옥외저장탱크(이하 "탱크"라 한다)의 부식방지 등을 위한 조치

ⓐ 탱크 내부의 부식을 방지하기 위한 코팅 또는 이와 동등 이상의 조치

ⓑ 탱크의 에뉼러 판(Annular plate) 및 밑판 외면의 부식을 방지하는 조치

ⓒ 탱크의 에뉼러 판(Annular plate) 및 밑판의 두께가 적정하게 유지되도록 하는 조치

ⓓ 탱크에 구조상의 영향을 줄 우려가 있는 보수를 하지 아니하거나 변형이 없도록 하는 조치

ⓔ 구조물이 현저히 불균형하게 가라앉는 현상(부등침하)이 없도록 하는 조치

ⓕ 지반이 충분한 지지력을 확보하는 동시에 침하에 대하여 충분한 안전성을 확보하는 조치

ⓖ 탱크의 유지관리체제의 적정 유지

ⓛ 위험물의 저장관리 등에 관한 조치

ⓐ 부식의 발생에 영향을 주는 물 등의 성분의 적절한 관리

ⓑ 탱크에 대하여 현저한 부식성이 있는 위험물을 저장하지 아니하도록 하는 조치

ⓒ 부식의 발생에 현저한 영향을 미치는 저장조건의 변경을 하지 아니하도록 하는 조치

ⓓ 탱크의 에뉼러 판 및 밑판의 부식율이 연간 0.05밀리미터 이하일 것

ⓔ 탱크의 에뉼러 판 및 밑판 외면의 부식을 방지하는 조치

ⓕ 탱크의 에뉼러 판 및 밑판의 두께가 적정하게 유지되도록 하는 조치

ⓖ 탱크에 구조상의 영향을 줄 우려가 있는 보수를 하지 아니하거나 변형이 없도록 하는 조치

ⓗ 현저한 부등침하가 없도록 하는 조치

ⓘ 지반이 충분한 지지력을 확보하는 동시에 침하에 대하여 충분한 안전성을 확보하는 조치

ⓙ 탱크의 유지관리체제의 적정 유지

(6) 정기점검 내용(규칙 제66조)

정기점검의 내용·방법 등에 관한 기술상의 기준과 그 밖의 점검에 관하여 필요한 사항은 소방청장이 정하여 고시한다(규칙 제66조).

(7) 정기점검의 실시자(규칙 제67조)

① 제조소등의 관계인은 당해 제조소등의 정기점검을 안전관리자 또는 위험물운송자(이동탱크저장소)로 하여금 실시하도록 한다.

② 옥외탱크저장소에 대한 구조안전점검을 위험물안전관리자가 직접 실시하는 경우에는 점검에 필요한 영 별표 7(탱크시험자의 기술능력·시설 및 장비)의 인력 및 장비를 갖춘 후 이를 실시하여야 한다.

③ 제조소등의 관계인은 안전관리대행기관(특정·준특정옥외탱크저장소의 정기점검 제외) 또는 탱크시험자에게 정기점검을 의뢰하여 실시할 수 있다. 이 경우 해당 제조소등의 안전관리자는 안전관리대행기관 또는 탱크시험자의 점검현장에 참관해야 한다.

(8) 정기점검의 기록·유지(규칙 제68조)

① **기록 사항**

㉠ 점검을 실시한 제조소등의 명칭

㉡ 점검의 방법 및 결과

㉢ 점검연월일

㉣ 점검을 한 안전관리자 또는 점검을 한 탱크시험자와 점검에 입회한 안전관리자의 성명

② **기록 보존기간(제2항)**

㉠ **옥외저장탱크의 구조안전점검에 관한 기록**: 25년(특정·준특정옥외저장탱크에 안전조치를 한 후 기술원에 구조안전점검시기 연장신청을 하여 안전조치가 적정한 것으로 인정받은 경우 30년)

㉡ ㉠에 해당하지 아니하는 정기점검의 기록: 3년

👆 **관계법규 목적**

시행령	NOTE
제16조【정기점검의 대상인 제조소등】 법 제18조 제1항에서 "대통령령이 정하는 제조소등"이라 함은 다음 각 호의 1에 해당하는 제조소등을 말한다. 1. 제15조 각 호의 1에 해당하는 제조소등 2. 지하탱크저장소 3. 이동탱크저장소 4. 위험물을 취급하는 탱크로서 지하에 매설된 탱크가 있는 제조소·주유취급소 또는 일반취급소	

시행규칙

제64조 【정기점검의 횟수】 법 제18조 제1항의 규정에 의하여 제조소등의 관계인은 당해 제조소등에 대하여 연 1회 이상 정기점검을 실시하여야 한다.

제65조 【특정 · 준특정옥외탱크저장소의 정기점검】 ① 법 제18조 제1항에 따라 옥외탱크저장소 중 저장 또는 취급하는 액체위험물의 최대수량이 50만리터 이상인 것(특정 · 준특정옥외탱크저장소)에 대해서는 제64조에 따른 정기점검 외에 다음 각 호의 어느 하나에 해당하는 기간 이내에 1회 이상 특정 · 준특정옥외저장탱크(특정 · 준특정옥외탱크저장소의 탱크)의 구조 등에 관한 안전점검(구조안전점검)을 해야 한다. 다만, 해당 기간 이내에 특정 · 준특정옥외저장탱크의 사용중단 등으로 구조안전점검을 실시하기가 곤란한 경우에는 별지 제39호의2 서식에 따라 관할소방서장에게 구조안전점검의 실시기간 연장신청을 할 수 있으며, 그 신청을 받은 소방서장은 1년(특정 · 준특정옥외저장탱크의 사용을 중지한 경우에는 사용중지기간)의 범위에서 실시기간을 연장할 수 있다.

1. 특정 · 준특정옥외탱크저장소의 설치허가에 따른 완공검사합격확인증 발급받은 날부터 12년
2. 제70조 제1항 제1호에 따른 최근의 정밀정기검사를 받은 날부터 11년
3. 제2항에 따라 특정 · 준특정옥외저장탱크에 안전조치를 한 후 제71조 제2항에 따라 구조안전점검시기 연장신청을 하여 해당 안전조치가 적정한 것으로 인정받은 경우에는 제70조 제1항 제1호에 따른 최근의 정밀정기검사를 받은 날부터 13년

② 제1항 제3호에 따른 특정 · 준특정옥외저장탱크의 안전조치는 특정 · 준특정옥외저장탱크의 부식 등에 대한 안전성을 확보하는 데 필요한 다음 각 호의 어느 하나의 조치로 한다.

1. 특정 · 준특정옥외저장탱크의 부식방지 등을 위한 다음 각 목의 조치(중략)
   가. 특정 · 준특정옥외저장탱크의 내부의 부식을 방지하기 위한 코팅[유리입자(글래스플레이크)코팅 또는 유리섬유강화플라스틱 라이닝(Lining: 침식 및 부식 방지를 위해 재료의 접촉면에 약품재 등을 대는 일)에 한한다] 또는 이와 동등 이상의 조치
   나. 특정 · 준특정옥외저장탱크의 에뉼러 판(Annular plate) 및 밑판 외면의 부식을 방지하는 조치
   다. 특정 · 준특정옥외저장탱크의 에뉼러 판(Annular plate) 및 밑판의 두께가 적정하게 유지되도록 하는 조치
   마. 구조물이 현저히 불균형하게 가라앉는 현상("부등침하")이 없도록 하는 조치
2. 위험물의 저장관리 등에 관한 다음 각 목의 조치(중략)
   가. 부식의 발생에 영향을 주는 물 등의 성분의 적절한 관리
   나. 특정 · 준특정옥외저장탱크에 대하여 현저한 부식성이 있는 위험물을 저장하지 아니하도록 하는 조치
   다. 부식의 발생에 현저한 영향을 미치는 저장조건의 변경을 하지 아니하도록 하는 조치

③ 제1항 제3호의 규정에 의한 신청은 별지 제40호 서식 또는 별지 제41호 서식의 신청서에 의한다.

제66조 【정기점검의 내용 등】 제조소등의 위치 · 구조 및 설비가 법 제5조 제4항의 기술기준에 적합한지를 점검하는 데 필요한 정기점검의 내용 · 방법 등에 관한 기술상의 기준과 그 밖의 점검에 관하여 필요한 사항은 소방청장이 정하여 고시한다.

제67조 【정기점검의 실시자】 ① 제조소등의 관계인은 법 제18조 제1항의 규정에 의하여 당해 제조소등의 정기점검을 안전관리자(제65조의 규정에 의한 정기점검에 있어서는 제66조의 규정에 의하여 소방청장이 정하여 고시하는 점검방법에 관한 지식 및 기능이 있는 자에 한한다) 또는 위험물운송자(이동탱크저장소의 경우에 한한다)로 하여금 실시하도록 하여야 한다. 이 경우 옥외탱크저장소에 대한 구조안전점검을 위험물안전관리자가 직접 실시하는 경우에는 점검에 필요한 영 별표 7의 인력 및 장비를 갖춘 후 이를 실시하여야 한다.

② 제1항에도 불구하고 제조소등의 관계인은 안전관리대행기관(제65조에 따른 특정 · 준특정옥외탱크저장소의 정기점검은 제외한다) 또는 탱크시험자에게 정기점검을 의뢰하여 실시할 수 있다. 이 경우 해당 제조소등의 안전관리자는 안전관리대행기관 또는 탱크시험자의 점검현장에 참관해야 한다.

제68조 【정기점검의 기록 · 유지】 ① 법 제18조 제1항의 규정에 따라 제조소등의 관계인은 정기점검 후 다음 각 호의 사항을 기록해야 한다.

1. 점검을 실시한 제조소등의 명칭
2. 점검의 방법 및 결과
3. 점검연월일
4. 점검을 한 안전관리자 또는 점검을 한 탱크시험자와 점검에 입회한 안전관리자의 성명

② 제1항의 규정에 의한 정기점검기록은 다음 각 호의 구분에 의한 기간 동안 이를 보존하여야 한다.

1. 제65조 제1항의 규정에 의한 옥외저장탱크의 구조안전점검에 관한 기록: 25년(동항 제3호에 규정한 기간의 적용을 받는 경우에는 30년)
2. 제1호에 해당하지 아니하는 정기점검의 기록: 3년

제69조 【정기점검의 의뢰 등】 ① 제조소등의 관계인은 법 제18조 제1항의 정기점검을 제67조 제2항의 규정에 의하여 탱크시험자에게 실시하게 하는 경우에는 별지 제42호 서식의 정기점검의뢰서를 탱크시험자에게 제출하여야 한다.

② 탱크시험자는 정기점검을 실시한 결과 그 탱크 등의 유지관리상황이 적합하다고 인정되는 때에는 점검을 완료한 날부터 10일 이내에 별지 제43호 서식의 정기점검결과서에 위험물탱크안전성능시험자등록증 사본 및 시험성적서를 첨부하여 제조소등의 관계인에게 교부하고, 적합하지 아니한 경우에는 개선하여야 하는 사항을 통보하여야 한다.

제18조【정기점검 및 정기검사】 ③ 제1항의 규정에 따른 정기점검의 대상이 되는 제조소등의 관계인 가운데 대통령령으로 정하는 제조소등의 관계인은 행정안전부령으로 정하는 바에 따라 소방본부장 또는 소방서장으로부터 해당 제조소등이 제5조 제4항에 따른 기술기준에 적합하게 유지되고 있는지의 여부에 대하여 정기적으로 검사를 받아야 한다.

(1) 정기검사(제18조 제3항)

① 정기점검의 대상이 되는 제조소등의 관계인 가운데 대통령령이 정하는 제조소등의 관계인은 행정안전부령이 정하는 바에 따라 소방본부장 또는 소방서장으로부터 당해 제조소등이 기술기준에 적합하게 유지되고 있는지의 여부에 대하여 정기적으로 검사를 받아야 한다.

② **벌칙 - 1년 이하의 징역 또는 1천만원 이하의 벌금(제35조):** 제18조 제3항을 위반하여 정기검사를 받지 아니한 관계인으로서 제6조 제1항에 따른 허가를 받은 자

③ **정기검사의 대상인 제조소등(영 제17조):** 법 제18조 제3항에서 "대통령령으로 정하는 제조소등"이란 액체위험물을 저장 또는 취급하는 50만리터 이상의 옥외탱크저장소를 말한다.

(2) 정밀정기검사 및 중간정기검사(규칙 제70조)

① 정기검사를 받아야 하는 특정·준특정옥외탱크저장소의 관계인은 정밀정기검사 및 중간정기검사를 받아야 한다.

② 다만, 재난 그 밖의 비상사태의 발생, 안전유지상의 필요 또는 사용상황 등의 변경으로 해당 시기에 정기검사를 실시하는 것이 적당하지 않다고 인정되는 때에는 소방서장의 직권 또는 관계인의 신청에 따라 소방서장이 따로 지정하는 시기에 정기검사를 받을 수 있다.

③ **정밀정기검사의 시기:** 기간 내에 1회
　㉠ 특정·준특정옥외탱크저장소의 설치허가에 따른 완공검사합격확인증을 발급받은 날부터 12년
　㉡ 최근의 정밀정기검사를 받은 날부터 11년

④ **중간정기검사의 시기:** 기간 내에 1회
　㉠ 특정·준특정옥외탱크저장소의 설치허가에 따른 완공검사합격확인증을 발급받은 날부터 4년
　㉡ 최근의 정밀정기검사 또는 중간정기검사를 받은 날부터 4년

⑤ 정밀정기검사를 받아야 하는 특정·준특정옥외탱크저장소의 관계인은 정밀정기검사를 구조안전점검을 실시하는 때에 함께 받을 수 있다.

(3) 정기검사의 신청 등(규칙 제71조)

① 정기검사를 받아야 하는 특정·준특정옥외탱크저장소의 관계인은 신청서에 서류를 첨부하여 기술원에 제출하고 수수료를 기술원에 납부하여야 한다.

② **첨부서류**
  ㉠ 구조설비명세표
  ㉡ 제조소등의 위치·구조 및 설비에 관한 도면
  ㉢ 완공검사합격확인증
  ㉣ 밑판, 옆판, 지붕판 및 개구부의 보수이력에 관한 서류
③ **검사 시기의 변경**: 정기검사 시기를 변경하고자 하는 자는 소방서장에게 서류를 제출하여야 한다.
④ 기술원은 정기검사를 실시한 결과 다음의 사항이 소방청장이 정하여 고시하는 기술상의 기준이 적합한 것으로 인정되는 때에는 검사종료일부터 10일 이내에 정기검사합격확인증을 관계인에게 교부하고 그 결과보고서를 소방서장에게 제출하여야 한다.
  ㉠ **정밀정기검사 대상인 경우**
    ⓐ 수직도·수평도에 관한 사항(지중탱크 제외)
    ⓑ 밑판(지중탱크는 누액방지판을 말한다)의 두께에 관한 사항
    ⓒ 용접부에 관한 사항
    ⓓ 구조·설비에 관한 사항
  ㉡ **중간정기검사 대상인 경우**: 특정·준특정옥외저장탱크의 구조·설비의 외관에 관한 사항
⑤ **정기검사합격확인증 등 정기검사에 관한 서류 보관**
  ㉠ **서류보관**: 기술원과 제조소등의 관계인
  ㉡ **보관기간**: 차기 정기검사 시까지 보관하여야 한다.

(4) **정기검사의 방법(규칙 제72조)**
① **정기검사**: 특정·준특정옥외탱크저장소의 위치·구조 및 설비의 특성을 고려하여 안전성 확인에 적합한 검사방법으로 실시해야 한다.
② 특정·준특정옥외탱크저장소의 관계인이 구조안전점검 시에 해당사항을 미리 점검한 후에 정밀정기검사를 신청하는 때에는 그 사항에 대한 정밀정기검사는 전체의 검사범위 중 임의의 부위를 발췌하여 검사하는 방법으로 실시한다.
③ 검사방법과 판정기준 그 밖의 정기검사의 실시에 관하여 필요한 사항은 소방청장이 정하여 고시한다.

👆 **관계법규 목적**

시행령	NOTE
제17조【정기검사의 대상인 제조소등】 법 제18조 제3항에서 "대통령령으로 정하는 제조소등"이란 액체위험물을 저장 또는 취급하는 50만리터 이상의 옥외탱크저장소를 말한다.	

시행규칙

제70조【정기검사의 시기】 ① 법 제18조 제3항에 따른 정기검사(이하 "정기검사"라 한다)를 받아야 하는 특정·준특정옥외탱크저장소의 관계인은 다음 각 호의 구분에 따라 정밀정기검사 및 중간정기검사를 받아야 한다. 다만, 재난 그 밖의 비상사태의 발생, 안전유지상의 필요 또는 사용상황 등의 변경으로 해당 시기에 정기검사를 실시하는 것이 적당하지 않다고 인정되는 때에는 소방서장의 직권 또는 관계인의 신청에 따라 소방서장이 따로 지정하는 시기에 정기검사를 받을 수 있다.

1. 정밀정기검사: 다음 각 목의 어느 하나에 해당하는 기간 내에 1회
   가. 특정·준특정옥외탱크저장소의 설치허가에 따른 완공검사합격확인증을 발급받은 날부터 12년
   나. 최근의 정밀정기검사를 받은 날부터 11년
2. 중간정기검사: 다음 각 목의 어느 하나에 해당하는 기간 내에 1회
   가. 특정·준특정옥외탱크저장소의 설치허가에 따른 완공검사합격확인증을 발급받은 날부터 4년
   나. 최근의 정밀정기검사 또는 중간정기검사를 받은 날부터 4년

② 삭제

③ 제1항 제1호에 따른 정밀정기검사(이하 "정밀정기검사"라 한다)를 받아야 하는 특정·준특정옥외탱크저장소의 관계인은 제1항에도 불구하고 정밀정기검사를 제65조 제1항에 따른 구조안전점검을 실시하는 때에 함께 받을 수 있다.

제71조【정기검사의 신청 등】 ① 정기검사를 받아야 하는 특정·준특정옥외탱크저장소의 관계인은 별지 제44호 서식의 신청서(전자문서로 된 신청서를 포함한다)에 다음 각 호의 서류(전자문서를 포함한다)를 첨부하여 기술원에 제출하고 별표 25 제8호에 따른 수수료를 기술원에 납부해야 한다. 다만, 제2호 및 제4호의 서류는 정기검사를 실시하는 때에 제출할 수 있다.

1. 별지 제5호 서식의 구조설비명세표
2. 제조소등의 위치·구조 및 설비에 관한 도면
3. 완공검사합격확인증
4. 밑판, 옆판, 지붕판 및 개구부의 보수이력에 관한 서류

② 제65조 제1항 제3호에 따른 기간 이내에 구조안전점검을 받으려는 자는 별지 제40호 서식 또는 별지 제41호 서식의 신청서(전자문서로 된 신청서를 포함한다)를 제1항 각 호 외의 부분 본문에 따라 정기검사를 신청하는 때에 함께 기술원에 제출해야 한다.

③ 제70조 제1항 각 호 외의 부분 단서에 따라 정기검사 시기를 변경하려는 자는 별지 제45호 서식의 신청서(전자문서로 된 신청서를 포함한다)에 정기검사 시기의 변경을 필요로 하는 사유를 기재한 서류(전자문서를 포함한다)를 첨부하여 소방서장에게 제출해야 한다.

④ 기술원은 제72조 제4항의 소방청장이 정하여 고시하는 기준에 따라 정기검사를 실시한 결과 다음 각 호의 구분에 따른 사항이 적합하다고 인정되면 검사종료일부터 10일 이내에 별지 제46호 서식의 정기검사합격확인증을 관계인에게 발급하고, 그 결과보고서를 작성하여 소방서장에게 제출해야 한다.

1. 정밀정기검사 대상인 경우: 특정·준특정옥외저장탱크에 대한 다음 각 목의 사항
   가. 수직도·수평도에 관한 사항(지중탱크에 대한 것은 제외한다)
   나. 밑판(지중탱크의 경우에는 누액방지판을 말한다)의 두께에 관한 사항
   다. 용접부에 관한 사항
   라. 구조·설비의 외관에 관한 사항
2. 제70조 제1항 제2호에 따른 중간정기검사 대상인 경우: 특정·준특정옥외저장탱크의 구조·설비의 외관에 관한 사항

⑤ 기술원은 정기검사를 실시한 결과 부적합한 경우에는 개선해야 하는 사항을 신청자에게 통보하고 개선할 사항을 통보받은 관계인은 개선을 완료한 후 별지 제44호 서식의 신청서를 기술원에 다시 제출해야 한다.

⑥ 정기검사를 받은 제조소등의 관계인과 정기검사를 실시한 기술원은 정기검사합격확인증 등 정기검사에 관한 서류를 해당 제조소등에 대한 차기 정기검사 시까지 보관해야 한다.

제72조【정기검사의 방법 등】 ① 정기검사는 특정·준특정옥외탱크저장소의 위치·구조 및 설비의 특성을 고려하여 안전성 확인에 적합한 검사방법으로 실시해야 한다.

② 특정·준특정옥외탱크저장소의 관계인이 제65조 제1항에 따른 구조안전점검 시에 제71조 제4항 제1호 각 목에 따른 사항을 미리 점검한 후에 정밀정기검사를 신청하는 때에는 그 사항에 대한 정밀정기검사는 전체의 검사범위 중 임의의 부위를 발췌하여 검사하는 방법으로 실시한다.

③ 특정옥외탱크저장소의 변경허가에 따른 탱크안전성능검사를 하는 때에 정밀정기검사를 같이 실시하는 경우 검사범위가 중복되면 해당 검사범위에 대한 어느 하나의 검사를 생략한다.

④ 제1항부터 제3항까지의 규정에 따른 검사방법과 판정기준 그 밖의 정기검사의 실시에 관하여 필요한 사항은 소방청장이 정하여 고시한다.

6 자체소방대

제19조【자체소방대】다량의 위험물을 저장·취급하는 제조소등으로서 대통령령이 정하는 제조소등이 있는 동일한 사업소에서 대통령령이 정하는 수량 이상의 위험물을 저장 또는 취급하는 경우 당해 사업소의 관계인은 대통령령이 정하는 바에 따라 당해 사업소에 자체소방대를 설치하여야 한다.

(1) 자체소방대
대통령령이 정하는 제조소등이 있는 동일한 사업소에서 대통령령이 정하는 수량 이상의 위험물을 저장 또는 취급하는 경우 당해 사업소의 관계인은 대통령령이 정하는 바에 따라 당해 사업소에 자체소방대를 설치하여야 한다(제19조).

(2) 대통령령이 정하는 제조소등(영 제18조 제1항)
① 제4류 위험물을 취급하는 제조소 또는 일반취급소(다만, 보일러로 위험물을 소비하는 일반취급소 등 행정안전부령으로 정하는 일반취급소는 제외한다)
② 제4류 위험물을 저장하는 옥외탱크저장소

(3) 대통령령이 정하는 수량(영 제18조 제2항)
① 제4류 위험물을 취급하는 제조소 또는 일반취급소: 최대수량의 합이 지정수량의 3천배 이상
② 제4류 위험물을 저장하는 옥외탱크저장소: 최대수량의 지정수량의 50만배 이상

(4) 자체소방대를 설치하는 사업소(영 제18조 제3항)자체소방대에 화학소방차 및 자체소방대원을 두어야 한다.
① 자체소방대에 두는 화학소방자동차 및 인원(영 [별표 8])

사업소의 구분	화학소방자동차	자체소방대원의 수
제조소 또는 일반취급소에서 취급하는 제4류 위험물의 최대수량의 합이 지정수량의 12만배 미만	1대	5인
제조소 또는 일반취급소에서 취급하는 제4류 위험물의 최대수량의 합이 지정수량의 12만배 이상 ~ 24만배 미만	2대	10인
제조소 또는 일반취급소에서 취급하는 제4류 위험물의 최대수량의 합이 지정수량의 24만배 이상 ~ 48만배 미만	3대	15인
제조소 또는 일반취급소에서 취급하는 제4류 위험물의 최대수량의 합이 지정수량의 48만배 이상	4대	20인
옥외탱크저장소에 저장하는 제4류 위험물의 최대수량이 지정수량의 50만배 이상인 사업소	2대	10인

▶ 비고: 화학소방자동차에는 소화능력 및 설비를 갖춰야 하고, 소화활동에 필요한 소화약제 및 기구를 비치하여야 한다.

✏ 핵심 기출

다음은 자체소방대에 두는 화학소방자동차와 자체소방대원의 수에 관한 규정이다. 빈칸에 들어갈 숫자가 바르게 짝지어진 것은?
18. 공채(10월)

제조소 또는 일반취급소에서 취급하는 제4류 위험물의 최대수량의 합이 지정수량의 24만배 이상 48만배 미만인 사업소에는 화학소방자동차 (ㄱ)대와 자체소방대원 (ㄴ)인을 두어야 한다.

	ㄱ	ㄴ
①	2	10
②	2	15
③	3	15
④	3	20

정답 ③

② 자체소방대 편성의 특례(상호응원협정을 체결한 경우)(규칙 제74조)

ㄱ 당해 모든 사업소를 하나의 사업소로 보고 제조소 또는 취급소에서 취급하는 제4류 위험물을 합산한 양을 하나의 사업소에서 취급하는 제4류 위험물의 최대수량으로 간주하여 화학소방자동차의 대수 및 자체소방대원을 정할 수 있다.

ㄴ 각 사업소의 자체소방대에는 산정된 화학소방차 대수의 2분의 1 이상의 대수와 화학소방자동차마다 5인 이상의 자체소방대원을 두어야 한다.

(5) 자체소방대 설치 제외대상인 일반취급소(규칙 제73조)

① 보일러, 버너 그 밖에 이와 유사한 장치로 위험물을 소비하는 일반취급소

② 이동저장탱크 그 밖에 이와 유사한 것에 위험물을 주입하는 일반취급소

③ 용기에 위험물을 옮겨 담는 일반취급소

④ 유압장치, 윤활유순환장치 그 밖에 이와 유사한 장치로 위험물을 취급하는 일반취급소

⑤ 「광산안전법」의 적용을 받는 일반취급소

(6) 화학소방차의 기준 등(규칙 제75조)

① 화학소방자동차에 갖추어야 하는 소화능력 및 설비의 기준(규칙 [별표 23])

ㄱ 포수용액 방사차

ⓐ 포수용액의 방사능력이 매분 2천리터 이상일 것

ⓑ 소화약액탱크 및 소화약액혼합장치를 비치할 것

ⓒ 10만리터 이상의 포수용액을 방사할 수 있는 양의 소화약제를 비치할 것

ㄴ 분말 방사차

ⓐ 분말의 방사능력이 매초 35킬로그램 이상일 것

ⓑ 분말탱크 및 가압용가스설비를 비치할 것

ⓒ 1,400킬로그램 이상의 분말을 비치할 것

ㄷ 할로겐화합물 방사차

ⓐ 할로겐화합물의 방사능력이 매초 40킬로그램 이상일 것

ⓑ 할로겐화합물탱크 및 가압용가스설비를 비치할 것

ⓒ 1천킬로그램 이상의 할로겐화합물을 비치할 것

ㄹ 이산화탄소 방사차

ⓐ 이산화탄소의 방사능력이 매초 40킬로그램 이상일 것

ⓑ 이산화탄소저장용기를 비치할 것

ⓒ 3천킬로그램 이상의 이산화탄소를 비치할 것

ㅁ 제독차: 가성소오다 및 규조토를 각각 50킬로그램 이상 비치할 것

② 포수용액을 방사하는 화학소방자동차의 대수는 산정된 화학소방자동차의 대수의 3분의 2 이상으로 하여야 한다.

시행령, 시행규칙 [별표 23]	시행규칙, 시행령 [별표 8]

제18조【자체소방대를 설치하여야 하는 사업소】 ① 법 제19조에서 "대통령령이 정하는 제조소등"이란 다음 각 호의 어느 하나에 해당하는 제조소등을 말한다.

1. 제4류 위험물을 취급하는 제조소 또는 일반취급소. 다만, 보일러로 위험물을 소비하는 일반취급소 등 행정안전부령으로 정하는 일반취급소는 제외한다.
2. 제4류 위험물을 저장하는 옥외탱크저장소

② 법 제19조에서 "대통령령이 정하는 수량 이상"이란 다음 각 호의 구분에 따른 수량을 말한다.

1. 제1항 제1호에 해당하는 경우: 제조소 또는 일반취급소에서 취급하는 제4류 위험물의 최대수량의 합이 지정수량의 3천배 이상
2. 제1항 제2호에 해당하는 경우: 옥외탱크저장소에 저장하는 제4류 위험물의 최대수량이 지정수량의 50만배 이상

③ 법 제19조의 규정에 의하여 자체소방대를 설치하는 사업소의 관계인은 별표 8의 규정에 의하여 자체소방대에 화학소방자동차 및 자체소방대원을 두어야 한다. 다만, 화재 그 밖의 재난발생시 다른 사업소 등과 상호응원에 관한 협정을 체결하고 있는 사업소에 있어서는 행정안전부령이 정하는 바에 따라 별표 8의 범위 안에서 화학 소방자동차 및 인원의 수를 달리할 수 있다.

[별표 23] 화학소방자동차에 갖추어야 하는 소화능력 및 설비의 기준(제75조 제1항 관련)

화학소방 자동차의 구분	소화능력 및 설비의 기준
포수용액 방사차	포수용액의 방사능력이 매분 【 ① 】 이상
	소화약액탱크 및 소화약액혼합장치
	10만리터 이상 포수용액을 방사할 수 있는 양의 소화약제
분말 방사차	분말의 방사능력이 매초 35kg 이상
	분말탱크 및 가압용가스설비
	1천400킬로그램 이상 분말
할로겐화합물 방사차	할로겐화합물의 방사능력이 매초 40킬로그램 이상
	할로겐화합물탱크 및 가압용가스설비
	1천킬로그램 이상 할로겐화합물
이산화탄소 방사차	이산화탄소의 방사능력이 매초 40킬로그램 이상
	이산화탄소저장용기
	3천킬로그램 이상 이산화탄소
제독차	가성소오다 및 규조토를 각각 【 ② 】 이상

① 2천리터 ② 50kg

제73조【자체소방대의 설치 제외대상인 일반취급소】 영 제18조 제1항 제1호 단서에서 "행정안전부령으로 정하는 일반취급소"란 다음 각 호의 어느 하나에 해당하는 일반취급소를 말한다.

1. 보일러, 버너 그 밖에 이와 유사한 장치로 위험물을 소비하는 일반취급소
2. 【 ① 】 그 밖에 이와 유사한 것에 위험물을 주입하는 일반취급소
3. 용기에 위험물을 옮겨 담는 일반취급소
4. 유압장치, 윤활유순환장치 그 밖에 이와 유사한 장치로 위험물을 취급하는 일반취급소
5. 「광산안전법」의 적용을 받는 일반취급소

제74조【자체소방대 편성의 특례】 영 제18조 제3항 단서의 규정에 의하여 2 이상의 사업소가 상호응원에 관한 협정을 체결하고 있는 경우에는 당해 모든 사업소를 하나의 사업소로 보고 제조소 또는 취급소에서 취급하는 제4류 위험물을 합산한 양을 하나의 사업소에서 취급하는 제4류 위험물의 최대수량으로 간주하여 동항 본문의 규정에 의한 화학소방자동차의 대수 및 자체소방대원을 정할 수 있다. 이 경우 상호응원에 관한 협정을 체결하고 있는 각 사업소의 자체소방대에는 영 제18조 제3항 본문의 규정에 의한 화학소방차 대수의 【 ② 】 이상의 대수와 화학소방자동차마다 5인 이상의 자체소방대원을 두어야 한다.

제75조【화학소방차의 기준 등】 ① 영 별표 8 비고의 규정에 의하여 화학소방자동차(내폭화학차 및 제독차를 포함한다)에 갖추어야 하는 소화능력 및 설비의 기준은 별표 23과 같다.

② 포수용액을 방사하는 화학소방자동차의 대수는 영 제18조 제3항의 규정에 의한 화학소방자동차의 대수의 【 ③ 】 이상으로 하여야 한다.

[별표 8] 자체소방대에 두는 화학소방자동차 및 인원(제18조 제3항 관련)

사업소의 구분(지정수량)	화학소방자동차	자체소방대원의 수
1. 12만배 미만	1대	5인
2. 12만배 이상 ~ 24만배 미만	2대	10인
3. 24만배 이상 ~ 48만배 미만	3대	15인
4. 48만배 이상	4대	20인
5. 50만배 이상	2대	10인

▶ 비고

화학소방자동차에는 행정안전부령으로 정하는 소화능력 및 설비를 갖추어야 하고, 소화활동에 필요한 소화약제 및 기구(방열복 등 개인장구를 포함한다)를 비치하여야 한다.

① 이동저장탱크 ② 2분의 1 ③ 3분의 2

제19조의2【제조소등에서의 흡연 금지】 ① 누구든지 제조소등에서는 지정된 장소가 아닌 곳에서 흡연을 하여서는 아니 된다.

② 제조소등의 관계인은 해당 제조소등이 금연구역임을 알리는 표지를 설치하여야 한다.

③ 시·도지사는 제조소등의 관계인이 제2항을 위반하여 금연구역임을 알리는 표지를 설치하지 아니하거나 보완이 필요한 경우 일정한 기간을 정하여 그 시정을 명할 수 있다.

④ 제1항에 따른 지정 기준·방법 등은 대통령령으로 정하고, 제2항에 따른 표지를 설치하는 기준·방법 등은 행정안전부령으로 정한다. [시행일: 2024.7.31.]

(1) 제조소등에서의 흡연금지

① 누구든지 제조소등에서는 지정된 장소가 아닌 곳에서 흡연을 하여서는 아니 된다.

② **과태료 – 500만원 이하의 과태료(제39조):** 제19조의2 제1항을 위반하여 흡연을 한 자

(2) 금연구역 표지

제조소등의 관계인은 해당 제조소등이 금연구역임을 알리는 표지를 설치하여야 한다.

(3) 시정명령

① 시·도지사는 제조소등의 관계인이 금연구역임을 알리는 표지를 설치하지 아니하거나 보완이 필요한 경우 일정한 기간을 정하여 그 시정을 명할 수 있다.

② **과태료 – 500만원 이하의 과태료(제39조):** 제19조의2 제3항에 따른 시정명령을 따르지 아니한 자

(4) 위임규정

① 지정 기준·방법 등: 대통령령

② 표지를 설치하는 기준·방법 등: 행정안전부령

제4장 위험물의 운반 등

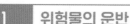

1 위험물의 운반   C

제20조【위험물의 운반】① 위험물의 운반은 그 용기·적재방법 및 운반방법에 관한 다음 각 호의 중요기준과 세부기준에 따라 행하여야 한다.
 1. 중요기준: 화재 등 위해의 예방과 응급조치에 있어서 큰 영향을 미치거나 그 기준을 위반하는 경우 직접적으로 화재를 일으킬 가능성이 큰 기준으로서 행정안전부령이 정하는 기준
 2. 세부기준: 화재 등 위해의 예방과 응급조치에 있어서 중요기준보다 상대적으로 적은 영향을 미치거나 그 기준을 위반하는 경우 간접적으로 화재를 일으킬 수 있는 기준 및 위험물의 안전관리에 필요한 표시와 서류·기구 등의 비치에 관한 기준으로서 행정안전부령이 정하는 기준
② 제1항에 따라 운반용기에 수납된 위험물을 지정수량 이상으로 차량에 적재하여 운반하는 차량의 운전자(이하 "위험물운반자"라 한다)는 다음 각 호의 어느 하나에 해당하는 요건을 갖추어야 한다.
1. 「국가기술자격법」에 따른 위험물 분야의 자격을 취득할 것
2. 제28조 제1항에 따른 교육을 수료할 것
③ 시·도지사는 운반용기를 제작하거나 수입한 자 등의 신청에 따라 제1항의 규정에 따른 운반용기를 검사할 수 있다. 다만, 기계에 의하여 하역하는 구조로 된 대형의 운반용기로서 행정안전부령이 정하는 것을 제작하거나 수입한 자 등은 행정안전부령이 정하는 바에 따라 당해 용기를 사용하거나 유통시키기 전에 시·도지사가 실시하는 운반용기에 대한 검사를 받아야 한다.

(1) 위험물의 운반

위험물의 운반은 그 용기·적재방법 및 운반방법에 관하여 **중요기준과 세부기준에** 따라 행하여야 한다.

① 중요기준
  ㉠ 화재 등 위해의 예방과 응급조치에 있어서 큰 영향을 미치는 기준
  ㉡ **기준을 위반하는 경우 직접적으로 화재를 일으킬 가능성이 큰 기준:** 행정안전부령으로 정하는 기준(규칙 제50조 [별표 19])

② 세부기준
  ㉠ 화재 등 위해의 예방과 응급조치에 있어서 중요기준보다 상대적으로 적은 영향을 미치는 기준
  ㉡ 기준을 위반하는 경우 간접적으로 화재를 일으킬 수 있는 기준
  ㉢ **위험물의 안전관리에 필요한 표시와 서류·기구 등의 비치에 관한 기준:** 행정안전부령으로 정하는 기준(규칙 제50조 [별표 19])

③ 벌칙 및 과태료

　　㉠ **1천만원 이하의 벌금(제37조)**: 제20조 제1항 제1호의 규정을 위반하여 위험물의 운반에 관한 **중요기준에 따르지 아니한 자**

　　㉡ **500만원 이하의 과태료(제39조)**: 제20조 제1항 제2호의 규정에 따른 위험물의 운반에 관한 세부기준을 위반한 자

(2) 위험물운반자의 자격

① 운반용기에 수납된 위험물을 지정수량 이상으로 차량에 적재하여 운반하는 차량의 운전자(이하 "위험물운반자"라 한다)는 다음 어느 하나에 해당하는 요건을 갖추어야 한다.

　㉠ 「국가기술자격법」에 따른 위험물 분야의 자격을 취득할 것

　㉡ 제28조 제1항에 따른 교육을 수료할 것

② **벌칙 – 1천만원 이하의 벌금(제37조)**: 4의2. 제20조 제2항을 위반하여 요건을 갖추지 아니한 위험물운반자

(3) 위험물 운반용기의 검사

① **운반용기의 검사권자**: 시·도지사

② **운반용기의 검사**: 운반용기를 제작하거나 수입한 자 등의 신청에 따라 규정에 따른 운반용기를 검사할 수 있다.

③ 다만, 기계에 의하여 하역하는 구조로 된 대형의 운반용기로서 행정안전부령이 정하는 것을 제작하거나 수입한 자 등은 행정안전부령이 정하는 바에 따라 당해 용기를 사용하거나 유통시키기 전에 시·도지사가 실시하는 운반용기에 대한 검사를 받아야 한다.

④ **벌칙 – 1년 이하의 징역 또는 1천만원 이하의 벌금(제35조)**: 제20조 제3항 단서를 위반하여 운반용기에 대한 검사를 받지 아니하고 운반용기를 사용하거나 유통시킨 자

(4) 운반용기의 검사(규칙 제51조)

① 운반용기의 검사를 받고자 하는 자는 신청서에 용기의 설계도면과 재료에 관한 설명서를 첨부하여 **기술원**에 제출해야 한다.

② UN의 위험물 운송에 관한 권고(RTDG)에서 정한 기준에 따라 관련 검사기관으로부터 검사를 받은 때에는 그렇지 않다.

③ 기술원은 규정에 따른 검사신청을 한 운반용기가 기준에 적합하고 운반상 지장이 있다고 인정되면 용기검사합격확인증을 교부해야 한다.

④ 기술원의 원장은 검사업무의 처리절차와 방법을 정하여 운용하여야 한다.

⑤ **보고 및 통보 기한**

　㉠ **기술원의 원장**: 전년도 운반용기 검사업무 처리결과를 매년 1월 31일까지 시·도지사에게 보고해야 한다.

　㉡ **시·도지사**: 처리결과를 매년 2월 말까지 소방청장에게 제출해야 한다.

(5) 위험물의 운반에 관한 기준(규칙 [별표 19])

Ⅰ. 운반용기
1. 운반용기의 재질은 강판·알루미늄판·양철판·유리·금속판·종이·플라스틱·섬유판·고무류·합성섬유·삼·짚 또는 나무로 한다.
2. 운반용기는 견고하여 쉽게 파손될 우려가 없고, 그 입구로부터 수납된 위험물이 샐 우려가 없도록 하여야 한다.

Ⅱ. 적재방법
1. 위험물은 Ⅰ의 규정에 의한 운반용기에 다음 각 목의 기준에 따라 수납하여 적재하여야 한다. 다만, 덩어리 상태의 유황을 운반하기 위하여 적재하는 경우 또는 위험물을 동일구내에 있는 제조소등의 상호간에 운반하기 위하여 적재하는 경우에는 그러하지 아니하다(중요기준).
   가. 위험물이 온도변화 등에 의하여 누설되지 아니하도록 운반용기를 밀봉하여 수납할 것. 다만, 온도변화 등에 의한 위험물로부터의 가스의 발생으로 운반용기안의 압력이 상승할 우려가 있는 경우(발생한 가스가 독성 또는 인화성을 갖는 등 위험성이 있는 경우를 제외한다)에는 가스의 배출구(위험물의 누설 및 다른 물질의 침투를 방지하는 구조로 된 것에 한한다)를 설치한 운반용기에 수납할 수 있다.
   나. 수납하는 위험물과 위험한 반응을 일으키지 아니하는 등 당해 위험물의 성질에 적합한 재질의 운반용기에 수납할 것
   다. 고체위험물은 운반용기 내용적의 95% 이하의 수납율로 수납할 것
   라. 액체위험물은 운반용기 내용적의 98% 이하의 수납율로 수납하되, 55도의 온도에서 누설되지 아니하도록 충분한 공간용적을 유지하도록 할 것
   마. 하나의 외장용기에는 다른 종류의 위험물을 수납하지 아니할 것
   바. 제3류 위험물은 다음의 기준에 따라 운반용기에 수납할 것
      1) 자연발화성물질에 있어서는 불활성 기체를 봉입하여 밀봉하는 등 공기와 접하지 아니하도록 할 것
      2) 자연발화성물질외의 물품에 있어서는 파라핀·경유·등유 등의 보호액으로 채워 밀봉하거나 불활성 기체를 봉입하여 밀봉하는 등 수분과 접하지 아니하도록 할 것
      3) 라목의 규정에 불구하고 자연발화성물질중 알킬알루미늄등은 운반용기의 내용적의 90% 이하의 수납율로 수납하되, 50℃의 온도에서 5% 이상의 공간용적을 유지하도록 할 것
2. 기계에 의하여 하역하는 구조로 된 운반용기에 대한 수납은 제1호(다목을 제외한다)의 규정을 준용하는 외에 다음 각 목의 기준에 따라야 한다(중요기준).
   - 중략 -
3. 위험물은 당해 위험물이 용기 밖으로 쏟아지거나 위험물을 수납한 운반용기가 전도·낙하 또는 파손되지 아니하도록 적재하여야 한다(중요기준).
4. 운반용기는 수납구를 위로 향하게 하여 적재하여야 한다(중요기준).
5. 적재하는 위험물의 성질에 따라 일광의 직사 또는 빗물의 침투를 방지하기 위하여 유효하게 피복하는 등 다음 각 목에 정하는 기준에 따른 조치를 하여야 한다(중요기준).
   가. 제1류 위험물, 제3류 위험물 중 자연발화성물질, 제4류 위험물 중 특수인화물, 제5류 위험물 또는 제6류 위험물은 차광성이 있는 피복으로 가릴 것

나. 제1류 위험물 중 알칼리금속의 과산화물 또는 이를 함유한 것, 제2류 위험물 중 철분·금속분·마그네슘 또는 이들중 어느 하나 이상을 함유한 것 또는 제3류 위험물 중 금수성물질은 방수성이 있는 피복으로 덮을 것

다. 제5류 위험물 중 55℃ 이하의 온도에서 분해될 우려가 있는 것은 보냉 컨테이너에 수납하는 등 적정한 온도관리를 할 것

라. 액체위험물 또는 위험등급Ⅱ의 고체위험물을 기계에 의하여 하역하는 구조로 된 운반용기에 수납하여 적재하는 경우에는 당해 용기에 대한 충격 등을 방지하기 위한 조치를 강구할 것. 다만, 위험등급Ⅱ의 고체위험물을 플렉서블(flexible)의 운반용기, 파이버판제의 운반용기 및 목제의 운반용기 외의 운반용기에 수납하여 적재하는 경우에는 그러하지 아니하다.

6. 위험물은 다음 각 목의 규정에 의한 바에 따라 종류를 달리하는 그 밖의 위험물 또는 재해를 발생시킬 우려가 있는 물품과 함께 적재하지 아니하여야 한다(중요기준).

가. 부표 2의 규정에서 혼재가 금지되고 있는 위험물

나. 「고압가스 안전관리법」에 의한 고압가스(소방청장이 정하여 고시하는 것을 제외한다)

7. 위험물을 수납한 운반용기를 겹쳐 쌓는 경우에는 그 높이를 3m 이하로 하고, 용기의 상부에 걸리는 하중은 당해 용기 위에 당해 용기와 동종의 용기를 겹쳐 쌓아 3m의 높이로 하였을 때에 걸리는 하중 이하로 하여야 한다(중요기준).

8. 위험물은 그 운반용기의 외부에 다음 각 목에 정하는 바에 따라 위험물의 품명, 수량 등을 표시하여 적재하여야 한다. 다만, UN의 위험물 운송에 관한 권고(RTDG, Recommendations on the Transport of Dangerous Goods)에서 정한 기준 또는 소방청장이 정하여 고시하는 기준에 적합한 표시를 한 경우에는 그러하지 아니하다.

가. 위험물의 품명·위험등급·화학명 및 수용성("수용성" 표시는 제4류 위험물로서 수용성인 것에 한한다)

나. 위험물의 수량

다. 수납하는 위험물에 따라 다음의 규정에 의한 주의사항

1) 제1류 위험물 중 알칼리금속의 과산화물 또는 이를 함유한 것에 있어서는 "화기·충격주의", "물기엄금" 및 "가연물접촉주의", 그 밖의 것에 있어서는 "화기·충격주의" 및 "가연물접촉주의"

2) 제2류 위험물 중 철분·금속분·마그네슘 또는 이들중 어느 하나 이상을 함유한 것에 있어서는 "화기주의" 및 "물기엄금", 인화성고체에 있어서는 "화기엄금", 그 밖의 것에 있어서는 "화기주의"

3) 제3류 위험물 중 자연발화성물질에 있어서는 "화기엄금" 및 "공기접촉엄금", 금수성물질에 있어서는 "물기엄금"

4) 제4류 위험물에 있어서는 "화기엄금"

5) 제5류 위험물에 있어서는 "화기엄금" 및 "충격주의"

6) 제6류 위험물에 있어서는 "가연물접촉주의"

Ⅲ. 운반방법

1. 위험물 또는 위험물을 수납한 운반용기가 현저하게 마찰 또는 동요를 일으키지 아니하도록 운반하여야 한다(중요기준).

2. 지정수량 이상의 위험물을 차량으로 운반하는 경우에는 해당 차량에 소방청장이 정하여 고시하는 바에 따라 운반하는 위험물의 위험성을 알리는 표지를 설치하여야 한다.

3. 지정수량 이상의 위험물을 차량으로 운반하는 경우에 있어서 다른 차량에 바꾸어 싣거나 휴식·고장 등으로 차량을 일시 정차시킬 때에는 안전한 장소를 택하고 운반하는 위험물의 안전확보에 주의하여야 한다.

4. 지정수량 이상의 위험물을 차량으로 운반하는 경우에는 당해 위험물에 적응성이 있는 소형수동식소화기를 당해 위험물의 소요단위에 상응하는 능력단위 이상 갖추어야 한다.

5. 위험물의 운반도중 위험물이 현저하게 새는 등 재난발생의 우려가 있는 경우에는 응급조치를 강구하는 동시에 가까운 소방관서 그 밖의 관계기관에 통보하여야 한다.

6. 제1호 내지 제5호의 적용에 있어서 품명 또는 지정수량을 달리하는 2 이상의 위험물을 운반하는 경우에 있어서 운반하는 각각의 위험물의 수량을 당해 위험물의 지정수량으로 나누어 얻은 수의 합이 1 이상인 때에는 지정수량 이상의 위험물을 운반하는 것으로 본다.

Ⅳ. 법 제20조 제1항의 규정에 의한 중요기준 및 세부기준은 다음 각 호의 구분에 의한다.

1. 중요기준: Ⅰ 내지 Ⅲ의 운반기준 중 "중요기준"이라 표기한 것
2. 세부기준: 중요기준 외의 것

Ⅴ. 위험물의 위험등급

별표 18 Ⅴ, 이 표 Ⅰ 및 Ⅱ에 있어서 위험물의 위험등급은 위험등급Ⅰ·위험등급Ⅱ 및 위험등급Ⅲ으로 구분하며, 각 위험등급에 해당하는 위험물은 다음 각 호와 같다.

1. 위험등급 Ⅰ의 위험물
   가. 제1류 위험물 중 아염소산염류, 염소산염류, 과염소산염류, 무기과산화물 그 밖에 지정수량이 50kg인 위험물
   나. 제3류 위험물 중 칼륨, 나트륨, 알킬알루미늄, 알킬리튬, 황린 그 밖에 지정수량이 10kg 또는 20kg인 위험물
   다. 제4류 위험물 중 특수인화물
   라. 제5류 위험물 중 유기과산화물, 질산에스테르류 그 밖에 지정수량이 10kg인 위험물
   마. 제6류 위험물

2. 위험등급 Ⅱ의 위험물
   가. 제1류 위험물 중 브롬산염류, 질산염류, 요오드산염류 그 밖에 지정수량이 300kg인 위험물
   나. 제2류 위험물 중 황화린, 적린, 유황 그 밖에 지정수량이 100kg인 위험물
   다. 제3류 위험물 중 알칼리금속(칼륨 및 나트륨을 제외한다) 및 알칼리토금속, 유기금속화합물(알킬알루미늄 및 알킬리튬을 제외한다) 그 밖에 지정수량이 50kg인 위험물
   라. 제4류 위험물 중 제1석유류 및 알코올류
   마. 제5류 위험물 중 제1호 라목에 정하는 위험물 외의 것

3. 위험등급 Ⅲ의 위험물: 제1호 및 제2호에 정하지 아니한 위험물

시행규칙

제50조【위험물의 운반기준】 법 제20조 제1항의 규정에 의한 위험물의 운반에 관한 기준은 별표 19와 같다.

제51조【운반용기의 검사】 ① 법 제20조 제2항 단서에서 "행정안전부령이 정하는 것"이라 함은 별표 20에 따른 운반용기를 말한다.

② 법 제20조 제3항에 따라 운반용기의 검사를 받고자 하는 자는 별지 제30호 서식의 신청서(전자문서로 된 신청서를 포함한다)에 용기의 설계도면과 재료에 관한 설명서를 첨부하여 기술원에 제출해야 한다. 다만, UN의 위험물 운송에 관한 권고(RTDG, Recommendations on the Transport of Dangerous Goods)에서 정한 기준에 따라 관련 검사기관으로부터 검사를 받은 때에는 그렇지 않다.

③ 기술원은 제2항에 따른 검사신청을 한 운반용기가 별표 19 Ⅰ의 규정에 의한 기준에 적합하고 위험물의 운반상 지장이 없다고 인정되는 때에는 별지 제31호 서식의 용기검사합격확인증을 교부해야 한다.

④ 【 ① 】의 원장은 운반용기 검사업무의 처리절차와 방법을 정하여 운용해야 한다.

⑤ 기술원의 원장은 전년도의 운반용기 검사업무 처리결과를 매년 1월 31일까지 【 ② 】에게 보고해야 하고, 시·도지사는 기술원으로부터 보고받은 운반용기 검사업무 처리결과를 매년 2월 말까지 소방청장에게 제출해야 한다.

① 기술원 ② 시·도지사

---

2 위험물의 운송 B

제21조【위험물의 운송】 ① 이동탱크저장소에 의하여 위험물을 운송하는 자(운송책임자 및 이동탱크저장소운전자를 말하며, 이하 "위험물운송자"라 한다)는 제20조 제2항 각 호의 어느 하나에 해당하는 요건을 갖추어야 한다.

② 대통령령이 정하는 위험물의 운송에 있어서는 운송책임자(위험물 운송의 감독 또는 지원을 하는 자를 말한다. 이하 같다)의 감독 또는 지원을 받아 이를 운송하여야 한다. 운송책임자의 범위, 감독 또는 지원의 방법 등에 관한 구체적인 기준은 행정안전부령으로 정한다.

③ 위험물운송자는 이동탱크저장소에 의하여 위험물을 운송하는 때에는 행정안전부령으로 정하는 기준을 준수하는 등 당해 위험물의 안전확보를 위하여 세심한 주의를 기울여야 한다.

(1) 위험물의 운송

① 이동탱크저장소에 의하여 위험물을 운송하는 자(운송책임자 및 이동탱크저장소운전자를 말하며, 이하 "위험물운송자"라 한다)는 제20조 제2항 각 호의 어느 하나에 해당하는 요건을 갖추어야 한다.

② 법 제20조 제2항 각 호

> **제20조【위험물의 운반】** ② 제1항에 따라 운반용기에 수납된 위험물을 지정
> 수량 이상으로 차량에 적재하여 운반하는 차량의 운전자(이하 "위험물운반
> 자"라 한다)는 다음 각 호의 어느 하나에 해당하는 요건을 갖추어야 한다.
> 1. 「국가기술자격법」에 따른 위험물 분야의 자격을 취득할 것
> 2. 제28조 제1항에 따른 교육을 수료할 것

③ 벌칙 – 1천만원 이하의 벌금(제37조): 제21조 제1항의 규정을 위반한 위험물운 송자

(2) 운송책임자

① 대통령령이 정하는 위험물의 운송에 있어서는 운송책임자(위험물 운송의 감독 또는 지원을 하는 자를 말한다. 이하 같다)의 감독 또는 지원을 받아 이를 운송 하여야 한다.

② 운송책임자의 범위, 감독 또는 지원의 방법 등에 관한 구체적인 기준은 행정안 전부령으로 정한다.

③ 벌칙 – 1천만원 이하의 벌금(제37조): 제21조 제2항의 규정을 위반한 위험물운송자

④ 운송책임자의 감독·지원을 받아 운송하여야 하는 위험물(영 제19조)
 ㉠ 알킬알루미늄
 ㉡ 알킬리튬
 ㉢ ㉠ 또는 ㉡의 물질을 함유하는 위험물

⑤ 위험물 운송기준(규칙 제52조)
 ㉠ 위험물 운송책임자
  ⓐ 당해 위험물의 취급에 관한 국가기술자격을 취득하고 관련 업무에 1년 이상 종사한 경력이 있는 자
  ⓑ 법 제28조 제1항의 규정에 의한 위험물의 운송에 관한 안전교육을 수료 하고 관련 업무에 2년 이상 종사한 경력이 있는 자
 ㉡ 법 제21조 제2항의 규정에 의한 위험물 운송책임자의 감독 또는 지원의 방 법과 법 제21조 제3항의 규정에 의한 위험물의 운송시에 준수하여야 하는 사항은 별표 21과 같다.

(3) 운송에 관한 기준

① 위험물운송자는 이동탱크저장소에 의하여 위험물을 운송하는 때에는 행정안 전부령으로 정하는 기준을 준수하는 등 당해 위험물의 안전확보를 위하여 세 심한 주의를 기울여야 한다.

② 과태료 – 500만원 이하의 과태료(제39조): 제21조 제3항의 규정을 위반하여 위 험물의 운송에 관한 기준을 따르지 아니한 자

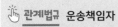

시행령	시행규칙
제19조 【운송책임자의 감독·지원을 받아 운송하여야 하는 위험물】 법 제21조 제2항에서 "대통령령이 정하는 위험물"이라 함은 다음 각 호의 1에 해당하는 위험물을 말한다. 1. 알킬알루미늄 2. 【 ① 】 3. 제1호 또는 제2호의 물질을 함유하는 위험물	**제52조 【위험물의 운송기준】** ① 법 제21조 제2항의 규정에 의한 위험물 운송책임자는 다음 각 호의 1에 해당하는 자로 한다. 1. 당해 위험물의 취급에 관한 국가기술자격을 취득하고 관련 업무에 1년 이상 종사한 경력이 있는 자 2. 법 제28조 제1항의 규정에 의한 위험물의 운송에 관한 안전교육을 수료하고 관련 업무에 【 ① 】 이상 종사한 경력이 있는 자 ② 법 제21조 제2항의 규정에 의한 위험물 운송책임자의 감독 또는 지원의 방법과 법 제21조 제3항의 규정에 의한 위험물의 운송 시에 준수하여야 하는 사항은 별표 21과 같다.

핵심기출

「위험물안전관리법 시행령」상 운송책임자의 감독 또는 지원을 받아 운송하여야 하는 위험물로 옳은 것은? 18. 공채(10월)

① 알킬알루미늄, 알킬리튬
② 마그네슘, 염소류
③ 적린, 금속분
④ 유황, 황산

정답 ①

[별표 21] 위험물 운송책임자의 감독 또는 지원의 방법과 위험물의 운송시에 준수하여야 하는 사항(제52조 제2항 관련) - 요약

1. 운송책임자의 감독·지원의 방법
   가. 운송책임자가 이동탱크저장소에 동승
      운송 중인 위험물의 안전확보에 관하여 운전자에게 필요한 감독·지원. 다만, 운전자가 운반책임자의 자격이 있는 경우에는 운송책임자의 자격이 없는 자가 동승할 수 있다.
   나. 별도의 사무실에 운송책임자가 대기
      1) 운송경로를 미리 파악하고 관할소방관서 또는 관련업체(비상대응에 관한 협력을 얻을 수 있는 업체)에 대한 연락체계를 갖추는 것
      2) 이동탱크저장소의 운전자에 대하여 수시로 안전확보 상황을 확인하는 것
      3) 비상시의 응급처치에 관하여 조언을 하는 것
      4) 그 밖에 위험물의 운송 중 안전확보에 관하여 필요한 정보를 제공하고 감독 또는 지원하는 것
2. 위험물의 운송시에 준수 기준
   가. 위험물운송자는 운송의 개시 전
      이동저장탱크의 배출밸브 등의 밸브와 폐쇄장치, 맨홀 및 주입구의 뚜껑, 소화기 등의 점검
   나. 위험물운송자는 장거리(고속국도 340km 이상, 기타도로 200km 이상): 2명 이상의 운전자. 다만, 예외사항
      1) 운송책임자를 동승시킨 경우
      2) 운송하는 위험물이 제2류 위험물·제3류 위험물(칼슘 또는 알루미늄의 탄화물과 이것만을 함유한 것에 한한다) 또는 제4류 위험물(특수인화물을 제외한다)인 경우
      3) 운송도중: 2시간 이내마다 20분 이상씩 휴식하는 경우
   다. 위험물운송자는 이동탱크저장소를 휴식·고장 등으로 일시 정차시킬 때: 안전확보에 주의할 것
   라. 위험물운송자는 이동저장탱크로부터 위험물이 현저하게 새는 등 재해발생의 우려가 있는 경우에는 재난을 방지하기 위한 응급조치를 강구하는 동시에 소방관서 그 밖의 관계기관에 통보할 것

- 중략 -

| ① 알킬리튬 | ① 2년 |

제5장 감독 및 조치명령

제22조【출입·검사 등】① 소방청장(중앙119구조본부장 및 그 소속 기관의 장을 포함한다. 이하 제22조의2에서 같다), 시·도지사, 소방본부장 또는 소방서장은 위험물의 저장 또는 취급에 따른 화재의 예방 또는 진압대책을 위하여 필요한 때에는 위험물을 저장 또는 취급하고 있다고 인정되는 장소의 관계인에 대하여 필요한 보고 또는 자료제출을 명할 수 있으며, 관계공무원으로 하여금 당해 장소에 출입하여 그 장소의 위치·구조·설비 및 위험물의 저장·취급상황에 대하여 검사하게 하거나 관계인에게 질문하게 하고 시험에 필요한 최소한의 위험물 또는 위험물로 의심되는 물품을 수거하게 할 수 있다. 다만, 개인의 주거는 관계인의 승낙을 얻은 경우 또는 화재발생의 우려가 커서 긴급한 필요가 있는 경우가 아니면 출입할 수 없다.

② 소방공무원 또는 경찰공무원은 위험물운반자 또는 위험물운송자의 요건을 확인하기 위하여 필요하다고 인정하는 경우에는 주행 중인 위험물 운반 차량 또는 이동탱크저장소를 정지시켜 해당 위험물운반자 또는 위험물운송자에게 그 자격을 증명할 수 있는 국가기술자격증 또는 교육수료증의 제시를 요구할 수 있으며, 이를 제시하지 아니한 경우에는 주민등록증(모바일 주민등록증을 포함한다), 여권, 운전면허증 등 신원확인을 위한 증명서를 제시할 것을 요구하거나 신원확인을 위한 질문을 할 수 있다. 이 직무를 수행하는 경우에 있어서 소방공무원과 경찰공무원은 긴밀히 협력하여야 한다.

③ 제1항의 규정에 따른 출입·검사 등은 그 장소의 공개시간이나 근무시간 내 또는 해가 뜬 후부터 해가 지기 전까지의 시간 내에 행하여야 한다. 다만, 건축물 그 밖의 공작물의 관계인의 승낙을 얻은 경우 또는 화재발생의 우려가 커서 긴급한 필요가 있는 경우에는 그러하지 아니하다.

④ 제1항 및 제2항의 규정에 의하여 출입·검사 등을 행하는 관계공무원은 관계인의 정당한 업무를 방해하거나 출입·검사 등을 수행하면서 알게 된 비밀을 다른 자에게 누설하여서는 아니 된다.

⑤ 시·도지사, 소방본부장 또는 소방서장은 탱크시험자에게 탱크시험자의 등록 또는 그 업무에 관하여 필요한 보고 또는 자료제출을 명하거나 관계공무원으로 하여금 당해 사무소에 출입하여 업무의 상황·시험기구·장부·서류와 그 밖의 물건을 검사하게 하거나 관계인에게 질문하게 할 수 있다.

⑥ 제1항·제2항 및 제5항의 규정에 따라 출입·검사 등을 하는 관계공무원은 그 권한을 표시하는 증표를 지니고 관계인에게 이를 내보여야 한다.

(1) 출입·검사 등(제1항)

① **출입·검사권자:** 소방청장(중앙119구조본부장 및 소속기관의 장 포함), 시·도지사, 소방본부장 또는 소방서장

② **시기:** 위험물의 저장 또는 취급에 따른 화재의 예방 또는 진압대책을 위하여 필요한 때

③ 조사방법

　ㄱ 관계인에 대하여 필요한 보고 또는 자료제출 명령을 할 수 있다.

　ㄴ 관계공무원 업무 지시

　　ⓐ 장소에 출입하여 그 장소의 위치·구조·설비 및 위험물의 저장·취급상황을 검사하게 하거나 관계인에게 질문하게 할 수 있다.

　　ⓑ 시험에 필요한 최소한의 위험물 또는 위험물로 의심되는 물품을 수거하게 할 수 있다.

　ㄷ 벌칙 – 1년 이하의 징역 또는 1천만원 이하의 벌금(제35조): 제22조 제1항(제22조의2 제2항에서 준용하는 경우를 포함한다)의 규정에 따른 명령을 위반하여 보고 또는 자료제출을 하지 아니하거나 허위의 보고 또는 자료제출을 한 자 또는 관계공무원의 출입·검사 또는 수거를 거부·방해 또는 기피한 자

④ 출입의 제한: 개인의 주거는 다음의 경우에 한하여 출입할 수 있다.

　ㄱ 관계인의 승낙을 얻은 경우

　ㄴ 화재발생의 우려가 커서 긴급한 필요가 있는 경우

(2) 위험물 운송자격 확인(제2항)

① 확인자: 소방공무원 또는 국가경찰공무원

② 운송자격 확인에 있어 소방공무원과 경찰공무원은 긴밀히 협력하여야 한다.

③ 벌칙 – 1천500만원 이하의 벌금(제36조): 제22조 제2항에 따른 정지지시를 거부하거나 국가기술자격증, 교육수료증·신원확인을 위한 증명서의 제시 요구 또는 신원확인을 위한 질문에 응하지 아니한 사람

(3) 출입·검사 등의 제한(제3항)

① 장소의 공개시간이나 근무시간 내

② 해가 뜬 후부터 해가 지기 전까지의 시간 내

③ 다만, 건축물 그 밖의 공작물의 관계인의 승낙을 얻은 경우 또는 화재발생의 우려가 커서 긴급한 필요가 있는 경우에는 그러하지 아니하다.

(4) 탱크시험자에 대한 출입·검사 등(제4항)

① 출입·검사권자: 시·도지사, 소방본부장 또는 소방서장

② 조사방법

　ㄱ 탱크시험자에 대하여 필요한 보고 또는 자료제출 명령을 할 수 있다.

　ㄴ 관계공무원 업무 지시. 사무소에 출입하여 업무의 상황·시험기구·장부·서류와 그 밖의 물건을 검사하게 하거나 관계인에게 질문하게 할 수 있다.

③ 벌칙 – 1천만원 이하의 벌금(제37조): 제22조 제4항(제22조의2 제2항에서 준용하는 경우를 포함한다)의 규정을 위반하여 관계인의 정당한 업무를 방해하거나 출입·검사 등을 수행하면서 알게 된 비밀을 누설한 자

(5) 탱크시험자에 대한 업무 보고 명령 및 자료체출 명령 등

① 시·도지사, 소방본부장 또는 소방서장은 탱크시험자에게 탱크시험자의 등록 또는 그 업무에 관하여 필요한 보고 또는 자료제출을 명하거나 관계공무원으로 하여금 당해 사무소에 출입하여 업무의 상황·시험기구·장부·서류와 그 밖의 물건을 검사하게 하거나 관계인에게 질문하게 할 수 있다.

② 벌칙 - 1천500만원 이하의 벌금(제36조): 제22조 제5항의 규정에 따른 명령을 위반하여 보고 또는 자료제출을 하지 아니하거나 허위의 보고 또는 자료제출을 한 자 및 관계공무원의 출입 또는 조사·검사를 거부·방해 또는 기피한 자

(6) 증표의 제시
규정에 따라 출입·검사 등을 하는 관계공무원은 그 권한을 표시하는 증표를 지니고 관계인에게 이를 내보여야 한다.

1-2 위험물의 누출 등의 사고 조사   B

제22조의2 【위험물 누출 등의 사고 조사】 ① 소방청장, 소방본부장 또는 소방서장은 위험물의 누출·화재·폭발 등의 사고가 발생한 경우 사고의 원인 및 피해 등을 조사하여야 한다.
② 제1항에 따른 조사에 관하여는 제22조 제1항·제3항·제4항 및 제6항을 준용한다.
③ 소방청장, 소방본부장 또는 소방서장은 제1항에 따른 사고 조사에 필요한 경우 자문을 하기 위하여 관련 분야에 전문지식이 있는 사람으로 구성된 사고조사위원회를 둘 수 있다.
④ 제3항에 따른 사고조사위원회의 구성과 운영 등에 필요한 사항은 대통령령으로 정한다.

(1) 위험물 누출 등의 사고 조사
① 소방청장, 소방본부장 또는 소방서장은 위험물의 누출·화재·폭발 등의 사고가 발생한 경우 사고의 원인 및 피해 등을 조사하여야 한다.
② 위험물 누출 등의 사고 조사에 관하여는 제22조 제1항·제3항·제4항 및 제6항을 준용한다.
③ 소방청장, 소방본부장 또는 소방서장은 사고 조사에 필요한 경우 자문을 하기 위하여 관련 분야에 전문지식이 있는 사람으로 구성된 사고조사위원회를 둘 수 있다.
④ 사고조사위원회의 구성과 운영 등에 필요한 사항은 대통령령으로 정한다.

(2) 사고조사위원회의 구성 등(영 제19조의2)
① 법 제22조의2 제3항에 따른 사고조사위원회는 위원장 1명을 포함하여 7명 이내의 위원으로 구성한다.
② 위원회의 위원은 다음의 어느 하나에 해당하는 사람 중에서 소방청장, 소방본부장 또는 소방서장이 임명하거나 위촉하고, 위원장은 위원 중에서 소방청장, 소방본부장 또는 소방서장이 임명하거나 위촉한다.
　㉠ 소속 소방공무원
　㉡ 기술원의 임직원 중 위험물 안전관리 관련 업무에 5년 이상 종사한 사람

정희's 톡talk

사고조사자
위험물 누출 사고조사자는 소방청장, 소방본부장, 소방서장임을 기억해두세요!

✏️ **핵심기출**

위험물의 누출·화재·폭발 등의 사고가 발생한 경우 사고의 원인 및 피해 등을 조사하여야 하는 자로 옳지 않은 것은? 18. 공채(10월)
① 시·도지사
② 소방청장
③ 소방본부장
④ 소방서장

정답 ①

ⓒ 한국소방안전원의 임직원 중 위험물 안전관리 관련 업무에 5년 이상 종사한 사람

ⓓ 위험물로 인한 사고의 원인·피해 조사 및 위험물 안전관리 관련 업무 등에 관한 학식과 경험이 풍부한 사람

③ 규정에 따라 위촉되는 민간위원의 임기는 2년으로 하며, 한 차례만 연임할 수 있다.

④ 위원회에 출석한 위원에게는 예산의 범위에서 수당, 여비, 그 밖에 필요한 경비를 지급할 수 있다. 다만, 공무원인 위원이 그 소관 업무와 직접적으로 관련되어 위원회에 출석하는 경우에는 지급하지 않는다.

⑤ 규정한 사항 외에 위원회의 구성 및 운영에 필요한 사항은 소방청장이 정하여 고시할 수 있다.

관계법규 사고조사위원회 구성 등

시행령	NOTE
제19조의2 【사고조사위원회의 구성 등】 ① 법 제22조의2 제3항에 따른 사고조사위원회(이하 이 조에서 "위원회"라 한다)는 위원장 1명을 포함하여 【 ① 】 이내의 위원으로 구성한다. ② 위원회의 위원은 다음 각 호의 어느 하나에 해당하는 사람 중에서 소방청장, 소방본부장 또는 소방서장이 임명하거나 위촉하고, 위원장은 위원 중에서 소방청장, 소방본부장 또는 소방서장이 임명하거나 위촉한다. 1. 소속 소방공무원 2. 기술원의 임직원 중 위험물 안전관리 관련 업무에 5년 이상 종사한 사람 3. 「소방기본법」 제40조에 따른 한국소방안전원(이하 "안전원"이라 한다)의 임직원 중 위험물 안전관리 관련 업무에 5년 이상 종사한 사람 4. 위험물로 인한 사고의 원인·피해 조사 및 위험물 안전관리 관련 업무 등에 관한 학식과 경험이 풍부한 사람 ③ 제2항 제2호부터 제4호까지의 규정에 따라 위촉되는 민간위원의 임기는 2년으로 하며, 한 차례만 연임할 수 있다. ④ 위원회에 출석한 위원에게는 예산의 범위에서 수당, 여비, 그 밖에 필요한 경비를 지급할 수 있다. 다만, 공무원인 위원이 그 소관 업무와 직접적으로 관련되어 위원회에 출석하는 경우에는 지급하지 않는다. ⑤ 제1항부터 제4항까지에서 규정한 사항 외에 위원회의 구성 및 운영에 필요한 사항은 소방청장이 정하여 고시할 수 있다.	

① 7명

제23조【탱크시험자에 대한 명령】 시·도지사, 소방본부장 또는 소방서장은 탱크시험자에 대하여 당해 업무를 적정하게 실시하게 하기 위하여 필요하다고 인정하는 때에는 감독상 필요한 명령을 할 수 있다.

제24조【무허가장소의 위험물에 대한 조치명령】 시·도지사, 소방본부장 또는 소방서장은 위험물에 의한 재해를 방지하기 위하여 제6조 제1항의 규정에 따른 허가를 받지 아니하고 지정수량 이상의 위험물을 저장 또는 취급하는 자(제6조 제3항의 규정에 따라 허가를 받지 아니하는 자를 제외한다)에 대하여 그 위험물 및 시설의 제거 등 필요한 조치를 명할 수 있다.

제25조【제조소등에 대한 긴급 사용정지명령 등】 시·도지사, 소방본부장 또는 소방서장은 공공의 안전을 유지하거나 재해의 발생을 방지하기 위하여 긴급한 필요가 있다고 인정하는 때에는 제조소등의 관계인에 대하여 당해 제조소등의 사용을 일시정지하거나 그 사용을 제한할 것을 명할 수 있다.

제26조【저장·취급기준 준수명령 등】 ① 시·도지사, 소방본부장 또는 소방서장은 제조소등에서의 위험물의 저장 또는 취급이 제5조 제3항의 규정에 위반된다고 인정하는 때에는 당해 제조소등의 관계인에 대하여 동항의 기준에 따라 위험물을 저장 또는 취급하도록 명할 수 있다.

② 시·도지사, 소방본부장 또는 소방서장은 관할하는 구역에 있는 이동탱크저장소에서의 위험물의 저장 또는 취급이 제5조 제3항의 규정에 위반된다고 인정하는 때에는 당해 이동탱크저장소의 관계인에 대하여 동항의 기준에 따라 위험물을 저장 또는 취급하도록 명할 수 있다.

③ 시·도지사, 소방본부장 또는 소방서장은 제2항의 규정에 따라 이동탱크저장소의 관계인에 대하여 명령을 한 경우에는 행정안전부령이 정하는 바에 따라 제6조 제1항의 규정에 따라 당해 이동탱크저장소의 허가를 한 시·도지사, 소방본부장 또는 소방서장에게 신속히 그 취지를 통지하여야 한다.

제27조【응급조치·통보 및 조치명령】 ① 제조소등의 관계인은 당해 제조소등에서 위험물의 유출 그 밖의 사고가 발생한 때에는 즉시 그리고 지속적으로 위험물의 유출 및 확산의 방지, 유출된 위험물의 제거 그 밖에 재해의 발생방지를 위한 응급조치를 강구하여야 한다.

② 제1항의 사태를 발견한 자는 즉시 그 사실을 소방서, 경찰서 또는 그 밖의 관계기관에 통보하여야 한다.

③ 소방본부장 또는 소방서장은 제조소등의 관계인이 제1항의 응급조치를 강구하지 아니하였다고 인정하는 때에는 제1항의 응급조치를 강구하도록 명할 수 있다.

④ 소방본부장 또는 소방서장은 그 관할하는 구역에 있는 이동탱크저장소의 관계인에 대하여 제3항의 규정의 예에 따라 제1항의 응급조치를 강구하도록 명할 수 있다.

(1) 탱크시험자에 대한 명령(제23조)

① **명령권자**: 시·도지사, 소방본부장 또는 소방서장

② **명령사유**: 탱크시험자에 대하여 당해 업무를 적정하게 실시하게 하기 위하여 필요하다고 인정하는 때

③ **명령내용**: 감독상 필요한 명령

④ **벌칙 − 1천500만원 이하의 벌금(제36조)**: 제23조의 규정에 따른 탱크시험자에 대한 감독상 명령에 따르지 아니한 자

(2) 무허가장소의 위험물에 대한 조치명령(제24조)

① **명령권자**: 시·도지사, 소방본부장 또는 소방서장

② **명령사유**: 위험물에 의한 재해를 방지하기 위하여 허가를 받지 아니하고 지정수량 이상의 위험물을 저장 또는 취급하는 자

③ **명령내용**: 위험물 및 시설의 제거 등 필요한 조치명령

④ **벌칙 − 1천500만원 이하의 벌금(제36조)**: 제24조의 규정에 따른 무허가장소의 위험물에 대한 조치명령에 따르지 아니한 자

(3) 제조소등에 대한 긴급 사용정지명령 등(제25조)

① **명령권자**: 시·도지사, 소방본부장 또는 소방서장

② **명령사유**: 공공의 안전을 유지하거나 재해의 발생을 방지하기 위하여 긴급한 필요가 있다고 인정하는 때

③ **명령내용**: 제조소등의 사용을 일시정지하거나 그 사용을 제한명령

④ **벌칙 − 1년 이하의 징역 또는 1천만원 이하의 벌금(제35조)**: 제25조의 규정에 따른 제조소등에 대한 긴급 사용정지·제한명령을 위반한 자

(4) 저장·취급기준 준수명령 등

① 시·도지사, 소방본부장 또는 소방서장은 제조소등에서의 위험물의 저장 또는 취급이 제5조 제3항의 규정에 위반된다고 인정하는 때에는 당해 제조소등의 관계인에 대하여 동항의 기준에 따라 위험물을 저장 또는 취급하도록 명할 수 있다.

② 시·도지사, 소방본부장 또는 소방서장은 관할하는 구역에 있는 이동탱크저장소에서의 위험물의 저장 또는 취급이 제5조 제3항의 규정에 위반된다고 인정하는 때에는 당해 이동탱크저장소의 관계인에 대하여 동항의 기준에 따라 위험물을 저장 또는 취급하도록 명할 수 있다.

③ 시·도지사, 소방본부장 또는 소방서장은 ②의 규정에 따라 이동탱크저장소의 관계인에 대하여 명령을 한 경우에는 **행정안전부령**이 정하는 바에 따라 제6조 제1항의 규정에 따라 당해 이동탱크저장소의 허가를 한 시·도지사, 소방본부장 또는 소방서장에게 신속히 그 취지를 통지하여야 한다.

④ **벌칙 − 1천500만원 이하의 벌금(제36조)**: 제26조 제1항·제2항 또는 제27조의 규정에 따른 저장·취급기준 준수명령 또는 응급조치명령을 위반한 자

⑤ **이동탱크저장소에 관한 통보사항(규칙 제77조)**: 시·도지사, 소방본부장 또는 소방서장은 이동탱크저장소의 관계인에 대하여 위험물의 저장 또는 취급기준 준수명령을 한 때에는 다음의 사항을 당해 이동탱크저장소의 허가를 한 소방서장에게 통보하여야 한다.

ⓐ 명령을 한 시·도지사, 소방본부장 또는 소방서장

ⓑ 명령을 받은 자의 성명·명칭 및 주소

ⓒ 명령에 관계된 이동탱크저장소의 설치자, 상치장소 및 설치 또는 변경의 허가번호

ⓓ 위반내용

ⓔ 명령의 내용 및 그 이행사항

ⓕ 그 밖에 명령을 한 시·도지사, 소방본부장 또는 소방서장이 통보할 필요가 있다고 인정하는 사항

(5) 응급조치·통보 및 조치명령(제27조)

① **명령권자**: 소방본부장 또는 소방서장(이동탱크저장소 포함)

② **명령사유**: 관계인이 응급조치를 강구하지 아니하였다고 인정하는 때

③ **명령내용**: 응급조치명령

④ **제조소등의 관계인의 응급조치**: 위험물의 유출 그 밖의 사고가 발생한 때에는 즉시 그리고 지속적으로 위험물의 유출 및 확산의 방지, 유출된 위험물의 제거 그 밖에 재해의 발생방지를 위한 응급조치를 강구하여야 한다.

⑤ **벌칙 - 1천500만원 이하의 벌금(제36조)**: 제27조의 규정에 따른 저장·취급기준 준수명령 또는 응급조치명령을 위반한 자

👆 **관계법규** **이동탱크저장소에 관한 통보사항**

NOTE	시행규칙
	제77조 【이동탱크저장소에 관한 통보사항】 【 ① 】, 소방본부장 또는 소방서장은 법 제26조 제3항의 규정에 의하여 이동탱크저장소의 관계인에 대하여 위험물의 저장 또는 취급기준 준수명령을 한 때에는 다음 각 호의 사항을 당해 이동탱크저장소의 허가를 한 소방서장에게 통보하여야 한다. 1. 명령을 한 시·도지사, 소방본부장 또는 소방서장 2. 명령을 받은 자의 성명·명칭 및 주소 3. 명령에 관계된 이동탱크저장소의 설치자, 상치장소 및 설치 또는 변경의 허가번호 4. 위반내용 5. 명령의 내용 및 그 이행사항 6. 그 밖에 명령을 한 시·도지사, 소방본부장 또는 소방서장이 통보할 필요가 있다고 인정하는 사항
	① 시·도지사

제6장 보칙

위험물안전관리법

6

해커스소방 김정희 소방관계법규 기본서

| 1 | 안전교육 | B |

제28조【안전교육】① 안전관리자·탱크시험자·위험물운반자·위험물운송자 등 위험물의 안전관리와 관련된 업무를 수행하는 자로서 대통령령이 정하는 자는 해당 업무에 관한 능력의 습득 또는 향상을 위하여 소방청장이 실시하는 교육을 받아야 한다.

② 제조소등의 관계인은 제1항의 규정에 따른 교육대상자에 대하여 필요한 안전교육을 받게 하여야 한다.

③ 제1항의 규정에 따른 교육의 과정 및 기간과 그 밖에 교육의 실시에 관하여 필요한 사항은 행정안전부령으로 정한다.

④ 시·도지사, 소방본부장 또는 소방서장은 제1항의 규정에 따른 교육대상자가 교육을 받지 아니한 때에는 그 교육대상자가 교육을 받을 때까지 이 법의 규정에 따라 그 자격으로 행하는 행위를 제한할 수 있다.

(1) 안전교육

① 안전관리자·탱크시험자·위험물운반자·위험물운송자 등 위험물의 안전관리와 관련된 업무를 수행하는 자로서 대통령령이 정하는 자는 해당 업무에 관한 능력의 습득 또는 향상을 위하여 **소방청장**이 실시하는 교육을 받아야 한다.

② 위험물 안전교육대상자(영 제20조)

⊙ 안전관리자로 선임된자

ⓛ 탱크시험자의 기술인력으로 종사하는 자

ⓒ 위험물운반자로 종사하는 자

ⓔ 위험물운송자로 종사하는 자

(2) 관계인의 의무

제조소등의 관계인은 규정에 따른 교육대상자에 대하여 필요한 안전교육을 받게 하여야 한다.

(3) 위임규정

① 교육의 과정 및 기간과 그 밖에 교육의 실시에 관하여 필요한 사항은 **행정안전부령**으로 정한다.

② 안전교육(규칙 제78조)

⊙ 소방청장은 안전교육을 **강습교육**과 **실무교육**으로 구분하여 실시한다.

ⓛ 안전교육의 과정·기간과 그 밖의 교육의 실시에 관한 사항은 **별표 24**와 같다.

ⓒ 기술원 또는 한국소방안전원은 매년 교육실시계획을 수립하여 교육을 실시하는 해의 전년도 말까지 소방청장의 승인을 받아야 하고, 해당 연도 교육실시결과를 교육을 실시한 해의 다음 연도 1월 31일까지 소방청장에게 보고하여야 한다.

ⓔ 소방본부장은 매년 10월말까지 관할구역 안의 실무교육대상자 현황을 안전원에 통보하 관할구역 안에서 안전원이 실시하는 안전교육에 관하여 지도·감독하여야 한다.

(4) 교육 미이수자의 자격 행위 제한 조치(제28조 제4항)

① 대상: 교육을 받지 아니한 자

② 조치자: 시·도지사, 소방본부장 또는 소방서장

(5) 안전교육의 과정·기간과 그 밖의 교육의 실시에 관한 사항 등(규칙 [별표 24])

① 교육과정·교육대상자·교육시간·교육시기 및 교육기관

교육과정	교육대상자	교육시간	교육시기	교육기관
강습교육	안전관리자가 되려는 사람	24시간	최초 선임되기 전	안전원
	위험물운반자가 되려는 사람	8시간	최초 종사하기 전	안전원
	위험물운송자가 되려는 사람	16시간	최초 종사하기 전	안전원
실무교육	안전관리자	8시간 이내	가. 제조소등의 안전관리자로 선임된 날부터 6개월 이내 나. 가목에 따른 교육을 받은 후 2년마다 1회	안전원
	위험물운반자	4시간	가. 위험물운반자로 종사한 날부터 6개월 이내 나. 가목에 따른 교육을 받은 후 3년마다 1회	안전원
	위험물운송자	8시간 이내	가. 이동탱크저장소의 위험물운송자로 종사한 날부터 6개월 이내 나. 가목에 따른 교육을 받은 후 3년마다 1회	안전원
	탱크시험자의 기술인력	8시간 이내	가. 탱크시험자의 기술인력으로 등록한 날부터 6개월 이내 나. 가목에 따른 교육을 받은 후 2년마다 1회	기술원

정희's 톡talk

자격 행위 제한 조치자

「위험물안전관리법」상 교육 미이수자의 자격 행위 제한 조치자에 시·도지사가 포함되는 것을 유의하여야 합니다.

정희's 톡talk

실무교육기관

탱크시험자의 실무교육기관은 기술원입니다. 강습교육의 시기는 신규 종사 전이며, 실무교육은 선임(종사·등록)한 날부터 6개월 이내에 받아야 합니다. 위험물운송자의 실무교육 시기는 신규종사 후 3년마다 1회인 것을 유의하세요!!

정희's 톡talk

시행규칙 [별표 24] 비고

1. 안전관리자, 위험물운반자 및 위험물운송자 강습교육의 공통과목에 대하여 어느 하나의 강습교육 과정에서 교육을 받은 경우에는 나머지 강습교육 과정에서도 교육을 받은 것으로 봅니다.

2. 안전관리자, 위험물운반자 및 위험물운송자 실무교육의 공통과목에 대하여 어느 하나의 실무교육 과정에서 교육을 받은 경우에는 나머지 실무교육 과정에서도 교육을 받은 것으로 봅니다.

3. 안전관리자 및 위험물운송자의 실무교육 시간 중 일부(4시간 이내)를 사이버교육의 방법으로 실시할 수 있습니다. 다만, 교육대상자가 사이버교육의 방법으로 수강하는 것에 동의하는 경우에 한정합니다.

② **교육계획의 공고 등**

　　㉠ 안전원의 원장은 강습교육을 하고자 하는 때에는 매년 1월 5일까지 일시, 장소, 그 밖에 강습의 실시에 관한 사항을 공고할 것

　　㉡ 기술원 또는 안전원은 실무교육을 하고자 하는 때에는 교육실시 10일 전까지 교육대상자에게 그 내용을 통보할 것

③ **교육신청**

　　㉠ 강습교육을 받고자 하는 자는 안전원이 지정하는 교육일정 전에 교육수강을 신청할 것

　　㉡ 실무교육 대상자는 교육일정 전까지 교육수강을 신청할 것

④ **교육일시 통보**: 기술원 또는 안전원은 제3호에 따라 교육신청이 있는 때에는 교육실시 전까지 교육대상자에게 교육장소와 교육일시를 통보하여야 한다.

⑤ 기술원 또는 안전원은 교육대상자별 교육의 과목·시간·실습 및 평가, 강사의 자격, 교육의 신청, 교육수료증의 교부·재교부, 교육수료증의 기재사항, 교육 수료자명부의 작성·보관 등 교육의 실시에 관하여 필요한 세부사항을 정하여 소방청장의 승인을 받아야 한다. 이 경우 안전관리자, 위험물운반자 및 위험물 운송자 강습교육의 과목에는 각 강습교육별로 다음 표에 정한 사항을 포함하여야 한다.

교육과정	교육내용	
안전관리자 강습교육	· 제4류 위험물의 품명별 일반성질, 화재예방 및 소화의 방법	· 연소 및 소화에 관한 기초이론 · 모든 위험물의 유별 공통성질과 화재예방 및 소화의 방법 · 위험물안전관리법령 및 위험물의 안전관리에 관계된 법령
위험물운반자 강습교육	· 위험물운반에 관한 안전기준	
위험물운송자 강습교육	· 이동탱크저장소의 구조 및 설비작동법 · 위험물운송에 관한 안전기준	

관계법규 안전교육대상자 등

시행령	시행규칙
제20조【안전교육대상자】 법 제28조 제1항에서 "대통령령이 정하는 자"란 다음 각 호의 자를 말한다. 1. 안전관리자로 선임된 자 2. 탱크시험자의 기술인력으로 종사하는 자 3. 법 제20조 제2항에 따른 위험물운반자로 종사하는 자 4. 법 제21조 제1항에 따른 위험물운송자로 종사하는 자	**제78조【안전교육】** ① 법 제28조 제3항의 규정에 의하여 소방청장은 안전교육을 강습교육과 실무교육으로 구분하여 실시한다. ② 법 제28조 제3항의 규정에 의한 안전교육의 과정·기간과 그 밖의 교육의 실시에 관한 사항은 별표 24와 같다. ③ 기술원 또는 「소방기본법」 제40조에 따른 한국소방안전원(이하 "안전원"이라 한다)은 매년 교육실시계획을 수립하여 교육을 실시하는 해의 전년도 말까지 소방청장의 승인을 받아야 하고, 해당 연도 교육실시결과를 교육을 실시한 해의 다음 연도 1월 31일까지 소방청장에게 보고하여야 한다. ④ 소방본부장은 매년 10월말까지 관할구역 안의 실무교육대상자 현황을 안전원에 통보하고 관할구역 안에서 안전원이 실시하는 안전교육에 관하여 지도·감독하여야 한다.

> **제29조【청문】** 시·도지사, 소방본부장 또는 소방서장은 다음 각 호의 어느 하나에 해당하는 처분을 하고자 하는 경우에는 청문을 실시하여야 한다.
> 1. 제12조의 규정에 따른 제조소등 설치허가의 취소
> 2. 제16조 제5항의 규정에 따른 탱크시험자의 등록취소

(1) 청문권자: 시·도지사, 소방본부장 또는 소방서장

(2) 청문대상

① 제12조의 규정에 따른 제조소등 설치허가의 취소

> **제12조【제조소등 설치허가의 취소와 사용정지 등】** 시·도지사는 제조소등의 관계인이 다음 각 호의 어느 하나에 해당하는 때에는 행정안전부령이 정하는 바에 따라 제6조 제1항에 따른 허가를 취소하거나 6월 이내의 기간을 정하여 제조소등의 전부 또는 일부의 사용정지를 명할 수 있다.
> 1. 제6조 제1항 후단의 규정에 따른 변경허가를 받지 아니하고 제조소등의 위치·구조 또는 설비를 변경한 때
> 2. 제9조의 규정에 따른 완공검사를 받지 아니하고 제조소등을 사용한 때
> 2의2. 제11조의2 제3항에 따른 안전조치 이행명령을 따르지 아니한 때
> 3. 제14조 제2항의 규정에 따른 수리·개조 또는 이전의 명령을 위반한 때
> 4. 제15조 제1항 및 제2항의 규정에 따른 위험물안전관리자를 선임하지 아니한 때
> 5. 제15조 제5항을 위반하여 대리자를 지정하지 아니한 때
> 6. 제18조 제1항의 규정에 따른 정기점검을 하지 아니한 때
> 7. 제18조 제3항에 따른 정기검사를 받지 아니한 때
> 8. 제26조의 규정에 따른 저장·취급기준 준수명령을 위반한 때

② 제16조 제5항의 규정에 따른 탱크시험자의 등록취소

> **제16조【탱크시험자의 등록 등】** ⑤ 시·도지사는 탱크시험자가 다음 각 호의 어느 하나에 해당하는 경우에는 행정안전부령으로 정하는 바에 따라 그 등록을 취소하거나 6월 이내의 기간을 정하여 업무의 정지를 명할 수 있다. 다만, 제1호 내지 제3호에 해당하는 경우에는 그 등록을 취소하여야 한다.
> 1. 허위 그 밖의 부정한 방법으로 등록을 한 경우
> 2. 제4항 각 호의 어느 하나의 등록의 결격사유에 해당하게 된 경우
> 3. 등록증을 다른 자에게 빌려준 경우
> 4. 제2항의 규정에 따른 등록기준에 미달하게 된 경우
> 5. 탱크안전성능시험 또는 점검을 허위로 하거나 이 법에 의한 기준에 맞지 아니하게 탱크안전성능시험 또는 점검을 실시하는 경우 등 탱크시험자로서 적합하지 아니하다고 인정하는 경우

제29조의2【위험물 안전관리에 관한 협회】 ① 제조소등의 관계인, 위험물운송자, 탱크시험자 및 안전관리자의 업무를 위탁받아 수행할 수 있는 안전관리대행기관으로 소방청장의 지정을 받은 자는 위험물의 안전관리, 사고 예방을 위한 안전기술 개발, 그 밖에 위험물 안전관리의 건전한 발전을 도모하기 위하여 위험물 안전관리에 관한 협회(이하 "협회"라 한다)를 설립할 수 있다.
② 협회는 법인으로 한다.
③ 협회는 소방청장의 인가를 받아 주된 사무소의 소재지에 설립등기를 함으로써 성립한다.
④ 협회의 설립인가 절차 및 정관의 기재사항 등에 관하여 필요한 사항은 대통령령으로 정한다.
⑤ 협회의 업무는 정관으로 정한다.
⑥ 협회에 관하여 이 법에서 규정한 것 외에는 「민법」 중 사단법인에 관한 규정을 준용한다. [시행일: 2025.2.21.]

(1) 위험물 안전관리에 관한 협회

① 제조소등의 관계인, 위험물운송자, 탱크시험자 및 안전관리자의 업무를 위탁받아 수행할 수 있는 안전관리대행기관으로 소방청장의 지정을 받은 자는 위험물 안전관리에 관한 협회를 설립할 수 있다.

② **목적:** 위험물의 안전관리, 사고 예방을 위한 안전기술 개발, 그 밖에 위험물 안전관리의 건전한 발전의 도모

(2) 협회는 법인으로 한다.

(3) 협회의 성립

협회는 소방청장의 인가를 받아 주된 사무소의 소재지에 설립등기를 함으로써 성립한다.

(4) 위임규정: 대통령령

협회의 설립인가 절차 및 정관의 기재사항 등에 관하여 필요한 사항

(5) 협회의 업무

협회의 업무는 정관으로 정한다.

(6) 규정의 준용

「민법」 중 사단법인에 관한 규정을 준용한다.

제30조【권한의 위임·위탁】① 소방청장 또는 시·도지사는 이 법에 따른 권한의 일부를 대통령령이 정하는 바에 따라 시·도지사, 소방본부장 또는 소방서장에게 위임할 수 있다.

② 소방청장, 시·도지사, 소방본부장 또는 소방서장은 이 법에 따른 업무의 일부를 대통령령이 정하는 바에 따라 소방기본법 제40조의 규정에 의한 한국소방안전원(이하 "안전원"이라 한다) 또는 기술원에 위탁할 수 있다.

(1) 권한의 위임

① 소방청장 또는 시·도지사는 이 법에 따른 권한의 일부를 대통령령이 정하는 바에 따라 시·도지사, 소방본부장 또는 소방서장에게 위임할 수 있다.

② 시·도지사의 권한 중 소방서장에게 위임할 수 있는 사항(2개 관할구역 이송취급소 제외)(영 제21조)

ㄱ 제조소등의 설치허가 또는 변경허가

ㄴ 위험물의 품명·수량 또는 지정수량의 배수의 변경신고의 수리

ㄷ 군사목적 또는 군부대시설을 위한 제조소등을 설치하거나 그 위치·구조 또는 설비의 변경에 관한 군부대의 장과의 협의

ㄹ 탱크안전성능검사(기술원에 위탁 제외)

ㅁ 완공검사(기술원에 위탁 제외)

ㅂ 제조소등의 설치자의 지위승계신고의 수리

ㅅ 제조소등의 용도폐지신고의 수리

ㅇ 제조소등의 설치허가의 취소와 사용정지

ㅈ 과징금처분

ㅊ 예방규정의 수리·반려 및 변경명령

ㅋ 정기점검 결과의 수리

(2) 업무의 위탁(영 제22조)

① 소방청장은 법 제30조 제2항에 따라 법 제28조 제1항에 따른 안전교육을 다음 구분에 따라 안전원 또는 기술원에 위탁한다.

ㄱ 제20조 제1호, 제3호 및 제4호에 해당하는 자에 대한 안전교육: 안전원

ㄴ 제20조 제2호에 해당하는 자에 대한 안전교육: 기술원

> 법 제30조【권한의 위임·위탁】② 소방청장, 시·도지사, 소방본부장 또는 소방서장은 이 법에 따른 업무의 일부를 대통령령이 정하는 바에 따라 소방기본법 제40조의 규정에 의한 한국소방안전원(이하 "안전원"이라 한다) 또는 기술원에 위탁할 수 있다.
>
> 법 제28조【안전교육】① 안전관리자·탱크시험자·위험물운반자·위험물운송자 등 위험물의 안전관리와 관련된 업무를 수행하는 자로서 대통령령이 정하는 자는 해당 업무에 관한 능력의 습득 또는 향상을 위하여 소방청장이 실시하는 교육을 받아야 한다.

> **시행령 제20조【안전교육대상자】** 법 제28조 제1항에서 "대통령령이 정하는 자"란 다음 각 호의 자를 말한다.
>   1. 안전관리자로 선임된 자
>   2. 탱크시험자의 기술인력으로 종사하는 자
>   3. 법 제20조 제2항에 따른 위험물운반자로 종사하는 자
>   4. 법 제21조 제1항에 따른 위험물운송자로 종사하는 자

② 시·도지사는 법 제30조 제2항에 따라 다음의 업무를 기술원에 위탁한다.
  ㉠ 탱크안전성능검사 중 다음의 탱크에 대한 **탱크안전성능검사**
    ⓐ 용량이 100만리터 이상인 액체위험물을 저장하는 탱크
    ⓑ 암반탱크
    ⓒ 지하탱크저장소의 위험물탱크 중 행정안전부령으로 정하는 액체위험물 탱크
  ㉡ 완공검사 중 다음의 완공검사
    ⓐ 지정수량의 3천배 이상의 위험물을 취급하는 제조소 또는 일반취급소의 설치 또는 변경(사용 중인 제조소 또는 일반취급소의 보수 또는 부분적인 증설은 제외한다)에 따른 완공검사
    ⓑ 옥외탱크저장소(저장용량이 50만리터 이상인 것만 해당한다) 또는 암반탱크 저장소의 설치 또는 변경에 따른 완공검사
  ㉢ 운반용기 검사
③ 소방본부장 또는 소방서장은 법 제30조 제2항에 따라 법 제18조 제3항에 따른 정기검사를 기술원에 위탁한다.

> **법 제18조【정기점검 및 정기검사】** ③ 제1항에 따른 정기점검의 대상이 되는 제조소등의 관계인 가운데 대통령령으로 정하는 제조소등의 관계인은 행정안전부령으로 정하는 바에 따라 소방본부장 또는 소방서장으로부터 해당 제조소등이 제5조 제4항에 따른 기술기준에 적합하게 유지되고 있는지의 여부에 대하여 정기적으로 검사를 받아야 한다.

정희's 톡talk

행정안전부령이 정하는 액체위험물탱크
행정안전부령이 정하는 액체위험물탱크라 함은 시행규칙 [별표 8] Ⅱ의 규정에 의한 이중벽탱크를 말합니다.

시행령

제21조【권한의 위임】 시·도지사는 법 제30조 제1항에 따라 다음 각 호의 권한을 소방서장에게 위임한다. 다만, 동일한 시·도에 있는 둘 이상의 소방서장의 관할구역에 걸쳐 설치되는 이송취급소에 관련된 권한을 제외한다.

1. 법 제6조 제1항의 규정에 의한 제조소등의 설치허가 또는 변경허가
2. 법 제6조 제2항의 규정에 의한 위험물의 품명·수량 또는 지정수량의 배수의 변경신고의 수리
3. 법 제7조 제1항의 규정에 의하여 군사목적 또는 군부대시설을 위한 제조소등을 설치하거나 그 위치·구조 또는 설비의 변경에 관한 군부대의 장과의 협의
4. 법 제8조 제1항에 따른 탱크안전성능검사(제22조 제2항 제1호에 따라 기술원에 위탁하는 것을 제외한다)
5. 법 제9조에 따른 완공검사(제22조 제2항 제2호에 따라 기술원에 위탁하는 것을 제외한다)
6. 법 제10조 제3항의 규정에 의한 제조소등의 설치자의 지위승계신고의 수리
7. 법 제11조의 규정에 의한 제조소등의 용도폐지신고의 수리
7의2. 법 제11조의2 제2항에 따른 제조소등의 사용 중지신고 또는 재개신고의 수리
7의3. 법 제11조의2 제3항에 따른 안전조치의 이행명령
8. 법 제12조의 규정에 의한 제조소등의 설치허가의 취소와 사용정지
9. 법 제13조의 규정에 의한 과징금처분
10. 법 제17조의 규정에 의한 예방규정의 수리·반려 및 변경명령
11. 법 제18조 제2항에 따른 정기점검 결과의 수리

제22조【업무의 위탁】 ① 소방청장은 법 제30조 제2항에 따라 법 제28조 제1항에 따른 안전교육을 다음 각 호의 구분에 따라 안전원 또는 기술원에 위탁한다.

1. 제20조 제1호, 제3호 및 제4호에 해당하는 자에 대한 안전교육: 안전원
2. 제20조 제2호에 해당하는 자에 대한 안전교육: 기술원

② 시·도지사는 법 제30조 제2항에 따라 다음 각 호의 업무를 기술원에 위탁한다.

1. 법 제8조 제1항에 따른 탱크안전성능검사 중 다음 각 목의 탱크에 대한 탱크안전성능검사
   가. 용량이 100만리터 이상인 액체위험물을 저장하는 탱크
   나. 암반탱크
   다. 지하탱크저장소의 위험물탱크 중 행정안전부령으로 정하는 액체위험물탱크
2. 법 제9조 제1항에 따른 완공검사 중 다음 각 목의 완공검사
   가. 지정수량의 3천배 이상의 위험물을 취급하는 제조소 또는 일반취급소의 설치 또는 변경(사용 중인 제조소 또는 일반취급소의 보수 또는 부분적인 증설은 제외한다)에 따른 완공검사
   나. 옥외탱크저장소(저장용량이 50만리터 이상인 것만 해당한다) 또는 암반탱크저장소의 설치 또는 변경에 따른 완공검사
3. 법 제20조 제3항에 따른 운반용기 검사

③ 소방본부장 또는 소방서장은 법 제30조 제2항에 따라 법 제18조 제3항에 따른 정기검사를 기술원에 위탁한다.

제22조의2【고유식별정보의 처리】 소방청장(법 제30조에 따라 소방청장의 권한 또는 업무를 위임 또는 위탁받은 자를 포함한다), 시·도지사(해당 권한이 위임·위탁된 경우에는 그 권한을 위임·위탁받은 자를 포함한다), 소방본부장 또는 소방서장은 다음 각 호의 사무를 수행하기 위하여 불가피한 경우 「개인정보 보호법 시행령」 제19조 제1호 또는 제4호에 따른 주민등록번호 또는 외국인등록번호가 포함된 자료를 처리할 수 있다.

1. 법 제12조에 따른 제조소등 설치허가의 취소와 사용정지등에 관한 사무
2. 법 제13조에 따른 과징금 처분에 관한 사무
3. 법 제15조에 따른 위험물안전관리자의 선임신고 등에 관한 사무
4. 법 제16조에 따른 탱크시험자 등록등에 관한 사무
5. 법 제22조에 따른 출입·검사 등의 사무
6. 법 제23조에 따른 탱크시험자 명령에 관한 사무
7. 법 제24조에 따른 무허가장소의 위험물에 대한 조치명령에 관한 사무
8. 법 제25조에 따른 제조소등에 대한 긴급 사용정지명령에 관한 사무
9. 법 제26조에 따른 저장·취급기준 준수명령에 관한 사무
10. 법 제27조에 따른 응급조치·통보 및 조치명령에 관한 사무
11. 법 제28조에 따른 안전관리자 등에 대한 교육에 관한 사무

제31조【수수료 등】 다음 각 호의 어느 하나에 해당하는 승인·허가·검사 또는 교육 등을 받으려는 자나 등록 또는 신고를 하려는 자는 행정안전부령으로 정하는 바에 따라 수수료 또는 교육비를 납부하여야 한다.

1. 제5조 제2항 제1호의 규정에 따른 임시저장·취급의 승인
2. 제6조 제1항의 규정에 따른 제조소등의 설치 또는 변경의 허가
3. 제8조의 규정에 따른 제조소등의 탱크안전성능검사
4. 제9조의 규정에 따른 제조소등의 완공검사
5. 제10조 제3항의 규정에 따른 설치자의 지위승계신고
6. 제16조 제2항의 규정에 따른 탱크시험자의 등록
7. 제16조 제3항의 규정에 따른 탱크시험자의 등록사항 변경신고
8. 제18조 제3항에 따른 정기검사
9. 제20조 제3항에 따른 운반용기의 검사
10. 제28조의 규정에 따른 안전교육

다음의 어느 하나에 해당하는 승인·허가·검사 또는 교육 등을 받으려는 자나 등록 또는 신고를 하려는 자는 수수료 또는 교육비를 납부하여야 한다.

① 임시저장·취급의 승인
② 제조소등의 설치 또는 변경의 허가
③ 제조소등의 탱크안전성능검사
④ 제조소등의 완공검사
⑤ 따른 설치자의 지위승계신고
⑥ 탱크시험자의 등록
⑦ 탱크시험자의 등록사항 변경신고
⑧ 정기검사
⑨ 운반용기의 검사
⑩ 안전교육

👆 **관계법규 수수료**

NOTE	시행규칙
	제79조【수수료 등】 ① 법 제31조의 규정에 의한 수수료 및 교육비는 별표 25와 같다. ② 제1항의 규정에 의한 수수료 또는 교육비는 당해 허가 등의 신청 또는 신고시에 당해 허가 등의 업무를 직접 행하는 기관에 납부하되, 시·도지사 또는 【 ① 】에게 납부하는 수수료는 당해 시·도의 수입증지로 납부하여야 한다. 다만, 시·도지사 또는 소방서장은 정보통신망을 이용하여 전자화폐·전자결제 등의 방법으로 이를 납부하게 할 수 있다.
	① 소방서장

제32조【벌칙적용에 있어서의 공무원 의제】다음 각 호의 자는「형법」제129조 내지 제132조의 적용에 있어서는 이를 공무원으로 본다.

1. 제8조 제1항 후단의 규정에 따른 검사업무에 종사하는 기술원의 담당 임원 및 직원

2. 제16조 제1항의 규정에 따른 탱크시험자의 업무에 종사하는 자

3. 제30조 제2항의 규정에 따라 위탁받은 업무에 종사하는 안전원 및 기술원의 담당 임원 및 직원

(1) 벌칙적용 시의 공무원 의제 대상자(제32조)

① 탱크안전성능 검사업무에 종사하는 기술원의 담당 임원 및 직원(제1호)

② 탱크시험자의 업무에 종사하는 자(제2호)

③ 위탁받은 업무에 종사하는 안전원 및 기술원의 담당 임원 및 직원(제3호)

(2)「형법」제129조 ~ 제132조 규정 적용

제129조 (수뢰, 사전수뢰)	1. 공무원 또는 중재인이 그 직무에 관하여 뇌물을 수수, 요구 또는 약속한 때에는 5년 이하의 징역 또는 10년 이하의 자격정지에 처한다. 2. 공무원 또는 중재인이 될 자가 그 담당할 직무에 관하여 청탁을 받고 뇌물을 수수, 요구 또는 약속한 후 공무원 또는 중재인이 된 때에는 3년 이하의 징역 또는 7년 이하의 자격정지에 처한다.
제130조 (제삼자뇌물제공)	공무원 또는 중재인이 그 직무에 관하여 부정한 청탁을 받고 제3자에게 뇌물을 공여하게 하거나 공여를 요구 또는 약속한 때에는 5년 이하의 징역 또는 10년 이하의 자격정지에 처한다.
제131조 (수뢰후부정처사, 사후수뢰)	1. 공무원 또는 중재인이 전2조(제129조, 제130조)의 죄를 범하여 부정한 행위를 한 때에는 1년 이상의 유기징역에 처한다. 2. 공무원 또는 중재인이 그 직무상 부정한 행위를 한 후 뇌물을 수수, 요구 또는 약속하거나 제삼자에게 이를 공여하게 하거나 공여를 요구 또는 약속한 때에도 1.의 형과 같다. 3. 공무원 또는 중재인이었던 자가 그 재직 중에 청탁을 받고 직무상 부정한 행위를 한 후 뇌물을 수수, 요구 또는 약속한 때에는 5년 이하의 징역 또는 10년 이하의 자격정지에 처한다. 4. 3.의 경우에는 10년 이하의 자격정지를 병과할 수 있다.
제132조 (알선수뢰)	공무원이 그 지위를 이용하여 다른 공무원의 직무에 속한 사항의 알선에 관하여 뇌물을 수수, 요구 또는 약속한 때에는 3년 이하의 징역 또는 7년 이하의 자격정지에 처한다.

제7장 벌칙

1 벌칙 B

1. 벌칙(위험물의 유출·방출 또는 확산)

제33조【벌칙】① 제조소등 또는 제6조 제1항에 따른 허가를 받지 않고 지정수량 이상의 위험물을 저장 또는 취급하는 장소에서 위험물을 유출·방출 또는 확산시켜 사람의 생명·신체 또는 재산에 대하여 위험을 발생시킨 자는 1년 이상 10년 이하의 징역에 처한다.
② 제1항의 규정에 따른 죄를 범하여 사람을 상해(傷害)에 이르게 한 때에는 무기 또는 3년 이상의 징역에 처하며, 사망에 이르게 한 때에는 무기 또는 5년 이상의 징역에 처한다.

(1) 1년 이상 10년 이하의 징역

제조소등 또는 제6조 제1항에 따른 허가를 받지 않고 지정수량 이상의 위험물을 저장 또는 취급하는 장소에서 위험물을 유출·방출 또는 확산시켜 사람의 생명·신체 또는 재산에 대하여 위험을 발생시킨 자는 1년 이상 10년 이하의 징역에 처한다.

제6조【위험물시설의 설치 및 변경 등】① 제조소등을 설치하고자 하는 자는 대통령령이 정하는 바에 따라 그 설치장소를 관할하는 특별시장·광역시장·특별자치시장·도지사 또는 특별자치도지사(이하 "시·도지사"라 한다)의 허가를 받아야 한다. 제조소등의 위치·구조 또는 설비 가운데 행정안전부령이 정하는 사항을 변경하고자 하는 때에도 또한 같다.

(2) (1)의 규정에 따른 죄를 범하여 사람을 상해(傷害) 또는 사망에 이르게 한 때
① 상해(傷害)에 이르게 한 때: 무기 또는 3년 이상의 징역
② 사망에 이르게 한 때: 무기 또는 5년 이상의 징역

2. 벌칙(업무상 과실)

> **제34조【벌칙】** ① 업무상 과실로 제33조 제1항의 죄를 범한 자는 7년 이하의 금고 또는 7천만원 이하의 벌금에 처한다.
> ② 제1항의 죄를 범하여 사람을 사상(死傷)에 이르게 한 자는 10년 이하의 징역 또는 금고나 1억원 이하의 벌금에 처한다.

(1) 업무상 과실로 제33조 제1항의 죄를 범한 자는 7년 이하의 금고 또는 7천만원 이하의 벌금에 처한다.

> **제33조【벌칙】** ① 제조소등에서 위험물을 유출·방출 또는 확산시켜 사람의 생명·신체 또는 재산에 대하여 위험을 발생시킨 자는 1년 이상 10년 이하의 징역에 처한다.

(2) (1)의 죄를 범하여 사람을 사상(死傷)에 이르게 한 자는 10년 이하의 징역 또는 금고나 1억원 이하의 벌금에 처한다.

3. 벌칙(기타)

> **제34조의2【벌칙】** 제6조 제1항 전단을 위반하여 제조소등의 설치허가를 받지 아니하고 제조소등을 설치한 자는 5년 이하의 징역 또는 1억원 이하의 벌금에 처한다.
> **제34조의3【벌칙】** 제5조 제1항을 위반하여 저장소 또는 제조소등이 아닌 장소에서 지정수량 이상의 위험물을 저장 또는 취급한 자는 3년 이하의 징역 또는 3천만원 이하의 벌금에 처한다.

(1) 5년 이하의 징역 또는 1억원 이하의 벌금

제6조 제1항 전단을 위반하여 제조소등의 설치허가를 받지 아니하고 제조소등을 설치한 자는 5년 이하의 징역 또는 1억원 이하의 벌금에 처한다.

> **제6조【위험물시설의 설치 및 변경 등】** ① 제조소등을 설치하고자 하는 자는 대통령령이 정하는 바에 따라 그 설치장소를 관할하는 특별시장·광역시장·특별자치시장·도지사 또는 특별자치도지사(이하 "시·도지사"라 한다)의 허가를 받아야 한다. 제조소등의 위치·구조 또는 설비 가운데 행정안전부령이 정하는 사항을 변경하고자 하는 때에도 또한 같다.

(2) 3년 이하의 징역 또는 3천만원 이하의 벌금

제5조 제1항을 위반하여 저장소 또는 제조소등이 아닌 장소에서 지정수량 이상의 위험물을 저장 또는 취급한 자는 3년 이하의 징역 또는 3천만원 이하의 벌금에 처한다.

> **제5조【위험물의 저장 및 취급의 제한】** ① 지정수량 이상의 위험물을 저장소가 아닌 장소에서 저장하거나 제조소등이 아닌 장소에서 취급하여서는 아니된다.

제35조 【벌칙】 다음 각 호의 어느 하나에 해당하는 자는 1년 이하의 징역 또는 1천만원 이하의 벌금에 처한다.

1. 삭제
2. 삭제
3. 제16조 제2항의 규정에 따른 탱크시험자로 등록하지 아니하고 탱크시험자의 업무를 한 자
4. 제18조 제1항의 규정을 위반하여 정기점검을 하지 아니하거나 점검기록을 허위로 작성한 관계인으로서 제6조 제1항의 규정에 따른 허가(제6조 제3항의 규정에 따라 허가가 면제된 경우 및 제7조 제2항의 규정에 따라 협의로써 허가를 받은 것으로 보는 경우를 포함한다. 이하 제5호·제6호, 제36조 제6호·제7호·제10호 및 제37조 제3호에서 같다)를 받은 자
5. 제18조 제3항을 위반하여 정기검사를 받지 아니한 관계인으로서 제6조 제1항의 규정에 따른 허가를 받은 자
6. 제19조의 규정을 위반하여 자체소방대를 두지 아니한 관계인으로서 제6조 제1항에 따른 허가를 받은 자
7. 제20조 제3항 단서를 위반하여 운반용기에 대한 검사를 받지 아니하고 운반용기를 사용하거나 유통시킨 자
8. 제22조 제1항(제22조의2 제2항에서 준용하는 경우를 포함한다)의 규정에 따른 명령을 위반하여 보고 또는 자료제출을 하지 아니하거나 허위의 보고 또는 자료제출을 한 자 또는 관계공무원의 출입·검사 또는 수거를 거부·방해 또는 기피한 자
9. 제25조의 규정에 따른 제조소등에 대한 긴급 사용정지·제한명령을 위반한 자

(1) 제16조 제2항의 규정에 따른 탱크시험자로 등록하지 아니하고 탱크시험자의 업무를 한 자

> 제16조 【탱크시험자의 등록 등】② 탱크시험자가 되고자 하는 자는 대통령령이 정하는 기술능력·시설 및 장비를 갖추어 시·도지사에게 등록하여야 한다.

(2) 제18조 제1항의 규정을 위반하여 정기점검을 하지 아니하거나 점검기록을 허위로 작성한 관계인으로서 제6조 제1항의 규정에 따른 허가(제6조 제3항의 규정에 따라 허가가 면제된 경우 및 제7조 제2항의 규정에 따라 협의로써 허가를 받은 것으로 보는 경우를 포함한다. 이하 제5호·제6호, 제36조 제6호·제7호·제10호 및 제37조 제3호에서 같다)를 받은 자

> 제18조 【정기점검 및 정기검사】① 대통령령이 정하는 제조소등의 관계인은 그 제조소등에 대하여 행정안전부령이 정하는 바에 따라 제5조 제4항의 규정에 따른 기술기준에 적합한지의 여부를 정기적으로 점검하고 점검결과를 기록하여 보존하여야 한다.

(3) 제18조 제3항을 위반하여 정기검사를 받지 아니한 관계인으로서 제6조 제1항에 따른 허가를 받은 자

> 제18조【정기점검 및 정기검사】① 대통령령이 정하는 제조소등의 관계인은 그 제조소등에 대하여 행정안전부령이 정하는 바에 따라 제5조 제4항의 규정에 따른 기술기준에 적합한지의 여부를 정기적으로 점검하고 점검결과를 기록하여 보존하여야 한다.

(4) 제19조의 규정을 위반하여 자체소방대를 두지 아니한 관계인으로서 제6조 제1항의 규정에 따른 허가를 받은 자

> 제19조【자체소방대】다량의 위험물을 저장·취급하는 제조소등으로서 대통령령이 정하는 제조소등이 있는 동일한 사업소에서 대통령령이 정하는 수량 이상의 위험물을 저장 또는 취급하는 경우 당해 사업소의 관계인은 대통령령이 정하는 바에 따라 당해 사업소에 자체소방대를 설치하여야 한다.

(5) 제20조 제3항 단서를 위반하여 운반용기에 대한 검사를 받지 아니하고 운반용기를 사용하거나 유통시킨 자

> 제20조【위험물의 운반】③ 시·도지사는 운반용기를 제작하거나 수입한 자 등의 신청에 따라 제1항의 규정에 따른 운반용기를 검사할 수 있다. 다만, 기계에 의하여 하역하는 구조로 된 대형의 운반용기로서 행정안전부령이 정하는 것을 제작하거나 수입한 자 등은 행정안전부령이 정하는 바에 따라 당해 용기를 사용하거나 유통시키기 전에 시·도지사가 실시하는 운반용기에 대한 검사를 받아야 한다.

(6) 제22조 제1항(제22조의2 제2항에서 준용하는 경우를 포함한다)의 규정에 따른 명령을 위반하여 보고 또는 자료제출을 하지 아니하거나 허위의 보고 또는 자료제출을 한 자 또는 관계공무원의 출입·검사 또는 수거를 거부·방해 또는 기피한 자

> 제22조【출입·검사 등】① 소방청장(중앙119구조본부장 및 그 소속 기관의 장을 포함한다. 이하 제22조의2에서 같다), 시·도지사, 소방본부장 또는 소방서장은 위험물의 저장 또는 취급에 따른 화재의 예방 또는 진압대책을 위하여 필요한 때에는 위험물을 저장 또는 취급하고 있다고 인정되는 장소의 관계인에 대하여 필요한 보고 또는 자료제출을 명할 수 있으며, 관계공무원으로 하여금 당해 장소에 출입하여 그 장소의 위치·구조·설비 및 위험물의 저장·취급상황에 대하여 검사하게 하거나 관계인에게 질문하게 하고 시험에 필요한 최소한의 위험물 또는 위험물로 의심되는 물품을 수거하게 할 수 있다. 다만, 개인의 주거는 관계인의 승낙을 얻은 경우 또는 화재발생의 우려가 커서 긴급한 필요가 있는 경우가 아니면 출입할 수 없다.

(7) 제25조의 규정에 따른 제조소등에 대한 긴급 사용정지·제한명령을 위반한 자

> 제25조【제조소등에 대한 긴급 사용정지명령 등】시·도지사, 소방본부장 또는 소방서장은 공공의 안전을 유지하거나 재해의 발생을 방지하기 위하여 긴급한 필요가 있다고 인정하는 때에는 제조소등의 관계인에 대하여 당해 제조소등의 사용을 일시정지하거나 그 사용을 제한할 것을 명할 수 있다.

제36조【벌칙】 다음 각 호의 어느 하나에 해당하는 자는 1천500만원 이하의 벌금에 처한다.

1. 제5조 제3항 제1호의 규정에 따른 위험물의 저장 또는 취급에 관한 중요기준에 따르지 아니한 자
2. 제6조 제1항 후단의 규정을 위반하여 변경허가를 받지 아니하고 제조소등을 변경한 자
3. 제9조 제1항의 규정을 위반하여 제조소등의 완공검사를 받지 아니하고 위험물을 저장·취급한 자
3의2. 제11조의2 제3항에 따른 안전조치 이행명령을 따르지 아니한 자
4. 제12조의 규정에 따른 제조소등의 사용정지명령을 위반한 자
5. 제14조 제2항의 규정에 따른 수리·개조 또는 이전의 명령에 따르지 아니한 자
6. 제15조 제1항 또는 제2항의 규정을 위반하여 안전관리자를 선임하지 아니한 관계인으로서 제6조 제1항의 규정에 따른 허가를 받은 자
7. 제15조 제5항을 위반하여 대리자를 지정하지 아니한 관계인으로서 제6조 제1항의 규정에 따른 허가를 받은 자
8. 제16조 제5항의 규정에 따른 업무정지명령을 위반한 자
9. 제16조 제6항의 규정을 위반하여 탱크안전성능시험 또는 점검에 관한 업무를 허위로 하거나 그 결과를 증명하는 서류를 허위로 교부한 자
10. 제17조 제1항 전단의 규정을 위반하여 예방규정을 제출하지 아니하거나 동조 제2항의 규정에 따른 변경명령을 위반한 관계인으로서 제6조 제1항의 규정에 따른 허가를 받은 자
11. 제22조 제2항에 따른 정지지시를 거부하거나 국가기술자격증, 교육수료증·신원확인을 위한 증명서의 제시 요구 또는 신원확인을 위한 질문에 응하지 아니한 사람
12. 제22조 제5항의 규정에 따른 명령을 위반하여 보고 또는 자료제출을 하지 아니하거나 허위의 보고 또는 자료제출을 한 자 및 관계공무원의 출입 또는 조사·검사를 거부·방해 또는 기피한 자
13. 제23조의 규정에 따른 탱크시험자에 대한 감독상 명령에 따르지 아니한 자
14. 제24조의 규정에 따른 무허가장소의 위험물에 대한 조치명령에 따르지 아니한 자
15. 제26조 제1항·제2항 또는 제27조의 규정에 따른 저장·취급기준 준수명령 또는 응급조치명령을 위반한 자

(1) 제5조 제3항 제1호의 규정에 따른 위험물의 저장 또는 취급에 관한 중요기준에 따르지 아니한 자

> **제5조【위험물의 저장 및 취급의 제한】** ③ 제조소등에서의 위험물의 저장 또는 취급에 관하여는 다음 각 호의 중요기준 및 세부기준에 따라야 한다.
> 1. 중요기준: 화재 등 위해의 예방과 응급조치에 있어서 큰 영향을 미치거나 그 기준을 위반하는 경우 직접적으로 화재를 일으킬 가능성이 큰 기준으로서 행정안전부령이 정하는 기준

(2) 제6조 제1항 후단의 규정을 위반하여 변경허가를 받지 아니하고 제조소등을 변경한 자

> 제6조【위험물시설의 설치 및 변경 등】① 제조소등을 설치하고자 하는 자는 대통령령이 정하는 바에 따라 그 설치장소를 관할하는 특별시장·광역시장·특별자치시장·도지사 또는 특별자치도지사(이하 "시·도지사"라 한다)의 허가를 받아야 한다. 제조소등의 위치·구조 또는 설비 가운데 행정안전부령이 정하는 사항을 변경하고자 하는 때에도 또한 같다.

(3) 제9조 제1항의 규정을 위반하여 제조소등의 완공검사를 받지 아니하고 위험물을 저장·취급한 자

> 제9조【완공검사】① 제6조 제1항의 규정에 따른 허가를 받은 자가 제조소등의 설치를 마쳤거나 그 위치·구조 또는 설비의 변경을 마친 때에는 당해 제조소등마다 시·도지사가 행하는 완공검사를 받아 제5조 제4항의 규정에 따른 기술기준에 적합하다고 인정받은 후가 아니면 이를 사용하여서는 아니된다. 다만, 제조소등의 위치·구조 또는 설비를 변경함에 있어서 제6조 제1항 후단의 규정에 따른 변경허가를 신청하는 때에 화재예방에 관한 조치사항을 기재한 서류를 제출하는 경우에는 당해 변경공사와 관계가 없는 부분은 완공검사를 받기 전에 미리 사용할 수 있다.

(4) 제11조의2 제3항에 따른 안전조치 이행명령을 따르지 아니한 자

> 제11조의2【제조소등의 사용 중지 등】③ 시·도지사는 제2항에 따라 신고를 받으면 제조소등의 관계인이 제1항 본문에 따른 안전조치를 적합하게 하였는지 또는 제15조 제1항 본문에 따른 위험물안전관리자가 직무를 적합하게 수행하는지를 확인하고 위해 방지를 위하여 필요한 안전조치의 이행을 명할 수 있다.

(5) 제12조의 규정에 따른 제조소등의 사용정지명령을 위반한 자

> 제12조【제조소등 설치허가의 취소와 사용정지 등】시·도지사는 제조소등의 관계인이 다음 각 호의 어느 하나에 해당하는 때에는 행정안전부령이 정하는 바에 따라 제6조 제1항에 따른 허가를 취소하거나 6월 이내의 기간을 정하여 제조소등의 전부 또는 일부의 사용정지를 명할 수 있다.
> 1. 제6조 제1항 후단의 규정에 따른 변경허가를 받지 아니하고 제조소등의 위치·구조 또는 설비를 변경한 때
> 2. 제9조의 규정에 따른 완공검사를 받지 아니하고 제조소등을 사용한 때
> 2의2. 제11조의2 제3항에 따른 안전조치 이행명령을 따르지 아니한 때
> 3. 제14조 제2항의 규정에 따른 수리·개조 또는 이전의 명령을 위반한 때
> 4. 제15조 제1항 및 제2항의 규정에 따른 위험물안전관리자를 선임하지 아니한 때
> 5. 제15조 제5항을 위반하여 대리자를 지정하지 아니한 때
> 6. 제18조 제1항의 규정에 따른 정기점검을 하지 아니한 때
> 7. 제18조 제3항에 따른 정기검사를 받지 아니한 때
> 8. 제26조의 규정에 따른 저장·취급기준 준수명령을 위반한 때

✏️ **핵심 기출**

「위험물안전관리법」상 벌칙 기준이 다른 것은?

20. 공채(6월)

① 제조소등의 사용정지명령을 위반한 자
② 변경허가를 받지 아니하고 제조소등을 변경한 자
③ 위험물의 저장 또는 취급에 관한 중요기준에 따르지 아니한 자
④ 위험물안전관리자 또는 그 대리자가 참여하지 아니한 상태에서 위험물을 취급한 자

정답 ④

(6) 제14조 제2항의 규정에 따른 수리·개조 또는 이전의 명령에 따르지 아니한 자

> **제14조【위험물시설의 유지·관리】** ② 시·도지사, 소방본부장 또는 소방서장은 제1항의 규정에 따른 유지·관리의 상황이 제5조 제4항의 규정에 따른 기술기준에 부적합하다고 인정하는 때에는 그 기술기준에 적합하도록 제조소등의 위치·구조 및 설비의 수리·개조 또는 이전을 명할 수 있다.

(7) 제15조 제1항 또는 제2항의 규정을 위반하여 안전관리자를 선임하지 아니한 관계인으로서 제6조 제1항의 규정에 따른 허가를 받은 자

> **제15조【위험물안전관리자】** ① 제조소등[제6조 제3항의 규정에 따라 허가를 받지 아니하는 제조소등과 이동탱크저장소(차량에 고정된 탱크에 위험물을 저장 또는 취급하는 저장소를 말한다)를 제외한다. 이하 이 조에서 같다]의 관계인은 위험물의 안전관리에 관한 직무를 수행하게 하기 위하여 제조소등마다 대통령령이 정하는 위험물의 취급에 관한 자격이 있는 자(이하 "위험물취급자격자"라 한다)를 위험물안전관리자(이하 "안전관리자"라 한다)로 선임하여야 한다. 다만, 제조소등에서 저장·취급하는 위험물이 「화학물질관리법」에 따른 유독물질에 해당하는 경우 등 대통령령이 정하는 경우에는 당해 제조소등을 설치한 자는 다른 법률에 의하여 안전관리업무를 하는 자로 선임된 자 가운데 대통령령이 정하는 자를 안전관리자로 선임할 수 있다.
>
> ② 제1항의 규정에 따라 안전관리자를 선임한 제조소등의 관계인은 그 안전관리자를 해임하거나 안전관리자가 퇴직한 때에는 해임하거나 퇴직한 날부터 30일 이내에 다시 안전관리자를 선임하여야 한다.

(8) 제15조 제5항을 위반하여 대리자를 지정하지 아니한 관계인으로서 제6조 제1항의 규정에 따른 허가를 받은 자

> **제15조【위험물안전관리자】** ⑤ 제1항의 규정에 따라 안전관리자를 선임한 제조소등의 관계인은 안전관리자가 여행·질병 그 밖의 사유로 인하여 일시적으로 직무를 수행할 수 없거나 안전관리자의 해임 또는 퇴직과 동시에 다른 안전관리자를 선임하지 못하는 경우에는 국가기술자격법에 따른 위험물의 취급에 관한 자격취득자 또는 위험물안전에 관한 기본지식과 경험이 있는 자로서 행정안전부령이 정하는 자를 대리자(代理者)로 지정하여 그 직무를 대행하게 하여야 한다. 이 경우 대리자가 안전관리자의 직무를 대행하는 기간은 30일을 초과할 수 없다.

(9) 제16조 제5항의 규정에 따른 업무정지명령을 위반한 자

> **제16조【탱크시험자의 등록 등】** ⑤ 시·도지사는 탱크시험자가 다음 각 호의 어느 하나에 해당하는 경우에는 행정안전부령으로 정하는 바에 따라 그 등록을 취소하거나 6월 이내의 기간을 정하여 업무의 정지를 명할 수 있다. 다만, 제1호 내지 제3호에 해당하는 경우에는 그 등록을 취소하여야 한다.
>
> 1. 허위 그 밖의 부정한 방법으로 등록을 한 경우
> 2. 제4항 각 호의 어느 하나의 등록의 결격사유에 해당하게 된 경우
> 3. 등록증을 다른 자에게 빌려준 경우
> 4. 제2항의 규정에 따른 등록기준에 미달하게 된 경우

5. 탱크안전성능시험 또는 점검을 허위로 하거나 이 법에 의한 기준에 맞지 아니하게 탱크안전성능시험 또는 점검을 실시하는 경우 등 탱크시험자로서 적합하지 아니하다고 인정하는 경우

(10) 제16조 제6항의 규정을 위반하여 탱크안전성능시험 또는 점검에 관한 업무를 허위로 하거나 그 결과를 증명하는 서류를 허위로 교부한 자

> 제16조【탱크시험자의 등록 등】⑥ 탱크시험자는 이 법 또는 이 법에 의한 명령에 따라 탱크안전성능시험 또는 점검에 관한 업무를 성실히 수행하여야 한다.

(11) 제17조 제1항 전단의 규정을 위반하여 예방규정을 제출하지 아니하거나 동조 제2항의 규정에 따른 변경명령을 위반한 관계인으로서 제6조 제1항의 규정에 따른 허가를 받은 자

> 제17조【예방규정】① 대통령령이 정하는 제조소등의 관계인은 당해 제조소등의 화재예방과 화재 등 재해발생시의 비상조치를 위하여 행정안전부령이 정하는 바에 따라 예방규정을 정하여 당해 제조소등의 사용을 시작하기 전에 시·도지사에게 제출하여야 한다. 예방규정을 변경한 때에도 또한 같다.

(12) 제22조 제2항에 따른 정지지시를 거부하거나 국가기술자격증, 교육수료증·신원확인을 위한 증명서의 제시 요구 또는 신원확인을 위한 질문에 응하지 아니한 사람

> 제22조【출입·검사 등】② 소방공무원 또는 경찰공무원은 위험물운반자 또는 위험물운송자의 요건을 확인하기 위하여 필요하다고 인정하는 경우에는 주행 중인 위험물 운반 차량 또는 이동탱크저장소를 정지시켜 해당 위험물운반자 또는 위험물운송자에게 그 자격을 증명할 수 있는 국가기술자격증 또는 교육수료증의 제시를 요구할 수 있으며, 이를 제시하지 아니한 경우에는 주민등록증, 여권, 운전면허증 등 신원확인을 위한 증명서를 제시할 것을 요구하거나 신원확인을 위한 질문을 할 수 있다. 이 직무를 수행하는 경우에 있어서 소방공무원과 경찰공무원은 긴밀히 협력하여야 한다.

(13) 제22조 제5항의 규정에 따른 명령을 위반하여 보고 또는 자료제출을 하지 아니하거나 허위의 보고 또는 자료제출을 한 자 및 관계공무원의 출입 또는 조사·검사를 거부·방해 또는 기피한 자

> 제22조【출입·검사 등】⑤ 시·도지사, 소방본부장 또는 소방서장은 탱크시험자에게 탱크시험자의 등록 또는 그 업무에 관하여 필요한 보고 또는 자료제출을 명하거나 관계공무원으로 하여금 당해 사무소에 출입하여 업무의 상황·시험기구·장부·서류와 그 밖의 물건을 검사하게 하거나 관계인에게 질문하게 할 수 있다.

(14) 제23조의 규정에 따른 탱크시험자에 대한 감독상 명령에 따르지 아니한 자

> **제23조【탱크시험자에 대한 명령】** 시·도지사, 소방본부장 또는 소방서장은 탱크시험자에 대하여 당해 업무를 적정하게 실시하게 하기 위하여 필요하다고 인정하는 때에는 감독상 필요한 명령을 할 수 있다.

(15) 제24조의 규정에 따른 무허가장소의 위험물에 대한 조치명령에 따르지 아니한 자

> **제24조【무허가장소의 위험물에 대한 조치명령】** 시·도지사, 소방본부장 또는 소방서장은 위험물에 의한 재해를 방지하기 위하여 제6조 제1항의 규정에 따른 허가를 받지 아니하고 지정수량 이상의 위험물을 저장 또는 취급하는 자(제6조 제3항의 규정에 따라 허가를 받지 아니하는 자를 제외한다)에 대하여 그 위험물 및 시설의 제거 등 필요한 조치를 명할 수 있다.

(16) 제26조 제1항·제2항 또는 제27조의 규정에 따른 저장·취급기준 준수명령 또는 응급조치명령을 위반한 자

> **제26조【저장·취급기준 준수명령 등】** ① 시·도지사, 소방본부장 또는 소방서장은 제조소등에서의 위험물의 저장 또는 취급이 제5조 제3항의 규정에 위반된다고 인정하는 때에는 당해 제조소등의 관계인에 대하여 동항의 기준에 따라 위험물을 저장 또는 취급하도록 명할 수 있다.
> ② 시·도지사, 소방본부장 또는 소방서장은 관할하는 구역에 있는 이동탱크저장소에서의 위험물의 저장 또는 취급이 제5조 제3항의 규정에 위반된다고 인정하는 때에는 당해 이동탱크저장소의 관계인에 대하여 동항의 기준에 따라 위험물을 저장 또는 취급하도록 명할 수 있다.
>
> **제27조【응급조치·통보 및 조치명령】** ① 제조소등의 관계인은 당해 제조소등에서 위험물의 유출 그 밖의 사고가 발생한 때에는 즉시 그리고 지속적으로 위험물의 유출 및 확산의 방지, 유출된 위험물의 제거 그 밖에 재해의 발생방지를 위한 응급조치를 강구하여야 한다.
> ② 제1항의 사태를 발견한 자는 즉시 그 사실을 소방서, 경찰서 또는 그 밖의 관계기관에 통보하여야 한다.
> ③ 소방본부장 또는 소방서장은 제조소등의 관계인이 제1항의 응급조치를 강구하지 아니하였다고 인정하는 때에는 제1항의 응급조치를 강구하도록 명할 수 있다.
> ④ 소방본부장 또는 소방서장은 그 관할하는 구역에 있는 이동탱크저장소의 관계인에 대하여 제3항의 규정의 예에 따라 제1항의 응급조치를 강구하도록 명할 수 있다.

제37조【벌칙】 다음 각 호의 어느 하나에 해당하는 자는 1천만원 이하의 벌금에 처한다.

1. 제15조 제6항을 위반하여 위험물의 취급에 관한 안전관리와 감독을 하지 아니한 자
2. 제15조 제7항을 위반하여 안전관리자 또는 그 대리자가 참여하지 아니한 상태에서 위험물을 취급한 자
3. 제17조 제1항 후단의 규정을 위반하여 변경한 예방규정을 제출하지 아니한 관계인으로서 제6조 제1항의 규정에 따른 허가를 받은 자
4. 제20조 제1항 제1호의 규정을 위반하여 위험물의 운반에 관한 중요기준에 따르지 아니한 자
4의2. 제20조 제2항을 위반하여 요건을 갖추지 아니한 위험물운반자
5. 제21조 제1항 또는 제2항의 규정을 위반한 위험물운송자
6. 제22조 제4항(제22조의2 제2항에서 준용하는 경우를 포함한다)의 규정을 위반하여 관계인의 정당한 업무를 방해하거나 출입·검사 등을 수행하면서 알게 된 비밀을 누설한 자

(1) 제15조 제6항을 위반하여 위험물의 취급에 관한 안전관리와 감독을 하지 아니한 자

> **제15조【위험물안전관리자】** ⑥ 안전관리자는 위험물을 취급하는 작업을 하는 때에는 작업자에게 안전관리에 관한 필요한 지시를 하는 등 행정안전부령이 정하는 바에 따라 위험물의 취급에 관한 안전관리와 감독을 하여야 하고, 제조소등의 관계인과 그 종사자는 안전관리자의 위험물 안전관리에 관한 의견을 존중하고 그 권고에 따라야 한다.

(2) 제15조 제7항을 위반하여 안전관리자 또는 그 대리자가 참여하지 아니한 상태에서 위험물을 취급한 자

> **제15조【위험물안전관리자】** ⑦ 제조소등에 있어서 위험물취급자격자가 아닌 자는 안전관리자 또는 제5항에 따른 대리자가 참여한 상태에서 위험물을 취급하여야 한다.

(3) 제17조 제1항 후단의 규정을 위반하여 변경한 예방규정을 제출하지 아니한 관계인으로서 제6조 제1항의 규정에 따른 허가를 받은 자

> **제17조【예방규정】** ① 대통령령이 정하는 제조소등의 관계인은 당해 제조소등의 화재예방과 화재 등 재해발생시의 비상조치를 위하여 행정안전부령이 정하는 바에 따라 예방규정을 정하여 당해 제조소등의 사용을 시작하기 전에 시·도지사에게 제출하여야 한다. 예방규정을 변경한 때에도 또한 같다.

(4) 제20조 제1항 제1호의 규정을 위반하여 위험물의 운반에 관한 중요기준에 따르지 아니한 자

> **제20조【위험물의 운반】** ① 위험물의 운반은 그 용기·적재방법 및 운반방법에 관한 다음 각 호의 중요기준과 세부기준에 따라 행하여야 한다.
> 1. 중요기준: 화재 등 위해의 예방과 응급조치에 있어서 큰 영향을 미치거나 그 기준을 위반하는 경우 직접적으로 화재를 일으킬 가능성이 큰 기준으로서 행정안전부령이 정하는 기준

(5) 제20조 제2항을 위반하여 요건을 갖추지 아니한 위험물운반자

> **제20조【위험물의 운반】** ② 제1항에 따라 운반용기에 수납된 위험물을 지정수량 이상으로 차량에 적재하여 운반하는 차량의 운전자(이하 "위험물운반자"라 한다)는 다음 각 호의 어느 하나에 해당하는 요건을 갖추어야 한다.
> 1. 「국가기술자격법」에 따른 위험물 분야의 자격을 취득할 것
> 2. 제28조 제1항에 따른 교육을 수료할 것

(6) 제21조 제1항 또는 제2항의 규정을 위반한 위험물운송자

> **제21조【위험물의 운송】** ① 이동탱크저장소에 의하여 위험물을 운송하는 자(운송책임자 및 이동탱크저장소운전자를 말하며, 이하 "위험물운송자"라 한다)는 제20조 제2항 각 호의 어느 하나에 해당하는 요건을 갖추어야 한다.
> ② 대통령령이 정하는 위험물의 운송에 있어서는 운송책임자(위험물 운송의 감독 또는 지원을 하는 자를 말한다. 이하 같다)의 감독 또는 지원을 받아 이를 운송하여야 한다. 운송책임자의 범위, 감독 또는 지원의 방법 등에 관한 구체적인 기준은 행정안전부령으로 정한다.

(7) 제22조 제4항(제22조의2 제2항에서 준용하는 경우를 포함한다)의 규정을 위반하여 관계인의 정당한 업무를 방해하거나 출입·검사 등을 수행하면서 알게 된 비밀을 누설한 자

> **제22조【출입·검사 등】** ④ 제1항 및 제2항의 규정에 의하여 출입·검사 등을 행하는 관계공무원은 관계인의 정당한 업무를 방해하거나 출입·검사 등을 수행하면서 알게 된 비밀을 다른 자에게 누설하여서는 아니된다.

2 양벌규정   **D**

제38조【양벌규정】 ① 법인의 대표자나 법인 또는 개인의 대리인, 사용인, 그 밖의 종업원이 그 법인 또는 개인의 업무에 관하여 제33조 제1항의 위반행위를 하면 그 행위자를 벌하는 외에 그 법인 또는 개인을 5천만원 이하의 벌금에 처하고, 같은 조 제2항의 위반행위를 하면 그 행위자를 벌하는 외에 그 법인 또는 개인을 1억원 이하의 벌금에 처한다. 다만, 법인 또는 개인이 그 위반행위를 방지하기 위하여 해당 업무에 관하여 상당한 주의와 감독을 게을리하지 아니한 경우에는 그러하지 아니하다.
② 법인의 대표자나 법인 또는 개인의 대리인, 사용인, 그 밖의 종업원이 그 법인 또는 개인의 업무에 관하여 제34조부터 제37조까지의 어느 하나에 해당하는 위반행위를 하면 그 행위자를 벌하는 외에 그 법인 또는 개인에게도 해당 조문의 벌금형을 과(科)한다. 다만, 법인 또는 개인이 그 위반행위를 방지하기 위하여 해당 업무에 관하여 상당한 주의와 감독을 게을리하지 아니한 경우에는 그러하지 아니하다.

3 과태료   **B**

제39조【과태료】 ① 다음 각 호의 어느 하나에 해당하는 자에게는 500만원 이하의 과태료를 부과한다.
1. 제5조 제2항 제1호의 규정에 따른 승인을 받지 아니한 자
2. 제5조 제3항 제2호의 규정에 따른 위험물의 저장 또는 취급에 관한 세부기준을 위반한 자
3. 제6조 제2항의 규정에 따른 품명 등의 변경신고를 기간 이내에 하지 아니하거나 허위로 한 자
4. 제10조 제3항의 규정에 따른 지위승계신고를 기간 이내에 하지 아니하거나 허위로 한 자
5. 제11조의 규정에 따른 제조소등의 폐지신고 또는 제15조 제3항의 규정에 따른 안전관리자의 선임신고를 기간 이내에 하지 아니하거나 허위로 한 자
5의2. 제11조의2 제2항을 위반하여 사용 중지신고 또는 재개신고를 기간 이내에 하지 아니하거나 거짓으로 한 자
6. 제16조 제3항의 규정을 위반하여 등록사항의 변경신고를 기간 이내에 하지 아니하거나 허위로 한 자
6의2. 제17조 제3항을 위반하여 예방규정을 준수하지 아니한 자
7. 제18조 제1항의 규정을 위반하여 점검결과를 기록·보존하지 아니한 자
7의2. 제18조 제2항을 위반하여 기간 이내에 점검결과를 제출하지 아니한 자
7의3. 제19조의2 제1항을 위반하여 흡연을 한 자
7의4. 제19조의2 제3항에 따른 시정명령을 따르지 아니한 자
8. 제20조 제1항 제2호의 규정에 따른 위험물의 운반에 관한 세부기준을 위반한 자

9. 제21조 제3항의 규정을 위반하여 위험물의 운송에 관한 기준을 따르지 아니한 자

② 제1항의 규정에 따른 과태료는 대통령령이 정하는 바에 따라 시·도지사, 소방본부장 또는 소방서장(이하 "부과권자"라 한다)이 부과·징수한다.

③ 삭제

④ 삭제

⑤ 삭제

⑥ 제4조 및 제5조 제2항 각 호 외의 부분 후단의 규정에 따른 조례에는 200만원 이하의 과태료를 정할 수 있다. 이 경우 과태료는 부과권자가 부과·징수한다.

⑦ 삭제

(1) 500만원 이하의 과태료

① 제5조 제2항 제1호의 규정에 따른 승인을 받지 아니한 자

② 위험물의 저장 또는 취급에 관한 세부기준을 위반한 자

③ 규정에 따른 품명 등의 변경신고를 기간 이내에 하지 아니하거나 허위로 한 자

④ 지위승계신고를 기간 이내에 하지 아니하거나 허위로 한 자

⑤ 제조소등의 폐지신고 또는 안전관리자의 선임신고를 기간 이내에 하지 아니하거나 허위로 한 자

⑥ 사용 중지신고 또는 재개신고를 기간 이내에 하지 아니하거나 거짓으로 한 자

⑦ 등록사항의 변경신고를 기간 이내에 하지 아니하거나 허위로 한 자

⑧ 규정을 위반하여 예방규정을 준수하지 아니한 자

⑨ 점검결과를 기록·보존하지 아니한 자

⑩ 점검결과를 제출하지 아니한 자

⑪ 규정을 위반하여 흡연을 한 자

⑫ 제19조의2 제3항에 따른 시정명령을 따르지 아니한 자

⑬ 위험물의 운반에 관한 세부기준을 위반한 자

⑭ 위험물의 운송에 관한 기준을 따르지 아니한 자

(2) 과태료 부과

① **부과권자**: 시·도지사, 소방본부장 또는 소방서장

② **부과기준**: 과태료 부과기준 영 [별표 9](영 제23조)

(3) 제4조 및 제5조 제2항 각 호 외의 부분 후단의 규정에 따른 조례에는 200만원 이하의 과태료를 정할 수 있다. 이 경우 과태료는 부과권자가 부과·징수한다.

(4) 과태료의 부과기준(영 [별표 9])

① 일반기준

㉠ 과태료 부과권자는 다음의 어느 하나에 해당하는 경우에는 개별기준에 따른 과태료 금액의 2분의 1까지 그 금액을 줄일 수 있다. 다만, 과태료를 체납하고 있는 위반행위자에 대해서는 그러하지 아니하다.

ⓐ 위반행위자가 「질서위반행위규제법 시행령」 제2조의2 제1항 각 호의 어느 하나에 해당하는 경우

ⓑ 위반행위자가 처음 위반행위를 한 경우로서 3년 이상 해당 업종을 모범적으로 경영한 사실이 인정되는 경우

ⓒ 위반행위가 사소한 부주의나 오류 등 과실로 인한 것으로 인정되는 경우

ⓓ 위반행위자가 같은 위반행위로 다른 법률에 따라 과태료·벌금·영업정지 등의 처분을 받은 경우

ⓔ 위반행위자가 위법행위로 인한 결과를 시정하거나 해소한 경우

ⓕ 그 밖에 위반행위의 정도, 위반행위의 동기와 그 결과 등을 고려하여 과태료를 줄일 필요가 있다고 인정되는 경우

ⓛ 위반행위의 횟수에 따른 과태료의 부과기준은 최근 1년간 같은 위반행위로 과태료 부과처분을 받은 경우에 적용한다. 이 경우 기간의 계산은 위반행위에 대하여 과태료 부과처분을 받은 날과 그 처분 후 다시 같은 위반행위를 하여 적발된 날을 기준으로 한다.

ⓒ ⓛ에 따라 가중된 부과처분을 하는 경우 가중처분의 적용 차수는 그 위반행위 전 부과처분 차수(ⓛ에 따른 기간 내에 과태료 부과처분이 둘 이상 있었던 경우에는 높은 차수를 말한다)의 다음 차수로 한다.

② 개별기준(요약본)

(단위 : 만원)

위반행위	근거 법조문	과태료 금액
가. 법 제5조 제2항 제1호에 따른 승인을 받지 않은 경우 1) 승인기한(임시저장 또는 취급개시일의 전날)의 다음날을 기산일로 하여 30일 이내에 승인을 신청한 경우	법 제39조 제1항 제1호	250
2) 승인기한(임시저장 또는 취급개시일의 전날)의 다음날을 기산일로 하여 31일 이후에 승인을 신청한 경우		400
3) 승인을 받지 않은 경우		500
나. 법 제5조 제3항 제2호에 따른 위험물의 저장 또는 취급에 관한 세부기준을 위반한 경우 1) 1차 위반 시 2) 2차 위반 시 3) 3차 이상 위반 시	법 제39조 제1항 제2호	250 400 500
다. 법 제6조 제2항에 따른 품명 등의 변경신고를 기간 이내에 하지 않거나 허위로 한 경우 1) 신고기한(변경한 날의 1일 전날)의 다음날을 기산일로 하여 30일 이내에 신고한 경우	법 제39조 제1항 제3호	250
2) 신고기한(변경한 날의 1일 전날)의 다음날을 기산일로 하여 31일 이후에 신고한 경우		350
3) 허위로 신고한 경우		500
4) 신고를 하지 않은 경우		500

관계법규 과태료의 부과기준

시행령	NOTE
제23조【과태료 부과기준】법 제39조 제1항에 따른 과태료의 부과기준은 별표 9와 같다.	

1 제조소(규칙 제28조 [별표 4])   A

1. 안전거리

건축물의 외벽 또는 이에 상당하는 인공 구조물의 외측으로부터 당해 제조소의 외벽 또는 이에 상당하는 인공 구조물의 외측까지 사이의 수평 거리이다.

(1) 제조소의 안전거리

① 주거용 건축물·공작물: 10m 이상

② 학교·병원·극장 그 밖에 다수인을 수용하는 시설: 30m 이상

    ㉠ 학교

    ㉡ 병원급 의료기관

    ㉢ 공연장, 영화상영관 및 이와 유사한 시설로서 3백명 이상 수용할 수 있는 것

    ㉣ 아동복지시설, 노인복지시설등 및 이와 유사한 시설로서 20명 이상 수용할 수 있는 것

③ 유형문화재와 기념물 중 지정문화재: 50m 이상

④ 고압가스, 액화석유가스 또는 도시가스를 저장 또는 취급하는 시설: 20m 이상

⑤ 사용전압이 7,000V 초과 35,000V 이하의 특고압가공전선: 3m 이상

⑥ 사용전압이 35,000V를 초과하는 특고압가공전선: 5m 이상

(2) 안전 거리의 적용 대상

① 위험물제조소(제6류 위험물을 취급하는 제조소 제외)

② 일반취급소

③ 옥내저장소

④ 옥외저장소

⑤ 옥외탱크저장소

2. 보유공지

위험물을 취급하는 건축물, 기타시설의 주위에서 화재 등이 발생하는 경우 연소확대 방지 및 초기소화 등 소화활동 공간과 피난상 확보해야 할 절대 공지를 말한다.

(1) 위험물을 취급하는 건축물 그 밖의 시설의 주위에는 그 취급하는 위험물의 최대 수량에 따라 다음 표에 의한 너비의 공지를 보유하여야 한다.

취급하는 위험물의 최대수량	공지의 너비
지정수량의 10배 이하	3m 이상
지정수량의 10배 초과	5m 이상

---

01 「위험물안전관리법 시행규칙」상 위험물 제조소등의 안전거리 규제 대상이 아닌 것은?

① 주유취급소
② 제6류 위험물을 취급하는 제조소를 제외한 위험물제조소
③ 옥내저장소
④ 옥외저장소

정답 ①

02 위험물제조소의 보유공지 중 지정수량 10배 이하의 위험물을 취급하는 건축물이 보유하여야 할 공지는 몇 m 이상인가?

① 3m   ② 4m
③ 5m   ④ 6m

정답 ①

03 「위험물안전관리법 시행규칙」상 제조소의 위치·구조 및 설비의 기준에 근거하여 취급하는 위험물의 최대수량이 지정수량의 20배인 경우, 제조소 주위에 보유하여야 하는 공지의 너비는?

23. 공채·경채

① 2m 이상
② 3m 이상
③ 4m 이상
④ 5m 이상

정답 ④

(2) 제조소의 작업공정이 다른 작업장의 작업공정과 연속되어 있어, 제조소의 건축물 그 밖의 공작물의 주위에 공지를 두게 되면 그 제조소의 작업에 현저한 지장이 생길 우려가 있는 경우 당해 제조소와 다른 작업장 사이에 다음 기준에 따라 방화상 유효한 격벽을 설치한 때에는 당해 제조소와 다른 작업장 사이에 제1호의 규정에 의한 공지를 보유하지 아니할 수 있다.

① 방화벽은 내화구조로 할 것. 다만, 취급하는 위험물이 제6류 위험물인 경우에는 불연재료로 할 수 있다.

② 방화벽에 설치하는 출입구 및 창 등의 개구부는 가능한 한 최소로 하고, 출입구 및 창에는 자동폐쇄식의 갑종방화문을 설치할 것

③ 방화벽의 양단 및 상단이 외벽 또는 지붕으로부터 50cm 이상 돌출하도록 할 것

3. 표지 및 게시판

(1) 제조소에는 보기 쉬운 곳 – 위험물 제조소 표지 설치

① 표지는 한변의 길이 0.3m 이상, 다른 한변의 길이 0.6m 이상

② 표지의 바탕은 백색으로 문자는 흑색으로 할 것

(2) 제조소에는 보기 쉬운 곳 – 방화에 관하여 필요한 사항을 게시한 게시판 설치

① 게시판은 한변의 길이가 0.3m 이상, 다른 한변의 길이가 0.6m 이상인 직사각형

② 위험물의 유별·품명 및 저장최대수량 또는 취급최대수량, 지정수량의 배수 및 안전관리자의 성명 또는 직명을 기재

③ 게시판의 바탕은 백색으로 문자는 흑색으로 할 것

④ 주의사항을 표시한 게시판 설치

저장 또는 취급 위험물	주의사항	게시판의 색
·제1류 위험물 중 알칼리금속의 과산화물 ·제3류 위험물 중 금수성물질	물기엄금	청색바탕에 백색문자
·제2류 위험물(인화성고체 제외)	화기주의	적색바탕에 백색문자
·제2류 위험물 중 인화성고체 ·제3류 위험물 중 자연발화성물질 ·제4류 위험물 ·제5류 위험물	화기엄금	적색바탕에 백색문자

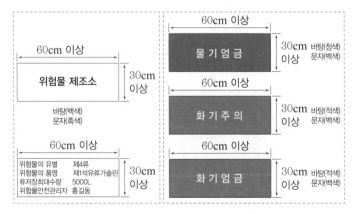

4. 건축물의 구조

(1) 지하층이 없도록 하여야 한다.

(2) 벽·기둥·바닥·보·서까래 및 계단을 불연재료로 하고, 연소의 우려가 있는 외벽은 개구부가 없는 내화구조의 벽으로 하여야 한다.

(3) 지붕은 폭발력이 위로 방출될 정도의 가벼운 불연재료

(4) 출입구와 비상구에는 갑종방화문 또는 을종방화문을 설치: 연소의 우려가 있는 외벽에 설치(자동폐쇄식의 갑종방화문을 설치)

(5) 건축물의 창 및 출입구: 망입유리

(6) 건축물의 바닥: 최저부에 집유설비를 설치

5. 채광·조명 및 환기설비

(1) 채광·조명 및 환기의 설비

① 채광설비: 불연재료

② 조명설비

㉠ 가연성가스 등이 체류할 우려가 있는 장소의 조명등은 방폭등

㉡ 전선은 내화·내열전선

㉢ 점멸스위치는 출입구 바깥부분에 설치할 것

③ 환기설비

㉠ 환기는 자연배기방식으로 할 것

㉡ 급기구는 당해 급기구가 설치된 실의 바닥면적 150m²마다 1개 이상(급기구의 크기: 800cm² 이상). 다만, 바닥면적이 150m² 미만인 경우에는 다음의 크기로 하여야 한다.

바닥면적	급기구의 면적
60m² 미만	150cm² 이상
60m² 이상 90m² 미만	300cm² 이상
90m² 이상 120m² 미만	450cm² 이상
120m² 이상 150m² 미만	600cm² 이상

㉢ 급기구는 낮은 곳에 설치하고 가는 눈의 구리망 등으로 인화방지망을 설치할 것

㉣ 환기구는 지붕 위 또는 지상 2m 이상의 높이에 회전식 고정벤티레이터 또는 루프팬방식으로 설치할 것

(2) 배출설비가 설치되어 유효하게 환기가 되는 건축물에는 환기설비를 하지 아니할 수 있고, 조명설비가 설치되어 유효하게 조도가 확보되는 건축물에는 채광설비를 하지 아니할 수 있다.

6. 배출설비

가연성의 증기 또는 미분이 체류할 우려가 있는 건축물에는 배출설비를 설치하여야 한다.

(1) 배출설비

국소방식. 단, 다음의 경우에는 전역방식으로 할 수 있다.
① 위험물취급설비가 배관이음 등으로만 된 경우
② 건축물의 구조·작업장소의 분포 등의 조건에 의하여 전역방식이 유효한 경우

(2) 배출설비는 배풍기·배출 덕트·후드 등을 이용하여 강제적으로 배출하는 것으로 해야 한다.

(3) 배출능력은 1시간당 배출장소 용적의 20배 이상인 것으로 하여야 한다. 다만, 전역방식의 경우에는 바닥면적 1m²당 18m³ 이상으로 할 수 있다.

(4) 배출설비의 급기구 및 배출구 기준
① 급기구는 높은 곳에 설치하고, 가는 눈의 구리망 등으로 인화방지망을 설치할 것
② 배출구는 지상 2m 이상으로서 연소의 우려가 없는 장소에 설치하고, 배출덕트가 관통하는 벽부분의 바로 가까이에 화재 시 자동으로 폐쇄되는 방화댐퍼를 설치할 것

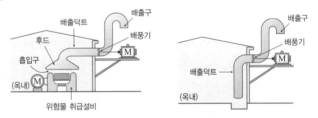

(5) 배풍기

강제배기방식(옥내덕트의 내압이 대기압 이상이 되지 아니하는 위치에 설치하여야 한다)

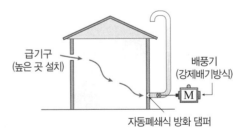

7. 옥외설비의 바닥

(1) 바닥의 둘레에 높이 0.15m 이상의 턱 설치

(2) 바닥은 콘크리트 등 위험물이 스며들지 아니하는 재료

(3) 바닥의 최저부: 집유설비

(4) 집유설비에 유분리장치 설치

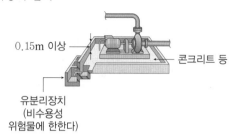

0.15m 이상

콘크리트 등

유분리장치
(비수용성
위험물에 한한다)

8 기타설비

(1) 위험물의 누출·비산방지

(2) 가열·냉각설비등의 온도측정장치

(3) 가열건조설비

(4) 압력계 및 안전장치

① 자동적으로 압력의 상승을 정지시키는 장치

② 감압측에 안전밸브를 부착한 감압밸브

③ 안전밸브를 병용하는 경보장치

④ 파괴판

(5) 전기설비

(6) 정전기 제거설비

① 접지에 의한 방법

② 공기 중의 상대습도를 70% 이상으로 하는 방법

③ 공기를 이온화하는 방법

(7) 피뢰설비

지정수량의 10배 이상의 위험물을 취급하는 제조소에 설치

(8) 전동기 등

9. 위험물 취급탱크

(1) 위험물제조소의 옥외에 있는 위험물취급탱크(용량: 지정수량 5분의 1 미만인 것 제외)의 설치기준

① 옥외에 있는 위험물취급탱크로서 액체위험물(이황화탄소 제외)을 취급하는 것의 주위에 방유제 설치하는 기준

㉠ 방유제의 용량: 당해 탱크용량의 50% 이상

㉡ 2 이상의 취급탱크 주위에 하나의 방유제를 설치하는 경우: 최대인 것 50%에 나머지 탱크용량 합계의 10%를 가산한 양 이상

 정희's 톡talk

압력계 및 안전장치
위험물을 가압하는 설비 또는 그 취급하는 위험물의 압력이 상승할 우려가 있는 설비에는 압력계와 안전장치를 설치하여야 한다.

🖊 핵심기출

「위험물안전관리법 시행규칙」상 제조소에 관한 내용 중 정전기를 제거하는 방법으로 맞지 않는 것은?   10. 중앙통합
① 공기를 이온화한다.
② 배풍기를 강제배기하여 제거한다.
③ 상대습도를 70% 이상으로 한다.
④ 접지를 한다.

정답 ②

ⓒ 방유제의 구조·설비: 옥외저장탱크의 방유제의 기준에 적합하게 할 것

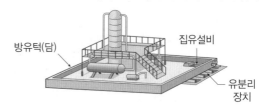

(2) 위험물제조소의 옥내에 있는 위험물취급탱크(용량: 지정수량 5분의 1 미만인 것 제외)의 설치기준
　① 옥내탱크저장소의 위험물을 저장 또는 취급하는 탱크의 구조 및 설비의 기준을 준용할 것
　② 위험물취급탱크의 주위에는 턱을 설치하는 등 위험물이 누설된 경우에 그 유출을 방지하기 위한 조치를 할 것. 이 경우 당해조치는 탱크에 수납하는 위험물의 양을 전부 수용할 수 있도록 하여야 한다.

(3) 위험물제조소의 지하에 있는 위험물취급탱크의 위치·구조 및 설비의 설치기준
　지하탱크저장소의 위험물을 저장 또는 취급하는 탱크의 위치·구조 및 설비의 기준에 준하여 설치하여야 한다.

10. 고인화점 위험물의 제조소의 특례

인화점이 100℃ 이상인 제4류 위험물(이하 "고인화점위험물"이라 한다)만을 100℃ 미만의 온도에서 취급하는 제조소로서 그 위치 및 구조가 다음 각 호의 기준에 모두 적합한 제조소에 대하여는 1., 2., 4. (1), 4. (3) 내지 (5), 8. (6)·(7) 및 9. (1) ① ⓒ에 의하여 준용되는 별표 6 Ⅸ 제1호 나목의 규정을 적용하지 아니한다.

1. 옥내저장소의 기준

(1) 옥내저장소는 제조소의 안전거리 규정에 준하여 안전거리를 두어야 한다. 옥내저장소 안전거리 제외 대상은 다음과 같다.

　① 제4석유류 또는 동식물유류의 위험물: 최대수량이 지정수량의 20배 미만인 것

　② 제6류 위험물을 저장 또는 취급하는 옥내저장소

　③ 지정수량의 20배 이하의 위험물을 저장 또는 취급하는 옥내저장소로, 다음의 기준에 적합할 것

　　㉠ 저장창고의 벽·기둥·바닥·보 및 지붕이 내화구조인 것

　　㉡ 저장창고의 출입구에 수시로 열 수 있는 자동폐쇄방식의 갑종방화문이 설치되어 있을 것

　　㉢ 저장창고에 창을 설치하지 아니할 것

(2) 옥내저장소의 보유공지

옥내저장소의 주위에는 그 저장 또는 취급하는 위험물의 최대수량에 따라 다음에 의한 너비의 공지를 보유하여야 한다.

저장 또는 취급하는 위험물의 최대수량	공지의 너비	
	내화구조 건축물	그 밖의 건축물
지정수량의 5배 이하		0.5m 이상
지정수량의 5배 초과 10배 이하	1m 이상	1.5m 이상
지정수량의 10배 초과 20배 이하	2m 이상	3m 이상
지정수량의 20배 초과 50배 이하	3m 이상	5m 이상
지정수량의 50배 초과 200배 이하	5m 이상	10m 이상
지정수량의 200배 초과	10m 이상	15m 이상

다만, 지정수량의 20배를 초과하는 옥내저장소와 동일한 부지 내에 있는 다른 옥내저장소와의 사이에는 공지의 너비의 3분의 1(당해 수치가 3m 미만인 경우에는 3m)의 공지를 보유할 수 있다.

(3) 표지와 게시판을 설치하여야 한다.

(4) 저장창고는 위험물의 저장을 전용으로 하는 독립된 건축물로 한다.

(5) 저장창고는 지면에서 처마까지의 높이가 **6m 미만인 단층건물**로 하고 그 바닥을 지반면보다 높게 하여야 한다. 단, 제2류 또는 제4류의 위험물만을 저장하는 창고로서 20m 이하로 할 수 있는 구조의 경우 기준에 적합하여야 한다.

　① 벽·기둥·보 및 바닥을 내화구조로 할 것

　② 출입구에 갑종방화문을 설치할 것

　③ 피뢰침을 설치할 것

(6) 하나의 저장창고의 바닥면적은 기준면적 이하로 하여야 한다.

저장창고의 위험물	저장창고의 기준면적
• 제1류 위험물 중 아염소산염류, 염소산염류, 과염소산염류, 무기과산화물 그 밖에 지정수량이 50kg인 위험물 • 제3류 위험물 중 칼륨, 나트륨, 알킬알루미늄, 알킬리튬 그 밖에 지정수량이 10kg인 위험물 및 황린 • 제4류 위험물 중 특수인화물, 제1석유류 및 알코올류 • 제5류 위험물 중 유기과산화물, 질산에스테르류 그 밖에 지정수량이 10kg인 위험물 • 제6류 위험물	1,000m²
그 외 위험물	2,000m²
내화구조의 격벽으로 완전 구획된 실에 저장 시	각각 1,500m²

(7) 저장창고의 벽·기둥 및 바닥은 내화구조로 하고, 보와 서까래는 불연재료로 하여야 한다.

(8) 저장창고는 지붕을 폭발력이 위로 방출될 정도의 가벼운 불연재료로 하고, 천장을 만들지 아니하여야 한다.

(9) 지정수량의 10배 이상의 저장창고(제6류 위험물의 저장창고를 제외한다)에는 피뢰침을 설치하여야 한다.

(10) 저장창고의 창 또는 출입구에 유리를 이용하는 경우에는 **망입유리**로 하여야 한다.

(11) 제1류 위험물 중 **알칼리금속의 과산화물** 또는 이를 함유하는 것, 제2류 위험물 중 **철분·금속분·마그네슘** 또는 이중 어느 하나 이상을 함유하는 것, 제3류 위험물 중 **금수성물질** 또는 제4류 위험물의 저장창고의 바닥은 물이 스며 나오거나 스며들지 아니하는 구조로 하여야 한다.

(12) 액상의 위험물의 저장창고의 바닥은 위험물이 스며들지 아니하는 구조로 하고, 적당하게 경사지게 하여 그 최저부에 집유설비를 하여야 한다.

2. 복합용도 건축물의 옥내저장소의 기준(옥내저장소 중 지정수량의 20배 이하)

(1) 옥내저장소는 벽·기둥·바닥 및 보가 내화구조인 건축물의 1층 또는 2층의 어느 하나의 층에 설치하여야 한다.

(2) 옥내저장소의 용도에 사용되는 부분의 바닥은 지면보다 높게 설치하고 그 층고를 6m 미만으로 하여야 한다.

(3) 옥내저장소의 용도에 사용되는 부분의 바닥면적은 75m² 이하로 하여야 한다.

(4) 옥내저장소의 용도에 사용되는 부분은 벽·기둥·바닥·보 및 지붕(상층이 있는 경우에는 상층의 바닥)을 내화구조로 하고, 출입구 외의 개구부가 없는 두께 70mm 이상의 철근콘크리트조 또는 이와 동등 이상의 강도가 있는 구조의 바닥 또는 벽으로 당해 건축물의 다른 부분과 구획되도록 하여야 한다.

(5) 옥내저장소의 용도에 사용되는 부분의 출입구에는 수시로 열 수 있는 자동폐쇄방식의 갑종방화문을 설치하여야 한다.

(6) 옥내저장소의 용도에 사용되는 부분에는 창을 설치하지 아니하여야 한다.

(7) 옥내저장소의 용도에 사용되는 부분의 환기설비 및 배출설비에는 방화상 유효한 댐퍼 등을 설치하여야 한다.

1. 안전거리
위험물제조소의 안전거리와 동일하다.

2. 보유공지
(1) 옥외저장탱크의 주위에는 그 저장 또는 취급하는 위험물의 최대수량에 따라 옥외저장탱크의 측면으로부터 다음 표에 의한 너비의 공지를 보유하여야 한다.

저장 또는 취급하는 위험물의 최대수량	공지의 너비
지정수량의 500배 이하	3m 이상
지정수량의 500배 초과 1,000배 이하	5m 이상
지정수량의 1,000배 초과 2,000배 이하	9m 이상
지정수량의 2,000배 초과 3,000배 이하	12m 이상
지정수량의 3,000배 초과 4,000배 이하	15m 이상
지정수량의 4,000배 초과	탱크의 수평단면의 최대지름과 높이 중 큰 것과 같은 거리 이상 (30m 초과: 30m, 15m 미만: 15m)

(2) 위험물을 저장·취급하는 옥외탱크저장소 보유공지 특례
  ① 제6류 위험물 외의 위험물을 저장 또는 취급하는 옥외저장탱크(지정수량의 4,000배 초과 제외)를 동일한 방유제 안에 2개 이상 인접하여 설치하는 경우 그 인접하는 방향의 보유공지는 보유공지의 3분의 1 이상의 너비로 할 수 있다 (이 경우 3m 이상).
  ② **제6류 위험물**: 보유공지의 3분의 1 이상의 너비로 할 수 있다(이 경우 1.5m 이상).
  ③ **제6류 위험물(동일구내에 2개 이상 인접하여 설치)**: 당해 보유공지 너비의 3분의 1 이상으로 산출된 너비의 3분의 1 이상으로 할 수 있다(이 경우 1.5m 이상).

(3) 공지단축 옥외저장탱크에 다음 기준에 적합한 물분무설비로 방호조치를 하는 경우에는 그 보유공지를 보유공지의 2분의 1 이상의 너비(최소 3m 이상)로 할 수 있다.
  ① 탱크의 표면에 방사하는 물의 양은 탱크의 원주길이 1m에 대하여 분당 37L 이상으로 할 것
  ② 수원의 양은 가목의 규정에 의한 수량으로 20분 이상 방사할 수 있는 수량으로 할 것
  ③ 탱크에 보강링이 설치된 경우에는 보강링의 아래에 분무헤드를 설치하되, 분무헤드는 탱크의 높이 및 구조를 고려하여 분무가 적정하게 이루어 질 수 있도록 배치할 것
  ④ 물분무소화설비의 설치기준에 준할 것

✏ 핵심 적중

01 지정수량에 따른 제4류 위험물 옥외탱크저장소 주위의 보유공지 너비의 기준으로 옳지 않은 것은?
  ① 지정수량 500배 이하: 3m 이상
  ② 지정수량 500배 초과 1,000배 이하: 6m 이상
  ③ 지정수량1,000배 초과 2,000배 이하: 9m 이상
  ④ 지정수량 2,000배 초과 3,000배 이하: 12m 이상

                정답 ②

02 「위험물안전관리법 시행규칙」상 옥외탱크저장소의 위치·구조 및 설비 기준에 대한 설명으로 옳지 않은 것은? 22. 공채
  ① 저장 또는 취급하는 위험물의 최대수량이 지정수량의 500배 이하인 경우 보유 공지너비는 5m 이상으로 해야 한다.
  ② 옥외탱크저장소 중 그 저장 또는 취급하는 액체위험물의 최대수량이 100만L 이상의 것을 특정옥외탱크저장소라 한다.
  ③ 밸브 없는 통기관의 지름은 30mm 이상으로 하고 끝부분은 수평면보다 45도 이상 구부려 빗물 등의 침투를 막는 구조로 한다.
  ④ 압력탱크(최대상용압력이 대기압을 초과하는 탱크를 말한다)외의 탱크는 충수시험, 압력탱크는 최대상용압력의 1.5배의 압력으로 10분간 실시하는 수압시험에서 각각 새거나 변형되지 아니하여야 한다.

                정답 ①

3. 표지 및 게시판

(1) 옥외탱크저장소에는 기준에 따라 보기 쉬운 곳에 "위험물 옥외탱크저장소"라는 표시를 한 표지와 방화에 관하여 필요한 사항을 게시한 게시판을 설치하여야 한다.

(2) 탱크의 군에 있어서는 표지 및 게시판을 그 의미 전달에 지장이 없는 범위 안에서 보기 쉬운 곳에 일괄하여 설치할 수 있다. 이 경우 게시판과 각 탱크가 대응될 수 있도록 하는 조치를 강구하여야 한다.

4. 특정옥외저장탱크의 기초 및 지반

옥외탱크저장소 중 그 저장 또는 취급하는 액체위험물의 최대수량이 100만 이상의 것(이하 "특정옥외탱크저장소"라 한다)의 옥외저장탱크(이하 "특정옥외저장탱크"라 한다)의 기초 및 지반은 당해 기초 및 지반상에 설치하는 특정옥외저장탱크 및 그 부속설비의 자중, 저장하는 위험물의 중량 등의 하중(이하 "탱크하중"이라 한다)에 의하여 발생하는 응력에 대하여 안전한 것으로 하여야 한다.

5. 준특정옥외저장탱크의 기초 및 지반

옥외탱크저장소 중 그 저장 또는 취급하는 액체위험물의 최대수량이 50만L 이상 100만L 미만의 것(이하 "준특정옥외탱크저장소"라 한다)의 옥외저장탱크(이하 "준특정옥외저장탱크"라 한다)의 기초 및 지반은 제2호 및 제3호에서 정하는 바에 따라 견고하게 하여야 한다.

6. 옥외저장탱크의 외부구조 및 설비

(1) 옥외저장탱크는 특정옥외저장탱크 및 준특정옥외저장탱크 외에는 두께 3.2mm 이상의 강철판 또는 소방청장이 정하여 고시하는 규격에 적합한 재료로, 다음의 시험기준에 따른다.
  ① 압력탱크외의 탱크는 충수시험
  ② 압력탱크는 최대상용압력의 1.5배의 압력으로 10분간 실시하는 수압시험에서 각각 새거나 변형되지 아니하여야 한다.

(2) 방사선투과시험, 진공시험 등의 비파괴시험에 있어서 소방청장이 정하여 고시하는 기준에 적합할 것

(3) 옥외저장탱크는 위험물의 폭발 등에 의하여 탱크 내의 압력이 비정상적으로 상승하는 경우에 내부의 가스 또는 증기를 상부로 방출할 수 있는 구조로 하여야 한다.

(4) 옥외저장탱크 중 압력탱크 외의 탱크에 있어서 밸브 없는 통기관 또는 대기밸브부착 통기관의 설치 기준
  ① 밸브 없는 통기관
    ㉠ 직경은 30mm 이상일 것
    ㉡ 선단은 수평면보다 45도 이상 구부려 빗물 등의 침투를 막는 구조로 할 것
    ㉢ 가는 눈의 구리망 등으로 인화방지장치를 할 것
    ㉣ 가연성의 증기를 회수하기 위한 밸브를 통기관에 설치하는 경우에 있어서는 당해 통기관의 밸브는 저장탱크에 위험물을 주입하는 경우를 제외하

✎ 핵심 적중

01 옥외탱크저장소에 설치하는 통기 장치인 밸브 없는 통기관을 설치하는 경우 통기관의 지름은 얼마인가?
  ① 20mm 이상
  ② 25mm 이상
  ③ 30mm 이상
  ④ 35mm 이상
                              정답 ③

02 「위험물안전관리법 시행규칙」상 옥외탱크저장소의 통기관에 대한 설명으로 옳지 않은 것은?   13. 중앙통합
  ① 선단은 수평면보다 45°이상 구부러져 빗물의 침투를 막는 구조로 해야 한다.
  ② 밸브 없는 통기관의 직경은 50mm 이상이어야 한다.
  ③ 가는 눈의 구리망 등으로 인화방지장치를 하여야 한다.
  ④ 대기밸브부착 통기관은 5kPa 이하의 압력차이로 작동할 수 있어야 한다.
                              정답 ②

고는 항상 개방되어 있는 구조로 하는 한편, 폐쇄하였을 경우에 있어서는 10kPa 이하의 압력에서 개방되는 구조로 할 것. 이 경우 개방된 부분의 유효단면적은 777.15mm² 이상이어야 한다.

② 대기밸브부착 통기관

㉠ 5kPa 이하의 압력차이로 작동할 수 있을 것

㉡ ① ㉢의 기준에 적합할 것

(5) 지정수량의 10배 이상인 옥외탱크저장소(제6류 위험물의 옥외탱크저장소를 제외한다)에는 규정에 준하여 피뢰침을 설치하여야 한다.

(6) 액체위험물의 옥외저장탱크의 주위에는 방유제를 설치하여야 한다.

(7) 제3류 위험물 중 금수성물질(고체에 한한다)의 옥외저장탱크에는 방수성의 불연재료로 만든 피복설비를 설치하여야 한다.

(8) 이황화탄소의 옥외저장탱크는 벽 및 바닥의 두께가 0.2m 이상이고 누수가 되지 아니하는 철근콘크리트의 수조에 넣어 보관하여야 한다. 이 경우 보유공지·통기관 및 자동계량장치는 생략할 수 있다.

7. 특정옥외저장탱크의 구조

특정옥외저장탱크는 주하중 및 종하중에 의하여 발생하는 응력 및 변형에 대하여 안전한 것으로 하여야 한다.

8. 준특정옥외저장탱크의 구조

(1) 주하중 및 종하중에 의하여 발생하는 응력 및 변형에 대하여 안전한 것

(2) 구조기준

① 두께가 3.2mm 이상일 것

② 탱크 옆판에 발생하는 상시의 원주방향인장응력은 소방청장 고시 허용응력 이하일 것

③ 탱크 옆판에 발생하는 지진시의 축방향압축응력은 소방청장 고시 허용응력 이하일 것

(3) 보유수평내력은 지진의 영향에 의한 필요보유수평내력은 소방청장 고시 계산방법상 기준 이상일 것

(4) 그 밖의 필요한 사항은 소방청장이 정하여 고시한다.

9. 방유제

(1) 인화성액체위험물(이황화탄소 제외)의 옥외탱크저장소의 탱크 주위 방유제 설치 기준

① 방유제의 용량

㉠ 탱크가 1개: 그 탱크 용량의 110% 이상

㉡ 탱크가 2개 이상: 그 탱크 중 용량이 최대인 것의 용량의 110% 이상[방유제의 용량 = 당해 방유제의 내용적 − (용량이 최대인 탱크 외의 탱크의 방유제 높이 이하 부분의 용적 + 당해 방유제 내에 있는 모든 탱크의 지반면 이상 부분의 기초의 체적 + 간막이 둑의 체적 및 당해 방유제 내에 있는 배관 등의 체적)]

01 옥외저장탱크의 방유제 높이의 기준으로 옳은 것은?

① 0.5m ~ 2m
② 0.5m ~ 3m
③ 1.5m ~ 2m
④ 1.5m ~ 3m

정답 ②

02 「위험물안전관리법 시행규칙」상 인화성액체 위험물(이황화탄소를 제외한다)을 저장하는 옥외탱크저장소의 주위에 설치하는 방유제의 설치기준으로 옳지 않은 것은?   24. 공채·경채

① 방유제는 높이 0.3m 이상 3m 이하로 할 것
② 방유제 내의 면적은 8만m² 이하로 할 것
③ 방유제 내의 간막이 둑은 흙 또는 철근콘크리트로 할 것
④ 높이가 1m를 넘는 방유제 및 간막이 둑의 안팎에는 방유제 내에 출입하기 위한 계단 또는 경사로를 약 50m마다 설치할 것

정답 ①

03 다음 중 옥외탱크저장소의 방유제에 대한 내용이다. 빈칸에 알맞은 수치는? (단, 인화점 200℃ 이상인 위험물은 제외한다)

> 방유제는 옥외저장탱크의 지름에 따라 그 탱크의 옆판으로부터 다음에 정하는 거리를 유지할 것
> – 지름이 15m 미만: 탱크 높이의 (　　) 이상

① 2분의 1
② 3분의 1
③ 4분의 1
④ 5분의 1

정답 ②

② 방유제는 높이 0.5m 이상 3m 이하, 두께 0.2m 이상, 지하매설깊이 1m 이상

③ 방유제 내의 면적은 8만m² 이하

④ 방유제 내의 설치하는 옥외저장탱크의 수는 10 이하로 할 것

⑤ 방유제 외면의 2분의 1 이상은 자동차 등이 통행할 수 있는 3m 이상의 노면폭을 확보한 구내도로에 직접 접하도록 할 것

⑥ 방유제는 옥외저장탱크의 지름에 따라 그 탱크의 옆판으로부터 다음에 정하는 거리를 유지할 것. 다만, 인화점이 200℃ 이상인 위험물을 저장 또는 취급하는 것에 있어서는 그러하지 아니하다.

  ㉠ 지름이 15m 미만: 탱크 높이의 3분의 1 이상

  ㉡ 지름이 15m 이상: 탱크 높이의 2분의 1 이상

⑦ 방유제는 철근콘크리트로 하고, 방유제와 옥외저장탱크 사이의 지표면은 불연성과 불침윤성이 있는 구조(철근콘크리트 등)로 할 것

⑧ 용량이 1,000만L 이상인 옥외저장탱크의 주위에 설치하는 방유제: 간막이 둑을 설치할 것

  ㉠ 간막이 둑의 높이는 0.3m 이상으로 하되, 방유제의 높이보다 0.2m 이상 낮게 할 것

  ㉡ 간막이 둑은 흙 또는 철근콘크리트로 할 것

  ㉢ 간막이 둑의 용량은 간막이 둑 안에 설치된 탱크의 용량의 10% 이상

⑨ 높이가 1m를 넘는 방유제 및 간막이 둑의 안팎에는 방유제 내에 출입하기 위한 계단 또는 경사로를 약 50m마다 설치할 것

10. 위험물의 성질에 따른 옥외탱크저장소의 특례

알킬알루미늄등, 아세트알데히드등 및 히드록실아민등을 저장 또는 취급하는 옥외탱크저장소 설치 기준에 따른다.

(1) 알킬알루미늄등의 옥외탱크저장소

① 옥외저장탱크의 주위에는 누설범위를 국한하기 위한 설비 및 누설된 알킬알루미늄등을 안전한 장소에 설치된 조에 이끌어 들일 수 있는 설비를 설치할 것

② 옥외저장탱크에는 불활성의 기체를 봉입하는 장치를 설치할 것

(2) 아세트알데히드등의 옥외탱크저장소

① 옥외저장탱크의 설비는 동·마그네슘·은·수은 또는 이들을 성분으로 하는 합금으로 만들지 아니할 것

② 옥외저장탱크에는 냉각장치 또는 보냉장치, 그리고 연소성 혼합기체의 생성에 의한 폭발을 방지하기 위한 불활성의 기체를 봉입하는 장치를 설치할 것

(3) 히드록실아민등의 옥외탱크저장소

① 옥외탱크저장소에는 히드록실아민등의 온도의 상승에 의한 위험한 반응을 방지하기 위한 조치를 강구할 것

② 옥외탱크저장소에는 철이온 등의 혼입에 의한 위험한 반응을 방지하기 위한 조치를 강구할 것

1. 옥내탱크저장소의 기준

(1) 옥내탱크저장소의 위치 · 구조 및 설비의 기술기준

① 위험물을 저장 또는 취급하는 옥내탱크(이하 "옥내저장탱크"라 한다)는 단층 건축물에 설치된 탱크전용실에 설치할 것

② 옥내저장탱크와 탱크전용실의 벽과의 사이 및 옥내저장탱크의 상호간에는 0.5m 이상의 간격을 유지할 것

③ 옥내탱크저장소에는보기 쉬운 곳에 "위험물 옥내탱크저장소"라는 표시를 한 표지와 방화에 관하여 필요한 사항을 게시한 게시판을 설치하여야 한다.

④ 옥내저장탱크의 용량은 지정수량의 40배 이하일 것

⑤ 옥내저장탱크의 구조는 규정에 의한 옥외저장탱크의 구조의 기준을 준용할 것

⑥ 옥내저장탱크의 외면에는 녹을 방지하기 위한 도장을 할 것. 다만, 탱크의 재질이 부식의 우려가 없는 스테인레스 강판 등인 경우에는 그러하지 아니하다.

⑦ 옥내저장탱크 중 압력탱크외의 탱크에 있어서는 밸브 없는 통기관 설치기준

　㉠ 통기관의 선단은 건축물의 창 · 출입구 등의 개구부로부터 1m 이상 떨어진 옥외의 장소에 지면으로부터 4m 이상의 높이로 설치

　㉡ 통기관은 가스 등이 체류할 우려가 있는 굴곡이 없도록 할 것

　㉢ 직경은 30mm 이상일 것

　㉣ 선단은 수평면보다 45도 이상 구부려 빗물 등의 침투를 막는 구조로 할 것

　㉤ 가는 눈의 구리망 등으로 인화방지장치를 할 것

(2) 옥내탱크저장소 중 탱크전용실을 단층건물 외의 건축물에 설치하는 것의 기준

① 옥내저장탱크는 탱크전용실에 설치할 것. 이 경우 제2류 위험물 중 황화린 · 적린 및 덩어리 유황, 제3류 위험물 중 황린, 제6류 위험물 중 질산의 탱크전용실은 건축물의 1층 또는 지하층에 설치하여야 한다.

② 옥내저장탱크의 주입구 부근에는 당해 옥내저장탱크의 위험물의 양을 표시하는 장치를 설치할 것

③ 탱크전용실이 있는 건축물에 설치하는 옥내저장탱크의 펌프설비 기준

　㉠ 탱크전용실 외의 장소에 설치하는 경우

　　ⓐ 이 펌프실은 벽 · 기둥 · 바닥 및 보를 내화구조로 할 것

　　ⓑ 펌프실은 상층이 있는 경우에 있어서는 상층의 바닥을 내화구조로 하고, 상층이 없는 경우에 있어서는 지붕을 불연재료로 하며, 천장을 설치하지 아니할 것

　　ⓒ 펌프실에는 창을 설치하지 아니할 것. 다만, 제6류 위험물의 탱크전용실에 있어서는 갑종방화문 또는 을종방화문이 있는 창을 설치할 수 있다.

　　ⓓ 펌프실의 출입구에는 갑종방화문을 설치할 것. 다만, 제6류 위험물의 탱크전용실에 있어서는 을종방화문을 설치할 수 있다.

ⓔ 펌프실의 환기 및 배출의 설비에는 방화상 유효한 댐퍼 등을 설치할 것

ⓕ 그 밖의 기준은 별표 6 Ⅵ 제10호 다목·아목 내지 차목 및 타목의 규정을 준용할 것

ⓛ **탱크전용실에 펌프설비를 설치하는 경우:** 견고한 기초 위에 고정한 다음 그 주위에는 불연재료로 된 턱을 0.2m 이상의 높이로 설치하는 등 누설된 위험물이 유출되거나 유입되지 아니하도록 하는 조치를 할 것

④ 탱크전용실은 벽·기둥·바닥 및 보를 내화구조로 할 것

⑤ 탱크전용실은 상층이 있는 경우에 있어서는 상층의 바닥을 내화구조로 하고, 상층이 없는 경우에 있어서는 지붕을 불연재료로 하며, 천장을 설치하지 아니할 것

⑥ 탱크전용실에는 창을 설치하지 아니할 것

⑦ 탱크전용실의 출입구에는 수시로 열 수 있는 자동폐쇄식의 갑종방화문을 설치할 것

⑧ 탱크전용실의 환기 및 배출의 설비에는 방화상 유효한 댐퍼 등을 설치할 것

1. 지하탱크저장소의 기준

(1) 위험물을 저장 또는 취급하는 지하탱크(지하저장탱크라 한다)는 지면하에 설치된 탱크전용실에 설치하여야 한다. 다만, 제4류 위험물의 지하저장탱크가 다음 가목 내지 마목의 기준에 적합한 때에는 그러하지 아니하다.

① 당해 탱크를 지하철·지하가 또는 지하터널로부터 수평거리 10m 이내의 장소 또는 지하건축물 내의 장소에 설치하지 아니할 것

② 당해 탱크를 그 수평투영의 세로 및 가로보다 각각 0.6m 이상 크고 두께가 0.3m 이상인 철근콘크리트조의 뚜껑으로 덮을 것

③ 뚜껑에 걸리는 중량이 직접 당해 탱크에 걸리지 아니하는 구조일 것

④ 당해 탱크를 견고한 기초 위에 고정할 것

⑤ 당해 탱크를 지하의 가장 가까운 벽·피트·가스관 등의 시설물 및 대지경계선으로부터 0.6m 이상 떨어진 곳에 매설할 것

(2) 탱크전용실은 지하의 가장 가까운 벽·피트·가스관 등의 시설물 및 대지경계선으로부터 0.1m 이상 떨어진 곳에 설치하고, 지하저장탱크와 탱크전용실의 안쪽과의 사이는 0.1m 이상의 간격을 유지하도록 하며, 당해 탱크의 주위에 마른 모래 또는 습기 등에 의하여 응고되지 아니하는 입자지름 5mm 이하의 마른 자갈분을 채워야 한다.

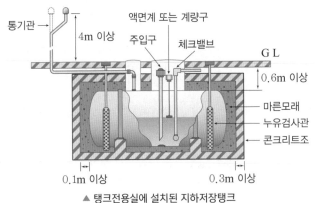

▲ 탱크전용실에 설치된 지하저장탱크

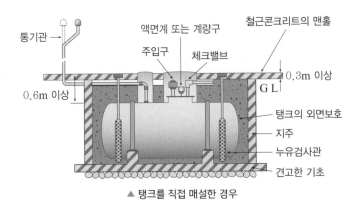

▲ 탱크를 직접 매설한 경우

✏️ **핵심기출**

「위험물안전관리법 시행규칙」상 지하탱크저장소의 내용으로 옳지 않은 것은? 13. 중앙통합

① 지하저장탱크의 윗부분은 지면으로부터 0.6m 이상 아래에 있어야 한다.

② 지하저장탱크와 탱크전용실의 안쪽과의 사이는 0.1m 이상의 간격을 유지하도록 한다.

③ 탱크전용실은 지하의 가장 가까운 벽·피트 등의 시설물 및 대지경계선으로부터 0.1m 이상 떨어진 곳에 설치한다.

④ 탱크의 주위에 마른 모래 또는 습기 등에 의하여 응고되지 아니하는 입자지름 10mm 이하의 마른 자갈분을 채워야 한다.

정답 ④

(3) 지하저장탱크의 윗부분은 지면으로부터 0.6m 이상 아래에 있어야 한다.

(4) 지하저장탱크를 2 이상 인접해 설치하는 경우에는 그 상호간에 1m(당해 2 이상의 지하저장탱크의 용량의 합계가 지정수량의 100배 이하인 때에는 0.5m) 이상의 간격을 유지하여야 한다. 다만, 그 사이에 탱크전용실의 벽이나 두께 20cm 이상의 콘크리트 구조물이 있는 경우에는 그러하지 아니하다.

(5) 지하탱크저장소에는 보기 쉬운 곳에 "위험물 지하탱크저장소"라는 표시를 한 표지와 방화에 관하여 필요한 사항을 게시한 게시판을 설치하여야 한다.

(6) 지하저장탱크는 용량에 따라 다음 표에 정하는 기준에 적합하게 강철판 또는 동등 이상의 성능이 있는 금속재질로 완전용입용접 또는 양면겹침이음용접으로 틈이 없도록 만드는 동시에, 압력탱크 외의 탱크에 있어서는 70kPa의 압력으로, 압력탱크에 있어서는 최대상용압력의 1.5배의 압력으로 각각 10분간 수압시험을 실시하여 새거나 변형되지 아니하여야 한다.

(7) 지하저장탱크의 외면은 별표 8에서 정하는 바에 따라 보호하여야 한다. 다만, 지하저장탱크의 재질이 부식의 우려가 없는 스테인레스 강판 등인 경우에는 방청도장을 하지 않을 수 있다.

(8) 지하저장탱크의 주위에는 당해 탱크로부터의 액체위험물의 누설을 검사하기 위한 관을 다음 기준에 따라 **4개소 이상** 적당한 위치에 설치하여야 한다.
① 이중관으로 할 것. 다만, 소공이 없는 상부는 단관으로 할 수 있다.
② 재료는 금속관 또는 경질합성수지관으로 할 것
③ 관은 탱크전용실의 바닥 또는 탱크의 기초까지 닿게 할 것
④ 관의 밑부분으로부터 탱크의 중심 높이까지의 부분에는 소공이 뚫려 있을 것. 다만, 지하수위가 높은 장소에 있어서는 지하수위 높이까지의 부분에 소공이 뚫려 있어야 한다.
⑤ 상부는 물이 침투하지 아니하는 구조로 하고, 뚜껑은 검사 시에 쉽게 열 수 있도록 할 것

(9) 탱크전용실은 벽·바닥 및 뚜껑을 다음에서 정한 기준에 적합한 철근콘크리트구조 또는 이와 동등 이상의 강도가 있는 구조로 설치하여야 한다.
① 벽·바닥 및 뚜껑의 두께는 0.3m 이상일 것
② 벽·바닥 및 뚜껑의 내부에는 직경 9mm부터 13mm까지의 철근을 가로 및 세로로 5cm부터 20cm까지의 간격으로 배치할 것
③ 벽·바닥 및 뚜껑의 재료에 수밀콘크리트를 혼입하거나 벽·바닥 및 뚜껑의 중간에 아스팔트층을 만드는 방법으로 적정한 방수조치를 할 것

✏️ **핵심적중**

01 지하저장탱크는 주위에 액체 위험물이 새는 것을 검사하기 위한 누유 검사관을 몇 개 설치해야 하는가?
① 3개 이상
② 4개 이상
③ 5개 이상
④ 6개 이상
정답 ②

02 「위험물안전관리법 시행규칙」상 지하저장탱크의 주위에는 당해 탱크로부터의 액체위험물의 누설을 검사하기 위한 관을 설치하여야 한다. 다음 중 옳지 않은 것은? 18. 중앙통합
① 이중관으로 할 것. 다만, 소공이 없는 상부는 단관으로 할 수 있다.
② 재료는 금속관 또는 경질합성수지관으로 할 것
③ 관은 탱크전용실의 바닥 또는 탱크의 기초까지 닿게 할 것
④ 상부는 물이 침투하지 아니하는 구조로 하고, 뚜껑은 검사 후에 쉽게 열 수 없도록 할 것
정답 ④

(1) 하나의 간이탱크저장소에 설치하는 간이저장탱크는 그 수를 3 이하로 하고, 동일한 품질의 위험물의 간이저장탱크를 2 이상 설치하지 아니하여야 한다.

(2) 간이탱크저장소에는 보기 쉬운 곳에 "위험물 간이탱크저장소"라는 표시를 한 표지와 방화에 관하여 필요한 사항을 게시한 게시판을 설치하여야 한다.

(3) 간이저장탱크는 움직이거나 넘어지지 아니하도록 지면 또는 가설대에 고정시키되, 옥외에 설치하는 경우에는 그 탱크의 주위에 너비 1m 이상의 공지를 두고, 전용실 안에 설치하는 경우에는 탱크와 전용실의 벽과의 사이에 0.5m 이상의 간격을 유지하여야 한다.

(4) 간이저장탱크의 용량은 600L 이하이어야 한다.

(5) 간이저장탱크는 두께 3.2mm 이상의 강판으로 흠이 없도록 제작하여야 하며, 70kPa의 압력으로 10분간의 수압시험을 실시하여 새거나 변형되지 아니하여야 한다.

(6) 간이저장탱크의 외면에는 녹을 방지하기 위한 도장을 하여야 한다. 다만, 탱크의 재질이 부식의 우려가 없는 스테인레스 강판 등인 경우에는 그러하지 아니하다.

(7) 간이저장탱크에는 다음 구분에 따른 기준에 적합한 밸브 없는 통기관 또는 대기밸브부착 통기관을 설치하여야 한다.

① 밸브 없는 통기관

㉠ 통기관의 지름은 25mm 이상으로 할 것

㉡ 통기관은 옥외에 설치하되, 그 선단의 높이는 지상 1.5m 이상으로 할 것

㉢ 통기관의 선단은 수평면에 대하여 아래로 45도 이상 구부려 빗물 등이 침투하지 아니하도록 할 것

㉣ 가는 눈의 구리망 등으로 인화방지장치를 할 것. 다만, 인화점 70℃ 이상의 위험물만을 해당 위험물의 인화점 미만의 온도로 저장 또는 취급하는 탱크에 설치하는 통기관에 있어서는 그러하지 아니하다.

② 대기밸브 부착 통기관

㉠ ①의 ㉡ 및 ㉣의 기준에 적합할 것

㉡ 별표 6 **6.**의 **(4)**의 **②**의 **㉠**의 기준에 적합할 것

(8) 간이저장탱크에 고정주유설비 또는 고정급유설비를 설치하는 경우에는 별표 13 **4.**의 규정에 의한 고정주유설비 또는 고정급유설비의 기준에 적합하여야 한다.

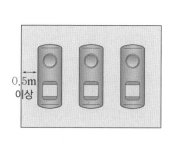
0.5m 이상

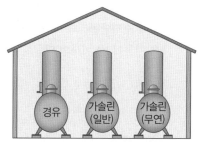
경유 / 가솔린(일반) / 가솔린(무연)

✏️ **핵심 적중**

하나의 간이탱크저장소에 설치하는 간이탱크는 몇 개 이하로 하여야 하는가?

① 3개 이하
② 4개 이하
③ 5개 이하
④ 6개 이하

정답 ①

1. 상치장소

(1) 옥외에 있는 상치장소는 화기를 취급하는 장소 또는 인근의 건축물로부터 5m 이상 (인근의 건축물이 1층인 경우에는 3m 이상)의 거리를 확보하여야 한다.

(2) 옥내에 있는 상치장소는 벽·바닥·보·서까래 및 지붕이 내화구조 또는 불연재료로 된 건축물의 1층에 설치하여야 한다.

2. 이동저장탱크의 구조

- 방파판의 두께: 1.6mm 이상의 강철판
- 방호틀의 두께: 2.3mm 이상의 강철판
- 이동탱크저장소의 탱크의 두께: 3.2mm 이상의 강철판
- 칸막이: 내부에 4,000L 이하마다 설치
- 주유설비의 분당 토출량: 200L 이하

(1) 이동저장탱크의 구조

① 탱크(맨홀 및 주입관의 뚜껑을 포함한다)는 두께 3.2mm 이상의 강철판

② 압력탱크 외의 탱크는 70kPa의 압력으로, 압력탱크는 최대상용압력의 1.5배의 압력으로 각각 10분간의 수압시험을 실시하여 새거나 변형되지 아니할 것

(2) 이동저장탱크는 그 내부에 4,000L 이하마다 3.2mm 이상의 강철판

(3) 제2호의 규정에 의한 칸막이로 구획된 각 부분마다 맨홀과 다음 기준에 의한 안전장치 및 방파판을 설치하여야 한다. 다만, 칸막이로 구획된 부분의 용량이 2,000L 미만인 부분에는 방파판을 설치하지 아니할 수 있다.

① **안전장치:** 상용압력이 20kPa 이하인 탱크에 있어서는 20kPa 이상 24kPa 이하의 압력에서, 상용압력이 20kPa를 초과하는 탱크에 있어서는 상용압력의 1.1배 이하의 압력에서 작동하는 것으로 할 것

② **방파판**

㉠ 두께 1.6mm 이상의 강철판

㉡ 하나의 구획부분에 2개 이상의 방파판을 이동탱크저장소의 진행방향과 평행으로 설치하되, 각 방파판은 그 높이 및 칸막이로부터의 거리를 다르게 할 것

㉢ 하나의 구획부분에 설치하는 각 방파판의 면적의 합계는 당해 구획부분의 최대 수직단면적의 50% 이상으로 할 것. 다만, 수직단면이 원형이거나 짧은 지름이 1m 이하의 타원형일 경우에는 40% 이상으로 할 수 있다.

(4) 맨홀·주입구 및 안전장치 등이 탱크의 상부에 돌출되어 있는 탱크에 있어서는 부속장치의 손상을 방지하기 위한 측면틀 및 방호틀을 설치하여야 한다. 다만, 피견인자동차에 고정된 탱크에는 측면틀을 설치하지 아니할 수 있다.

① **측면틀**

㉠ 탱크 뒷부분의 입면도에 있어서 측면틀의 최외측과 탱크의 최외측을 연결하는 직선의 수평면에 대한 내각이 75도 이상이 되도록 하고, 최대수량의 위험물을 저장한 상태에 있을 때의 당해 탱크중량의 중심점과 측면틀의 최외측을 연결하는 직선과 그 중심점을 지나는 직선 중 최외측선과 직각을 이루는 직선과의 내각이 35도 이상이 되도록 할 것

㉡ 외부로부터 하중에 견딜 수 있는 구조로 할 것

㉢ 탱크상부의 네 모퉁이에 당해 탱크의 전단 또는 후단으로부터 각각 1m 이내의 위치에 설치할 것

㉣ 측면틀에 걸리는 하중에 의하여 탱크가 손상되지 아니하도록 측면틀의 부착부분에 받침판을 설치할 것

② **방호틀**

㉠ 두께 2.3mm 이상의 강철판

㉡ 정상부분은 부속장치보다 50mm 이상 높게 할 것

(5) 탱크의 외면에는 방청도장을 하여야 한다. 다만, 탱크의 재질이 부식의 우려가 없는 스테인레스 강판 등인 경우에는 그러하지 아니하다.

3. 배출밸브 및 폐쇄장치

(1) 이동저장탱크의 아랫부분에 배출구를 설치하는 경우에는 당해 탱크의 배출구에 밸브를 설치하고 비상시에 직접 당해 배출밸브를 폐쇄할 수 있는 수동폐쇄장치 또는 자동폐쇄장치를 설치하여야 한다.

(2) 수동폐쇄장치를 설치하는 경우에는 수동폐쇄장치를 작동시킬 수 있는 레버 또는 이와 유사한 기능을 하는 것을 설치하고, 그 바로 옆에 해당 장치의 작동방식을 표시하여야 한다.

① 손으로 잡아당겨 수동폐쇄장치를 작동시킬 수 있도록 할 것

② 길이는 15cm 이상으로 할 것

4. 결합금속구 등

(1) 주입호스의 재질과 규격 및 결합금속구의 규격은 소방청장이 정하여 고시한다.

(2) 이동탱크저장소에 주입설비 기준

① 위험물이 샐 우려가 없고 화재예방상 안전한 구조로 할 것

② 주입설비의 길이는 50m 이내로 하고, 그 선단에 축적되는 정전기를 유효하게 제거할 수 있는 장치를 할 것

③ 분당 토출량은 200L 이하로 할 것

5. 표지 및 상치장소 표시

이동탱크저장소에는 소방청장이 정하여 고시하는 바에 따라 저장하는 위험물의 위험성을 알리는 표지를 설치하여야 한다.

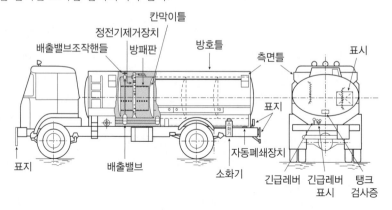

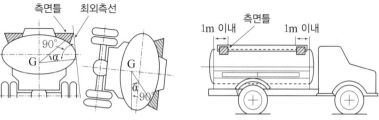

1. 옥외저장소의 기준

(1) 옥외저장소 중 위험물을 용기에 수납하여 저장 또는 취급하는 것의 기술기준

① 옥외저장소는 제조소의 안전거리에 준하는 안전거리를 둘 것

② 옥외저장소는 습기가 없고 배수가 잘 되는 장소에 설치할 것

③ 위험물을 저장 또는 취급하는 장소의 주위에는 경계표시를 하여 명확하게 구분할 것

④ 위험물의 최대수량에 따라 공지를 보유할 것

저장 또는 취급하는 위험물의 최대수량	공지의 너비
지정수량의 10배 이하	3m 이상
지정수량의 10배 초과 20배 이하	5m 이상
지정수량의 20배 초과 50배 이하	9m 이상
지정수량의 50배 초과 200배 이하	12m 이상
지정수량의 200배 초과	15m 이상

⑤ 옥외저장소에 선반을 설치하는 경우의 기준

㉠ 선반은 불연재료로 만들고 견고한 지반면에 고정할 것

㉡ 선반은 당해 선반 및 그 부속설비의 자중·저장하는 위험물의 중량·풍하중·지진의 영향 등에 의하여 생기는 응력에 대하여 안전할 것

㉢ 선반의 높이는 6m를 초과하지 아니할 것

㉣ 선반에는 위험물을 수납한 용기가 쉽게 낙하하지 아니하는 조치를 강구할 것

⑥ 과산화수소 또는 과염소산을 저장하는 옥외저장소에는 불연성 또는 난연성의 천막 등을 설치하여 햇빛을 가릴 것

(2) 옥외저장소 중 덩어리 상태의 유황만을 지반면에 설치한 경계표시의 안쪽에서 저장 또는 취급하는 것의 기술기준

① 하나의 경계표시의 내부의 면적은 100m² 이하일 것

② 2 이상의 경계표시를 설치하는 경우에 있어서는 각각의 경계표시 내부의 면적을 합산한 면적은 1,000m² 이하로 하고, 인접하는 경계표시와 경계표시와의 간격을 제1호 라목의 규정에 의한 공지의 너비의 2분의 1 이상으로 할 것. 다만, 저장 또는 취급하는 위험물의 최대수량이 지정수량의 200배 이상인 경우에는 10m 이상으로 하여야 한다.

③ 경계표시는 불연재료로 만드는 동시에 유황이 새지 아니하는 구조로 할 것

④ 경계표시의 높이는 1.5m 이하로 할 것

⑤ 경계표시에는 유황이 넘치거나 비산하는 것을 방지하기 위한 천막 등을 고정하는 장치를 설치하되, 천막 등을 고정하는 장치는 경계표시의 길이 2m마다 한 개 이상 설치할 것

⑥ 유황을 저장 또는 취급하는 장소의 주위에는 배수구와 분리장치를 설치할 것

정희's 톡talk

옥외저장소에는 보기 쉬운 곳에 "위험물 옥외저장소"라는 표시를 한 표지와 방화에 관하여 필요한 사항을 게시한 게시판을 설치하여야 합니다.

정희's 톡talk

선반의 높이 6m 미만

정희's 톡talk

눈·비 등을 피하거나 차광 등을 위하여 옥외저장소에 캐노피 또는 지붕을 설치하는 경우에는 환기 및 소화활동에 지장을 주지 아니하는 구조로 할 것. 이 경우 기둥은 내화구조로 하고, 캐노피 또는 지붕을 불연재료로 하며, 벽을 설치하지 아니하여야 합니다.

9 암반탱크저장소(규칙 제36조 [별표 12]) D

1. 암반탱크

(1) 암반탱크저장소의 암반탱크의 기준

    ① 암반탱크는 암반투수계수가 1초당 10만분의 1m 이하인 천연암반 내에 설치할 것

    ② 암반탱크는 저장할 위험물의 증기압을 억제할 수 있는 지하수면하에 설치할 것

    ③ 암반탱크의 내벽은 암반균열에 의한 낙반을 방지할 수 있도록 볼트·콘크리트 등으로 보강할 것

(2) 암반탱크의 수리조건 기준

    ① 암반탱크내로 유입되는 지하수의 양은 암반내의 지하수 충전량보다 적을 것

    ② 암반탱크의 상부로 물을 주입하여 수압을 유지할 필요가 있는 경우에는 수벽공을 설치할 것

    ③ 암반탱크에 가해지는 지하수압은 저장소의 최대운영압보다 항상 크게 유지할 것

2. 지하수위 관측공의 설치

암반탱크저장소 주위에는 지하수위 및 지하수의 흐름 등을 확인·통제할 수 있는 관측공을 설치하여야 한다.

3. 배수시설

암반탱크저장소에는 주변 암반으로부터 유입되는 침출수를 자동으로 배출할 수 있는 시설을 설치하고 침출수에 섞인 위험물이 직접 배수구로 흘러 들어가지 아니하도록 유분리장치를 설치하여야 한다.

4. 펌프설비

암반탱크저장소의 펌프설비는 점검 및 보수를 위하여 사람의 출입이 용이한 구조의 전용공동에 설치하여야 한다. 다만, 액중펌프(펌프 또는 전동기를 저장탱크 또는 암반탱크 안에 설치하는 것을 말한다. 이하 같다)를 설치한 경우에는 그러하지 아니하다.

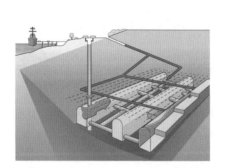
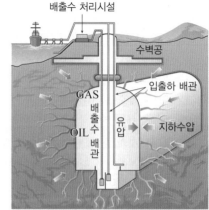

1. 주유공지 및 급유공지

(1) 주유취급소의 고정주유설비의 주위에는 주유를 받으려는 자동차 등이 출입할 수 있도록 너비 15m 이상, 길이 6m 이상의 콘크리트 등으로 포장한 공지(이하 "주유공지")를 보유하여야 하고, 고정급유설비를 설치하는 경우에는 고정급유설비의 호스기기의 주위에 필요한 공지(이하 "급유공지")를 보유하여야 한다.

(2) 공지의 바닥은 주위 지면보다 높게 하고, 그 표면을 적당하게 경사지게 하여 새어 나온 기름 그 밖의 액체가 공지의 외부로 유출되지 아니하도록 배수구·집유설비 및 유분리장치를 하여야 한다.

  ① 고정주유설비: 펌프기기 및 호스기기로 되어 위험물을 자동차등에 직접 주유하기 위한 설비로서 현수식의 것을 포함한다.

  ② 고정급유설비: 펌프기기 및 호스기기로 되어 위험물을 용기에 옮겨 담거나 이동저장탱크에 주입하기 위한 설비로서 현수식의 것을 포함한다.

2. 표지 및 게시판

(1) **주유 중 엔진 정지**: 황색 바탕에 흑색 문자

(2) **화기엄금**: 적색 바탕에 백색 문자

3. 주유취급소에서 저장·취급할 수 있는 탱크

(1) 자동차 등에 주유하기 위한 고정주유설비에 직접 접속하는 전용탱크: 50,000L 이하

(2) 고정급유설비에 직접 접속하는 전용탱크: 50,000L 이하

(3) 보일러 등에 직접 접속하는 전용탱크: 10,000L 이하

(4) 자동차 등을 점검·정비하는 작업장 등에서 사용하는 폐유·윤활유 등의 위험물을 저장하는 탱크: 2,000L 이하의 탱크(이하 "폐유탱크등"이라 한다)

(5) 고정주유설비 또는 고정급유설비에 직접 접속하는 3기 이하의 간이탱크

4. 고정주유설비등

(1) 주유취급소에는 자동차 등의 **연료탱크**에 직접 주유하기 위한 고정주유설비를 설치하여야 한다.

(2) 주유취급소의 고정주유설비 및 고정급유설비

  ① 펌프기기 주유관 선단에서의 최대 토출량

종류	토출량
제1석유류	50L/min 이하
경유	180L/min 이하
등유	80L/min 이하

01 「위험물안전관리법 시행규칙」상 취급소 중 주유취급소에 대한 내용으로 옳은 것은? 17. 중앙통합
  ① 고정주유설비의 주유관의 길이는 5m 이내로 한다.
  ② 너비 10m 이상, 길이 5m 이상의 콘크리트 보유공지를 확보하여야 한다.
  ③ 청색 바탕에 백색 문자의 화기주의표시를 하여야 한다.
  ④ 주유취급소 주위에는 높이 3m 이상의 내화구조 또는 불연재료의 담 또는 벽을 설치하여야 한다.
  정답 ①

02 「위험물안전관리법 시행규칙」상 주유공지 및 급유공지에 대한 내용으로 옳지 않은 것은? 16. 중앙통합
  ① 공지의 바닥은 주위 지면보다 낮게 하여야 한다.
  ② 주유공지는 너비 15m 이상 길이 6m 이상의 콘크리트 등으로 포장하여야 한다.
  ③ 고정주유설비의 주위에는 콘크리트 등으로 포장한 공지를 보유하여야 한다.
  ④ 외부로 유출되지 아니하도록 배수구, 집유설비 및 유분리장치를 하여야 한다.
  정답 ①

03 주유취급소에 설치할 수 없는 위험물 탱크인 것은?
  ① 고정주유설비에 직접 접속하는 3기 이하의 간이탱크
  ② 고정급유설비에 직접 접속하는 3기 이하의 간이탱크
  ③ 보일러 등에 직접 접속하는 전용탱크로서 10,000L 이하의 것
  ④ 고정급유설비에 직접 접속하는 전용탱크로서 60,000L 이하의 것
  정답 ④

② 이동저장탱크에 주입하기 위한 고정급유설비의 펌프기기는 최대토출량이 분당 300L 이하인 것으로 할 수 있으며, 분당 토출량이 200L 이상인 것의 경우에는 주유설비에 관계된 모든 배관의 안지름을 40mm 이상으로 하여야 한다.

(3) 고정주유설비 또는 고정급유설비의 주유관의 길이는 5m 이내로 할 것

(4) 고정주유설비등

① 고정주유설비의 중심선을 기점으로 이격거리

ㄱ 도로경계선: 4m 이상

ㄴ 부지경계선·담 및 건축물의 벽: 2m(개구부가 없는 벽으로부터 1m) 이상

② 고정급유설비의 중심선을 기점으로 이격거리

ㄱ 도로경계선: 4m 이상

ㄴ 건축물의 벽: 2m(개구부가 없는 벽까지는 1m) 이상

ㄷ 부지경계선 및 담: 1m 이상

③ 고정주유설비와 고정급유설비의 사이에는 4m 이상

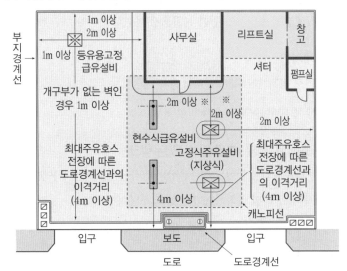

5. 건축물 등의 제한(설치 가능한 건축물 및 시설)

(1) 주유 또는 등유·경유를 옮겨 담기 위한 작업장

(2) 주유취급소의 업무를 행하기 위한 사무소

(3) 자동차 등의 점검 및 간이정비를 위한 작업장

(4) 자동차 등의 세정을 위한 작업장

(5) 주유취급소에 출입하는 사람을 대상으로 한 점포·휴게음식점 또는 전시장

(6) 주유취급소의 관계자가 거주하는 주거시설

(7) 전기자동차용 충전설비

(8) 그 밖의 소방청장이 정하여 고시하는 건축물 또는 시설. 단, 건축물 중 주유취급소의 직원 외의 자가 출입하는 나목·다목 및 마목의 용도에 제공하는 부분의 면적의 합은 1,000m²를 초과할 수 없다.

✏ 핵심기출

「위험물안전관리법 시행규칙」상 주유취급소의 고정주유설비 설치기준이다. (   ) 안에 들어갈 내용으로 옳은 것은? 24. 경채

고정주유설비는 고정주유설비의 중심선을 기점으로 하여 도로경계선까지 (   )m 이상의 거리를 유지할 것

① 1   ② 2
③ 3   ④ 4

정답 ④

✏ 핵심기출

「위험물안전관리법 시행규칙」상 주유취급소에 설치 가능한 시설이 아닌 것은? 10. 중앙통합
① 자동차 등의 세정을 위한 작업장
② 주유취급소의 업무를 위한 사무소
③ 자동차 등의 간이정비를 위한 작업장
④ 다수가 사용할 수 있는 복합시설

정답 ④

6. 건축물 등의 구조

(1) 주유취급소에 설치하는 건축물 위치 및 구조의 기준

① 건축물, 창 및 출입구의 구조

  ㉠ 건축물의 벽·기둥·바닥·보 및 지붕을 내화구조 또는 불연재료로 할 것. 다만, 사무소, 간이정비를 위한 작업장 휴게음식점 등 면적의 합이 500m²를 초과하는 경우에는 건축물의 벽을 내화구조로 하여야 한다.

  ㉡ 창 및 출입구에는 방화문 또는 불연재료로 된 문을 설치할 것. 이 경우 사무소, 간이정비를 위한 작업장 휴게음식점 등 면적의 합이 500m²를 초과하는 주유취급소로서 하나의 구획실의 면적이 500m²를 초과하거나 2층 이상의 층에 설치하는 경우에는 해당 구획실 또는 해당 층의 2면 이상의 벽에 각각 출입구를 설치하여야 한다.

② 거주시설의 용도에 사용하는 부분은 개구부가 없는 내화구조의 바닥 또는 벽으로 당해 건축물의 다른 부분과 구획하고 주유를 위한 작업장 등 위험물취급 장소에 면한 쪽의 벽에는 출입구를 설치하지 아니할 것

③ 사무실 등의 창 및 출입구에 유리를 사용하는 경우에는 **망입유리 또는 강화유리**로 할 것. 이 경우 강화유리의 두께는 창에는 **8mm 이상**, 출입구에는 **12mm 이상**으로 하여야 한다.

④ 건축물 중 사무실 그 밖의 화기를 사용하는 곳은 누설한 가연성의 증기가 그 내부에 유입되지 않는 구조로 할 것

  ㉠ 출입구는 건축물의 안에서 밖으로 수시로 개방할 수 있는 자동폐쇄식의 것으로 할 것

  ㉡ 출입구 또는 사이통로의 문턱의 높이를 15cm 이상으로 할 것

  ㉢ 높이 1m 이하의 부분에 있는 창 등은 밀폐시킬 것

⑤ 자동차 등의 점검·정비를 행하는 설비의 기준

  ㉠ 고정주유설비로부터 4m 이상, 도로경계선으로부터 2m 이상 떨어지게 할 것

  ㉡ 위험물을 취급하는 설비는 위험물의 누설·넘침 또는 비산을 방지할 수 있는 구조로 할 것

⑥ 자동차 등의 세정을 행하는 설비의 기준

  ㉠ 증기세차기를 설치하는 경우에는 그 주위의 불연재료로 된 높이 1m 이상의 담을 설치하고 출입구가 고정주유설비에 면하지 아니하도록 할 것. 이 경우 담은 고정주유설비로부터 4m 이상 떨어지게 하여야 한다.

  ㉡ 증기세차기 외의 세차기를 설치하는 경우에는 고정주유설비로부터 4m 이상, 도로경계선으로부터 2m 이상 떨어지게 할 것

⑦ 주유원간이대기실 설치 기준

  ㉠ 불연재료로 할 것

  ㉡ 바퀴가 부착되지 아니한 고정식일 것

  ㉢ 차량의 출입 및 주유작업에 장애를 주지 아니하는 위치에 설치할 것

  ㉣ 바닥면적이 2.5m² 이하일 것. 다만, 주유공지 및 급유공지 외의 장소에 설치하는 것은 그러하지 아니하다.

7. 담 또는 벽

주유취급소의 주위에는 자동차 등이 출입하는 쪽외의 부분에 높이 2m 이상의 내화구조 또는 불연재료의 담 또는 벽을 설치하되, 주유취급소의 인근에 연소의 우려가 있는 건축물이 있는 경우에는 소방청장이 정하여 고시하는 바에 따라 방화상 유효한 높이로 하여야 한다.

8. 주유취급소에 캐노피의 설치기준

(1) 배관이 캐노피 내부를 통과할 경우에는 1개 이상의 점검구를 설치할 것

(2) 캐노피 외부의 점검이 곤란한 장소에 배관을 설치하는 경우에는 용접이음으로 할 것

(2) 캐노피 외부의 배관이 일광열의 영향을 받을 우려가 있는 경우에는 단열재로 피복할 것

9. 펌프실 등의 구조

(1) 바닥은 위험물이 침투하지 아니하는 구조로 하고 적당한 경사를 두어 집유설비를 설치할 것

(2) 펌프실등에는 위험물을 취급하는데 필요한 채광·조명 및 환기의 설비를 할 것

(3) 가연성 증기가 체류할 우려가 있는 펌프실등에는 그 증기를 옥외에 배출하는 설비를 설치할 것

(4) 고정주유설비 또는 고정급유설비중 펌프기기를 호스기기와 분리하여 설치하는 경우에는 펌프실의 출입구를 주유공지 또는 급유공지에 접하도록 하고, 자동폐쇄식의 갑종방화문을 설치할 것

(5) 펌프실등에는 보기 쉬운 곳에 "위험물 펌프실", "위험물 취급실" 등의 표시를 한 표지와 게시판을 설치하여야 한다.

(6) 출입구에는 바닥으로부터 0.1m 이상의 턱을 설치할 것

11 판매취급소[규칙 제38조 [별표 14]]   D

1. 판매취급소의 기준

(1) 제1종 판매취급소(지정수량 20배 이하)

① 건축물의 1층에 설치할 것

② 표지와 게시판을 설치하여야 한다.

③ 건축물의 부분은 내화구조 또는 불연재료로 하고, 판매취급소로 사용되는 부분과 다른 부분과의 격벽은 내화구조로 할 것

④ 건축물의 부분은 보를 불연재료로 하고, 천장을 설치하는 경우에는 천장을 불연재료로 할 것

⑤ 상층이 있는 경우에 있어서는 그 상층의 바닥을 내화구조로 하고, 상층이 없는 경우에 있어서는 지붕을 내화구조 또는 불연재료로 할 것

⑥ 창 및 출입구에는 갑종방화문 또는 을종방화문을 설치할 것

⑦ 창 또는 출입구에 유리를 이용하는 경우에는 망입유리로 할 것

⑧ 건축물에 설치하는 전기설비는 전기사업법에 의한 전기설비기술기준에 의할 것

⑨ 위험물을 배합하는 실의 기준

ⓐ 바닥면적은 6m² 이상 15m² 이하로 할 것

ⓑ 내화구조 또는 불연재료로 된 벽으로 구획할 것

ⓒ 바닥은 위험물이 침투하지 아니하는 구조로 하여 적당한 경사를 두고 집유설비를 할 것

ⓓ 출입구에는 수시로 열 수 있는 자동폐쇄식의 갑종방화문을 설치할 것

ⓔ 출입구 문턱의 높이는 바닥면으로부터 0.1m 이상으로 할 것

ⓕ 내부에 체류한 가연성의 증기 또는 가연성의 미분을 지붕 위로 방출하는 설비를 할 것

(2) 제2종 판매취급소(지정수량 40배 이하, (1)의 ①, ②, ⑦, ⑧, ⑨의 규정을 준용함)

① 벽·기둥·바닥 및 보를 내화구조로 하고, 천장이 있는 경우에는 이를 불연재료로 하며, 판매취급소로 사용되는 부분과 다른 부분과의 격벽은 내화구조로 할 것

② 상층이 있는 경우에 있어서는 상층의 바닥을 내화구조로 하는 동시에 상층으로의 연소를 방지하기 위한 조치를 강구하고, 상층이 없는 경우에는 지붕을 내화구조로 할 것

③ 연소의 우려가 없는 부분에 한하여 창을 두되, 당해 창에는 갑종방화문 또는 을종방화문을 설치할 것

④ 출입구에는 갑종방화문 또는 을종방화문을 설치할 것. 다만, 당해 부분 중 연소의 우려가 있는 벽 또는 창의 부분에 설치하는 출입구에는 수시로 열 수 있는 자동폐쇄식의 갑종방화문을 설치하여야 한다.

1. 설치장소

(1) 이송취급소 설치 제외 장소

① 철도 및 도로의 터널 안

② 고속국도 및 자동차전용도로의 차도 · 길어깨 및 중앙분리대

③ 호수 · 저수지 등으로서 수리의 수원이 되는 곳

④ 급경사지역으로서 붕괴의 위험이 있는 지역

(2) 이송취급소 설치 장소

① 지형상황 등 부득이한 사유가 있고 안전에 필요한 조치를 하는 경우

② (1)의 ② 또는 ③의 장소에 횡단하여 설치하는 경우

2. 배관 등의 재료 및 구조[배관 · 관이음쇠 및 밸브(이하 "배관등"이라 한다)의 재료 규격 및 기준]

(1) 배관

고압배관용 탄소강관, 압력배관용 탄소강관 등

(2) 관이음쇠

배관용강제 맞대기용접식 관이음쇠, 철강재 관플랜지 압력단계 등

(3) 밸브

주강 플랜지형 밸브

3. 배관설치의 기준

(1) 지하매설 설치기준

① 안전거리

  ㉠ **건축물(지하가내의 건축물 제외): 1.5m 이상**

  ㉡ **지하가 및 터널: 10m 이상**(누설확산방지조치 → 1/2 단축 가능)

  ㉢ **수도시설(위험물의 유입우려가 있는 것에 한한다): 300m 이상**(누설확산방지조치 → 1/2 단축 가능)

② 배관은 그 외면으로부터 다른 공작물에 대하여 0.3m 이상의 거리를 보유할 것

③ 배관의 외면과 지표면과의 거리는 산이나 들에 있어서는 **0.9m 이상**, 그 밖의 지역에 있어서는 **1.2m 이상**으로 할 것

④ 배관은 지반의 동결로 인한 손상을 받지 아니하는 적절한 깊이로 매설할 것

⑤ 성토 또는 절토를 한 경사면의 부근에 배관을 매설하는 경우에는 경사면의 붕괴에 의한 피해가 발생하지 아니하도록 매설할 것

⑥ 배관의 입상부, 지반의 급변부 등 지지조건이 급변하는 장소에 있어서는 굽은 관을 사용하거나 지반개량 그 밖에 필요한 조치를 강구할 것

⑦ 배관의 하부에는 사질토 또는 모래로 20cm(자동차 등의 하중이 없는 경우에는 10cm) 이상, 배관의 상부에는 사질토 또는 모래로 30cm(자동차 등의 하중에 없는 경우에는 20cm) 이상 채울 것

(2) 도로 밑 매설

① 배관은 원칙적으로 자동차하중의 영향이 적은 장소에 매설할 것

② 배관은 그 외면으로부터 도로의 경계에 대하여 1m 이상의 안전거리를 둘 것

③ 시가지 도로의 밑에 매설하는 경우에는 배관의 상부로부터 30cm 이상 위에 설치할 것

④ 배관은 그 외면으로부터 다른 공작물에 대하여 0.3m 이상의 거리를 보유할 것

(3) 지상설치

① 배관이 지표면에 접하지 아니하도록 할 것

② 배관 안전거리 기준

시설물	안전거리
· 철도 또는 도로의 경계선 · 주택 또는 다수의 사람이 출입 또는 근무하는 것	25m 이상
고압가스제조시설, 고압가스저장시설, 액화산소소비시설, 액화석유가스제조시설, 액화석유가스저장시설	35m 이상
· 학교, 병원(종합병원, 병원, 치과병원, 한방병원, 요양병원), 공연장, 영화상영관, 복지시설(아동복지시설, 노인복지시설, 장애인복지시설등) · 공공공지, 도시공원 · 판매시설, 숙박시설, 위락시설(연면적 1,000m² 이상) · 기차역 또는 버스터미널(1일 평균 20,000명 이상)	45m 이상
지정문화재	65m 이상
수도시설(위험물이 유입될 가능성이 있는 것)	300m 이상

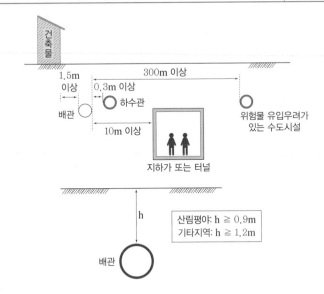

4. 기타 설비등

(1) 누설확산방지조치

(2) 가연성증기의 체류방지조치

(3) 부등침하 등의 우려가 있는 장소에 설치하는 배관

(4) 굴착에 의하여 주위가 노출된 배관의 보호

1. 일반취급소의 기준

(1) 도장, 인쇄 또는 도포를 위하여 제2류 위험물 또는 제4류 위험물(특수인화물을 제외)을 취급하는 일반취급소로서 지정수량의 30배 미만의 것(분무도장작업등의 일반취급소)

(2) 세정을 위하여 위험물(인화점이 40℃ 이상인 제4류 위험물에 한한다)을 취급하는 일반취급소로서 지정수량의 30배 미만의 것(세정작업의 일반취급소)

(3) 열처리작업 또는 방전가공을 위하여 위험물(인화점이 70℃ 이상인 제4류 위험물에 한한다)을 취급하는 일반취급소로서 지정수량의 30배 미만의 것(열처리작업등의 일반취급소)

(4) 보일러, 버너 그 밖의 이와 유사한 장치로 위험물(인화점이 38℃ 이상인 제4류 위험물에 한한다)을 소비하는 일반취급소로서 지정수량의 30배 미만의 것(보일러등으로 위험물을 소비하는 일반취급소)

(5) 이동저장탱크에 액체위험물(알킬알루미늄등, 아세트알데히드등 및 히드록실아민등을 제외한다)을 주입하는 일반취급소(충전하는 일반취급소)

– 중략 –

2. 분무도장작업등의 일반취급소의 특례

(1) 건축물 중 일반취급소의 용도로 사용하는 부분에 지하층이 없을 것

(2) 건축물 중 일반취급소의 용도로 사용하는 부분은 벽·기둥·바닥·보 및 지붕(상층이 있는 경우에는 상층의 바닥)을 내화구조로 하고, 출입구 외의 개구부가 없는 두께 70mm 이상의 철근콘크리트조 또는 이와 동등 이상의 강도가 있는 구조의 바닥 또는 벽으로 당해 건축물의 다른 부분과 구획될 것

(3) 건축물 중 일반취급소의 용도로 사용하는 부분에는 창을 설치하지 아니할 것

(4) 건축물 중 일반취급소의 용도로 사용하는 부분의 출입구에는 갑종방화문을 설치하되, 연소의 우려가 있는 외벽 및 당해 부분 외의 부분과의 격벽에 있는 출입구에는 수시로 열 수 있는 자동폐쇄식의 것으로 할 것

(5) 액상의 위험물을 취급하는 건축물 중 일반취급소의 용도로 사용하는 부분의 바닥은 위험물이 침투하지 아니하는 구조로 하고, 적당한 경사를 두어 집유설비를 설치할 것

(6) 건축물 중 일반취급소의 용도로 사용하는 부분에는 위험물을 취급하는 데 필요한 채광·조명 및 환기의 설비를 설치할 것

(7) 가연성의 증기 또는 가연성의 미분이 체류할 우려가 있는 일반취급소의 용도로 사용하는 부분에는 그 증기 또는 미분을 옥외의 높은 곳으로 배출하는 설비를 설치할 것

1. 소화설비

(1) 소화난이도등급 Ⅰ의 제조소등 및 소화설비

① 소화난이등급 Ⅰ에 해당하는 제조소등(요약본)

제조소등의 구분	제조소등의 규모, 저장 또는 취급하는 위험물의 품명 및 최대수량 등
제조소 일반취급소	연면적 1,000m² 이상인 것
	지정수량의 100배 이상인 것(고인화점위험물만을 100℃ 미만의 온도에서 취급하는 것 및 제48조의 위험물을 취급하는 것은 제외)
	지반면으로부터 6m 이상의 높이에 위험물 취급설비가 있는 것(고인화점위험물만을 100℃ 미만의 온도에서 취급하는 것은 제외)
	일반취급소로 사용되는 부분 외의 부분을 갖는 건축물에 설치된 것(내화구조로 개구부 없이 구획 된 것, 고인화점위험물만을 100℃ 미만의 온도에서 취급하는 것 및 별표 16 Ⅹ의2의 화학실험의 일반취급소는 제외)
주유취급소	별표 13 Ⅴ제2호에 따른 면적의 합이 500m²를 초과하는 것
옥내 저장소	지정수량의 150배 이상인 것(고인화점위험물만을 저장하는 것 및 제48조의 위험물을 저장하는 것은 제외)
	연면적 150m²를 초과하는 것(150m² 이내마다 불연재료로 개구부없이 구획된 것 및 인화성고체 외의 제2류 위험물 또는 인화점 70℃ 이상의 제4류 위험물만을 저장하는 것은 제외)
	처마높이가 6m 이상인 단층건물의 것
	옥내저장소로 사용되는 부분 외의 부분이 있는 건축물에 설치된 것(내화구조로 개구부없이 구획된 것 및 인화성고체 외의 제2류 위험물 또는 인화점 70℃ 이상의 제4류 위험물만을 저장하는 것은 제외)
옥외 탱크 저장소	액표면적이 40m² 이상인 것(제6류 위험물을 저장하는 것 및 고인화점위험물만을 100℃ 미만의 온도에서 저장하는 것은 제외)
	지반면으로부터 탱크 옆판의 상단까지 높이가 6m 이상인 것(제6류 위험물을 저장하는 것 및 고인화점위험물만을 100℃ 미만의 온도에서 저장하는 것은 제외)
	지중탱크 또는 해상탱크로서 지정수량의 100배 이상인 것(제6류 위험물을 저장하는 것 및 고인화점위험물만을 100℃ 미만의 온도에서 저장하는 것은 제외)
	고체위험물을 저장하는 것으로서 지정수량의 100배 이상인 것

② 소화난이도등급 Ⅰ의 제조소등에 설치하여야 하는 소화설비(요약본)

제조소등의 구분			소화설비
제조소 및 일반취급소			옥내소화전설비, 옥외소화전설비, 스프링클러설비 또는 물분무등소화설비(화재발생 시 연기가 충만할 우려가 있는 장소에는 스프링클러설비 또는 이동식 외의 물분무등소화설비에 한한다)
주유취급소			스프링클러설비(건축물에 한정한다), 소형 수동식소화기등(능력단위의 수치가 건축물 그 밖의 공작물 및 위험물의 소요단위의 수치에 이르도록 설치할 것)
옥내 저장소	처마높이가 6m 이상인 단층 건물 또는 다른 용도의 부분이 있는 건축물에 설치한 옥내저장소		스프링클러설비 또는 이동식 외의 물분무등소화설비
	그 밖의 것		옥외소화전설비, 스프링클러설비, 이동식 외의 물분무등소화설비 또는 이동식 포소화설비(포소화전을 옥외에 설치하는 것에 한한다)
옥외 탱크 저장소	지중탱크 또는 해상탱크 외의 것	유황만을 저장취급하는 것	물분무소화설비
		인화점 70℃ 이상의 제4류 위험물만을 저장취급하는 것	물분무소화설비 또는 고정식 포소화설비
		그 밖의 것	고정식 포소화설비(포소화설비가 적응성이 없는 경우에는 분말소화설비)
	지중탱크		고정식 포소화설비, 이동식 이외의 불활성가스소화설비 또는 이동식 이외이 할로겐화합물소화설비
	해상탱크		고정식 포소화설비, 물분무소화설비, 이동식이외의 불활성가스소화설비 또는 이동식 이외의 할로겐화합물소화설비
옥내 탱크 저장소	유황만을 저장취급하는 것		물분무소화설비
	인화점 70℃ 이상의 제4류 위험물만을 저장취급하는 것		물분무소화설비, 고정식 포소화설비, 이동식 이외의 불활성가스소화설비, 이동식 이외의 할로겐화합물소화설비 또는 이동식 이외의 분말소화설비
	그 밖의 것		고정식 포소화설비, 이동식 이외의 불활성가스소화설비, 이동식 이외의 할로겐화합물소화설비 또는 이동식 이외의 분말소화설비

(4) 소화설비의 적응성

소화설비의 구분		건축물·그 밖의 공작물	전기설비	제1류 위험물 알칼리금속과산화물 등	제1류 위험물 그 밖의 것	제2류 위험물 철분·금속분·마그네슘 등	제2류 위험물 인화성고체	제2류 위험물 그 밖의 것	제3류 위험물 금수성물품	제3류 위험물 그 밖의 것	제4류 위험물	제5류 위험물	제6류 위험물
옥내소화전 또는 옥외소화전설비		○			○		○	○		○		○	○
스프링클러설비		○			○		○	○		○	△	○	○
물분무등소화설비	물분무소화설비	○	○		○		○	○		○	○	○	○
물분무등소화설비	포소화설비	○			○		○	○		○	○	○	○
물분무등소화설비	불활성가스소화설비		○				○				○		
물분무등소화설비	할로겐화합물소화설비		○				○				○		
물분무등소화설비 분말소화설비	인산염류 등	○	○		○		○	○			○		○
물분무등소화설비 분말소화설비	탄산수소염류 등		○	○		○	○		○		○		
물분무등소화설비 분말소화설비	그 밖의 것			○		○			○				
대형·소형수동식소화기	봉상수(棒狀水)소화기	○			○		○	○		○		○	○
대형·소형수동식소화기	무상수(霧狀水)소화기	○	○		○		○	○		○		○	○
대형·소형수동식소화기	봉상강화액소화기	○			○		○	○		○		○	○
대형·소형수동식소화기	무상강화액소화기	○	○		○		○	○		○	○	○	○
대형·소형수동식소화기	포소화기	○			○		○	○		○	○	○	○
대형·소형수동식소화기	이산화탄소소화기		○				○				○		△
대형·소형수동식소화기	할로겐화합물소화기		○				○				○		
대형·소형수동식소화기 분말소화기	인산염류소화기	○	○		○		○	○			○		○
대형·소형수동식소화기 분말소화기	탄산수소염류소화기	○	○	○		○	○		○		○		
대형·소형수동식소화기 분말소화기	그 밖의 것		○	○		○			○				
기타	물통 또는 수조	○			○		○	○		○		○	○
기타	건조사			○	○	○	○	○	○	○	○	○	○
기타	팽창질석 또는 팽창진주암			○	○	○	○	○	○	○	○	○	○

▶ 비고

1. "○" 표시는 당해 소방대상물 및 위험물에 대하여 소화설비가 적응성이 있음을 표시하고, "△" 표시는 제4류 위험물을 저장 또는 취급하는 장소의 살수기준면적에 따라 스프링클러설비의 살수밀도가 다음 표에 정하는 기준 이상인 경우에는 당해 스프링클러설비가 제4류 위험물에 대하여 적응성이 있음을, 제6류 위험물을 저장 또는 취급하는 장소로서 폭발의 위험이 없는 장소에 한하여 이산화탄소소화기가 제6류 위험물에 대하여 적응성이 있음을 각각 표시한다.
2. 인산염류 등은 인산염류, 황산염류 그 밖에 방염성이 있는 약제를 말한다.
3. 탄산수소염류 등은 탄산수소염류 및 탄산수소염류와 요소의 반응생성물을 말한다.
4. 알칼리금속과산화물 등은 알칼리금속의 과산화물 및 알칼리금속의 과산화물을 함유한 것을 말한다.
5. 철분·금속분·마그네슘 등은 철분·금속분·마그네슘과 철분·금속분 또는 마그네슘을 함유한 것을 말한다.

(5) 소화설비의 설치기준

① 전기설비의 소화설비: 제조소등에 전기설비(전기배선, 조명기구 등은 제외한다)가 설치된 경우에는 당해 장소의 면적 100m²마다 소형수동식소화기를 1개 이상 설치할 것

② 소요단위 및 능력단위

  ㉠ 소요단위: 소화설비의 설치대상이 되는 건축물 그 밖의 공작물의 규모 또는 위험물의 양의 기준단위

  ㉡ 능력단위: ㉠의 소요단위에 대응하는 소화설비의 소화능력의 기준단위

③ 소요단위의 계산방법: 건축물 그 밖의 공작물 또는 위험물의 소요단위의 계산방법은 다음의 기준에 의할 것

  ㉠ 제조소 또는 취급소의 건축물은 외벽이 내화구조인 것은 연면적(제조소등의 용도로 사용되는 부분 외의 부분이 있는 건축물에 설치된 제조소등에 있어서는 당해 건축물중 제조소등에 사용되는 부분의 바닥면적의 합계를 말한다. 이하 같다) 100m²를 1소요단위로 하며, 외벽이 내화구조가 아닌 것은 연면적 50m²를 1소요단위로 할 것

  ㉡ 저장소의 건축물은 외벽이 내화구조인 것은 연면적 150m²를 1소요단위로 하고, 외벽이 내화구조가 아닌 것은 연면적 75m²를 1소요단위로 할 것

  ㉢ 제조소등의 옥외에 설치된 공작물은 외벽이 내화구조인 것으로 간주하고 공작물의 최대수평투영면적을 연면적으로 간주하여 ㉠ 및 ㉡의 규정에 의하여 소요단위를 산정할 것

  ㉣ 위험물은 지정수량의 10배를 1소요단위로 할 것

④ 소화설비의 능력단위

  ㉠ 수동식소화기의 능력단위는 수동식소화기의형식승인및검정기술기준에 의하여 형식승인 받은 수치로 할 것

  ㉡ 기타 소화설비의 능력단위는 다음의 표에 의할 것

⑤ 옥내소화전설비의 설치기준은 다음의 기준에 의할 것

  ㉠ 옥내소화전은 제조소등의 건축물의 층마다 당해 층의 각 부분에서 하나의 호스접속구까지의 수평거리가 25m 이하가 되도록 설치할 것. 이 경우 옥내소화전은 각층의 출입구 부근에 1개 이상 설치하여야 한다.

  ㉡ 수원의 수량은 옥내소화전이 가장 많이 설치된 층의 옥내소화전 설치개수(설치개수가 5개 이상인 경우는 5개)에 7.8m³를 곱한 양 이상이 되도록 설치할 것

  ㉢ 옥내소화전설비는 각층을 기준으로 하여 당해 층의 모든 옥내소화전(설치개수가 5개 이상인 경우는 5개의 옥내소화전)을 동시에 사용할 경우에 각 노즐끝부분의 방수압력이 350kPa 이상이고 방수량이 1분당 260L 이상의 성능이 되도록 할 것

  ㉣ 옥내소화전설비에는 비상전원을 설치할 것

정희's 톡talk

소화설비	용량	능력단위
소화전용(轉用)물통	8L	0.3
수조(소화전용물통 3개 포함)	80L	1.5
수조(소화전용물통 6개 포함)	190L	2.5
마른 모래(삽 1개 포함)	50L	0.5
팽창질석 또는 팽창진주암(삽 1개 포함)	160L	1.0

2. 경보설비

(1) 제조소등별로 설치해야 하는 경보설비의 종류

제조소등의 구분	제조소등의 규모, 저장 또는 취급하는 위험물의 종류 및 최대수량 등	경보설비
가. 제조소 및 일반취급소	· 연면적이 500제곱미터 이상인 것 · 옥내에서 지정수량의 100배 이상을 취급하는 것(고인화점위험물만을 100℃ 미만의 온도에서 취급하는 것은 제외한다) · 일반취급소로 사용되는 부분 외의 부분이 있는 건축물에 설치된 일반취급소(일반취급소와 일반취급소 외의 부분이 내화구조의 바닥 또는 벽으로 개구부 없이 구획된 것은 제외한다)	자동화재탐지설비
나. 옥내저장소	· 지정수량의 100배 이상을 저장 또는 취급하는 것(고인화점위험물만을 저장 또는 취급하는 것은 제외한다) · 저장창고의 연면적이 150제곱미터를 초과하는 것[연면적 150제곱미터 이내마다 불연재료의 격벽으로 개구부 없이 완전히 구획된 저장창고와 제2류 위험물(인화성고체는 제외한다) 또는 제4류 위험물(인화점이 70℃ 미만인 것은 제외한다)만을 저장 또는 취급하는 저장창고는 그 연면적이 500제곱미터 이상인 것을 말한다] · 처마 높이가 6미터 이상인 단층 건물의 것 · 옥내저장소로 사용되는 부분 외의 부분이 있는 건축물에 설치된 옥내저장소[옥내저장소와 옥내저장소 외의 부분이 내화구조의 바닥 또는 벽으로 개구부 없이 구획된 것과 제2류(인화성고체는 제외한다) 또는 제4류의 위험물(인화점이 70℃ 미만인 것은 제외한다)만을 저장 또는 취급하는 것은 제외한다]	자동화재탐지설비
라. 주유취급소	옥내주유취급소	자동화재탐지설비
마. 옥외탱크저장소	특수인화물, 제1석유류 및 알코올류를 저장 또는 취급하는 탱크의 용량이 1,000만 리터 이상인 것	· 자동화재탐지설비 · 자동화재속보설비
바. 가목부터 마목까지의 규정에 따른 자동화재탐지설비 설치 대상 제조소등에 해당하지 않는 제조소등(이송취급소는 제외한다)	지정수량의 10배 이상을 저장 또는 취급하는 것	자동화재탐지설비, 비상경보설비, 확성장치 또는 비상방송설비 중 1종 이상

(2) 자동화재탐지설비의 설치기준

① 자동화재탐지설비의 경계구역(화재가 발생한 구역을 다른 구역과 구분하여 식별할 수 있는 최소단위의 구역을 말한다. 이하 이 호에서 같다)은 건축물 그 밖의 공작물의 2 이상의 층에 걸치지 아니하도록 할 것. 다만, 하나의 경계구역의 면적이 500m² 이하이면서 당해 경계구역이 두 개의 층에 걸치는 경우이거나 계단·경사로·승강기의 승강로 그 밖에 이와 유사한 장소에 연기감지기를 설치하는 경우에는 그러하지 아니하다.

② 하나의 경계구역의 면적은 600m² 이하로 하고 그 한변의 길이는 50m(광전식 분리형 감지기를 설치할 경우에는 100m)이하로 할 것. 다만, 당해 건축물 그 밖의 공작물의 주요한 출입구에서 그 내부의 전체를 볼 수 있는 경우에 있어서는 그 면적을 1,000m² 이하로 할 수 있다.

③ 자동화재탐지설비의 감지기(옥외탱크저장소에 설치하는 자동화재탐지설비의 감지기는 제외한다)는 지붕(상층이 있는 경우에는 상층의 바닥) 또는 벽의 옥내에 면한 부분(천장이 있는 경우에는 천장 또는 벽의 옥내에 면한 부분 및 천장의 뒷 부분)에 유효하게 화재의 발생을 감지할 수 있도록 설치할 것

3. 피난설비

(1) 주유취급소 중 건축물의 2층 이상의 부분을 점포·휴게음식점 또는 전시장의 용도로 사용하는 것에 있어서는 당해 건축물의 2층 이상으로부터 주유취급소의 부지 밖으로 통하는 출입구와 당해 출입구로 통하는 통로·계단 및 출입구에 유도등을 설치하여야 한다.

(2) 옥내주유취급소에 있어서는 당해 사무소 등의 출입구 및 피난구와 당해 피난구로 통하는 통로·계단 및 출입구에 유도등을 설치하여야 한다.

(3) 유도등에는 비상전원을 설치하여야 한다.

1. 저장·취급의 공통기준

(1) 제조소등에서 법 제6조 제1항의 규정에 의한 허가 및 법 제6조 제2항의 규정에 의한 신고와 관련되는 품명 외의 위험물 또는 이러한 허가 및 신고와 관련되는 수량 또는 지정수량의 배수를 초과하는 위험물을 저장 또는 취급하지 아니하여야 한다(중요기준).

(2) 위험물을 저장 또는 취급하는 건축물 그 밖의 공작물 또는 설비는 당해 위험물의 성질에 따라 차광 또는 환기를 실시하여야 한다.

(3) 위험물은 온도계, 습도계, 압력계 그 밖의 계기를 감시하여 당해 위험물의 성질에 맞는 적정한 온도, 습도 또는 압력을 유지하도록 저장 또는 취급하여야 한다.

(4) 위험물을 저장 또는 취급하는 경우에는 위험물의 변질, 이물의 혼입 등에 의하여 당해 위험물의 위험성이 증대되지 아니하도록 필요한 조치를 강구하여야 한다.

(5) 위험물이 남아 있거나 남아 있을 우려가 있는 설비, 기계·기구, 용기 등을 수리하는 경우에는 안전한 장소에서 위험물을 완전하게 제거한 후에 실시하여야 한다.

(6) 위험물을 용기에 수납하여 저장 또는 취급할 때에는 그 용기는 당해 위험물의 성질에 적응하고 파손·부식·균열 등이 없는 것으로 하여야 한다.

(7) 가연성의 액체·증기 또는 가스가 새거나 체류할 우려가 있는 장소 또는 가연성의 미분이 현저하게 부유할 우려가 있는 장소에서는 전선과 전기기구를 완전히 접속하고 불꽃을 발하는 기계·기구·공구·신발 등을 사용하지 아니하여야 한다.

(8) 위험물을 보호액중에 보존하는 경우에는 당해 위험물이 보호액으로부터 노출되지 아니하도록 하여야 한다.

2. 위험물의 유별 저장·취급의 공통기준(중요기준)

(1) **제1류 위험물**은 가연물과의 접촉·혼합이나 분해를 촉진하는 물품과의 접근 또는 과열·충격·마찰 등을 피하는 한편, 알카리금속의 과산화물 및 이를 함유한 것에 있어서는 물과의 접촉을 피하여야 한다.

(2) **제2류 위험물**은 산화제와의 접촉·혼합이나 불티·불꽃·고온체와의 접근 또는 과열을 피하는 한편, 철분·금속분·마그네슘 및 이를 함유한 것에 있어서는 물이나 산과의 접촉을 피하고 인화성 고체에 있어서는 함부로 증기를 발생시키지 아니하여야 한다.

(3) **제3류 위험물** 중 자연발화성물질에 있어서는 불티·불꽃 또는 고온체와의 접근·과열 또는 공기와의 접촉을 피하고, 금수성물질에 있어서는 물과의 접촉을 피하여야 한다.

(4) **제4류 위험물**은 불티·불꽃·고온체와의 접근 또는 과열을 피하고, 함부로 증기를 발생시키지 아니하여야 한다.

(5) 제5류 위험물은 불티 · 불꽃 · 고온체와의 접근이나 과열 · 충격 또는 마찰을 피하여야 한다.

(6) 제6류 위험물은 가연물과의 접촉 · 혼합이나 분해를 촉진하는 물품과의 접근 또는 과열을 피하여야 한다.

(7) (1) 내지 (6)의 기준은 위험물을 저장 또는 취급함에 있어서 당해 해당 기준에 의하지 아니하는 것이 통상인 경우는 당해 해당 기준을 적용하지 아니한다. 이 경우 당해 저장 또는 취급에 대하여는 재해의 발생을 방지하기 위한 충분한 조치를 강구하여야 한다.

3. 저장의 기준

(1) 저장소에는 위험물 외의 물품을 저장하지 아니하여야 한다. 다만, 다음에 해당하는 경우에는 그러하지 아니하다(중요기준).

– 중략 –

(2) 영 별표 1의 유별을 달리하는 위험물은 동일한 저장소(내화구조의 격벽으로 완전히 구획된 실이 2 이상 있는 저장소에 있어서는 동일한 실. 이하 제3호에서 같다)에 저장하지 아니하여야 한다. 다만, 옥내저장소 또는 옥외저장소에 있어서 다음의 각 목의 규정에 의한 위험물을 저장하는 경우로서 위험물을 유별로 정리하여 저장하는 한편, 서로 1m 이상의 간격을 두는 경우에는 그러하지 아니하다(중요기준).
① 제1류 위험물(알칼리금속의 과산화물 또는 이를 함유한 것을 제외한다)과 제5류 위험물을 저장하는 경우
② 제1류 위험물과 제6류 위험물을 저장하는 경우
③ 제1류 위험물과 제3류 위험물 중 자연발화성물질(황린 또는 이를 함유한 것에 한한다)을 저장하는 경우
④ 제2류 위험물 중 인화성고체와 제4류 위험물을 저장하는 경우
⑤ 제3류 위험물 중 알킬알루미늄등과 제4류 위험물(알킬알루미늄 또는 알킬리튬을 함유한 것에 한한다)을 저장하는 경우
⑥ 제4류 위험물 중 유기과산화물 또는 이를 함유하는 것과 제5류 위험물 중 유기과산화물 또는 이를 함유한 것을 저장하는 경우

(3) 제3류 위험물 중 황린 그 밖에 물속에 저장하는 물품과 금수성물질은 동일한 저장소에서 저장하지 아니하여야 한다(중요기준).

(4) 옥내저장소에 있어서 위험물은 Ⅴ의 규정에 의한 바에 따라 용기에 수납하여 저장하여야 한다. 다만, 덩어리상태의 유황과 제48조의 규정에 의한 위험물에 있어서는 그러하지 아니하다.

(5) 옥내저장소에서 동일 품명의 위험물이더라도 자연발화할 우려가 있는 위험물 또는 재해가 현저하게 증대할 우려가 있는 위험물을 다량 저장하는 경우에는 지정수량의 10배 이하마다 구분하여 상호간 0.3m 이상의 간격을 두어 저장하여야 한다. 다만, 제48조의 규정에 의한 위험물 또는 기계에 의하여 하역하는 구조로 된 용기에 수납한 위험물에 있어서는 그러하지 아니하다(중요기준).

(6) 옥내저장소에서 위험물을 저장하는 경우에는 다음의 규정에 의한 높이를 초과하여 용기를 겹쳐 쌓지 아니하여야 한다.

① 기계에 의하여 하역하는 구조로 된 용기만을 겹쳐 쌓는 경우에 있어서는 6m

② 제4류 위험물 중 제3석유류, 제4석유류 및 동식물유류를 수납하는 용기만을 겹쳐 쌓는 경우에 있어서는 4m

③ 그 밖의 경우에 있어서는 3m

(7) 옥내저장소에서는 용기에 수납하여 저장하는 위험물의 온도가 55℃를 넘지 아니하도록 필요한 조치를 강구하여야 한다(중요기준).

(8) 옥외저장탱크·옥내저장탱크 또는 지하저장탱크의 주된 밸브(액체의 위험물을 이송하기 위한 배관에 설치된 밸브중 탱크의 바로 옆에 있는 것을 말한다) 및 주입구의 밸브 또는 뚜껑은 위험물을 넣거나 빼낼 때 외에는 폐쇄하여야 한다.

(9) 옥외저장탱크의 주위에 방유제가 있는 경우에는 그 배수구를 평상시 폐쇄하여 두고, 당해 방유제의 내부에 유류 또는 물이 괴었을 때에는 지체없이 이를 배출하여야 한다.

(10) 이동저장탱크에는 당해 탱크에 저장 또는 취급하는 위험물의 위험성을 알리는 표지를 부착하고 잘 보일 수 있도록 관리하여야 한다.

(11) 이동저장탱크 및 그 안전장치와 그 밖의 부속배관은 균열, 결합불량, 극단적인 변형, 주입호스의 손상 등에 의한 위험물의 누설이 일어나지 아니하도록 하고, 당해 탱크의 배출밸브는 사용시 외에는 완전하게 폐쇄하여야 한다.

(12) 컨테이너식 이동탱크저장소 외의 이동탱크저장소에 있어서는 위험물을 저장한 상태로 이동저장탱크를 옮겨 싣지 아니하여야 한다(중요기준).

(13) 옥외저장소에서 위험물을 수납한 용기를 선반에 저장하는 경우에는 6m를 초과하여 저장하지 아니하여야 한다.

(14) 유황을 용기에 수납하지 아니하고 저장하는 옥외저장소에서는 유황을 경계표시의 높이 이하로 저장하고, 유황이 넘치거나 비산하는 것을 방지할 수 있도록 경계표시 내부의 전체를 난연성 또는 불연성의 천막 등으로 덮고 당해 천막 등을 경계표시에 고정하여야 한다.

(15) 알킬알루미늄등, 아세트알데히드등 및 디에틸에테르등의 저장기준은 제1호 내지 제20호의 규정에 의하는 외에 다과 같다(중요기준).

① 옥외저장탱크 또는 옥내저장탱크 중 압력탱크(최대상용압력이 대기압을 초과하는 탱크를 말한다. 이하 이 호에서 같다)에 있어서는 알킬알루미늄등의 취출에 의하여 당해 탱크내의 압력이 상용압력 이하로 저하하지 아니하도록, 압력탱크 외의 탱크에 있어서는 알킬알루미늄등의 취출이나 온도의 저하에 의한 공기의 혼입을 방지할 수 있도록 불활성의 기체를 봉입할 것

② 옥외저장탱크·옥내저장탱크 또는 이동저장탱크에 새롭게 알킬알루미늄등을 주입하는 때에는 미리 당해 탱크안의 공기를 불활성기체와 치환하여 둘 것

③ 이동저장탱크에 알킬알루미늄등을 저장하는 경우에는 20kPa 이하의 압력으로 불활성의 기체를 봉입하여 둘 것

④ 옥외저장탱크·옥내저장탱크 또는 지하저장탱크 중 압력탱크에 있어서는 아세트알데히드등의 취출에 의하여 당해 탱크내의 압력이 상용압력 이하로 저하하지 아니하도록, 압력탱크 외의 탱크에 있어서는 아세트알데히드등의 취출이나 온도의 저하에 의한 공기의 혼입을 방지할 수 있도록 불활성 기체를 봉입할 것

⑤ 옥외저장탱크·옥내저장탱크·지하저장탱크 또는 이동저장탱크에 새롭게 아세트알데히드등을 주입하는 때에는 미리 당해 탱크안의 공기를 불활성 기체와 치환하여 둘 것

⑥ 이동저장탱크에 아세트알데히드등을 저장하는 경우에는 항상 불활성의 기체를 봉입하여 둘 것

⑦ 옥외저장탱크·옥내저장탱크 또는 지하저장탱크 중 압력탱크 외의 탱크에 저장하는 디에틸에테르등 또는 아세트알데히드등의 온도는 산화프로필렌과 이를 함유한 것 또는 디에틸에테르등에 있어서는 30℃ 이하로, 아세트알데히드 또는 이를 함유한 것에 있어서는 15℃ 이하로 각각 유지할 것

⑧ 옥외저장탱크·옥내저장탱크 또는 지하저장탱크 중 압력탱크에 저장하는 아세트알데히드등 또는 디에틸에테르등의 온도는 40℃ 이하로 유지할 것

⑨ 보냉장치가 있는 이동저장탱크에 저장하는 아세트알데히드등 또는 디에틸에테르등의 온도는 당해 위험물의 비점 이하로 유지할 것

⑩ 보냉장치가 없는 이동저장탱크에 저장하는 아세트알데히드등 또는 디에틸에테르등의 온도는 40℃ 이하로 유지할 것

김정희

약력

고려대학교 공학석사
고려대학교 공학박사 과정
미국 워싱턴 주립대학 MIS과정 수료
현 | 해커스소방 소방관계법규, 소방학개론 강의
현 | 충청소방학교 강의
현 | 한국화재소방학회 건축도시방재분과 위원
현 | 한국화재소방학회 정회원
현 | 대한건축학회 정회원
전 | 국제대학교, 호서대학교, 목원대학교 강의
전 | 에듀윌, 에듀피디, 아모르이그잼, 윌비스 강의
전 | 국가공무원학원, 종로소방학원, 대전제일고시학원 강의

저서

해커스소방 김정희 소방관계법규 기본서
해커스소방 김정희 소방학개론 기본서
해커스소방 김정희 소방관계법규 3단 비교 빈칸노트
해커스소방 김정희 소방관계법규 핵심정리+OX문제
해커스소방 김정희 소방학개론 핵심정리+OX문제
해커스소방 김정희 소방관계법규 단원별 기출문제집
해커스소방 김정희 소방학개론 단원별 기출문제집
해커스소방 김정희 소방관계법규 단원별 실전문제집
해커스소방 김정희 소방학개론 단원별 실전문제집
해커스소방 김정희 소방관계법규 실전동형모의고사
해커스소방 김정희 소방학개론 실전동형모의고사

2025 대비 최신개정판

해커스소방
김정희
소방관계법규 기본서 | 2

개정 7판 1쇄 발행 2024년 5월 10일

지은이	김정희 편저
펴낸곳	해커스패스
펴낸이	해커스소방 출판팀

주소	서울특별시 강남구 강남대로 428 해커스소방
고객센터	1588-4055
교재 관련 문의	gosi@hackerspass.com
	해커스소방 사이트(fire.Hackers.com) 교재 Q&A 게시판
학원 강의 및 동영상강의	fire.Hackers.com

ISBN	2권: 979-11-7244-059-6 (14350)
	세트: 979-11-7244-057-2 (14350)
Serial Number	07-01-01

소방공무원 1위,
해커스소방 fire.Hackers.com

해커스소방

· 해커스 스타강사의 **소방관계법규 무료 특강**
· **해커스소방 학원 및 인강**(교재 내 인강 할인쿠폰 수록)